ZÉ
DIRCEU

© JR DURAN

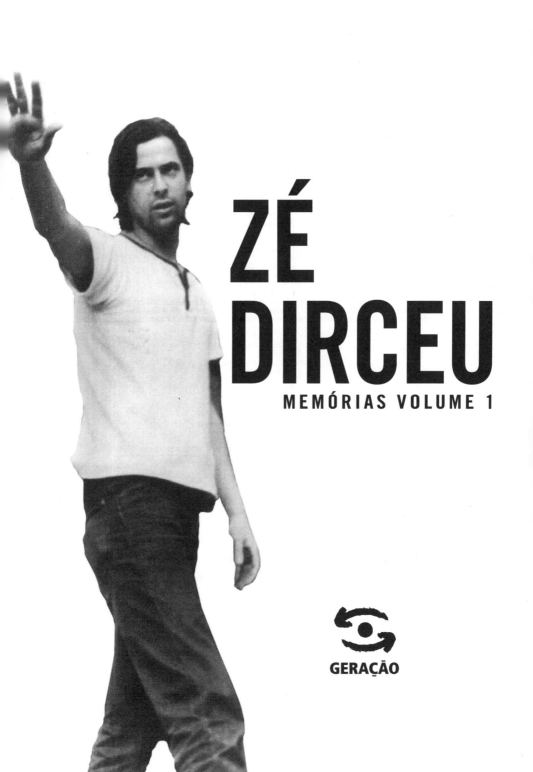

ZÉ DIRCEU

MEMÓRIAS VOLUME 1

GERAÇÃO

Copyright © 2018 by Simone Patricia Tristão Pereira
Copyright © 2018 by Geração Editorial

1ª edição — Agosto de 2018

Grafia atualizada segundo o Acordo Ortográfico da Língua Portuguesa
de 1990, que entrou em vigor no Brasil em 2009

Publisher
Luiz Fernando Emediato

Diretora Editorial
Fernanda Emediato

Editor
Willian Novaes

Coordenação
Simone Patricia Tristão Pereira

Edição de Texto
Alberto Villas

Consultoria
Fernando Morais

Projeto Digital
Juan Pessoa

Assistente Digital
Kaique Pereira

Fotos
Arquivo Geração Editorial, Arquivo Pessoal de José Dirceu, Arquivo Pessoal de Zeca Dirceu, Acervo Iconographia, Companhia da Memória, Partido dos Trabalhadores, Sindicato dos Metalúrgicos do ABC, Carlos Mamba/Abril Imagens/Dedoc, Arquivo JB, Agência Folha, Presidência da República, Arquivo do Centro de Informações do Exército (CIÉx), Gloria Flügel. Caso alguma fotografia impressa neste livro não tenha sido identificada corretamente, com o devido crédito a seu autor, a editora se prontifica a fazê-lo nas próximas impressões.

Capa
Oliver Juric

Projeto Gráfico e Diagramação
Alan Maia

Preparação de Texto
Hugo Almeida

Revisão
Nanete Neves e Marcia Benjamim

Dados Internacionais de Catalogação na Publicação (CIP) de acordo com ISBD

D598z   Dirceu, José
          Zé Dirceu: memórias / José Dirceu. -- São Paulo: Geração Editorial, 2018.
          496 p. : il. ; 15,6cm x 23cm. - (v.1)

          ISBN 978-85-8130-406-9

          1. Biografia. 2. Político. I. Título.

          CDD 920
2018-1121   CDU 929

Elaborado por Odilio Hilario Moreira Junior - CRB-8/9949

Índices para catálogo sistemático

1. Biografia 920
2. Biografia 929

GERAÇÃO EDITORIAL
Rua João Pereira, 81 – Lapa
CEP: 05074-070 – São Paulo – SP
Tel.: (+ 55 11) 3256-4444
E-mail: geracaoeditorial@geracaoeditorial.com.br
www.geracaoeditorial.com.br

Impresso no Brasil
Printed in Brazil

Dedico estas *Memórias*
à minha filha Maria Antônia,
fruto do amor e da coragem de
sua mãe e minha amada, Simone.

A meus filhos
Zeca, Joana e Camila
e a suas mães Clara, Ângela
e Márcia (*in memoriam*),
pela generosidade, pelo amor
e pelos filhos que me deram.

A Maria Rita, minha companheira por 15 anos.
Juntos vimos Joana e Camila crescer.
Juntos ajudamos a construir o PT
para eleger Lula Presidente.

À memória de meus companheiros
e companheiras mortos pela ditadura
na luta pela liberdade, sempre presentes
em minha vida e em minha luta.

AGRADECIMENTOS

Sem o apoio, o trabalho, a insistência, a crítica e a presença de Simone, minha mulher, eu não teria terminado estas *Memórias*. Foi ela quem digitou, corrigiu, coordenou e organizou este texto e sua publicação.

Luiz Fernando Emediato, editor da Geração Editorial, que também me cobrava este livro há anos, foi uma presença amiga e profissional.

O escritor Fernando Morais, com sua generosidade, dedicou um tempo precioso de sua vida de jornalista e escritor para ler e revisar cada página. Aprendi com ele que leitor gosta de gente e não apenas de fatos.

Breno Altman, meu companheiro de lutas e amigo, fez a dura crítica política e histórica, permitindo-me avançar nas análises de períodos históricos e ciclos políticos.

Consultei vários outros companheiros e amigos que me deram condições de corrigir erros factuais e datas, nomes e acontecimentos.

A revisão inicial de Ayrton Centeno e, depois, a preparação de texto de Alberto Villas permitiram-me, como a de Fernando Morais, reler, rever o texto e esclarecer fatos e acontecimentos.

A responsabilidade final por estas *Memórias*, como não poderia deixar de ser, é totalmente minha. Elas são constituídas exclusivamente de minhas lembranças. Elas expressam, política e afetivamente, meus compromissos de vida com a luta e o combate pela liberdade, pelo Brasil, por seu povo trabalhador, justo, pacífico, igualitário e democrático.

SUMÁRIO

1
SE NÃO ME FALHA A MEMÓRIA...15
*Porque resolvi colocar no papel
as minhas vidas e a minha luta*

2
OS PRIMEIROS PASSOS NA POLÍTICA...21
*De Passa Quatro para São Paulo, um
salto para enfrentar a vida como ela é*

3
CORAÇÃO DE ESTUDANTE...35
*Organizando o Movimento Estudantil
para enfrentar a ditadura militar*

4
A OPOSIÇÃO E SUAS ARMAS...43
*Quem era quem na luta para
enfrentar a ditadura militar*

5
ÀS ARMAS, CIDADÃOS!...56
*A luta para enfrentar a ditadura,
que não dava sinais de deixar o poder*

6
A BATALHA DA MARIA ANTÔNIA...72
*A verdadeira história do que aconteceu naquele dia em Higienópolis e a
insanidade de um congresso da UNE em Ibiúna*

7
CABRAS MARCADOS PARA MORRER...82
*A angústia de viver na prisão e a
desconfiança de que seriam todos fuzilados*

8
VAI PRA CUBA!...94
*A troca pelo embaixador norte-americano,
o exílio, o treinamento guerrilheiro e outras aventuras*

9
CLANDESTINO!...119
*A volta ao Brasil, a angústia e o temor de passar os dias sabendo que
pode ser capturado a qualquer momento*

10
SIM, EU VOLTEI!...132
*Uma nova temporada em Cuba e a volta ao
Brasil como clandestino e dono de uma alfaiataria*

11
PEQUENOS NEGÓCIOS, PEQUENAS EMPRESAS...152
*Como o dono do Magazine do
Homem virou o "Carlos da Clara"*

12
O SEGREDO DE CARLOS...162
*Chegou o dia. "Eu não sou eu", disse
o ex-guerrilheiro para a mulher*

13
NASCE UMA ESTRELA!...175
*O ex-guerrilheiro assina a ata de
fundação do Partido dos Trabalhadores*

14
A ESTRELA COMEÇA A BRILHAR...190
*O manifesto dos 113: o PT
é um partido e não uma frente*

SUMÁRIO

15
O BLOCO DO EU SOZINHO...203
*O PT rejeita a conciliação por
cima, insiste nas Diretas Já e se isola*

16
ERROS E ACERTOS...216
*O PT não acreditava na vitória de Luiza Erundina
nas eleições para a Prefeitura de São Paulo*

17
CAMINHANDO...225
*Prévias, o grande risco no
caminho das vitórias eleitorais*

18
O ERRO DE LULA...234
*O jogo pesado da política brasileira,
no inesquecível ano de 1989*

19
FORA COLLOR!...245
A grande questão de saber onde o PT deveria se colocar

20
"LULA, PERDEMOS AQUI AS ELEIÇÕES DE 1994"...252
*Como era admissível o PT, responsável pelo
impeachment de Fernando Collor, lavar as mãos?*

21
LULA TOMA AS RÉDEAS DO PT...271
*A decisão de enfrentar FHC e os escândalos dos tucanos,
colocados debaixo do tapete, com a ajuda da mídia*

22
TEMPOS DIFÍCEIS...291
*Aliança com Brizola afasta o companheiro Vladimir
Palmeira, enquanto o governo FHC começa a derreter*

23
O PT REJEITA O "FORA FHC"...304
O caminho começa a se abrir para
Lula tornar-se presidente da República

24
A QUEDA DE ROSEANA SARNEY...316
A Operação Lunus derruba a candidata do PFL e, no cenário petista,
surge um bom candidato para ser o vice de Lula

25
A CARTA AO POVO BRASILEIRO...325
A convicção de que Lula venceria as
eleições presidenciais de 2002, mesmo sem ela

26
A FORMAÇÃO DO GOVERNO LULA...336
Quem era quem no novo governo e a história do dia em que dormi
com o acordo fechado e acordei com Lula me desautorizando

27
QUEDA DE BRAÇO...357
No meio de uma reunião convocada pelo presidente Lula,
uma briga: José Dirceu versus Antônio Palocci

28
DO BRASIL PARA O MUNDO...366
Contra a vontade da Globo e da oposição, o
Bolsa Família é um sucesso e vira notícia mundial

29
É GUERRA!...378
Os tucanos iniciam uma caminhada
para desestabilizar o Governo Lula

30
O RACHA...396
Dividido, o Partido dos Trabalhadores
perde a presidência da Câmara

SUMÁRIO

31
"NÃO SABIA QUE TINHA TE NOMEADO MINISTRO DA DEFESA"...405
O dia em que ouvi essa frase do presidente
Luiz Inácio Lula da Silva, depois de uma palestra

32
O MENSALÃO...420
Explode uma crise que sinaliza o começo do fim

33
O PAPEL DO JORNAL...435
A Folha de S.Paulo *quer o* impeachment *de Lula,*
mas a oposição prefere deixar Lula sangrar

34
VIVER PARA OUVIR...443
"Zé, você foi cassado porque não
comprou votos contra sua cassação"

35
EPÍLOGO...452
Era insuportável para a elite ver o povo
"invadir" seu meio social, seus espaços "exclusivos"

ANEXOS
Íntegra do meu discurso de posse, em 2 de janeiro de 2003,
*como ministro-chefe da Casa Civil...***467**

Meu discurso de defesa, pronunciado de improviso
na Câmara dos Deputados, em 30 de novembro de 2005,
contra a acusação de chefiar o mensalão feita pelo
*deputado Roberto Jefferson...***473**

MEMÓRIAS NO CÁRCERE...486
PRINCIPAIS TENDÊNCIAS DO PARTIDO DOS TRABALHADORES...488
ÍNDICE ONOMÁSTICO...489

1

SE NÃO ME FALHA A MEMÓRIA

*Porque resolvi colocar no papel
as minhas vidas e a minha luta*

Durante muitos anos, fiquei em dúvida se deveria ou não, um dia, escrever as minhas memórias. Sempre gostei de biografias e autobiografias, mas nunca tive interesse em escrever a minha ou ler alguma escrita sem minha autorização. Considerava um pouco — ou muito — cabotinismo escrever a minha.

Na verdade, foi Simone, minha esposa e mãe de Maria Antônia, minha filha caçula, atualmente com sete anos e meio, que me incentivou, dando um argumento definitivo: "Escreva para sua filha ler e conhecer toda a sua vida e sua história. Conte a ela você mesmo, não deixe que ela saiba pelos outros...".

Assim que deixei o governo do presidente Luiz Inácio Lula da Silva, em 2005, o jornalista e escritor Fernando Morais, com uma boa ideia na cabeça e um gravador na mão, começou a gravar comigo o que seriam minhas memórias, minhas lembranças dos 900 dias que passei no Palácio do Planalto, como chefe da Casa Civil. Com a minha luta contra a Ação Penal 470 e pela sobrevivência, fui praticamente banido dentro do meu próprio país. Fiquei proibido até de trabalhar. A necessidade de viajar pelo Brasil e de me defender tornou-se a prioridade absoluta para provar minha inocência e, com isso, infelizmente, acabou abortada a nossa ideia, nosso sonho de colocar no papel esse período da história do Brasil.

Nosso trabalho estava andando. Iniciamos as gravações numa viagem a Cuba, onde revisitei antigos companheiros que conviveram comigo entre os anos de 1969 e 1974. Percorri também os cenários daquela época, o local do meu treinamento guerrilheiro e de clandestinidade. Depois, fomos longe, ao sul da França, onde gravamos algumas horas em companhia do escritor Paulo Coelho. Aproveitamos para ir a Betharram, onde fica a sede da congregação dos padres que me educaram no Colégio São Miguel, em Passa Quatro, Minas Gerais. Os acontecimentos nos fizeram interromper nosso trabalho e, com isso, fiquei devendo uma biografia ao Fernando Morais.

Antes disso, eu e o companheiro de militância Vladimir Palmeira gravamos uma longa entrevista que foi transformada em livro — *Abaixo a ditadura — O movimento de 68 contado por seus líderes* — publicado pela editora Garamond. Com o lançamento, dei várias entrevistas, depoimentos, fui a muitos programas de televisão, fiz palestras, participei de inúmeros seminários, congressos, nos quais relatava fases de minhas muitas vidas, mas, sinceramente, nunca passou por essa cabeça escrever minhas memórias, talvez por falta absoluta de tempo e, pensando bem, falta de disciplina. Foi a luta que acabou me ensinando a escrever. Achei que era chegada a hora.

No período entre 2006 e 2013, e mesmo preso no Complexo Penitenciário da Papuda, de novembro de 2013 a julho de 2014, mantive o meu *blog* sempre ativo e, graças ao apoio de vários jornalistas e de uma pequena equipe, a duras penas aprendi a escrever como se escreve nestes tempos modernos de *internet* e de WhatsApp. Sei que apanhei muito até aprender a ser sintético e objetivo. Agora, é o leitor quem vai me julgar com estas minhas memórias, minhas lembranças.

Foi o *blog* e a luta política e jurídica constante que me obrigaram a retomar as pesquisas e a leitura, o estudo, fugindo da rotina de décadas e do ativismo das tarefas políticas, das viagens, das reuniões e assembleias, das lutas sociais e populares e campanhas eleitorais, do trabalho parlamentar e da direção do Partido dos Trabalhadores.

Mesmo fora do governo, nunca deixei a militância e não parei de viajar pelo Brasil e para o exterior. Foram 128 viagens entre 2006 e 2012. Fui a vinte e três países, sem contar as viagens a Cuba que não constam do passaporte. Nas centenas de viagens que fiz pelo Brasil, fui praticamente a todos os estados, sempre lutando pela minha defesa ante o julgamento político no Supremo Tribunal Federal.

Por incrível que pareça, foi a injusta e ilegal prisão que me permitiu não apenas ler e estudar como não fazia havia muito tempo, décadas, como escrever o que você está começando a ler agora. Foram 100 livros lidos, dezenas deles pesquisados a fundo e estudados com muito rigor, particularmente os de economia, história, guerras e conflitos. Enfrentei a esfinge dos juros, câmbio, inflação, voltei aos clássicos de nosso Brasil, na literatura, na sociologia, história e economia, retomei minha paixão pelas biografias e pela história. Foi dessa maneira que superei a tragédia humana da falta de liberdade e as tristes tragédias da vida na prisão. Libertei-me, e tenho plena consciência de que nunca me curvei, apesar de, como já disse, ter passado pela dor, pelo medo e muitas vezes pelo pânico. Sei que custou muito sofrimento a ausência dos filhos e da família, dos amigos, mas não da luta e do combate. Fiz de tudo para continuar lutando, mesmo nas condições precárias de comunicação e informação de um preso, principalmente da Lava-Jato, sem contar a campanha de ódio e violência promovida pela mídia e pela nossa direita vingativa e implacável contra aqueles que não se deixaram comprar ou se dobrar pela força.

Os sábados e domingos na prisão são dias sombrios e tristes. Sexta-feira é dia de visita, de luz e alegria. Rever os filhos e a pessoa amada, saber notícias dos amigos e da vida lá fora, isso não tem preço. Decidi começar a escrever aos sábados e domingos e, assim, me livrar da tortura que é assistir ou ouvir a voz do Faustão e depois o *Fantástico*. Para mim, bastava o insuportável *Jornal Nacional*, da Rede Globo, sem falar no fatídico *Jornal da Band* que, por dever de ofício, somos obrigados a assistir. Telejornais que, hoje em dia, não informam, mas opinam sobre tudo, sem que o telespectador tenha perguntado ao repórter, ao âncora, ao entrevistador. Na verdade, repetem e passam a opinião de seus patrões, dos donos do poder de informar e formar no Brasil. Brincando, eu sempre disse que assistir ao *JN* ou ao *Jornal da Band* era um agravo à pena de prisão que cumpríamos. Excetuando as novelas, os seriados e o esporte, tudo na nossa televisão, hoje, é um embuste e uma farsa, com a cumplicidade da maioria dos jornalistas.

Meu tempo era curto, mas, na prisão, o tempo parece eterno quando não se tem o que fazer. Sempre procurei empregar bem o tempo, seja na limpeza da cela e da galeria, seja cozinhando ou lavando roupa, trabalhando, escrevendo, lendo, estudando, fazendo cursos técnicos para remissão de pena. O tempo também passava quando jogávamos conversa fora, aprendendo a cada dia com nossas vidas e dos demais presos.

Fui um privilegiado por ter trabalhado na biblioteca da prisão, próximo à pedagogia. As incríveis e dedicadas professoras e professores contribuem muito para o estudo e ensino dos demais presos, principalmente dos jovens. Sentia-me útil, podendo ler e dando sentido à minha vida de preso.

A tristeza e a depressão que sempre nos rondam só podem ser evitadas pela leitura e pelo estudo, pela produção, pela criação. Por isso tenho certeza e segurança de que presos em condições dignas, com acesso ao estudo e ao trabalho, agarram-se à oportunidade e buscam a liberdade para recomeçar suas vidas em família e na comunidade.

É impressionante a busca, a sede de paz e conhecimento dos presos. Fiquei impactado pela procura da *Bíblia*, o que era esperado tendo em vista minha própria formação cristã, mas o espiritismo também era buscado na mesma intensidade, o mesmo acontecendo com a literatura de uma maneira geral, um sopro de esperança e luz em meu trabalho diário.

Decidi, portanto, dedicar todos meus sábados e domingos a escrever estas memórias e afugentar os demônios da solidão e da saudade. A disciplina me impressionou, pois nunca imaginei que minha memória — que nunca tive muita —, com poucas possibilidades de pesquisas, fosse capaz de me permitir escrever estas páginas. Como não temos mesa e cadeira nas celas, nos finais de semana, eu sentava na cama e, com uma luz ruim, fraquinha, apoiado apenas na vontade de escrever, fui construindo estas páginas.

Elas são um tributo, uma homenagem aos que caíram na luta, aos meus queridos companheiros e companheiras que deram a única coisa que tinham, a vida, pela liberdade e por nossos ideais de justiça e igualdade.

Expresso minha gratidão a todos que me apoiaram nesses anos, apesar de meus erros, que não são poucos. A todos que me sustentaram e me mantiveram de pé, ao povo de Cuba e ao comandante Fidel Castro, que me acolheram quando a ditadura me baniu e cassou minha nacionalidade. Minha gratidão também à militância do PT, a quem devo tudo o que sou, às mães dos meus filhos, que me suportaram e me deram o mais importante na vida, uma família. Também à minha cidade natal e minha família, a meus irmãos e irmãs, aos amigos de infância e juventude, mas especialmente a Maria Antônia, minha filha caçula, razão de ser destas memórias.

Simone Patrícia, minha companheira e parceira, mãe de Maria Antônia, todas as semanas me cobrava, me estimulava e me provocava, cobrando e exigindo as páginas escritas aos sábados e domingos. Foi, portanto, Simone Patrícia quem me instigou, quem me estimulou a escrever este livro e me apoiou naqueles vinte e um meses em que estive preso no CMP (Complexo Médico Penal) em Pinhais. Ela nunca esmoreceu ou se abateu, sempre me levava amor, carinho, afeto e autoconfiança, o melhor remédio para a depressão e a solidão. A ela e as minhas filhas Joana e Camila, meu filho Zeca e minha neta Camilla e minha pequena Maria Antônia, a minha gratidão.

Meus três primeiros filhos nasceram e cresceram sob o signo do Partido dos Trabalhadores, vivendo comigo as últimas décadas. Zeca já foi prefeito duas vezes e hoje é deputado federal pela segunda vez, sempre pelo PT. Joana e Camila seguiram suas vidas e profissões fora da política. Suas mães, minhas companheiras no passado, as educaram e criaram. Considero-me um pai privilegiado.

Agora, ultrapassando os setenta anos e depois de tantos acontecimentos na minha vida, não apenas as minhas prisões, mas o golpe de Estado parlamentar contra a presidenta eleita Dilma Rousseff, e a tentativa de criminalizar o PT e o ex-presidente Lula, além de destruir a obra e o legado de nossa geração, tudo isso me obrigou a mergulhar de cabeça no meu passado.

No entanto, não estou escrevendo para o passado, mas para o futuro, para as próximas gerações, para aqueles que ainda estão no meio do caminho. E não escrevo para me defender, mas para testemunhar sobre uma época e contar as aventuras de várias gerações que, nos últimos cinquenta anos, decidiram escalar os céus.

Agora então entrego a vocês estas memórias, com as imperfeições, erros e esquecimentos próprios de quem escreve nas condições em que escrevi, todos eles, erros e esquecimentos, de minha única e exclusiva responsabilidade. Memórias escritas com o coração e a alma, com a determinação de luta e combate, com a certeza de que minha vida e minha luta continuam.

2

OS PRIMEIROS PASSOS NA POLÍTICA

*De Passa Quatro para São Paulo, um
salto para enfrentar a vida como ela é*

Nasci em Passa Quatro, Minas Gerais, em16 de março de 1946, antevéspera do dia de São José, dia 19. Por isso, fui batizado José, já que minha mãe, Olga, e meu pai, Castorino, deram aos seus filhos nomes de santos da Igreja Católica. Meu segundo nome, Dirceu, homenageou um amigo da família. Sou o segundo filho. Tenho uma irmã, Neide, que perdeu a mãe, Rosa Carvalho, ainda criança. E ainda: Abel Castro, Luís Eduardo, Mario Wilson — já falecido — e duas meninas, a Ana Maria e a Maria do Carmo. Nascer em Minas é um privilégio; nas Gerais e nas montanhas, um destino. Ser mineiro e montanhês, viver na divisa com São Paulo e Rio, respirando liberdade e luta, é crescer ouvindo histórias de Tiradentes, da Minas rebelde e libertária, das revoluções de 1924, 1930 e 1932, além dos combates no túnel da Serra da Mantiqueira, de Juscelino Kubitschek e Benedito Valadares. É saber das histórias do jovem médico Juscelino operando na Santa Casa de Passa Quatro, dos feridos, da expulsão dos paulistas por duas vezes, dos tios que combateram.

Minha cidade está situada entre São Paulo e Rio de Janeiro. Por ela passa o Caminho Real, uma estrada cortada em 1674 pelo bandeirante Fernão Dias Paes, a caminho e em busca de esmeraldas em Goiás. Em 1884, recebeu a ferrovia Rede Mineira de Viação (RMV) — chamada com ironia, na década de 1950, de "Ruim, Mas Vai" — que ligava o Rio e São Paulo ao Sul de Minas, mais exatamente ao circuito das águas: Caxambu, São Lourenço, Lambari e Cambuquira.

A vizinhança com as duas metrópoles do país, a porta de entrada de Minas e a ligação com a ferrovia e, depois, com a rodovia Presidente Dutra, deram à cidade condições de progresso, bem-estar, cultura e informação, ainda nos anos 1950. As águas minerais, o fumo, o leite, a batata, o turismo, os serviços fariam de Passa Quatro um município próspero, sob influência primeiro do Rio, e depois de São Paulo.

Liam-se diariamente os jornais *O Estado de S. Paulo, O Globo* e o *Correio da Manhã* antes do meio-dia, e semanalmente as revistas *O Cruzeiro* e *Manchete*. Todo o progresso de então — telégrafo, eletricidade, telefone, rádio e televisão — chegaram a Passa Quatro graças à proximidade geográfica e à ligação ferroviária com São Paulo e Rio. Belo Horizonte, a capital do estado, sempre me pareceu distante. Éramos fronteiriços e montanheses. Corre em nossas veias o sangue da aventura, da busca do mundão além da Mantiqueira — do tupi-guarani "amana" mais "tiquira", chorar ou gotejar, algo como "a serra que chora", por conta das cascatas que alimentam os rios.

Conta a lenda que, em 1674, Fernão Dias, após descer o rio Paraíba do Sul, deteve-se nos contrafortes da Mantiqueira, onde hoje fica a cidade de Lorena, e subiu a serra até o rio do Sertão. Ali, combateu durante anos contra os índios, sem descobrir como sumiam. Superstições comuns à época eram evocadas para explicar o desaparecimento após os combates. O mistério somente se esclareceu quando um mateiro descobriu a garganta de Embaú — "a última bica", em tupi-guarani. Ao descer, cruzou um rio por quatro vezes, estabelecendo-se em paragem fresca e segura, de onde advém o nome de Pouso de Passa Quatro. Outra versão aponta que o bandeirante passou quatro vezes pela região à procura da Serra das Esmeraldas, na região de Sabará. Descobriu as falsas esmeraldas, as turmalinas. Deposto pelo filho José Dias Leite do comando da bandeira, reagiu, enforcou o filho e morreu vitimado pela malária nos arredores do Rio das Velhas, onde estaria enterrado. No imaginário popular, teria retornado a São Paulo e, já morto, cruzado pela quarta vez por Passa Quatro.

Cresci numa família mineira-paulista. Meu pai, Castorino de Oliveira e Silva, filho de fazendeiro, Manoel da Barra, "coronel" como os da Guarda Nacional, minha mãe, Olga Guedes da Silva, filha de ferroviários, pai e irmãos, com exceção de um, Júlio Guedes, que foi para São Paulo tentar o comércio e a indústria. Todos descendentes de portugueses. Meu pai, mineiro; minha mãe, paulista de Cruzeiro, única filha paulista e única a viver em Minas depois do casamento com o meu pai, em 1942, então viúvo de Rosa Carvalho, mãe de minha irmã Neide.

Castorino era gráfico e proprietário da Tipografia Progresso, juntamente com o seu sócio, João Mota. Lá, se compunha com tipos de chumbo,

OS PRIMEIROS PASSOS NA POLÍTICA

alto-relevo, portanto anteriores aos linotipos e às chapas de impressão. O papel era colocado à mão na impressora, que podia ser movida a motor, eletricidade ou no pedal. Ali se cortava o papel, colava, picotava. Imprimia-se de tudo: calendários, convites, jornais, notas fiscais, cursos, além de vender presentes, material de escritório e escolar. Funcionava em um prédio geminado, no centro da cidade, abrigando as casas dos dois sócios e a tipografia. Uma vida simples e feliz.

Era um núcleo familiar politizado e leitor de jornais, com uma pequena biblioteca, onde brilhava a coleção do *Tesouro da Juventude*, que praticamente me educou. No Grupo Escolar Presidente Roosevelt fiz e recebi o diploma do curso primário. Havia em Passa Quatro o Colégio São Miguel, muito importante na minha formação, um raio de luz, iluminista. Padres Betharramitas franceses, da Congregação José Miguel Garicoits, fundaram em Passa Quatro um ginásio e, em Conceição do Rio Verde, o Seminário São José, para formação de padres, onde estudou meu irmão Abel Castro.

Durante três anos fui educado por padres franceses, italianos, argentinos, espanhóis, irlandeses e canadenses. Eu e gerações de mineiros e cariocas, geralmente internos, na melhor tradição humanista e libertária. Havia um padre peronista, um antifranquista e ali reinava um espírito de inconformismo e busca, de pesquisa e aventura. Somado às fontes positivistas do *Tesouro da Juventude*, forjaram a base de minha busca pela justiça, pela liberdade, a ânsia de descer a montanha e romper a fronteira das Gerais.

Viver em Passa Quatro significava viver entre rios, montes e cachoeiras, amigos, esportes, pesca, jogos. Minha turma organizou até uma confraria com direito a código de honra, território e planos de conquista. Minha fama era de rebelde, tanto que, um dia, a cidade comemorou a minha partida. Deixava para trás travessuras e brigas na porta do ginásio. Ninguém sentiria saudades daquele menino do Castorino da tipografia. Foi aos doze anos que tomei o meu primeiro pileque: pinga com anis! Vem daí o meu horror às bebidas perfumadas, como o gim. Um vexame, bebi pela derrota de meu pai, candidato a vice-prefeito, e justo na festa da vitória de seu adversário. Com medo, não voltei para casa, sendo protegido por dona Chica, uma vizinha, e seu Lazinho, amigo da família. Ambos negociaram com Castorino os termos do armistício, já que eu me instalara no morro atrás da igreja, no *bunker* da minha turma.

A adolescência chegou cedo e durou pouco. Aos doze anos me tornei homem. Calcei sapatos, calça comprida e mudei de turma. Agora frequentava os adultos e a Associação Comercial — apelidada de Caixotão, pois o prédio era em forma de caixa. Queria viver o mundo deles. Meus companheiros de peripécias, mais velhos, eram Francisco "Chico" Fernando de Castro Ieno e Alberto Gonçalves, o Betinho.

Na Associação Comercial ouviam-se Nat King Cole, Ray Conniff, depois veio Paul Anka, Elvis Presley e Neil Sedaka. Somente bem mais tarde me apaixonaria por Joan Baez e Bob Dylan. Foi ao som de *Besame Mucho, Quizás, Quizás, Quizás, Oh! Carol, Diana* e outras canções inesquecíveis, na cadência e no ritmo de boleros e baladas, que aprendi a dançar.

Comecei a namorar cedo e logo me dei conta de que encantava e atraía — uma força perigosa —, mas nem por isso perdi o gosto pela leitura e pelo trabalho, necessário para ajudar em casa. Aprendi a datilografar e me preparei para o destino comum dos adolescentes de Passa Quatro: migrar para São Paulo, estudar e trabalhar, viver por conta própria a partir dos catorze anos de idade!

Quando chegou a hora, deixei Passa Quatro para trás como se não tivesse lá vivido os melhores anos da minha infância e da minha adolescência que ali terminavam.

Um desejo forte me impelia. Certa noite, sentado no banco da praça principal da cidade, decidi partir de carona, após ver uma estrela cadente riscando o céu estrelado. Parti no caminhão do Expresso Siqueira, da família de João Siqueira, um dos meus grandes amigos.

São Paulo, que impacto! Luzes, multidões, bondes. Era 1961 e a cidade ainda tinha aquele ar provinciano que ia sendo, aos poucos, ofuscado pelo progresso. Crescia frenética e vertiginosa, rompendo limites sobre a Serra do Mar, avançando para o oeste. Os imigrantes ainda lhe davam certo ar de cidade italiana, portuguesa, espanhola, que ia ganhando as cores, gostos, sons e modos mineiros, mas principalmente nordestinos. Era São Paulo virando Brasil.

Seguia a pé para o Colégio Paulistano, do Parque D. Pedro II até a Liberdade. Para um recém-chegado, o parque era uma floresta. E o Mercado Municipal com seu som único de madrugada com feirantes, caminhões, milhares de paulistanos chegando para vender e comprar, um burburinho e um crescendo de falas, sotaques, tons e línguas. No Colégio Paulistano comecei o curso científico.

Comecei morando com meu irmão Abel e alguns companheiros de Passa Quatro. Todos, além de estudar, trabalhavam em bancos e

OS PRIMEIROS PASSOS NA POLÍTICA

escritórios. Morávamos em uma quitinete no edifício São Vito, ao lado do Mercado Municipal. O prédio ganharia o apelido de treme-treme, por razões óbvias, sendo depois demolido por causa da degradação e a decadência do centro da cidade.

O edifício São Vito era famoso pela agitação e pelo barulho, para uns, infernal. A vida noturna ao seu redor e no Parque D. Pedro, onde se situavam os depósitos de quase todas as transportadoras, era um ambiente mágico em que não se dormia, sempre parecia ser dia. Mas quando caía a noite, a vida de prazeres e amor dominava e minha imaginação viajava à espera de uma batida policial para que "as meninas" se refugiassem em nosso apartamento com direito a uma noite de prazer em recompensa à guarida segura que dávamos contra a mordida dos policiais, a sempre presente caixinha. Ali, tive minha iniciação sexual definitiva, já que em Passa Quatro eram apenas *amassos*.

Sem emprego até agosto daquele ano, passava o tempo na quitinete. Ou melhor, tentava, estudando e remoendo as saudades, o banzo das Minas Gerais, ouvindo um único disco com a valsa *Os Patinadores*, do francês Émile Waldteufel, e *It's now or never*, na voz de Elvis Presley. Aprontei demais nessa época: usar fluido de isqueiro para incendiar baratas no banheiro, por exemplo, o que deixou a porta toda enrugada. Expulso do São Vito, mudei-me para uma pensão na rua Taguá, em frente ao Colégio Paulistano, e comecei a trabalhar como *office boy*.

O trabalho me reconecta com a minha Passa Quatro. Meu pai sempre foi católico, mas um tanto desconfiado da hierarquia eclesiástica. Udenista civilista, da ala de Bilac Pinto, apoiou o "Movimento de 64", como ele chamava o golpe militar, mas rompeu com a ditadura após a extinção dos partidos e o cancelamento das eleições diretas. Sonhava com a eleição de um novo brigadeiro, o Eduardo Gomes. Aceitava até Carlos Lacerda, embora o considerasse demasiado radical.

Seu sócio, João Mota, era getulista roxo, petebista, trabalhista e os dois conviviam bem sob os retratos do brigadeiro Eduardo Gomes e do Gegê, Getúlio Vargas, o pai dos pobres. Uma das raras lembranças que tenho dos meus oito anos de idade é a do trauma nacional quando Getúlio se suicidou, em agosto de 1954. Só a morte de Chico Alves, então o cantor mais popular do Brasil, fixou-se do mesmo modo na minha memória porque presenciei, viajando para São Paulo, no dia 27 de setembro de 1952, na via Dutra, perto de Pindamonhangaba, a cena do carro — um *Buick* — em que o cantor viajava, incendiado após se chocar com um caminhão. A cena do carro queimado e da carga do caminhão espalhada pela estrada nunca me saiu da memória. Lembro ainda o rosto, as feições, de tristeza e descrença de todos que estavam ali no local do acidente quando ficavam sabendo que quem morrera era Chico Alves. Lembro-me que o Brasil parou e chorou a morte de seu cantor preferido. Há pouco tempo, passei no local e ainda havia uma cruz com um violão, homenagem singela de um fã.

Meu pai foi ativo na política municipal e meu tio Antônio "Fumeiro" elegeu-se várias vezes prefeito de Guareí, cidade da região da Sorocabana, em São Paulo. Meus tios Pedro, dentista, e Joaquim, tabelião, também faziam da política um tema diário na família.

Aos oito anos viajei de férias para a casa do tio Antônio, viúvo com quatro filhos homens, em um *Citroën Traction* preto de meu tio Joaquim. A bordo do carro, conheci São Paulo e o recém-inaugurado Parque do Ibirapuera. Ao acordar na casa de um amigo de meu tio, vislumbrei a imagem do obelisco da chamada Revolução de 1932, na verdade uma contrarrevolução, suspenso em um nevoeiro, perdido no imenso vale, como que lembrando a solidão dos combatentes ali enterrados.

Essa viagem simples, familiar, alegre, marcaria minha vida. Dela guardo a foto do tio Antônio, elegante, de terno, jaquetão e gravata, ao meu lado e em frente à velha igreja de Aparecida do Norte. Cumpria promessa pelo meu restabelecimento, depois de uma pneumonia aguda. Eu de calça preta curta, suspensórios, camisa branca e cabelos espetados.

De Aparecida, além da trágica morte de Chico Alves, guardo a lembrança de uma romaria feita com meus pais e meus irmãos quando, curioso, observava a estrada e o movimento do caminhão. Viajávamos na carroceria, em bancos de madeira, quando me dei conta de que a roda estava soltando. Dei o alarme, talvez salvando todos de um grave acidente. Na minha memória Aparecida está fixada num misto de superstição e saudades.

A relação com tio Antônio foi minha tábua de salvação para conseguir um emprego, em 1961. Arnaldo, seu filho mais velho, indicou-me para trabalhar com Avallone Junior, ex-prefeito de Bauru. Em seu escritório na praça da República, Avallone Junior, que era deputado estadual, organizava seu mandato e atendia seu escritório empresarial, as "Termas de Bauru", uma incorporação imobiliária.

E eis eu, de novo, cruzando com a política e o destino, depois de conviver com a política municipal, cheia de intrigas, pequenos ódios, de aprender com João Mota quem era Getúlio e seu Brasil, de ouvir e

OS PRIMEIROS PASSOS NA POLÍTICA

aprender com meu pai a ler jornais, livros, estudar, e principalmente a respeitar o adversário, seu sócio de toda uma vida.

Conservador, mas democrata e nacionalista, meu pai soube entender a grandeza mineira de JK. O que demonstrou com um gesto pessoal e familiar: decidiu apoiar seu plano de metas, abrindo cadernetas de poupança em nome dos filhos para ajudar a financiar as usinas de Furnas e Três Marias.

A ideia de Brasil, de Minas a serviço do Brasil, da nossa vocação de nação, me foi apresentada por Juscelino e seu sonho de Brasília e da conquista do novo oeste. Cresci na UDN, por assim dizer, mas tive a sorte de ser mineiro e ver e ouvir JK; assim, a chama nacionalista e do destino nacional — do desenvolvimento com o povo — ficou como que adormecida em minha memória adolescente. Minas, Brasil, Getúlio, JK, liberdade, democracia, fazer a Nação, construir o país, conquistar o Brasil.

Minha vida na grande metrópole, no Colégio Paulistano, nas pensões da rua Taguá, na Liberdade, entre 1961 e 1964, ficou marcada pela mescla de trabalho duro, vida escolar noturna, pouco ou quase nenhum dinheiro, convivência com amigos e com um novo mundo. A São Paulo noturna, notívaga, os cinemas, os teatros, a leitura do Clube do Livro, as Edições Saraiva, o meio estudantil no quadrilátero Taguá, São Joaquim, Galvão Bueno e Liberdade, onde se localizavam o Paulistano, o Roosevelt, o Álvares Penteado e a Escola Técnica de Comércio Carlos de Carvalho. Eram milhares de jovens todas as noites, de segunda a sexta, nos pátios, nos bares, nas ruas, essa era a minha vizinhança.

Vivi esses anos entre a praça da República, onde trabalhei até 1964, e a Liberdade, apoiado pela hospitalidade familiar dos tios Júlio e Angelina e seu memorável arroz de Braga, além dos meus primos Júlio, Tadeu e Abel e pelas novas amizades do bairro e do colégio, sem contar os novos e surpreendentes amores, das ruas e das alcovas, alguns às escondidas.

No bar Paulistano — esquina da avenida da Liberdade com Condessa de São Joaquim, onde eu moraria depois até 1967 — um grupo de jovens começou a se encontrar para discutir política e marxismo e não apenas para ir às festas, aos bailes na Casa de Portugal ou ao Pacaembu. Começava uma nova vida, a política de novo se reencontrava comigo. O Pacaembu e o Parque Antarctica eram pontos extremos, já que eu era corintiano e meus primos palmeirenses e são-paulinos roxos. Na verdade, minha primeira paixão foi o Flamengo, três vezes tricampeão, time hegemônico e amado no sul de Minas e em todo Brasil até hoje. Chegando à pauliceia, encontrei na torcida corintiana, a hoje Fiel, a cara-metade da flamenguista e eis que me torno um sofredor até nossa redenção em 1977, depois de vinte e três anos de jejum.

Na pensão Condessa, esquina da avenida Brigadeiro Luís Antônio, encontrei outro pessoal que militava na esquerda e no Centro Acadêmico XI de Agosto. Isto às vésperas de 1964, do golpe militar que derrubaria o presidente João Goulart. Era uma convivência que se misturava com a vida familiar, com meus tios, onde predominava tio Júlio, ex-integralista, apoiador do golpe, leitor fiel do *Estadão* e seguidor dos Mesquitas, mas de uma alma mineira típica, pai rígido, tio dócil, sempre atenuando as diatribes do sobrinho, em nome da proteção devida à irmã caçula, minha mãe, Olga.

Tio Júlio foi importante na minha formação porque mantinha sempre um bom nível de discussão. Bem-informado, mostrava-se tolerante com os contrários, creditando grande parte do radicalismo do sobrinho à juventude. Domingo era dia do maravilhoso almoço de tia Angelina e da leitura obrigatória do *Estadão*. Ali aprendi a acompanhar e entender a política internacional e comecei a decifrar o economês, além do prazer de desfrutar do seu caderno cultural, que me poupou — desde então — da chatice de só fazer política, pensar política e viver política.

A vida no escritório do deputado Avallone Junior me apresentou à política partidária da época, à Assembleia Legislativa, ao interior do Estado, que eu desconhecia. Ao futuro Adhemar de Barros, acompanhado pelo "Doutor Rui" — codinome de Ana Capriglione, a amante do governador paulista — e tudo o mais, inclusive a imprensa. Servia como *office boy*, mas também atendia a serviços de almoxarifado, arquivo, atendimento, bancos, compras, contabilidade básica e relações públicas. Uma escola e tanto.

Apoiado e protegido por Cynthia — Maria Aparecida Sá de Castelo Branco —, secretária-chefe do escritório, aprendi tudo o que podia e devia, além de receber afeto e dedicação de dona Cynthia e de suas duas filhas. Uma delas, a Beth, cheguei a namorar.

Foi lá que comecei a aprender a fazer política: como organizar um mandato, trabalhar em uma campanha. Participei ativamente das eleições de 1962, quando Avallone Junior foi reeleito deputado estadual pelo Partido Democrata Cristão (PDC). Mas vivi também o outro lado da política, não o do financiamento das campanhas. Avallone Junior era empresário bem-sucedido, a família da esposa era dona de um hotel e ele de um jornal, o *Diário de Bauru*, além de importante loja de eletrodomésticos administrada por um irmão.

OS PRIMEIROS PASSOS NA POLÍTICA

As Termas de Bauru — e depois a incorporação da ilha de Cananeia — era o lado escuro de Avallone. Um verdadeiro caça-níqueis, que acabou levando à sua cassação pela ditadura. Operava como imobiliária que vendia terrenos e títulos de sócio-proprietário — apoiados por grupos políticos, antes do golpe, em nome do governador Adhemar de Barros, depois do general de plantão ou padrinho do negócio. Empresários e demais clientes compravam títulos e terrenos como demonstração de gratidão ao governador e, depois, ao general. O escritório político não tinha nenhuma participação ou acesso aos negócios, nem mesmo ao espaço da corretagem e venda dos terrenos e títulos. Porém, a convivência com os corretores permitia meu acesso ao modo como aconteciam as operações e quais eram os principais beneficiados.

Apesar de aprender e desenvolver diferentes profissões e ser grato pelo acolhimento da minha chefe, fui despedido. A demissão ocorreu tão logo pedi para ser registrado na firma. Não reivindiquei aumento salarial, apenas a regularização da minha situação funcional.

Das janelas do escritório de Avallone Junior, ainda assisti aos movimentos do golpe militar na praça da República no último dia de março e no primeiro de abril de 1964. Acompanhei as articulações políticas por dentro, a partir do apoio de Adhemar de Barros ao golpe. Mais tarde ele viria a ser cassado, por exigência da família Mesquita, seu principal opositor no *Estadão*, enquanto a *Folha de S.Paulo*, beneficiada pela concessão a um de seus proprietários da Rodoviária de São Paulo, outro verdadeiro caça-níquel, fazia-se de morta.

Eu apoiava as reformas de base e simpatizava com a UNE, a União Nacional dos Estudantes. Percebia o golpe como um retorno ao período ditatorial vivido pelo Brasil entre 1937 e 1946, mas não participava de nenhum movimento. Terminara o científico e estava fazendo o cursinho Di Tullio para prestar vestibular na PUC-SP. Havia decidido cursar direito, depois de flertar com economia e administração. Estava sobretudo interessado em direito constitucional e internacional, pelo penal e depois pela filosofia do direito. Muito mais tarde, na década de 1980, portanto vinte anos após o golpe, formado e trabalhando na Assembleia Legislativa, fui atraído pelo direito eleitoral.

A passagem pelo Di Tullio foi uma convulsão. Tive contato com fantásticos professores que só aumentaram minha paixão por história, política, filosofia, literatura e língua espanhola. No Colégio São Miguel eu havia sido educado com o francês: a França, sua cultura, história, escritores e heróis. No Paulistano me encantei com o espanhol, e no Di Tullio, ao estudar fonética e gramática com um extraordinário professor — Alpheu Tersariol, que eu reencontraria nos anos 1980 na Assembleia Legislativa — tornei-me ainda mais próximo do "castelhano", que mais tarde seria muito importante em minha vida.

Nessa época morei numa república estudantil na rua Conde de Sarzedas, na Baixada do Glicério, onde ficava o cursinho Di Tullio, e ali era uma festa só. Morava numa grande casa do século passado, com uma ampla varanda, vários quartos. Comíamos em casa, o que economizava e muito, mas eu geralmente chegava tarde e, com o péssimo hábito de esquecer as chaves, entrava pela varanda e pulava direto para meu quarto. Numa das noites, acompanhado pela chinesa Lee, que às vezes dormia comigo na república, quase morri ao ser surpreendido por um caminhoneiro de Passa Quatro, pulando a janela. Com um revólver em punho, chegou a disparar um tiro de advertência. Era o sinal de que a república estava fora das normas da vizinhança, que logo conseguiu uma ordem judicial e um mandado para fechá-la.

A Baixada do Glicério, onde ficava o Parque Shangai de diversões e a Igreja Nossa Senhora da Paz, era um ponto de encontro e namoros para nós. Lá também vivia um conterrâneo de Passa Quatro, o José André Motta. Foi nessa época que tive um longo relacionamento com uma mulher mais velha que eu, mulata, paixão dos domingos com almoço e transas fantásticas. Guardei na minha memória a lembrança da primeira mulher que fumava maconha, como se fosse normal. Na verdade, a Baixada já era a boca quente dos anos 1970.

O São Miguel aprofundou minha paixão pela leitura. Descobri os clássicos brasileiros e portugueses, além dos franceses, ingleses, americanos e russos. Então, ao chegar a São Paulo, recorri aos livros de bolso, que eram mais baratos. Pegava livros emprestados e frequentava a Biblioteca Municipal, sem esquecer de namorar, na praça Dom José Gaspar, onde funcionava a casa de chá Moon e era o ponto de encontro dos apaixonados.

Trabalhar na praça da República na década de 1960 era estar no coração de São Paulo e do Brasil. Andava pela Barão de Itapetininga, pela São Luís, atravessava o Viaduto do Chá, seguia para a rua Direita, o Largo de São Francisco, a Praça da Sé, onde era o espaço dos *office boys*. Íamos da Boa Vista, XV de Novembro, até a Praça da República para devorar um bom e barato PF, um comercial, ou uma massa italiana na Timbiras

OS PRIMEIROS PASSOS NA POLÍTICA

com São João que, naquele tempo, era um agradável bulevar, onde a "Feijoada do Papai" era iguaria única nas madrugadas de sexta-feira.

Ainda me vejo sentado na esquina da São João com a Ipiranga, em incursão noturna nos cinemas Marabá e Ipiranga. Traçava um lanche na Pauliceia, com seu imenso balcão de mármore e seus inacreditáveis cachorros-quentes ou ia até ao restaurante Giratório, no Largo do Paissandu, sempre a pé. Tinha que trabalhar para pagar a pensão, o cursinho, comprar alguma roupa, para o lazer e a cultura, sair com as namoradas e ainda tentar um emprego já ligado ao direito. De novo, Passa Quatro me socorre. Meu pai fala com seu compadre Onofre, gerente da agência Boa Vista do Banco da Lavoura de Minas Gerais, que me recomenda ao engenheiro José Bragança Pinheiro, sócio-proprietário da Emeri S/A, uma fábrica de estruturas metálicas para galpões, armazéns, obras e pontes. Fui contratado como auxiliar de advogado e fui trabalhar no Departamento Jurídico da Distribuidora Nacional de Materiais Básicos, sucessora da Emeri, indústria em concordata sediada em Osasco. A DNMB tinha sede na rua José Bonifácio, bem no centrão paulistano. Estava de volta ao território!

Era uma nova página: trabalhar como assessor jurídico, estudando direito na PUC. Mal sabia o que me esperava. Meu mundo iria virar do avesso.

Antes da PUC e ainda na Emeri, comecei a viajar, conhecer o Brasil e nossa economia real, como funcionava uma empresa em concordata, as consequências da política econômica da ditadura, tocada pela dupla Otávio Gouveia de Bulhões e Roberto Campos, da abertura de nosso mercado, os cartéis estrangeiros, a Justiça, o sistema bancário, a vida interna de uma fábrica e de uma empresa, seu organograma, plano de negócios, planejamento estratégico, a relação com o pessoal, os recursos humanos, a administração e as finanças. Aula prática que só aumentaria minha decisão de estudar economia política e história econômica. A Emeri e a DNMB enfrentavam o aperto no crédito e a concorrência da francesa Fiche. A saída era buscar obras e apostar nas de infraestrutura como a ferrovia Rio Negro-Araguari, na expansão do transporte rodoviário e das garagens e bases de apoio das grandes empresas de transporte como Pássaro Marron, São Geraldo, Itapemirim, Cometa, Brasileiro e outras.

Compreendi como as multinacionais sufocam e estrangulam uma média empresa brasileira. Como fazem falta crédito a juros competitivos, garantia de antecipação de receitas via desconto bancário de faturas e obras públicas, um mínimo de planejamento governamental e apoio tecnológico. Garantia de competição no mercado de aço, cabos e chapas, sem monopólios e principalmente sem *dumping*. A experiência aprofundou meu sentimento nacionalista que se somava à forte intuição de que o golpe de 64 não fora uma simples quartelada, mas uma "revolução" conservadora e autoritária — no sentido de romper com a tendência histórica estatal e nacionalista. Modernizar nossa economia, estrutura tributária, mercado de capitais, legislação social, infraestrutura, integrar o país e a Amazônia, abrir novas fronteiras agrícolas, capitalizar a agropecuária, expandir o mercado interno, mas tudo isso sem nenhuma preocupação com social, ambiental, com a participação popular ou a democracia. Uma reforma de cima para baixo, só possível através da força, ausente de preocupações com o custo social daí advindo. No primeiro momento, arrochar salários, diminuir custos, exportar, fortalecer e centralizar o Estado para melhor servir ao mercado, ao empresariado. Nada de oposição, de liberdade, de eleições, tudo pela segurança nacional.

Em 1965, chego à PUC, rua Monte Alegre, bairro de Perdizes, e levo um choque. Imaginava um novo mundo, encontrar um ambiente livre, aberto, plural e igualitário, mas a realidade era outra. A ditadura já impusera o silêncio e o temor. Fechara os centros acadêmicos, proibindo até associações atléticas, feiras de livros, atividades culturais como cineclube e teatro.

No ensino, atraso didático, pedagógico e cultural. Na sua maioria, os professores eram reacionários e autoritários. Muitos colaboravam com a ditadura, alguns eram da TFP, sigla da sociedade católica ultraconservadora Tradição, Família e Propriedade, monarquistas e anticomunistas. As exceções: Franco Montoro, Osvaldo Aranha Bandeira de Mello e José Carlos Ataliba Nogueira.

Faltavam laboratórios e bibliotecas, mas o que mais faltava eram o debate livre, o pluralismo e o contraditório. Se no país havia a ruptura do Estado de Direito e se rasgava a Constituição, como estudar direito sem lutar contra a ditadura, contra a censura, a tortura, a violação das garantias legais, a suspensão do *habeas corpus*?

No silêncio e no medo, porém, nasceriam o grito e a rebeldia, calcados na memória e na histórica organização dos estudantes em assembleias, grêmios e centros acadêmicos. Reconquistaram seus espaços, unindo a luta por reivindicações estudantis, reforma do currículo, contratação de mais professores, melhores equipamentos e menores anuidades com a luta contra a ditadura. Começaram pelo direito de eleger seus dirigentes, de ter seus centros acadêmicos, seus DCEs, as UEEs e a UNE, de realizar eleições, de participar da gestão e direção das Universidades, de criar espaços culturais e, por fim, de afirmar o direito de greve e de livre manifestação.

OS PRIMEIROS PASSOS NA POLÍTICA

A retomada do Movimento Estudantil foi um longo e difícil processo. Ocorria em um momento de repressão contra os sindicatos, as associações de trabalhadores do campo, os partidos, de cerceamento do Legislativo e do Judiciário. E coincidiu com minha entrada na Faculdade de Direito da PUC e ia se confundir, a partir daí, com minha vida até 1969.

Criado em liberdade, com vida independente aos quinze anos, recusei, já na matrícula, a primeira violação de meus direitos: ao ser perguntado sobre minha religião respondi que, no Brasil, a lei definia o Estado como laico, sendo a religião uma questão de foro íntimo de cada cidadão e que a PUC, mesmo sendo uma instituição católica, não escapava à regra da Constituição.

Na sala de aula e na relação com os professores, de novo me rebelei contra o atraso. Na época, homens e mulheres tinham que se sentar em fileiras paralelas e separadas. E alunos e alunas eram impedidos de questionarem os temas abordados com os professores.

A chamada geração de 1968 deita suas raízes na transformação do Brasil de país rural e agrícola em urbano e industrial, no surgimento da classe operária industrial, no crescimento das camadas médias. Daí a pressão para a expansão do ensino superior e técnico e o crescimento da demanda por mais acesso à informação e cultura.

Minha geração foi a primeira, de forma massiva, a sair de casa para estudar e trabalhar. Viver independentemente dos pais, senhora de seus destinos e livre para decidir participar ou não da vida política do país.

Fomos tragados e lançados no furacão de 1964, que travou um movimento histórico, com fortes raízes no sentimento nacional, nacionalista, estatal, reformista, cuja origem remonta ao ideário da independência, na República positivista, no tenentismo, na Revolução de 1930 e mesmo na herança da esquerda socialista. Queiramos ou não, esse é o Brasil.

O peso do Estado e seu papel, o militarismo, o regionalismo, o reacionarismo agrário latifundiário e a dependência externa eram heranças reais do Brasil na década de 1960.

A irrupção das classes trabalhadoras na vida social e política do país aconteceu contra a repressão, as deportações, com revoltas e revoluções. Durante décadas, o país resolveu suas contradições e impasses de interesses e de classes recorrendo à ruptura político-militar. Foi assim de 1889 até 1964, e tragicamente se repetiria, sem armas militares, mas com armas mais eficazes, em 2016.

3

CORAÇÃO DE ESTUDANTE

*Organizando o Movimento Estudantil
para enfrentar a ditadura militar*

A repressão, o uso e o abuso da Justiça e a exclusão política institucional e social dos oponentes foram uma constante em nossa história. Prisões, demissões em massa do Serviço Público, exílios, proibições e exclusões políticas, cassações e extinção de partidos, repressão social.

A República Velha, apesar das revoltas e revoluções fracassadas, foi um simulacro de democracia. Quando não vivíamos sob Estado de Sítio, vivíamos sob uma ditadura. Foi assim de 1937 a 1945 e, novamente, de 1964 a 1985.

Com fortes raízes nos imigrantes anarquistas e socialistas, o movimento sindical operário brasileiro sempre foi reprimido a ferro e a fogo. Toda vez que ameaçou o poder político foi massacrado, seja em 1924, seja em 1968 nas greves operárias de Osasco, em São Paulo, e em Contagem, Minas Gerais.

O Partido Comunista Brasileiro — PCB —, fundado em 1922, praticamente não experimentou a vida na legalidade. E quando o fez, depois da queda de Getúlio em 1945, foi ilegalizado "legalmente" pelo Supremo Tribunal Federal, só retomando o *status* de legenda legal com o ocaso da ditadura seguinte, em 1985, e a promulgação da Constituição de 1988. Ou seja, após sessenta e seis anos de repressão e ilegalidade, de prisões, torturas, execuções, deportações, exílio e clandestinidade.

Escrevo estas digressões, este passeio pela história do nosso Brasil, para situar a mim mesmo em 1965, entrando na Universidade e inserido em uma geração impactada pelo golpe, pela ruptura do fio histórico de um país popular-operário, democrático, ávido por desenvolvimento e política social, por um lugar no mundo que não fosse de coadjuvante dos países imperialistas.

O Brasil dos anos 1960, pré-ditadura, oscilava entre a hegemonia americana e o neutralismo dos não alinhados, do presidente egípcio Gamal Abdel Nasser, do primeiro-ministro indiano Jawaharlal Nehru, do líder iugoslavo Josip Broz Tito. Não tinha motivos históricos, culturais, comerciais e estratégicos para se opor à União Soviética e muito menos de se submeter a seus interesses geopolíticos.

Já Juscelino Kubitschek, médico, deputado federal, prefeito de Belo Horizonte, governador de Minas Gerais e presidente da República com o *slogan* "cinquenta anos em cinco", fundador de Brasília, com a operação Pan-Americana e a resistência ao Fundo Monetário Internacional (FMI), e mais tarde Jânio Quadros com a política externa independente religavam nosso devir histórico ao pragmatismo da diplomacia getulista. Aquela de negociar com os Estados Unidos nossa entrada na Segunda Guerra Mundial ao lado dos aliados e contra o nazifascismo, em troca do binômio aço-energia — a usina de Volta Redonda, a Companhia Siderúrgica Nacional, a usina de Paulo Afonso, a Chesp — bases do Brasil moderno industrial e autossuficiente em energia.

Nosso interesse geopolítico era e é a América do Sul. E o chamado então Terceiro Mundo, a África, a Índia, a China, apesar de nossos laços comerciais e econômicos históricos com a Europa e mesmo com os Estados Unidos e o Japão.

Ontem como hoje estava intuído para mim que o Brasil deveria ter sua própria política externa, expressão do seu poder nacional, de sua posição geográfica, populacional, econômica, tecnológica e cultural na América Latina e no mundo.

O golpe militar de 1964 havia rompido uma corrente histórica progressista e igualitária que se formava no país em todos os campos — político, social, cultural — e em todos os meios, no cinema, no teatro, na música, na literatura e até mesmo uma nova Semana da Arte Moderna se ensaiava. Antes do golpe, o país consolidava, pela primeira vez, fortes e massivas organizações políticas e sociais, sindicatos, ligas camponesas, movimentos e entidades estudantis e populares, partidos nacionais, além de entidades como a Central Geral dos Trabalhadores (CGT), a Confederação Nacional dos Trabalhadores na Agricultura (Contag), a União Nacional dos Estudantes (UNE) e o próprio PCB ganhavam maior expressão.

A força popular e social dos trabalhadores não apenas estava organizada, como também se expressava na cultura e se fazia presente nas decisões das elites políticas e empresariais.

CORAÇÃO DE ESTUDANTE

Na política, esse Brasil se explicitara na resistência ao golpe militar de 1961 comandada por Leonel Brizola, na Cadeia da Legalidade, na resistência armada gaúcha, e na posse de João Goulart, o Jango, apesar do parlamentarismo.

A crise de 1961 se originara da irresponsável eleição de um demagogo de direita sob a bandeira da luta contra a corrupção — a vassoura era seu símbolo — que tentou se fortalecer politicamente através de uma renúncia após a qual, na sua previsão, retornaria ao governo nos braços do povo e dotado de superpoderes legais, mas acabou fracassando no seu intento.

A força popular e política de Jango, das reformas de base, agrária, urbana, bancária e tributária se evidenciaria no plebiscito que poria fim ao parlamentarismo, devolvendo-lhe o poder presidencial.

Nas próprias forças armadas, a divisão era grande e parte importante da oficialidade se opunha às aventuras golpistas que remontavam a 1950, 1954, 1955, 1961, sempre pelo mesmo grupo político de oficiais ligados aos EUA, à Escola Superior de Guerra (ESG) e agora à Doutrina de Segurança Nacional e à luta contra o comunismo. Todos vinculados à União Democrática Nacional (UDN) e à mídia mais direitista.

No clima de guerra fria, ao que o Brasil resistia em se envolver, porque não correspondia aos seus interesses nacionais, Washington visava a atrair para seu campo político, militar e ideológico toda a América Latina. Também para isolar e bloquear a nascente Revolução Cubana e as inúmeras revoltas e rebeliões que pipocaram no continente, inclusive golpes de Estado de raiz nacionalista, como os do Peru, em 1968, com o general Velasco Alvarado; no mesmo ano no Panamá, com Omar Torrijos, e na Bolívia, em 1971, com o general Juan José Torres. Tudo na contramão da sequência de golpes de Estado articulados e dirigidos pelos EUA no Brasil, Uruguai, Argentina, Chile e Bolívia. Na América Central, a República Dominicana, invadida em 1965 pelos norte-americanos, com apoio incondicional da ditadura brasileira, e também o Panamá, a Nicarágua e El Salvador viviam também sua ascensão revolucionária.

Entrei para o PCB logo após a derrubada do governo legal e impactado pela derrota da esquerda e do famoso dispositivo militar janguista, fácil de criticar e condenar pela quase nenhuma resistência ao golpe. O que se tornava mais grave se comparado à resistência popular militar de 1961, prova factual de que quando as lideranças manifestam vontade política de resistir, sempre haverá apoio popular.

Para mim, a decisão de entrar para o PCB foi natural. Todos os meus amigos, mais do que companheiros de Movimento Estudantil, eram filiados ao Partidão, como carinhosamente era chamado por nós, os mais jovens. Foi na rua Maria Antônia, que tanto marcaria minha vida, no Grêmio da Faculdade de Filosofia da USP, que fui "recrutado" por Zé Arantes, José Augusto de Azevedo Marques — o Zé AL —, André Gouveia e José Luiz Del Roio, já militantes e dirigentes do PCB.

Influenciou muito minha decisão a convivência na Casa do Estudante do XI de Agosto, Centro Acadêmico da Faculdade de Direito da USP, com Rui Falcão e outros estudantes. Na PUC, onde eu estudava, a predominância era da Ação Popular (AP) de origem católica, constituída com base na Juventude Estudantil Católica, a JEC. Na verdade, foi no Colégio Paulistano, onde fiz o curso científico — ensino médio da época — e na Pensão do Abelardo, em contato com Mozart Agra de Almeida, estudante de direito do Largo São Francisco — das Arcadas, como se dizia —, que conheci Karl Marx, Friedrich Engels e, no Partidão, Lenin. Ler, estudar, discutir, refletir, organizar a ação política, ter metas e objetivos, formas de luta e de ação, principalmente pensar o Brasil como nação, país independente, soberano, a Revolução Brasileira e a aventura de nosso povo e sua classe trabalhadora rumo à sua libertação.

O tamanho da derrota para nós, jovens, era maior. Demonstrava o erro não apenas da política de alianças com a burguesia nacional, da confiança cega no dispositivo militar, da ausência de um plano de mobilização e distribuição de armas ao povo e mesmo a incapacidade de resistir ao golpe desde as forças armadas, mas do próprio PCB.

É sabido que o presidente Jango decidiu não resistir para não derramar sangue, jogando o país em uma guerra civil. Mas pagamos, do mesmo jeito, o preço de vinte e um anos de ditadura. O PCB não apenas não reagiu, como foi incapaz de propor uma política de resistência e de acúmulo de forças.

Para nós era demasiado. Atraídos pelo advento da Revolução Cubana e Fidel Castro e a ascensão das lutas anticoloniais em todo o planeta, iniciamos o processo de ruptura com o PCB, paralelamente ao que faziam Carlos Marighella e o seu Agrupamento Revolucionário de São Paulo.

Eu era filiado ao Comitê Universitário do PCB. Em cada universidade ou faculdade, havia células com um responsável e um assistente, esse designado pelo PCB. Surgiram em São Paulo — e também no Rio de Janeiro, Pernambuco e Rio Grande do Sul, para citar três exemplos

CORAÇÃO DE ESTUDANTE

— as chamadas Dissidências Estudantis. Elas rompiam com o PCB e assumiam a liderança do Movimento Estudantil, então hegemonizado pela Ação Popular (AP), de origem católica na Juventude Universitária Católica (JUC) e na Juventude Estudantil Católica (JEC).

Mas antes é preciso regressar à PUC paulista e à Faculdade de Direito, onde eu, recém-chegado, começava a participar das lutas (e a liderá-las) dirigidas pela UNE e pelo Centro Acadêmico 22 de Agosto, que havia sido fechado pela ditadura.

Comecei pela classe, onde acabamos com a proibição da separação de homens e mulheres em fileiras, e com a sistemática das aulas onde só o professor falava e pontificava. Introduzimos o debate sobre as medidas "legais" da ditadura, contando com o apoio firme, ainda que discreto, do professor Franco Montoro, deputado federal pelo MDB, e a anuência silenciosa do reitor Bandeira de Mello.

Nosso grupo iniciou a mobilização por mudanças na Faculdade com o olho posto na reabertura do Centro Acadêmico e nós nos engajamos no plebiscito convocado pela UNE sobre o decreto-lei do ministro da Educação nomeado pelo regime militar, Flávio Suplicy de Lacerda, que proibiu o funcionamento dos centros acadêmicos, DCEs e UEEs, diretórios centrais de estudantes e uniões estaduais, como as do DCE da PUC, da USP e a UEE de São Paulo.

Foi uma grande mobilização na PUC, na Faculdade de Direito e em várias faculdades em todo o país. Mais de dois terços dos estudantes votaram, e nós vencemos com uma esmagadora maioria que disse *não* ao decreto que levava o nome do ministro.

Para nós, o mais importante era defender e exercer dois direitos: o de organização autônoma, livre e independente, e o de manifestação, de ir às ruas protestar, de mobilizar o povo para lutar contra a ditadura e a estudantada contra a política educacional do período do marechal Humberto de Alencar Castelo Branco, realizando assembleias e congressos nas faculdades e universidades.

Não deixar a tirania nos calar, mas tomar as ruas — *a praça é do povo*, dizíamos, parafraseando o poeta Castro Alves — e a UNE é a nossa vez, a nossa voz.

Essa era a primeira batalha e a vencemos. A segunda era retomar os centros acadêmicos, reabri-los e voltar a fazer o que os estudantes faziam há mais de 100 anos: lutar pelo direito de representação nos órgãos de direção nas instituições de ensino, participar da vida política, social e cultural do país juntamente com as demais entidades e movimentos sociais, como a OAB, ABI, CNBB, Contag, que, não obstante a repressão e censura, opunham-se ao arbítrio ao lado de intelectuais, artistas, professores, cientistas, líderes sindicais e políticos que não haviam se vendido ou se rendido aos generais de plantão.

Então surge a primeira grande divergência, de muitas que se seguirão: boicotar a eleição oficial para os diretórios acadêmicos criados pela ditadura ou atuar conforme a realidade e a correlação de forças de cada faculdade?

Minha proposta tática era agir segundo a realidade em cada faculdade. Podia-se boicotar a eleição oficial em centros acadêmicos como o XI de Agosto do Largo São Francisco, onde a maioria não aceitava, em hipótese alguma, outra entidade. Ou podia-se participar, vencer e transformar aquele diretório acadêmico em "DA Livre" algum tempo depois, ou simplesmente fechá-lo para reabrir o centro acadêmico como fizemos, com sucesso, na PUC, com o 22 de Agosto. A tática nos deu a vitória e nos credenciou para dirigir o Movimento Estudantil na PUC e disputar com a AP a direção do movimento no estado.

A segunda disputa se deu em torno da tática de lutas gerais e reivindicativas e mais uma vez vencemos. Estabelecemos uma combinação entre as reivindicações de mais verbas para a educação, reforma universitária, mais vagas, admissão e matrícula dos excedentes que, aprovados nos vestibulares, não eram matriculados por falta de vagas, com a luta contra a ditadura. Ou seja, contra a censura, a privatização da educação, o arrocho salarial, a repressão, a desnacionalização da economia e o respaldo à agressão militar norte-americana no Vietnã.

A ideia motriz era priorizar a luta reivindicatória, vinculando-a à política econômica da ditadura e à privatização do ensino, à falta de liberdade e democracia. Era isso e não, por exemplo, somente denunciar a investida dos EUA contra o povo vietnamita. Parecia uma sutileza, mas não era. A insistência em uma agenda exclusivamente política reduzia a luta a uma pequena vanguarda e não à luta massiva que era nosso objetivo para, depois, com apoio de outros setores da sociedade, confrontar o regime discricionário.

Por fim, a divergência sobre formas de luta e organização e a necessidade de superar as greves como a única ou a principal forma de enfrentamento. Na minha percepção, impunha-se combinar a luta nas

CORAÇÃO DE ESTUDANTE

faculdades com a das ruas, organizar os estudantes por classe, nas faculdades para além das assembleias e passeatas. Os alunos precisavam saber voltar para as salas de aula e para os centros acadêmicos, base de toda a força do Movimento Estudantil.

As greves deveriam ser substituídas pelas ocupações com atividades culturais e educacionais, festivais de música, teatro, encontros literários, conferências e palestras de professores e intelectuais, exposição de artes plásticas. Nas ocupações, a reforma da universidade deveria ser debatida e colocada em prática.

Das ocupações, que foram amplas na USP e na PUC, surgiram as comissões paritárias entre alunos e professores que construíram os projetos de reforma dessas universidades. Votadas e colocadas em prática pelas reitorias e conselhos universitários, seriam revogadas em 1968, depois da edição do Ato Institucional número 5, o AI-5.

O ponto principal da nossa política era o centro acadêmico. Era o sindicato dos estudantes, eleito e mantido pela venda das carteirinhas e apostilas pelos alunos, com amplas sedes, ajuda pedagógica, associações atléticas, festas e atividades culturais. Nada que prejudicasse a luta estudantil, pelo contrário, era uma atuação que legitimava e dava liderança ao centro acadêmico e as suas diretorias.

O Movimento Estudantil foi o motor da oposição à ditadura. Tomou as ruas das cidades brasileiras entre 1965 e 1969, enfrentando as tropas repressoras. Ocupou faculdades, tornando-se agente de grande parte da revolução que o país viveu na Música Popular, no Cinema Novo, no Teatro e, principalmente, na transformação do comportamento e dos valores da sociedade que, apesar da urbanização e industrialização, permanecia autoritária, patriarcal, machista e desigual.

Era preciso libertar novas forças, e a juventude começou pelas mulheres e pela cultura. Pelos valores e pela luta política por fora e por cima dos partidos oficiais — Arena e MDB — do parlamento, dos palácios e dos salões. Com o advento da pílula anticoncepcional e a independência financeira dos mais jovens, a hipocrisia das normas sociais foi confrontada, e venceram a libertação e a igualdade de gênero.

Para além da luta contra o autoritarismo, o Movimento Estudantil e a juventude protagonizaram uma revolução cultural, acelerando aquilo que seria uma nova, mais democrática e mais radical Semana da Arte Moderna, não fosse o golpe dentro do golpe de 1968, que interrompeu

— mas não matou — o Brasil democrático e popular e sua expressão na cultura tropical, plural e multiétnica.

De 1965 a 1968, a estudantada protagonizou batalhas históricas pela educação pública e gratuita e contra o regime civil-militar. Desde o plebiscito contra a lei Suplicy de Lacerda até o congresso da UNE em Ibiúna, no interior de São Paulo, passando pela Setembrada em 1966, contra a repressão na Universidade de Brasília (UnB), os congressos da UNE de Belo Horizonte e Valinhos, em São Paulo, as ocupações das principais universidades paulistas, a passeata dos 100 mil no Rio, a denúncia dos acordos MEC-USAID, os protestos contra a guerra do Vietnã.

No entanto, nada assustou mais a ditadura do que a união dos estudantes com os operários, o apoio às greves e ocupações de fábricas em Osasco e Contagem, em 1968. Sua reação foi enviar tanques e tropas para as fábricas.

Mas por que o Movimento Estudantil, mesmo apoiado por amplos setores, que incluíam também os chamados políticos autênticos — a corrente progressista do MDB — não foi capaz de dirigir e mobilizar um amplo arco de forças sociais contra a ditadura?

Para essa resposta é preciso voltar a 1965 e analisar a atuação de duas forças políticas, a oposição legal — o MDB — e a oposição colocada na ilegalidade, o PCB, o PCdoB e vários grupos menores surgidos da diáspora do PCB pós-golpe de 1964, em um cenário internacional de agravamento da Guerra Fria.

4

A OPOSIÇÃO E SUAS ARMAS

*Quem era quem na luta para
enfrentar a ditadura militar*

O momento da minha revelação, de descobrir quem eu era e qual seria
o meu mundo, aconteceu no dia 31 de março de 1964, o dia do golpe
militar. Da janela do escritório, no sétimo andar do edifício em que trabalhava, vi descerem pela avenida, vindos das bandas das ruas Consolação
e Maria Antônia, em São Paulo, os estudantes do Colégio Mackenzie,
egressos da alta classe média, filhos da elite que desfilavam muito bem-
-vestidos. Eram as jovens falanges da direita paulistana que saíam às ruas
para saudar a derrubada do governo constitucional e legítimo e dar vivas
ao golpe militar. Entendi que eu, estudante e pequeno assalariado, havia
perdido. E que os iguais a mim — a grande maioria — também eram
perdedores. Naquele instante, escolhi o meu lado.

A Universidade Mackenzie entraria para sempre em minha vida,
uma instituição ligada à Igreja Presbiteriana, de caráter confessional,
cristã evangélica, sem fins lucrativos, filantrópica, mas paga. Reunia a
fina flor da elite paulista e grupos de extrema direita ligados ao Deops, à
polícia política da ditadura. Sob a direção da reitora Esther de Figueiredo
Ferraz a partir de 1965, o Mackenzie se alinhou totalmente ao golpe e
ao governo militar.

Nos idos de 1964, eu oscilava entre dois mundos: de um lado estava o
trabalhador e, do outro, o estudante. Um e outro haviam sido derrotados
pela ruptura que o país experimentara. Mas não seriam, na cabeça de
um adolescente aberto para a vida, apenas tempos de desespero. Foram
também os tempos em que conheci minha primeira namorada paulistana,
Juliana Bueno, estudante da Escola de Arte Dramática (EAD), situada
onde hoje fica a Pinacoteca de São Paulo.

ZÉ DIRCEU

Juliana e eu nos conhecemos no café Vienense, na rua Barão de Itapetininga, no centro da cidade. Ela era poeta, romântica, com um pé no existencialismo. Juliana e eu namoramos até que ela me deixou por uma outra paixão. Chegamos quase a nos casar, quando surgiu uma oferta de meu novo patrão na DNMB-Emeri. Era uma proposta tentadora, pois a empresa construiria uma nova fábrica de estruturas metálicas em Santana de Parnaíba, na Grande São Paulo, e eu fora convidado a me instalar na cidade para gerir a unidade, com direito a casa e um alto salário. "Me caso e me mudo!", cheguei a pensar.

Juliana e eu éramos duas personalidades e vivíamos dois mundos. Ela, apaixonada pela poesia, pelo teatro, de uma família de classe média e de uma intensa vida espiritual e interior. Eu, um semiempregado, para não dizer desempregado, lutando pela sobrevivência, fixado no objetivo de terminar o curso Científico e entrar na Faculdade. Namoramos como todos os jovens daquela época, frequentando bailes, cinema, cafés, a Biblioteca Mário de Andrade e as confeitarias do centro de São Paulo. Namorávamos no portão da casa dela, no Ipiranga, saíamos com grupos de amigas do bairro, andávamos de ônibus e, no máximo, íamos comer uma pizza na Mário, ao lado do Instituto Cidadania no Ipiranga, uma pizzaria que, mais tarde, foi frequentada pelo presidente Lula.

Nessa época, também cruzei com Vicente Sesso, autor de novelas e produtor de espetáculos. Conheci Vicente numa noite e, desde então, nos tornamos amigos. Após deixar o escritório de Avallone Junior e antes de começar na DNMB-Emeri, trabalhei com Vicente. Fui uma espécie de faz-tudo para ele, datilografava seus roteiros de novelas e programas, cuidava de parte da produção e, às vezes, virava o seu secretário particular. Cheguei a morar, por algumas semanas, na casa que ele tinha na rua Rui Barbosa, esquina com 13 de Maio, no coração do bairro do Bexiga.

Vicente é filho de imigrantes italianos e, na sua casa, só se falava a língua de Dante. Eu me lembro que a comida ali era simplesmente divina. Como eu não tinha dinheiro para o ônibus, ia todos os dias, da sua casa a pé, seguindo pela avenida 9 de Julho, até o centro da cidade.

Andei um período no limbo, desempregado, vivendo de bicos, dormindo aqui e ali, sem saber bem o que fazer da vida, apesar de encantado com o mundo artístico e com a noite, um privilégio que o convívio e os bicos que fazia com Vicente me proporcionavam.

A OPOSIÇÃO E SUAS ARMAS

Publicitário, autor de novelas e diretor de programas, Vicente é um sujeito dos sete instrumentos. Gênio e genioso, como já foi definido, ele lidava com tudo, da produção ao vestuário. Vicente entende de iluminação, cenografia, escreve como ninguém, tinha vivido e trabalhado na Europa. Na década de 1980, nos reencontraríamos em um restaurante no bairro de Moema, em São Paulo, cujo dono era um italiano, o Franco. Tenho de Vicente a melhor recordação. Apesar de exigente e rígido no trato, sempre foi generoso e leal.

Ainda me recordo de seu programa infantil semanal na TV Excelsior, o *Jardim Encantado*. Nele, exerci todo tipo de função, só faltando fazer ponta como ator, conheci vários bailarinos famosos. Eu me lembro que havia um quadro de balé com uma famosa bailarina russa, que acabou suicidando-se e o bailarino Josye, com quem convivi no trabalho semanal e na companhia de Sesso.

Meu trabalho com Vicente terminou no dia em que, mais uma vez, atrasei-me para o trabalho, causando sérios prejuízos para a rotina dele; eu andava encantado com uma nova namorada chinesa, a Lee. O sonho de trabalhar com ele acabou ficando para trás, deixando-me sem trabalho e sem a namorada que, anos depois, reencontrei no Crusp, o Conjunto Residencial de Estudantes da USP, com um jovem estudante, certamente seu novo amor.

Na casa do Sesso, no Bexiga conheci, ainda criança, seu filho adotivo Marcos Paulo, que vivia na casa com sua avó. Eu costumava ficar no quarto que também era uma biblioteca, bem na entrada, separada do restante da casa. De tempos em tempos, quando Marcos Paulo aparecia, brincava com ele. Só muitos anos depois descobri que aquela criança era o Marcos Paulo, ator famoso que virou também diretor de novelas na TV Globo.

Essa não foi a minha última relação com a cultura e com a arte. Anos mais tarde, já no Movimento Estudantil, de novo desempregado, trabalhei no Teatro de Arena, procurando colocar ordem na contabilidade e na administração do grupo teatral. Temíamos uma fiscalização direcionada da Receita Federal, um pretexto para autuar o teatro, porta-voz da rebeldia cultural, visando fechá-lo.

Foram anos confusos, de ressaca do golpe, de derrota. Para mim, foram anos de resistência, mas também de indecisão. Mas não perdi o rumo, terminei o Científico, fiz cursinho e vestibular para Ciências Jurídicas na USP e na PUC, onde passei no vestibular. Todas essas experiências me ajudaram a ser bem-sucedido no setor jurídico da DNMB-Emeri. Não era comum entrar numa empresa assim ainda no início da faculdade. Foi a estabilidade no emprego, a pensão da Condessa e a faculdade que me deram, juntamente com o início da militância, outra perspectiva de vida.

No país, vivia-se o golpe, meio militar e meio parlamentar. Os governadores de Minas Gerais, Magalhães Pinto, o do Rio, Carlos Lacerda, e o de São Paulo, Adhemar de Barros, organizavam e apoiavam o golpe e cada um sonhava ser presidente da República. As tropas do general Olímpio Mourão Filho se sublevaram e se deslocaram a partir de Minas Gerais, precipitando as ações militares. Experientes, os golpistas haviam tentado derrubar Getúlio Vargas e impedir as posses de JK e João Goulart. Organizados na Escola Superior de Guerra (ESG), igualmente no IPES e no IBAD, institutos de articulação de propaganda, *think tanks* do pensamento e da ação direitista, além do empresariado, agitaram as classes médias, via imprensa e Igreja Católica, nas marchas da Família com Deus pela Liberdade, angariando o apoio de Washington ao golpe. Não houve resistência, civil ou militar.

No parlamento, a cumplicidade. Usando como pretexto a viagem de João Goulart a Porto Alegre, o presidente do Congresso, Auro de Moura Andrade, declara vaga a presidência e empossa no lugar de Jango o presidente da Câmara dos Deputados, Ranieri Mazzilli.

Assim, sob o olhar também cúmplice do Supremo Tribunal Federal, o golpe militar se "legalizou". Forças civis favoráveis à deposição de Jango acreditavam na convocação de eleições para o ano seguinte, conforme o calendário eleitoral. Supunham que, com toda a esquerda presa, no exílio ou sob perseguição, seria fácil arrebatar a vitória. Mas os militares tinham outros planos.

Os civis da UDN, lacerdistas ou não, seriam logo defenestrados. Os partidos seriam extintos e as eleições presidenciais de 1965 canceladas, não havendo mais eleições diretas para presidente, governadores e prefeitos de capitais e de áreas de segurança nacional. O marechal Humberto de Alencar Castelo Branco seria "eleito" presidente pelo Congresso, que "legalizou" seu mandato espúrio e ilegítimo. Entre 1964 e 1969, viveríamos a consolidação do regime e a disputa pelo poder no interior da coalizão golpista, paralelamente à implantação de reformas autoritárias e conservadoras promovidas pelo duo Campos-Bulhões no comando da economia.

A OPOSIÇÃO E SUAS ARMAS

Os atos institucionais, o golpe dentro do golpe, a decretação do AI-5, a substituição do sucessor de Castelo Branco, marechal Arthur da Costa e Silva, vítima de um derrame, por uma junta militar, consolidariam a ditadura e imporiam ao país um regime ainda mais duro de repressão, censura e terror. Embora castrado em seus poderes, o Congresso continuava funcionando, com dezenas de parlamentares cassados, presos ou exilados. O regime criou dois partidos, a Arena e o MDB, um da situação e um da oposição. Uma democracia de faz de conta.

A ditadura, como é de sua natureza, seja ela militar ou civil, parlamentar ou judicial, penetrou em todo o tecido social. Nos prédios, os porteiros foram obrigados a fazer relatórios e registrar todos os moradores para os órgãos de repressão, o Departamento de Ordem Política e Social (DOPS), e depois o SNI, que era quem decidia se um cidadão podia ao não ter passaporte, ingressar no Serviço Público ou numa universidade. Eram os temidos atestados de antecedentes criminais ou certidões negativas, um verdadeiro instrumento de terror e de corrupção, já que podiam ser comprados.

A centralização do poder nas mãos dos militares é consequência da derrota eleitoral da ditadura e seus cúmplices civis nas eleições de 1966 em Minas Gerais e no Rio, onde foram eleitos os governadores Israel Pinheiro e Francisco Negrão de Lima, da oposição consentida, o que demonstrou a ausência de apoio popular ao regime.

A despeito da repressão, da censura e da conivência da maioria do empresariado, as dissensões no campo civil democrático-liberal eram grandes. Carlos Lacerda, Jânio Quadros e Juscelino Kubitschek reagem ao fim das eleições diretas, instituindo a Frente Ampla, logo fulminada por decreto proibitivo.

Com Jango, Leonel Brizola e Miguel Arraes no exílio, o PCB duramente reprimido, os sindicatos urbanos e rurais e as entidades estudantis proibidas em nível nacional e sob intervenção em nível local, a imprensa sob censura, os intelectuais e artistas, profissionais liberais e estudantes foram os focos de resistência que primeiro se articularam.

Nas faculdades e escolas secundárias, em algumas redações, na imprensa alternativa, nos teatros, na literatura, nas artes e, depois, na própria Igreja Católica, surgem os primeiros movimentos contra a ditadura que, aos poucos, se articulam, aliando-se a setores do MDB e do PCB e estabelecendo contato com o brizolismo e seguidores de Arraes.

ZÉ DIRCEU

A velha e a nova oposição ao regime militar se revigoram, movimentando-se como resposta às ações repressivas dos militares. Funda-se a oposição democrática, a partir da implantação da censura e da tortura, da suspensão de todas as garantias e direitos constitucionais. Inicia-se o combate à política econômica, o arrocho salarial, o desemprego e a desnacionalização da economia. Mais tarde, surgirá uma forte oposição sindical, estudantil e mesmo empresarial frente ao arbítrio.

Na universidade e no meio cultural ocorre uma sintonia de interesses que alcançará, com o tempo, os funcionários públicos e as classes médias baixas, como consequência do desemprego, da privatização, do corte de verbas para a educação, da repressão e da censura, ensejando o ressurgimento do Movimento Estudantil sob novas lideranças, com novas bandeiras e maneiras de agir.

Surgiu assim o Movimento Contra a Ditadura, mesmo sem um "Estado Maior", uma direção colegiada e, na sua vanguarda, estava o Movimento Estudantil.

No plano político-institucional, o MDB — no qual o PCB e PCdoB se abrigaram — ganhava musculatura, mesmo vitimado por cassações e represálias, o que levaria a sua grande vitória nas eleições legislativas de 1974 — venceu em dezesseis Estados — e ao "Pacote de Abril", de 1977. Seria a solução encontrada pelo governo do general Ernesto Geisel, sucessor de Emílio Garrastazu Médici, para barrar o triunfo eleitoral da oposição no colégio eleitoral que escolheria o próximo presidente em 1978. Com seu "pacote", Geisel inventou os senadores nomeados pelo regime — sem necessidade de voto popular — e a Lei Falcão, impondo regras mais rígidas à propaganda eleitoral. Sob a pressão dos "autênticos", expressão de sua base popular e nacionalista, o MDB bem ou mal fazia oposição. Foi assim com a anticandidatura do general Euler Bentes, em 1974, e de Ulysses Guimarães, em 1978, quando foram "eleitos" Geisel e João Baptista Figueiredo, esse para um mandato de seis anos, numa tentativa de sobrevida do regime autoritário.

Até hoje o país convive e é regido por normas daquele pacote, como a não proporcionalidade na eleição para vereador e deputado, favorecendo os estados do Norte e Nordeste em prejuízo do Sul e Sudeste, o domicílio eleitoral e as ilegibilidades, a volta da degola da República Velha.

O impasse de 1968-69 foi criado pelo crescimento da oposição política, estudantil e armada ao regime militar — reação ao golpe dentro

A OPOSIÇÃO E SUAS ARMAS

do golpe de 1968 — e as gravíssimas consequências sociais da política econômica do governo militar.

Mas as oposições não se uniram contra a ditadura com um programa, muito menos com formas de luta comum e direção colegiada. Ao contrário, o PCB se fracionou, a oposição democrática parlamentar se concentrou no MDB e surgiram novas forças políticas da diáspora do PCB que optaram por organizações político-militares, pela ação armada como prioridade e principalidade. Na prática, opunham-se às modalidades de luta parlamentar, por exemplo, pregando o voto nulo nas eleições de 1966 e priorizando a derrubada do autoritarismo via mobilizações populares, em um primeiro momento, e pela luta armada mais tarde.

A esquerda brasileira se formou na tradição anarquista-socialista das décadas de 1910-20 e no movimento comunista internacional nascido da Revolução Russa de 1917. Dela se originou o PCB, em 1922. Desde sua fundação, o partido viveu a maior parte do século XX na clandestinidade, excetuado o brevíssimo período nos anos 1940 quando, legalizado, disputou as eleições constituintes, elegendo Luís Carlos Prestes senador e uma bancada de catorze deputados federais — entre eles Carlos Marighella e o escritor Jorge Amado. Em 1948, o PCB teve seu registro cassado sob a alegação de que era um partido filiado à III Internacional. Até hoje, todos os partidos sociais democratas da Europa são filiados à Internacional Socialista e ao governo da União Soviética, assim como os antigos partidos democratas cristãos eram filiados a uma internacional cristã. Hoje, na Europa, os partidos de direita têm sua própria "internacional".

O chamado "Partidão" ainda vivia subterraneamente quando, em 1962, sofreu a sua grande primeira dissensão. Afora as divergências internas, pesaram bastante as externas. Descontentes com o acatamento da cúpula partidária à linha soviética, dirigentes e militantes recriaram o PCdoB, reivindicando o legado de Josef Stalin e aliando-se à China de Mao Tsé-Tung, tendo como pano de fundo ainda o discurso de Nikita Khrushchov no XX Congresso do Partido Comunista da URSS.

No ano anterior, bem antes da decepção com o comportamento apático do PCB diante do golpe, despontara a Política Operária, a Polop ou ORM-Polop. Aparecera em virtude de divergências em relação ao "etapismo" do PCB. Integrada por trotskistas, marxistas independentes e dissidentes da Juventude Socialista do Partido Socialista Brasileiro (PSB)

ZÉ DIRCEU

e PCB, a Polop não tinha penetração no movimento operário, ficando restrita aos meios intelectuais e à formulação teórica sobre o caráter da revolução brasileira. Segundo a Polop, a revolução seria socialista e não democrática-burguesa nacional como sustentava a concepção do PCB. Alguns de seus dirigentes no futuro militaram no PT — caso de Marco Aurélio Garcia, Eder Sader e Ruy Mauro Marini, seu principal formulador. A Polop sofreu forte influência do pensamento e do exemplo de Rosa Luxemburgo, líder do Partido Comunista Alemão. A presidente Dilma Rousseff foi militante da Polop, ao lado de Carlos Alberto (Beto) Soares Freitas, um de seus fundadores.

Em 1962, aparece a Ação Popular (AP), originária da Juventude Estudantil Católica (JEC) e da Juventude Universitária Católica (JUC), entidades que dirigiriam o Movimento Estudantil até 1964-65, sempre em disputa com o PCB. Muitos de seus fundadores, sob a liderança do Frei Carlos Josaphat, atuam até hoje na política nacional, a maioria no PCdoB, como Aldo Arantes, Renato Rabelo, Haroldo Lima e outros como José Serra, no PSDB, não esquecendo as figuras de Jair Ferreira de Sá e Sergio Motta. Outros, como Vinicius Caldeira Brandt e Altino Dantas militariam no PT.

No período pós-golpe, acirram-se as cisões. Sob a ditadura, emergem o Partido Comunista Brasileiro Revolucionário (PCBR), fundado por dirigentes do PCB, Mario Alves, Apolônio de Carvalho, Jacob Gorender e Jover Telles, o Agrupamento Revolucionário de São Paulo, de Carlos Marighella e Câmara Ferreira, embrião da maior das organizações armadas que desafiaram a ditadura, a Aliança Libertadora Nacional (ALN) e o Movimento Revolucionário 8 de Outubro (MR-8), organização com a qual tive uma relação próxima, pelo envolvimento no Movimento Estudantil com seus fundadores e dirigentes, entre eles Vladimir Palmeira, Franklin Martins, Daniel Aarão Reis. Surgida em 1964, no meio universitário da cidade de Niterói, no estado do Rio de Janeiro, com o nome de Dissidência do Rio de Janeiro (DI-RJ) foi depois rebatizada em memória ao dia em que Ernesto "Che" Guevara foi capturado na selva da Bolívia, em 8 de outubro de 1967.

A organização tornou-se nacional e internacionalmente conhecida depois do sequestro do embaixador norte-americano no Brasil, Charles Burke Elbrick, em setembro de 1969, realizado em conjunto com a Ação Libertadora Nacional (ALN). A maioria dos militantes se exilou no Chile em 1972, sendo o grupo reestruturado posteriormente com outras orientações.

A OPOSIÇÃO E SUAS ARMAS

As ações armadas deram lugar à atuação política e o MR-8, como o PCB e PCdoB, vítimas da repressão, atuaria no MDB, tendo Orestes Quércia como principal liderança. Esse grupo, com outro formato, editou o periódico *Hora do Povo* e continua atuando até os dias de hoje, em diversas organizações políticas e sociais, como, por exemplo, dentro do PMDB; no movimento sindical (inicialmente CGT, hoje na CGTB); e no Movimento Estudantil, no qual elege alguns diretores da UNE. O seu braço juvenil é a Juventude Revolucionária 8 de Outubro (JR-8). Alguns de seus membros ajudaram a fundar o Partido Pátria Livre em 2009.

Organização político-militar e não partido, revolução socialista ou de libertação nacional, luta armada e guerrilha como principal forma de luta — crítica dura ao imobilismo e as teses do PCB, ao seu atrelamento à oposição legal, ao caminho pacífico e à burguesia nacional. Esses eram os divisores de água dentro da esquerda.

Despontam ainda outras organizações como a Vanguarda Popular Revolucionária (VPR), liderada por Carlos Lamarca, junção do Movimento Nacionalista Revolucionário (MNR), de raízes brizolistas, com forte participação de suboficiais e sargentos, com a Polop. A seção mineira da Polop ficou fora e criou o Comando de Libertação Nacional (Colina) que, após sucessivas derrotas, se somaria à VPR para conceber a VAR-Palmares. União de duração fugaz, que acabou levando a recriação da VPR.

Da Polop ainda surgiria o Partido Operário Comunista (POC), como crítica à luta armada e retorno ao trabalho sindical e operário. Aliás, o POC também se dividiria, resultando o Movimento de Emancipação do Proletariado (MEP) e a Organização de Combate Marxista-Leninista (OCML), o que dá uma ideia da fragmentação das forças dissidentes do PCB e da nova esquerda.

O PCdoB também não ficaria imune ao cisma e dele sairia a Ala Vermelha. Enquanto isso, a Ação Popular se repartiria entre o ingresso no PCdoB e a fundação do Partido dos Trabalhadores Revolucionários (PTR), adepto da Frente Armada.

Na verdade, nunca conseguimos desencadear um processo de luta armada ou guerrilha no Brasil de caráter permanente e abrangente. Mais correto seria afirmar a existência de ações armadas e de tentativas de implantação de focos ou colunas guerrilheiras, a mais conhecida delas a do Araguaia, planejada e posta em ação pelo PCdoB. Houve tentativas fracassadas como as assim chamadas "guerrilhas" da Serra de Caparaó, organizada por militares de baixa patente adeptos do brizolismo, e do Vale do Ribeira, chefiada por Carlos Lamarca, da VPR, ambas mistos de focos, áreas de treinamento, tentativas de implantação entre a população camponesa, e mesmo linha e campo de recuo de militantes perseguidos e caçados nas cidades pela repressão.

Enquanto isso, a situação político-institucional não conduzia o país à crise econômica. Pelo contrário, à medida em que o regime endurecia, o Brasil vivia o "Milagre Econômico": o país crescia 11% ao ano e era afogado numa onda ufanista com *slogans* do tipo "Ame-o ou deixe-o". Tal fase perduraria até 1973, ano em que eclode a primeira crise do petróleo. Até então, apesar da brutal concentração de renda e da desigualdade, pobreza, favelização, degradação ambiental, o governo conseguira se estabilizar ancorado na censura, na propaganda do ufanismo nacionalista e principalmente no crescimento econômico. Alicerçado no endividamento externo, realizara grandes obras de infraestrutura nas áreas de energia, transporte e telecomunicações, na ocupação da Amazônia, na expansão da fronteira agrícola e das exportações.

A luta armada apareceria no exato momento em que o Movimento Estudantil crescia e alcançava apoio popular. Quando a frente contra a ditadura obtinha espaço extraparlamentar, setores importantes da classe média e da Igreja perfilavam-se à oposição, criando uma situação política inédita e, para mim, até hoje difícil de avaliar. As ações armadas, assaltos a bancos — ou melhor, expropriações —, atentados, ações de propaganda armada, sequestros de diplomatas para liberar presos torturados à beira da morte, execuções de torturadores e de instrutores estrangeiros mudavam o cenário e a conjuntura política. Também era o momento em que, pela primeira vez, duas grandes greves seguidas de ocupações de fábricas testemunhavam a radicalização do movimento sindical.

Para mim, a pergunta central era: seria possível derrotar o regime com o Movimento Contra a Ditadura articulado em torno do Movimento Estudantil, com o crescimento das mobilizações, greves, passeatas, ocupações com a participação tanto de operários como de setores médios da sociedade?

O que ocorreu foi que o governo contra-atacou. Prevendo o agigantamento da oposição entre 1968 e 1969 e diante do despontar da luta armada, editou o AI-5, fechou o Congresso, suspendeu o *habeas corpus* e as garantias constitucionais, desencadeou uma onda repressiva e deu

A OPOSIÇÃO E SUAS ARMAS

caráter institucional à Operação Bandeirantes, a Oban — mais tarde, DOI-Codi —, máquina de tortura, desaparecimentos e assassinatos.

Hoje sabemos, por documento oficial da CIA, revelado pelo historiador e pesquisador Matias Spektor, da Fundação Getúlio Vargas, que o general Ernesto Geisel sabia que opositores do governo militar eram executados, depois de presos e torturados. Mais: ele próprio, Geisel, autorizou as execuções. O documento, um memorando secreto de 11 de abril de 1974, foi elaborado pelo então diretor da CIA, William Egan Colby, e endereçado ao secretário de Estado dos Estados Unidos, Henry Kissinger. No ano anterior, 1973, 104 pessoas consideradas "subversivas" ou "terroristas" pelos militares tinham sido sumariamente executados pelo Centro de Inteligência do Exército — CIE.

O fato histórico é que a ditadura se impôs, desmantelou a oposição estudantil-popular, derrotou as organizações armadas e calou a oposição liberal democrática. Quando sua crise chegou, em 1973, pôde fazer a transição dentro do regime elegendo o general Ernesto Geisel, apesar do repúdio à ditadura.

Sem querer polemizar, mas colocando o problema: muitos atribuem a radicalização da ditadura ao surgimento das organizações armadas. Não tenho uma resposta, mas parece eloquente a repressão sanguinária desencadeada contra toda a oposição, inclusive a liberal-burguesa e mesmo religiosa e depois, em 1975, por Geisel contra o PCB e também contra o PCdoB, como evidenciou a chacina da Lapa, na rua Pio XI, em São Paulo, onde três companheiros foram mortos. Segundo se sabe hoje, a repressão operou para aplainar o terreno visando à abertura, chamada de distensão lenta, segura e gradual, pelo próprio ditador de plantão.

É verdade que dentro das forças armadas e da ditadura houve uma luta acirrada pela condução do processo entre diferentes visões, começando pela imposição da candidatura, supostamente da linha-dura de Costa e Silva e depois de Médici ao grupo castelista, que volta ao poder com Geisel acossado por Sílvio Frota, que será demitido em 1977 pelo ditador de forma humilhante para pôr fim de uma vez por todas ao foco de resistência à abertura.

Isso, no final de 1973, quando toda a oposição armada estava literalmente liquidada. Somente em 1976 e 1977 ressurgiria a luta estudantil-popular, ao lado das greves operárias do ABC paulista, reação à qual se somou a oposição do MDB e dos liberais democratas já ampliada com a adesão de alguns donos da mídia e de setores do empresariado.

É da natureza da luta social e política se radicalizar e se ampliar, caso não encontre resistência no poder ditatorial. E é da natureza desse poder reprimir a qualquer custo, sob o risco de desmoronar nas ruas, evento que nossas elites sempre temeram e evitaram com a conciliação por cima, o conservadorismo reformador. Sem medo de apelar ao golpe diante da ascensão social dos de baixo. Roteiro recorrente desde 1946, seguindo por 1954 levando Getúlio ao suicídio; 1955, quando o general Henrique Teixeira Lott evita o golpe dando outro, a Novembrada, garantindo a posse de JK; 1961, quando os militares e os de sempre da UDN tentam impedir a posse de Jango e impõem o parlamentarismo ao país; 1964, com o golpe militar, e em 2016. Sempre evitando a solução através de novas eleições ou da convocação de uma Constituinte, desprezando os riscos de implosão de todo o sistema político.

5

ÀS ARMAS, CIDADÃOS!

A luta para enfrentar a ditadura,
que não dava sinais de deixar o poder

No turbilhão em que se transformou o Brasil na segunda metade da década de 1960, vivi no olho do furacão: Movimento Estudantil, PCB, dissidência do PCB e, mais tarde, a luta armada.

Na PUC, vivenciei momentos de desencanto que coincidiram com a recessão e o desemprego dos primeiros anos da ditadura, acrescidos do clima de medo, reacionarismo e censura. Havia um imenso vazio em nossas vidas, sem perspectiva. Estudar direito quando a Constituição era rasgada? Ter atuação acadêmica e social na faculdade, quando até as festas e a associação atlética estavam proibidas? Vida cultural, nem pensar. Nada de feira de livros, cineclube, teatro. Um marasmo tomava conta de tudo. Era preciso reagir.

Aproximei-me do PCB. Poderia ter me ligado à Ação Popular, mas seu caráter religioso e suas propostas, apesar da combatividade e coragem, me pareciam inconsequentes. Virei militante do PCB. Era da base da PUC e do comitê universitário de São Paulo e recebia orientação de um "assistente" do Partidão. No meu caso, tive o privilégio de ser orientado pelo lendário dirigente do PCB Joaquim Câmara Ferreira. Após a diáspora do PCB, já na ALN de Carlos Marighella, Câmara Ferreira seria o "Comandante Toledo", o segundo homem da organização. Era o velho; e eu, o jovem.

Entre 1965 e 1966, chegamos, eu e Luís Travassos, então presidente da UEE e depois da UNE, a planejar nossa ida para Cuba, de carona, desde São Paulo até Havana, uma aventura que revelava nossa frustração juvenil com a ditadura.

Recordo de nós dois conversando, ambos encostados na mureta do prédio velho da PUC, na rua Monte Alegre. Travassos, com o inseparável

ÀS ARMAS, CIDADÃOS!

cigarro na mão, casaco jogado nas costas, com um pé na parede e outro no chão, uma posição que gostava, e eu, de cabelos compridos, calças jeans, camisa sem gola, sapato sem meias, barba rala por fazer, sonhando com a viagem, com aquele sonho de Havana.

Travassos era voluntarioso, às vezes sectário, não no trato pessoal. Corajoso, era a AP em seus dias de glória, hegemônica, e já despontava como uma liderança no Movimento Estudantil.

Travassos nos deixou precocemente em 1982, vítima de um acidente de automóvel no Aterro do Flamengo, no Rio de Janeiro, recém-chegado de um longo exílio pelo México, Cuba, Chile e Alemanha. Ele já havia se formado em Economia pela Universidade Livre de Berlim. Falava fluentemente o alemão e trabalhava em uma empresa germânica. Tudo encaminhava para ser candidato — com o meu apoio e o de Vladimir Palmeira — a deputado federal pelo Partido dos Trabalhadores de São Paulo.

Travassos teve um papel importante na AP e no Movimento Estudantil. Presidiu a UNE num momento de grande repressão e sustentou uma política de combate e ocupação das ruas, de luta sem tréguas contra a ditadura. Foi ele quem teve a iniciativa de criar o Movimento Contra a Ditadura, antes que a AP caísse no esquerdismo da aliança estudantil--operária-camponesa. Travassos reorganizou o nosso centro acadêmico, o 22 de Agosto, da Faculdade de Direito da PUC de São Paulo e a União Estadual de Estudantes nos duros anos de 1966 e 1967.

Sua morte repentina foi um choque para mim e para a minha família. Éramos muito próximos desde a nossa prisão, em 68 e 69, e nos anos de exílio. Sua presença foi constante em todos momentos, particularmente os difíceis, que vivi nos últimos anos como exemplo de dignidade, luta e coragem, de entrega a uma causa política e à revolução brasileira.

No PCB, fomos envolvidos — não tinha como não ser, já que éramos os mais críticos — pelo debate preparatório do 6° Congresso, o primeiro pós-golpe. As bases estudantis se radicalizaram e, sem articulação ou ligação com o agrupamento dissidente de Marighella, romperam com o Partidão na conferência do Comitê Universitário de Itanhaém, litoral sul de São Paulo.

Todos, ou pelo menos os mais importantes comitês universitários estaduais afastaram-se do PCB. Surgiu não uma Articulação Nacional, mas várias regionais como as da Guanabara, Minas, São Paulo, Rio Grande do Sul e Pernambuco. Eles somente se uniam na disputa pela direção do Movimento Estudantil que arrebataram da AP entre 1967 e 1968. Era o novo Movimento Estudantil, nascido depois de 1964 e liderado por aqueles dirigentes ligados às dissidências.

Passei o período entre 1966 e 1968 cursando direito. Aprovado em 1965 e 1966, cheguei ao terceiro ano em 1967 quando, já presidente da União Estadual de Estudantes (UEE), era perseguido pelo Deops e impedido de frequentar as aulas. Dirigi o Centro Acadêmico 22 de Agosto no biênio 1966-67 e a UEE entre 1967-68. Ainda trabalhei na Emeri até meados de 1967, vivendo primeiro na pensão da Condessa e, depois, em um apartamento sala-quarto-banheiro-cozinha na alameda Barros, bairro paulistano de Santa Cecília.

Presidindo o centro acadêmico, percorria as faculdades da capital e do estado. Fechei uma aliança com o Centro Acadêmico XI de Agosto, do Largo de São Francisco, e com o Centro Acadêmico e o grêmio da Filosofia da USP, com os da FAU, a Faculdade de Arquitetura e Urbanismo, e da Economia, o Visconde de Cairu. Participávamos juntos das lutas reivindicatórias e contra o regime, na oposição à direção da UEE.

Foi na convivência, a partir das relações entre lideranças das diversas faculdades dentro do PCB, e depois na dissidência nas faculdades de direito, filosofia e arquitetura e mesmo economia da USP, que ampliei minhas amizades, a visão sobre o Brasil e o mundo, o gosto pelo cinema e pelo teatro.

Com passeatas, ocupações, assembleias e reuniões, a segurança representava um problema. Levava uma vida semiclandestina em 1967 e já carregava comigo uma arma calibre 22.

Não havia fronteira na luta e nos sonhos. Nos sentíamos parte de um embate mundial, sem que o Movimento Estudantil deixasse de ter raízes profundas na história brasileira. O que vinha desde a fundação da União Nacional dos Estudantes na luta contra o fascismo, a favor da campanha "O petróleo é nosso", pela reforma e democratização da Universidade, em defesa do ensino público e gratuito, pelas reformas de base no governo Jango e pela democracia.

Enfrentavam-se as forças paramilitares da direita, como o Comando de Caça aos Comunistas, o CCC, e outros grupos armados ligados ao Deops, mas também nas faculdades, debatendo cultura, desenvolvimento, política científica, juventude, política externa, pobreza e capitalismo. Éramos atores e autores do Movimento Estudantil e da reforma da universidade, que realizamos na PUC e na USP através das comissões paritárias de professores e alunos.

ÀS ARMAS, CIDADÃOS!

Tomamos conta das ruas, as faculdades foram ocupadas e construímos um amplo movimento. Porém, não estabelecemos as pontes, as alianças, o diálogo com a oposição democrática-liberal. Apoiamos o renascente movimento operário, mas havia um senão: tínhamos optado, a maioria, pela luta armada. O povo armado derruba a ditadura, e não, como cantava a AP, o povo unido derruba a ditadura. Fomos na contracorrente ou fomos afogados pela corrente da repressão, do AI-5, do terror do DOI-Codi?

A ocupação das faculdades é um capítulo à parte pela sua importância e novidade, uma opção à greve pura e simples que se esgotara como instrumento de luta. Ninguém ligava para as faculdades paradas, diferentemente das greves em setores produtivos ou de serviços. A maioria simplesmente não aparecia na faculdade: ou ia para a praia ou ficava em casa se divertindo.

No começo não tínhamos consciência da importância desse novo método de luta. Começamos pelos acampamentos de excedentes em frente ao prédio da rua Maria Antônia, depois ocupamos, muito como resposta à repressão violenta no Rio e em Brasília. Mais tarde, as ocupações evoluíram para algo inédito, palestras, ciclos de estudos, seminários, congressos, *shows*, exposições de pinturas e fotografias, teatro, cinema com a presença de artistas, intelectuais, jornalistas e professores que nos apoiavam. Com eles discutimos tudo, o Brasil, o mundo, a cultura, era o início de uma verdadeira revolução cultural e de comportamento, era a geração de 68 nascendo.

A ocupação era uma operação de guerra, planejada e executada com estado-maior e divisão de tarefas, havia uma comissão de organização, de segurança, de limpeza, alimentação, das atividades culturais, política em busca da solidariedade e apoio da comunidade e da sociedade, e assim fomos garantindo o crescimento das ocupações por várias faculdades.

Iniciamos aulas e cursos paralelos de como seria uma reforma universitária, os currículos, os métodos pedagógicos, a gestão democrática das faculdades, logo estávamos discutindo em comissões paritárias de alunos e professores a reforma da USP e da PUC.

Eram uma festa e, ao mesmo tempo, uma guerra que exigia organização e segurança. A direita atacava a faculdade à noite com tiros e coquetéis Molotov. Havia um pouco de tudo, festivais de *rock*, muita música e alegria, além de debates, disputas políticas e amores como era próprio de nossa geração.

Muito se falou de meus namoros na sala de aula de Grego — um pouco de lenda. A realidade é que estávamos vivendo o auge do "amor livre", da pílula anticoncepcional, da vida independente e longe da casa dos pais, uma época em que todos namoravam e muito. Fiquei com a fama, nem sempre verdadeira.

Uma das histórias que contam dessa época, com várias versões, cada qual de um jeito, é que fui seduzido e espionado por uma jovem a serviço do Deops que tinha o codinome de Maçã Dourada. A história é verdadeira, mas bastante simples.

Começou assim: quase todos os dias dávamos entrevistas à imprensa. Há, inclusive, uma foto famosa, na lousa negra onde se vê escrito "Imprensa burguesa, fique sentadinha", algo assim. Sempre fizemos tudo abertamente. Numa dessas entrevistas, notei uma linda jovem de cabelos longos, com umas costas maravilhosas, pernas longas, um pedaço de perdição, sentada numa das cadeiras, lendo e pouco ouvindo a entrevista. Naquele momento fiquei intrigado, mas depois acabei me esquecendo.

Mas, de novo, lá estava ela. Aí me interessei, abordei e comecei a "ficar" com ela numa das escapadas para a sala de Grego. O seu nome era Heloisa Helena Magalhães. Chegamos à sala, que na verdade era um quarto, para eu descansar e dormir em segurança. Fomos nos despindo, eu de olho nas suas lindas costas, um fetiche, e não prestei atenção, num primeiro momento, na forma como ela pegou meu revólver 22, abriu o tambor e olhou as balas. Mas, logo em seguida, meu instinto me alertou que havia algo de errado ali. Como uma menina de dezenove, vinte anos maneja uma arma com essa intimidade? Não deu outra, chamei a segurança, e Heloísa, depois de negar e negar, confessou. Encontramos em seu apartamento relatórios sobre nós e a ocupação da rua Maria Antônia, feitos por ela para o Deops. Ela era uma agente recrutada e infiltrada no Movimento Estudantil pelos órgãos de repressão.

Assim, descobrimos que os órgãos de repressão estavam se aproveitando das dificuldades financeiras de estudantes vindo do interior para recrutá-los. Heloisa era uma de suas vítimas — mais do que uma agente especial, era uma amadora. Fizemos do incidente uma poderosa arma de denúncia da repressão e do uso de inocentes úteis para seus fins. Convocamos a imprensa e devolvemos Heloisa para seus pais, com um impacto enorme nos jornais. Mas não escapei da gozação e das piadas, acabei virando motivo de chacota. Meus adversários da AP fizeram uma música e pregaram por toda a faculdade, fotos e relatos sobre como fui "conquistado" e enganado por uma espiã do Deops. A galhofa foi geral, passei um mau bocado.

ÀS ARMAS, CIDADÃOS!

Havia outro caminho? O que foi percorrido depois de 1974 pela própria UNE, oposição democrática, mais dissidências do regime, novas organizações surgidas nas lutas sindicais e populares como as Comunidades Eclesiais de Base (CEBs), as pastorais da Igreja, a Central Única dos Trabalhadores (CUT), o PT, a CMP, Central de Movimentos Populares, a Contag e depois o Movimento dos Sem Terra (MST). Mas o que fazer entre 1967 e 1969, quando o autoritarismo endureceu e o "Milagre Brasileiro" criou as bases para sua aparente legitimação "nacionalista"?

A resistência era um imperativo moral e político. Os meios: a luta de massas e a resistência armada. Por um lado, infelizmente, esta última ganhou a disputa, virou uma luta militarista e descolada da realidade política, até mesmo pela dinâmica de sobrevivência dos grupos armados. Por outro lado, os militantes dos movimentos sociais radicalizam as lutas e eram violentamente reprimidos e empurrados para a clandestinidade ou para a luta armada, desfalcando a luta social e política, cada vez com menor, quase nenhum, espaço legal.

Perdemos pela repressão e era de se esperar. Perdemos pela mudança na correlação de forças, sem base social mais ampla que o Movimento Estudantil popular nascente? Sem apoio operário-camponês? Não enxergamos ou não era uma premissa na nossa estratégia, que acreditava que as ações armadas mobilizariam as massas.

Os GTAs, os grupos guerrilheiros armados, tinham poder de fogo e ação para lutar por um longo período? Como o tempo era e é sempre um elemento decisivo, quando perdemos sua noção exata ao agir, estamos derrotados. Na política e na guerra.

Sobrava decisão política e faltava uma leitura correta da realidade do momento. Nossa percepção do caráter e da natureza do golpe estava correta e se mostrou assim. Para nós, da dissidência do PCB, 1964 não fora uma quartelada cívico-militar que logo convocaria eleições e entregaria o poder ao vencedor, fosse Lacerda ou Juscelino. Percebemos que estávamos diante de uma contrarrevolução autoritária, conservadora, que vinha reformar o capitalismo brasileiro para além de recolocar o país na órbita norte-americana, o que durou pouco, apenas a era de Castelo Branco-Costa e Silva. Com Ernesto Geisel, o Brasil adotaria o pragmatismo responsável como política externa, prevalecendo o interesse nacional ainda que no espaço da "civilização ocidental".

A forma de governo escolhida foi a eterna conciliação brasileira: ditadura, porém com "eleições", Parlamento, Judiciário, Federação, imprensa e partidos políticos. Puro formalismo.

Acertamos na avaliação do momento histórico e do caráter do regime, na leitura do capitalismo brasileiro. Erramos — e grosseiramente — na definição da forma de luta. Fomos obrigados a lutar, uma luta moral, um imperativo ou sonho de uma geração.

Mas e os mais velhos, os dirigentes experimentados do PCB, PCdoB, PCBR: Carlos Marighella, Câmara Ferreira, João Amazonas, Pedro Pomar, Maurício Grabois, Apolônio de Carvalho — militar e combatente nas brigadas internacionalistas na Espanha e da Resistência Francesa ante a ocupação nazista —, Jacob Gorender, Jover Telles e Mário Alves, além de Carlos Lamarca, um jovem e experiente capitão do exército?

Quase todos haviam vivido 1935, 1937, 1954, 1961, a Constituinte de 1946 e a cassação do registro do PCB em 1948. Eram curtidos em clandestinidade, exílio, prisão, tortura e tinham experiência na luta e organização dos trabalhadores. Eram intelectuais, estudiosos como Jacob Gorender, militares vividos e cultos como Apolônio, autodidatas como Marighella, leitores de Caio Prado Junior, Sérgio Buarque de Holanda, Gilberto Freyre, Raymundo Faoro, dos clássicos da filosofia e do marxismo.

E nós, os jovens, o que nos levou à luta armada? Antes de tentar responder a essa pergunta que me angustia e persegue há quarenta anos, vou retomar o fio da história de minha trajetória de líder estudantil e quadro político de esquerda. Além da influência dos acontecimentos de maio de 1968, a invasão da Tchecoslováquia, a guerra do Vietnã e, principalmente, a Revolução Cubana.

A longa jornada que se inicia em 1961 só terminaria em 1979, com a anistia, e em 1980, com a fundação do PT. A segunda metade dos anos 1960 mudou minha vida. Na Faculdade de Direito, no PCB e na dissidência, no Movimento Estudantil, vivi o assalto aos céus. Tempos de agitação, assembleias, passeatas, ocupações, articulações políticas e a descoberta do poder da política. Sua capacidade de mobilizar, o dom de despertar sonhos e esperanças e a ação; antes de tudo, a ação. Éramos pela ação, sem pedir licença a ninguém, sem tréguas.

Minha formação e, sobretudo, a experiência política e de organização foram forjadas nesses anos. A influência das faculdades de filosofia, arquitetura e de novos companheiros e companheiras foi decisiva. A

ÀS ARMAS, CIDADÃOS!

revolução cultural que o Movimento Estudantil suscitou e expandiu — novas linguagens, novos problemas, a iconoclastia ante a velha forma de falar, escrever e atuar na literatura, cinema, música popular, teatro, artes plásticas e gráficas, sua presença como ator e espectador é marcante e só seria travada pelo AI-5, com a censura e o terror.

Minha vivência com a FAU e a Filosofia me colocou em contato com uma geração de estudantes como Antônio Benetazzo, André Gouveia, Moacyr Urbano Villela e José Roberto Arantes. Comecei militando por causas óbvias como o direito de organização, de livre associação, contra a extinção da UNE e a transformação dos centros acadêmicos em entidades pelegas. E também contra o aumento das anuidades, a favor da ampliação do número de vagas, a imediata matrícula dos excedentes aprovados no vestibular que não conseguiram entrar na universidade, a reforma dos currículos, por mais aulas práticas e laboratórios, pela liberdade de expressão nas salas de aula, pela criação de cineclubes, feiras de livros e o direito de se manifestar.

Na luta contra a Lei Suplicy de Lacerda, que tornou a UNE ilegal, e na Setembrada, destaquei-me como líder da Faculdade na primeira e da Universidade na segunda. Em 1966, me elegi presidente do Centro Acadêmico 22 de Agosto nas ruas, já que a votação em eleição direta fora proibida dentro da faculdade e fortemente reprimida pela polícia. Dois anos depois, em 1968, como presidente do 22 de Agosto e da UEE, era candidato a presidente da UNE no famoso 30º Congresso de Ibiúna. Da Faculdade de Direito até a liderança nacional, foram apenas dois anos, mas pareceram uma eternidade, tantas foram as lutas.

Sempre me elegi diretamente, enfrentando os debates e os adversários nas salas de aula e nas assembleias. Participei pessoalmente das passeatas, ocupações e enfrentamentos com a direita e a repressão. Eu e todas as lideranças. Era a marca da nossa geração, sem medo, mas com organização e apoio da maioria dos estudantes e com articulação nas salas de aula e faculdades, amparados por centros acadêmicos fortes e representativos, ligados aos alunos, presentes em suas vidas. O discurso vinha sempre acompanhado da defesa dos interesses dos estudantes. A luta política começava na universidade, seu papel e sua reforma, na nossa vida e na formação profissional, além da importância da instituição para o país, para o desenvolvimento científico e tecnológico. Tudo isso resultou na nossa oposição à privatização e à transformação da universidade em formadora de técnicos, gerenciadores de tecnologia importada, profissionais especializados, sem a formação humana e cultural que a tradição francesa nos havia legado com o Iluminismo.

A nossa geração de 68 tinha uma ligação com o socialismo, mas tínhamos os pés no chão do Brasil. Não importamos modelos ou fórmulas, em que pese o impacto do Maio francês e mesmo da Revolução Cubana.

Minha formação cultural é um exemplo disso. Antes do contato com o marxismo, tive uma plural e sólida educação em casa, na escola pública e no Colégio São Miguel. Dentro do PCB, da dissidência, do Movimento Estudantil, participei dos debates políticos, econômicos e filosóficos, sobre os desafios da Revolução Brasileira e da esquerda, sobre a herança da revolução russa. Nunca fui maoísta ou stalinista, critiquei publicamente a invasão da Checoslováquia em 1968 pelas tropas do Pacto de Varsóvia. Fui vacinado contra o stalinismo, não só pela história revelada, mas pela influência política e cultural dos Abramos, principalmente de Cláudio e Radha Abramo, de quem fui e fomos amigos, eu e vários dirigentes estudantis, Travassos e Luís Raul, entre outros.

Os Abramos com quem convivi — Cláudio, Lélia, Perseu, Lívio e Radha — eram daqueles descendentes de italianos que o Brasil teve o privilégio de receber. De uma cultura universal, heterodoxa, abertos, criativos e intelectuais orgânicos, militantes da causa da libertação do homem, agnósticos e austeros, corajosos e cada um em sua profissão: Cláudio e Perseu no jornalismo, Lélia no teatro, Lívio na pintura e nas artes plásticas, Radha nas artes plásticas.

Li Euclides da Cunha, Oliveira Lima, Caio Prado, Sérgio Buarque de Holanda, Nelson Werneck Sodré, Hélio Silva, José Honório Rodrigues, Marx e Engels. Li os clássicos da literatura universal em edições baratas do Clube do Livro e das Edições Saraiva, que recebia mensalmente pelo correio. Haddock Lobo e Melo Antônio foram meus professores.

Estudei e conheci, com admiração e paixão, a História do Brasil no século XX. Os Tenentes, a saga dos 18 do Forte de Copacabana, a Revolução de 1924, a Coluna Prestes, a Revolução de 1930, a Aliança Nacional Libertadora, o golpe do Estado Novo em 1937, o *putsch* integralista de 1938, enfim o getulismo e a era JK. Vivi e testemunhei a história do Brasil de Jânio, de Jango e do golpe.

Já havia me encantado e envolvido pelas revoltas bem antes da Independência e sua precursora, a Inconfidência Mineira de Tiradentes e a Conjuração dos Baianos. A Revolta dos Alfaiates de 1798, no

ÀS ARMAS, CIDADÃOS!

Primeiro Império a Confederação do Equador, a Sabinada e principalmente os Cabanos, que, juntamente com os Farrapos, ocupavam minha imaginação de um Brasil rebelde, a exemplo das revoltas — Balaiada e Praieira — no Segundo Império.

Tinha absoluta convicção de que o Brasil era um país capitalista dependente, porém com possibilidade de desenvolvimento nacional autônomo e soberano. Nação profundamente autoritária e conservadora, excludente social e culturalmente, com seu povo mantido à margem, abrigando uma elite predadora que tolerava certa democracia apenas quando convinha aos seus interesses de poder.

Mas não conhecia o Brasil a não ser pelos livros. Eu tomava conhecimento do tamanho da miséria nacional através do cinema. Em Passa Quatro, a pobreza era pequena e atendida pela "caridade" religiosa, um quadro muito distinto daqueles do Norte e do Nordeste. Quem chegava à universidade eram os filhos, como nós, das classes média e alta, vindos de famílias de funcionários públicos, profissionais liberais e pequenos empresários. E alguns se chocavam ao descobrir um Brasil tão desigual e injusto.

Convivi por duas vezes com Cláudio e Radha Abramo, primeiro em 1968 e, depois, em 1980 e 1981. Deles recebi não só afeto, mas lições sobre um pouco de tudo: política internacional, filosofia, artes. Cláudio era um homem especial, bonito, elegante, culto, mas duro, incapaz de conviver com a mediocridade, a preguiça, a malandragem, a falsidade e a traição.

Ele nunca cedeu às pressões e ameaças. Abrigou-me na sua própria casa, sempre me apoiando, mas sem pactuar ou aceitar minhas teses. Neotrotskista, se é que se pode rotulá-lo, um libertário a la Garibaldi, ele me educou na desconfiança dos patrões da mídia, do poder e do stalinismo. Socialista de tradição anarquista, Cláudio era meu segundo pai, e Radha e filhas, minha segunda família.

Com ele me aproximei de Antonio Gramsci e do Eurocomunismo. Estudei a história das revoluções russa, húngara e alemã, o papel e a importância da ação e da vontade na política, na tradição dos carbonários e de Rosa Luxemburgo.

Nos anos entre 1966 e 1968, dediquei-me integralmente à construção do Movimento Estudantil, ao combate ao arbítrio e participei da construção da dissidência do PCB. Mas não me filiei à ALN e nem à VPR, como a maioria de meus parceiros da dissidência, fato que só vim a saber depois de preso, por óbvias razões de segurança.

Na dissidência, fiz de tudo, desde o controle das finanças até rodar panfletos em mimeógrafos a álcool. Levava-se o texto datilografado na folha de estêncil ao aparato, fixando-o e imprimindo-o.

Mas era o debate político sobre o PCB, a luta armada e o Movimento Estudantil que me atraíam para além da luta dos estudantes e da organização da dissidência. Cheguei a conhecer Carlos Marighella e ouvir dele sua avaliação do país, proposta política e plano de guerra. Homem de ação, duramente marcado pelo imobilismo e pacifismo do PCB, inconformado com a não resistência ao golpe de 1964, resistiu à prisão e foi ferido no confronto. Era um defensor da liberdade tática, de ação e da unidade das organizações que se opunham à ditadura. O sequestro do embaixador norte-americano Charles Elbrick foi um exemplo prático dessa unidade que defendia.

Para encontrar Marighella, obedeci às rígidas regras de segurança e numa noite inesquecível, sem saber onde estava, me vi num apartamento, hoje acredito que era no bairro de Santa Cecília ou nas alamedas atrás da Avenida Paulista. Encontrei aquela figura mítica para nós que, numa linguagem direta e simples, nos expôs suas ideias e propostas. Marighella impressionava por seu porte, voz e firmeza. Sua presença e confiança eram um aval seguro para nós, jovens que nos iniciávamos na arte da guerra e da revolução. Sua lendária resistência à prisão, à tortura, sua vida clandestina e como professor e poeta, tudo isso tinha o dom de encantar, somado a seu exemplo que falava por si.

Marighella não só analisava e propunha — ia além, apresentando um currículo de ações e iniciativas do Agrupamento Revolucionário de São Paulo e agora da ALN. Com mapas e didaticamente, nos dizia como desenvolver as colunas guerrilheiras e sublevar o triângulo estratégico formado por São Paulo, Rio e Belo Horizonte.

Para ele, o dever do revolucionário era fazer a revolução, sem pedir licença. A ação era a realização da política. Concebeu uma estratégia de luta que combinava a ação armada no triângulo São Paulo-Rio-Belo Horizonte e as colunas guerrilheiras no interior do país: Goiás, Tocantins, Maranhão.

Corajoso e calejado, Marighella propôs a luta armada como meio e a organização político-militar como instrumento. Não só foi para o enfrentamento como também escreveu e orientou a esquerda armada, expondo seus ensinamentos em textos que correram o mundo, como o *Mini Manual do Guerrilheiro Urbano*, impresso e traduzido para vários idiomas.

ÀS ARMAS, CIDADÃOS!

O que nos levou à luta armada para além do dever moral e do direito de rebelião inscrito na Declaração Universal dos Direitos Humanos da ONU? Era um dever e um direito encarar o arbítrio, o que não seria possível com a política do PCB. Mas de onde surgiu a centralidade da luta armada?

Poderia responder simplesmente com a máxima de Clausewitz: "A guerra é a continuidade da política por outros meios". Mas há um fato histórico que não pode ser menosprezado: somos um país, como muitos da América Latina, onde as disputas políticas se resolveram, em passado recente, pelas armas. E com decisiva participação das forças armadas e Forças Públicas (hoje PMs), desde a República, para não voltar ao Império e às rebeliões como a Confederação do Equador, a Cabanagem, os Farrapos e a Praieira, e tantas outras.

O Brasil republicano nasceu por meio das armas, apesar da contribuição do movimento antiescravista, da força do Partido Republicano, da questão religiosa e militar. Foi o exército que decretou o fim do Império e a espada de Floriano que consolidou a República, corrompida que seria pelas oligarquias do café com leite, de São Paulo e Minas Gerais.

O Tenentismo reagiu a tal abastardamento, sem esquecer de Ruy Barbosa, através dos levantes e rebeliões dos anos 1920, das quais talvez o episódio mais notável seja a saga da Coluna Prestes que, durante três anos — de 1925 a 1927 — percorreu o Brasil em defesa do voto secreto, da justiça eleitoral, da Federação e da República.

Em 1930, uma revolução armada derruba a República Velha e deflagra o processo de modernização do país. Na verdade, é a criação do Estado brasileiro com a industrialização sob a liderança carismática de Getúlio Vargas, o pai dos pobres, criador da Consolidação das Leis do Trabalho, a CLT, da Companhia Siderúrgica Nacional, a CSN, e da hidrelétrica de Paulo Afonso, da Petrobras, Eletrobras, do BNDES.

A década é de revoltas, insurreições e golpes. Comunistas, integralistas e a cúpula das Forças Armadas lutam pelo poder. Cria-se a Aliança Nacional Libertadora, unindo as forças da esquerda. Vargas consegue repelir o levante comunista de 1935 e, em 1937, implanta a ditadura do Estado Novo. Em 1938, derrota os integralistas que o haviam apoiado em 1935 contra o principal inimigo ideológico. De corte neofascista, o Estado Novo cai em 1945 novamente através de uma ação militar que depõe o ditador. E o país irá se redemocratizar em 1946 com a Constituinte.

O general Eurico Gaspar Dutra se elege, derrota Eduardo Gomes, candidato da UDN, e dá um golpe na prática: cassa o registro do PCB e os mandatos de seus deputados constituintes e do senador Prestes, reprime o movimento operário e a esquerda, segue a cartilha e a política dos EUA e desmonta a política getulista e desenvolvimentista.

Mas Getúlio volta em 1950 nos braços do povo. Derrotada nas urnas, a direita ensaia seu golpe ao exigir para o vencedor uma maioria eleitoral não requerida pela Constituição: 50 por cento + 1 dos votos. Perde novamente.

A década de 1950, que só acaba em 1964, foi uma sequência de tentativas golpistas.

Em 1955, para impedir a posse da chapa Juscelino-Jango, é derrotada pelo contragolpe desferido pelo general legalista Henrique Teixeira Lott em novembro. Em 1957, os levantes em Jacareacanga e Aragarças, Brasil Central, de oficiais da aeronáutica, discípulos do brigadeiro e candidato derrotado Eduardo Gomes. Em 1961, mais um golpe. Este urdido pelos ministros militares Odílio Denys, Sylvio Heck e Gabriel Grün Moss, procurando impedir a posse de João Goulart com a renúncia de Jânio Quadros. Foram suplantados pela Campanha da Legalidade deflagrada no Rio Grande do Sul por Leonel Brizola, que armou o povo. A crise foi superada com o acordo que instituiu o parlamentarismo para reduzir os poderes do presidente que assumia. Em 1963, o regime parlamentar foi rejeitado em plebiscito no qual o eleitorado optou por Jango e pela herança getulista. Um ano mais tarde, tal como em 2016, a direita mobilizou sua base social e desfechou o golpe de 1964.

Revendo superficialmente nossa história, notamos que, apesar do discurso e da tendência à conciliação, das reformas pelo alto e do autoritarismo conservador, golpes e conflitos foram uma constante. Durante mais de quinze anos, os tenentes optaram sempre pela rebelião. Sem esquecer a guerra civil de 1932, quando a elite paulista se levantou contra Getúlio e a revolução de 1930. Malograda, ainda conquistou a Constituinte de 1934. De caráter reacionário e separatista, a chamada Revolução Constitucionalista armou batalhões civis, fabricou armas, envolveu as mulheres no esforço de guerra, buscou apoio no exterior, mas acabou vencida pelas forças federais, apoiadas por contingentes de soldados de Minas e do Rio Grande do Sul

Portanto, nada mais normal na história do Brasil do que recorrer às armas para resolver conflitos políticos e sociais. Para tomar o poder e rasgar a Constituição como em 1937, 1955, 1961 e, por fim, 1964.

ÀS ARMAS, CIDADÃOS!

Nada mais brasileiro que erguer o braço armado contra a tirania, como em 1922, 1924, 1930, 1935.

Passa a parecer, portanto, normal e esperado, depois da violência do golpe de 1964, o ressurgimento da tendência para a rebelião armada, agora influenciada pelos tempos que vivíamos. E sem a possibilidade de apoio dentro dos quartéis ou das forças públicas regionais, expurgadas de todos os que se opunham à ditadura, não importasse a matiz política e ideológica.

O momento histórico e a ausência de apoio nas forças armadas nos legaram a forma de rebelião: a guerrilha. O respaldo a partir da caserna deixou de existir ainda em 1964-65 com o fracasso da coluna armada comandada pelo coronel Jefferson Cardim Osório ao invadir o Sul do Brasil através da fronteira uruguaia. Osório pretendia levantar quartéis fiéis a Jango e Brizola. Restou-nos a guerrilha, já tentada, de novo pelos brizolistas, com apoio de Cuba, segundo consta, na Serra do Caparaó, situada entre os estados do Rio, Minas e Espírito Santo, que novamente resultaria em prisões e malogro.

Em parte das organizações armadas, a presença de ex-oficiais, suboficiais, sargentos e cabos, excluídos do exército, marinha e aeronáutica e das forças militares estaduais, agravava a tendência ao voluntarismo, ao militarismo e à negação de outras formas de luta. Provenientes de estruturas baseadas na hierarquia, na cadeia de comando e ordem do dia ou de batalha, tinham pouca tolerância à discussão e à indisciplina.

Se somarmos a essa herança histórica a situação política entre 1964 e 1969, no país e no mundo, será mais fácil entender — sem precisar de com elas concordar — as razões da luta armada e da opção de toda uma geração de velhos e experientes revolucionários e de jovens líderes estudantis por trilhar esse caminho.

Não que a Revolução Cubana, o exemplo de Che Guevara, a guerra do Vietnã e as guerras anticoloniais na África não tenham sido importantes e mesmo vitais — dado o apoio político e material de Cuba — para o desencadear da luta armada no Brasil. Cuba foi muito importante e não somente por influência do foquismo ou dos livros do filósofo francês Regis Debray, das concepções de Che Guevara, ou do exemplo da Sierra Maestra.

Cuba foi a retaguarda segura para a oposição à ditadura brasileira. Alcançou apoio, treinamento e recursos para as principais organizações brasileiras — ALN, VPR e MR-8. Recebeu e deu lugar de honra na Organização Latino-Americana de Solidariedade (OLAS) a Marighella, quando ainda membro da direção nacional do PCB. O que levou à sua expulsão e à criação da ALN com base no Agrupamento Revolucionário de São Paulo, facção do PCB que ganharia amplo respaldo entre os estudantes, intelectuais, profissionais, jornalistas, padres e lideranças operárias e populares.

O tempo, senhor implacável, particularmente na guerra, havia passado. Passara o momento da luta armada. A hora mais adequada seria março-abril de 1964, o instante certo para o levante contra o golpe com engajamento popular e com o apoio no interior das forças armadas, como acontecera em 1961. Mas o PCB e a esquerda não haviam se preparado, o tempo passou e as condições da batalha mudaram.

A partir do expurgo desencadeado — nas forças armadas, no Serviço Público, nas universidades, no Legislativo e Judiciário, nos sindicatos, nas organizações sociais, na imprensa —, ficamos sem a força popular e o braço militar. O terror e a repressão, o controle da informação nos colocavam na defensiva. Apesar de toda a violência, ainda havia reação. Em 1966, a ditadura perde as eleições em Minas e Rio, decreta o fim dos partidos e das eleições diretas, cassa deputados e senadores e grande parte de seus apoiadores civis passa para a oposição. É o caso de Carlos Lacerda, Magalhães Pinto e Adhemar de Barros. Lacerda junta-se a Jango e Juscelino na Frente Ampla, porém, dentro das forças armadas, a linha--dura de Costa e Silva e Garrastazu Médici se impõe.

Restaram os estudantes, as dissidências, os grupos armados, as nascentes oposições sindicais, estimuladas por grupos dissidentes do PCB, a resistência dos padres, rompendo com a orientação pró-golpista da CNBB, e os artistas, intelectuais, jornalistas e jornais como o *Correio da Manhã*. O MDB continuou seu papel de oposição, no início consentida, bem mais tarde autêntica, como veremos nos anos 1974 a 1978.

Como se percebe, o cenário da luta armada não era o da ascensão da luta popular-sindical e sim do Movimento Estudantil e da classe média progressista. A dissidência liberal do regime fica calada com a proibição da Frente Ampla e o MDB paralisado com o fechamento do espaço institucional.

No campo econômico, vivemos duas fases: a da recessão e ajuste da dupla Campos-Bulhões e do "milagre" da era Médici; entre um e outro, o AI-5 e o fechamento total do regime com a implantação do terror, a disseminação da tortura e da censura. E do silêncio, da cumplicidade e do apoio da mídia e do empresariado à ditadura.

ÀS ARMAS, CIDADÃOS!

Podemos dividir em dois os tempos da luta armada no Brasil: de 1966 a 1969 e de 1970 a 1973, tendo-se 1974 como momento de virada, fim das ações armadas, derrota eleitoral da ditadura e crise econômica de 1973. Mais a crise do petróleo e do crédito externo, que expôs a fragilidade do suposto "milagre" e abriu um novo ciclo no país, na ditadura e na oposição.

Mas não se pode afirmar que houve, de fato, guerrilhas ou luta armada no Brasil. É mais certo dizer que houve ações armadas urbanas e tentativas de implantação de grupos guerrilheiros no interior do país, seja o campo de treinamento da VPR do Vale do Ribeira, em São Paulo, ou a base guerrilheira no Araguaia do PCdoB. Nas cidades, prevaleceu a ação armada de propaganda, expropriações e execução de torturadores.

Não acredito que a violência seria menor sem as ações e organizações armadas. Prova disso está na repressão desencadeada por Ernesto Geisel em 1975, visando ao que sobrara do PCB. E que levou aos assassinatos do jornalista Vladimir Herzog e do operário Manoel Fiel Filho, além do massacre da Lapa, em São Paulo, onde a direção do PCdoB foi tocaiada e executada.

A luta armada existiu como imperativo moral e político. Por causa dos homens e mulheres que a fizeram com bravura e altíssimo sacrifício pessoal, centenas deles dando o único bem que possuíam, a vida. Tragicamente, mas é verdade da qual não podemos fugir, convivo com ela e com a memória de todas e todos que juntos percorremos esse caminho, e me pergunto todos os dias se seria diferente se tivéssemos enfrentado a ditadura desarmados. A resposta reside no fato histórico de que todos, sem exceção, inclusive o PCB, que jamais pegou em armas e sempre foi crítico acerbo da solução militarista — foram vítimas, em alguns casos, fatais, da repressão.

Vivi essa primeira fase de 1966 a 1969 no Movimento Estudantil e o período de 1970 a 1973 em Cuba e, clandestinamente no Brasil, participando do Molipo, o Movimento de Libertação Popular, dissidência da ALN constituída em São Paulo e Cuba. O período 1970 a 1973 foi o do auge da ditadura de Médici, do ufanismo, do tricampeonato de futebol no México, do "Ame-o ou deixe-o" e do "Ninguém segura esse País". Do silêncio e do exílio, dos estertores da oposição armada.

Em outubro de 1968, fui preso no 30º Congresso da UNE, em Ibiúna. O ano marcaria o começo do fim do Movimento Estudantil pós-golpe e a escalada da tirania com a edição do AI-5.

6

A BATALHA DA MARIA ANTÔNIA

*A verdadeira história do que aconteceu
naquele dia em Higienópolis e a insanidade
de um congresso da UNE em Ibiúna*

Eu era um dos dirigentes da dissidência paulista do PCB quando assumi a presidência da União Estadual dos Estudantes, mas a partir daí afastei-me do partido, dedicando-me exclusivamente ao Movimento Estudantil. Ao ser preso, não era filiado a nenhuma organização, um fato raro.

Ibiúna foi o êxtase e a agonia do Movimento Estudantil, pela grandeza e pelo tamanho do erro. Um congresso clandestino com 850 delegados! Só o Movimento Estudantil com sua audácia e coragem seria capaz de tamanha sandice.

A UNE nunca deixou de realizar seus congressos, mesmo sob a ditadura. O primeiro deles foi em 1965, em São Paulo, mediante mandado de segurança. Aconteceu na Politécnica, situada na Cidade Universitária, no Crusp, conjunto residencial — várias faculdades, como a Politécnica, estavam instaladas no campus de USP. O segundo, em Belo Horizonte e o terceiro em Valinhos, no convento de São Bento, sempre protegidos por entidades religiosas, dada a proximidade da Ação Popular com a Igreja Católica. O de 1968, já sobre influência e direção da dissidência, seria o de Ibiúna. Os demais haviam sido clandestinos, mas com reduzido número de delegados.

José Serra, da AP, era o presidente da UNE em 1964. No ano seguinte, elegeu-se José Luís Guedes, também da AP; em 1967, foi a vez de Luís Travassos, meu antecessor na presidência do Centro Acadêmico 22 de Agosto e na UEE de São Paulo.

Para entender o 30º Congresso da UNE é preciso retornar a 1968, quando o Movimento Estudantil tomou conta das ruas e faculdades do país. As greves, com ocupação de fábricas em cidades industriais, indicavam a retomada da luta operária. Além disso, a oposição ganhava terreno em setores da Igreja, no meio artístico e intelectual, em importantes fatias da classe média. A situação foi agravada pela queda de braço entre os militares que levara à "eleição" — na verdade, uma escolha do alto-comando das Forças Armadas — do marechal Costa e Silva, supostamente da linha-dura, para suceder a Castelo Branco.

A passeata dos 100 mil, no Rio de Janeiro, em março de 1968, as ocupações, o crescimento do movimento secundarista, como era chamado o Movimento Estudantil nos ginásios e colégios, acenderam a luz vermelha na cúpula do regime militar.

Dentro do movimento, a luta pela direção entre a AP e as dissidências, com participação do PCBR, do PCB, dos trotskistas da 4ª Internacional, do Partido Operário Comunista, o POC, era generalizada. Como é da natureza dessas contendas, envolveu a disputa pela sede, pela pauta, pelo método de escolha dos delegados, pelo credenciamento, pelo controle das comissões, pela mesa e pelo regimento do congresso. Ou seja, uma "guerra civil" incompatível com o momento gravíssimo que vivia o país e o grau de repressão desencadeado.

Em Salvador, no Conselho Geral de Entidades da UNE, as dissidências tinham maioria e decidiram o local do congresso — São Paulo — e a pauta política influenciada evidentemente pela visão daquela organização política.

No clima de confronto que o Brasil vivia, organizar um congresso clandestino nessas condições era uma temeridade, com mais de 800 delegados se deslocando de todos os cantos do país.

Centenas de delegados rumaram para um pequeno sítio, o Mucuru, no bairro Apiaí, em Ibiúna. Chovia torrencialmente e as condições do local eram péssimas. Não havia instalações minimamente adequadas para tomar banho, dormir, comer e fazer reuniões. A plenária foi aberta e o Congresso poderia ter se encerrado antes de as tropas cercarem o sítio, não fossem as divergências sobre tudo — credenciamento, regimento interno, pauta e muito mais — que adiaram seu início em 48 horas. Lentidão que seria fatal para o Congresso, surpreendido com a chegada de forças policiais da Força Pública de São Paulo, Deops e mesmo do exército para prender centenas de delegados. Deveu-se o atraso também às negociações entre as facções políticas e delegações sobre as chapas e cargos, sobre o apoio a um ou outro candidato, que poderiam formar uma maioria e levar à vitória da minha candidatura a presidente da UNE ou a dos outros candidatos, principalmente o da AP, Jean Marc von der Weid, e Marcelo Medeiros, do PCBR.

Hoje parece um despautério promover um congresso clandestino com centenas de delegados, sem chamar a atenção das autoridades e órgãos de informação e inteligência, mas havia precedentes. Belo Horizonte e Valinhos, apesar das diferenças de local, instalações e número de participantes, mostraram que seria possível. Em Ibiúna, também seria factível, desde que fizéssemos um encontro relâmpago que marcasse uma vitória do Movimento Estudantil sobre a ditadura, o que exigia um grau de unidade e de responsabilidade política de que não dispúnhamos.

O local foi definido, vim a saber depois, dado o compartimento das informações, pela comissão de organização, a partir da ajuda de um apoiador da dissidência e do Agrupamento de São Paulo. Era Domingos Simões, dono do sítio, de quem me tornaria amigo nas décadas de 1980 e 1990 e a quem visitaria mais de uma vez naqueles anos. O pedido viera de Therezinha Zerbini, esposa do general cassado e reformado pelos golpistas, Euryale Zerbini, e futuramente líder da luta pela anistia, e pelo frei Tito de Alencar, dominicano e estudante da Faculdade de Filosofia da USP.

Levantou-se, depois, a tese de que o lugar expressava "uma concepção foquista e guerrilheira", o que é uma grande bobagem. Embora o fato de escolher um sítio combinasse com a decisão de, novamente, organizar um congresso clandestino, essa sim a verdadeira decisão a ser questionada.

Sobre a queda do Congresso, há muito folclore, mas os seus organizadores estão vivos e podem revelar toda a trama que envolveu sua concepção e organização. Da minha parte, fico com a responsabilidade política pela sua realização, apesar de não saber nada sobre onde e em que condições seria realizado por razões de segurança. Apesar da prisão de centenas de estudantes, a própria realização, a ida de mais de 800 delegados para São Paulo e seu transporte para Ibiúna revelam o potencial de organização das entidades estudantis e organizações políticas e relevam também qualquer outro erro, na verdade é que o Congresso caiu, como dizíamos, não pela compra de centenas de pães numa padaria da região, mas por sua própria concepção. Mas os tempos eram outros e o exemplo dos dois outros congressos clandestinos turbou nossa avaliação dos riscos, e a compartimentação de informações por medidas de segurança fez o resto.

A BATALHA DA MARIA ANTÔNIA

Pela própria experiência do Movimento Estudantil, sabia-se ser possível organizar um congresso dentro de uma universidade, como, por exemplo, no Crusp da Cidade Universitária da USP, em São Paulo. Tínhamos este aprendizado. No Crusp acontecera o congresso da UEE, acompanhado por milhares de estudantes, como escudo protetor à repressão que ameaçava invadir a Cidade Universitária. Foi uma estupenda vitória do Movimento Estudantil, retratada em manchetes de todos os jornais do país. Fui eleito presidente da UEE e consolidei minha liderança no encontro vitorioso do Crusp.

Era um contraponto democrático à ditadura e a suas farsas eleitorais, seu colégio eleitoral indireto, sua repressão e autoritarismo.

Mas, no fundo, essa decisão retratava nosso estado de espírito e o desejo de apoiar a luta armada, optando por negar a luta parlamentar e a oposição legal dirigida pelo MDB. Já se pregava o voto nulo nas eleições de 1966.

Fomos incapazes, todos nós e a AP, de combinar as formas de luta, de articular com a oposição institucional do MDB, com os parlamentares de esquerda, com o Movimento Contra a Ditadura. Recordo minhas conversas com deputados eleitos pelo MDB, casos de Fernando Perrone, um amigo, cuja família era de Passa Quatro. E também de Mário Covas, amigo de meu cunhado, o jornalista Flamarion Mossri, e de minhas discussões com Cláudio Abramo. Todos eles tentavam nos convencer do despropósito da luta armada, ainda que cientes da necessidade da resistência sem tréguas.

Foi Mário Covas, inclusive, quem me doou as passagens de avião para comparecer à reunião do conselho de entidades da UNE em 1968 e passar por Brasília para fazer contatos e reuniões políticas antes de voltar a São Paulo. Por tais exemplos de solidariedade, Covas responderia a Inquérito Policial Militar (IPM), que levaria a sua ilegal e ilegítima cassação, reparada depois pelo povo de Santos, sua cidade natal, e pelos paulistas, elegendo-o sucessivamente deputado, senador e governador por duas vezes.

Essa viagem para Salvador e Brasília ficou muito marcada em minha memória. Conheci uma das maiores capitais do Nordeste e nossa capital federal, impactado e orgulhoso de JK, mineiro como eu, que fora capaz de arrancar o Brasil do litoral e desbravar o cerrado do planalto central. A arquitetura e a beleza do pôr do sol me deixavam inebriado e um sentimento de futuro se apossava de meus pensamentos.

Mas a vida era dura, meu cunhado só podia pagar minha passagem de ônibus, e o tempo era curto, precisava chegar logo a Salvador, daí minha pressa e o pedido a Mário Covas.

No reencontro com minha irmã Neide e seus filhos, os conselhos dela soavam para mim como carinho de irmã sem importância, era como se não existisse risco nenhum na luta contra a ditadura, era nossa geração. Ela relata-me como reagi aos seus conselhos, preocupada com meus pais e com meus atos: "Você então pegou a mão do Flama, seu sobrinho que leva o nome do pai, Flamarion, e desceu do apartamento dizendo que o papo da mãe dele estava muito chato". Na hora de ir embora, uma indelicadeza própria da esquerda: "Aqui caberiam três ou quatro famílias", relembra minha irmã Neide.

Sabendo que a situação social e política era explosiva, eu tinha a intuição de que logo teríamos um desenlace. Não perduraria uma situação envolvendo a crescente mobilização contra a ditadura, as dissensões dentro do regime, os movimentos da oposição autêntica do MDB no parlamento, o aumento das ações armadas e dos choques com a repressão, sem que um lado se impusesse.

Verdade é que o MDB, como instituição, até 1974 não enfrentaria o governo que o criara. Principalmente nos anos mais terríveis, aqueles entre 1969 e 1973, manteve sua denúncia da repressão no nível mínimo. Dedicou-se a exigir o restabelecimento das liberdades democráticas ou do Estado de Direito. Isso era reflexo também do expurgo feito em suas fileiras em 1969, quando o setor mais combativo foi cassado, e da repressão que impedia sua organização pela base. Pesaram nisso também os anos do *boom* econômico e as campanhas psicossociais da Assessoria Especial de Relações Públicas, a AERP, máquina de lavagem cerebral do período Médici. Iludidas, as classes médias e outros setores da pequena burguesia acreditavam na política de desenvolvimento, bem-estar social e segurança. Sem o suporte das camadas médias e com os setores populares que se opunham ao regime votando nulo e branco, o MDB seria massacrado nas urnas em 1970, quando se cogitou, inclusive, de sua dissolução. Também é necessário frisar que a base social do regime se ampliou com a integração de importantes setores de técnicos e profissionais na administração pública e privada, com o enriquecimento de pequenos e médios comerciantes e industriais e com a especulação com terras, imóveis e ações da Bolsa de Valores.

A BATALHA DA MARIA ANTÔNIA

Bem antes da edição do Ato Institucional número 5, começamos, por proposta minha, a preparar o Movimento Estudantil para um possível golpe dentro do golpe. Orientamos para essa situação limite, colocando na clandestinidade dirigentes e instalações, como gráficas, veículos e os poucos recursos que tínhamos. Minha principal preocupação era preservar nossa capacidade de luta e mobilização, nossa presença nas ruas e nossos centros acadêmicos, preservar lideranças evitando suas prisões e construir um sistema de comunicações resistente à repressão.

O pretexto para a edição do AI-5 e o fechamento do Congresso Nacional seria um discurso do deputado Márcio Moreira Alves, considerado ofensivo às forças armadas. A verdadeira motivação, porém, residia na aspiração dos militares mais radicais, a linha-dura, de obter poder total para concretizar os objetivos do golpe: destruir toda oposição democrática e popular ao governo e aos interesses que ele representava. Impunha o alinhamento com os Estados Unidos na Guerra Fria e na escalada de golpes em toda América do Sul, como veríamos logo no Uruguai, Argentina, Bolívia, Chile. E com a Operação Condor, praticamente articulada pelos EUA e Brasil, seus principais fiadores.

Ferido de morte pelas prisões de Ibiúna e, a seguir, pelo AI-5, o Movimento Estudantil ainda resistiu em 1969 e 1970, realizando os chamados "congressinhos" regionais e elegendo, em março de 1969, uma nova diretoria para a UNE, tendo Jean Marc como presidente, derrotando Rafael de Falco, presidente do DCE da USP e nosso candidato.

Após Ibiúna, eu começaria um longo caminho pelas prisões militares e a luta jurídica pela liberdade. Eu e os demais líderes estudantis aprisionados, enquanto descia sobre o país a cortina do terror, sob o silêncio, quando não a cumplicidade, do Supremo Tribunal Federal (STF) e da mídia. Não por muito tempo, como veremos.

Estávamos todos esgotados, insones, mas sem perder a combatividade. Tínhamos vivido meses de tensão e desgaste. Em São Paulo, particularmente, enfrentamos as forças repressivas, o CCC, grupo paramilitar de estudantes de direita organizados pelo Deops e pelos órgãos de inteligência das Forças Armadas. A finalidade do CCC era dissolver assembleias, espancar estudantes, impedir eleições estudantis, depredar centros acadêmicos, ocupar faculdades pela força e realizar provocações em passeatas. Disso, o exemplo maior foi a tentativa, bem-sucedida, de nos desalojar da Faculdade de Filosofia e Letras da USP, na rua Maria Antônia, o coração e a alma do Movimento Estudantil paulista, seu principal centro político-cultural, irradiador de energia e criatividade para o país.

A chamada "Guerra da Maria Antônia" entre estudantes da filosofia contra alunos do Mackenzie é um *case* clássico de como se manipula um acontecimento histórico.

A UNE e a UEE eram apoiadas pelo DCE e por quatro dos cinco centros acadêmicos do Mackenzie, chamados DA, como o João Mendes, da Faculdade de Direito, presidido por Lauro Pacheco de Toledo Ferraz, o vice-presidente do DCE Jun Nakabayashi, o vice-presidente da UEE e também aluno de direito Américo Nicoletti e outras importantes lideranças da faculdade, como Renato Martinelli, Agostinho Fiordelisio, Décio Bar, José A. de Azevedo Marques, o Zé Al e Cid Barbosa Lima Sobrinho, militantes ativos do Movimento Estudantil e também muitos do PCB.

Não houve nenhuma guerra entre os estudantes da USP-Filosofia contra os do Mackenzie. E muito menos entre as duas instituições, se bem que a reitora do Mackenzie, Esther de Figueiredo Ferraz, identificada com o golpe de 1964, seria ministra da Educação no governo João Figueiredo, última fase do período ditatorial e apoiava explicitamente o CCC e a presença de grupos paramilitares na sua universidade, treinados pelo Deops sob a coordenação do policial Raul Nogueira de Lima, o "Raul Careca".

A ditadura queria desalojar os estudantes do centro da cidade, da Maria Antônia, vértice de um círculo que incluía a FAU, na rua Maranhão, a Economia, na rua Visconde de Cairu, a Sociologia e Política, na rua General Jardim, e a Filosofia e o Mackenzie frente a frente. Eram dezenas de milhares de estudantes com grande capacidade de mobilização e agitação, o quartel-general do Movimento Estudantil paulista e sua crucial base de apoio e de atuação política.

Tudo começou com uma mera provocação de grupos direitistas do Mackenzie. Eles exigiam a retirada de uma barreira que fechava a rua Maria Antônia na confluência com Itambé e Dona Veridiana, em Higienópolis, ameaçando fazer recuar o bloqueio à força.

Fui acordado no dia 3 de outubro, vésperas do 30º Congresso da UNE. Dormia na faculdade ocupada. Seguranças do prédio e estudantes que haviam montado um "pedágio" na barreira — a maioria dos motoristas apoiava o ME — avisavam que era iminente um confronto com os estudantes do Mackenzie.

A BATALHA DA MARIA ANTÔNIA

Fui ao local, negociei e fiz retroceder a "cancela" da trincheira para liberar um dos portões da Universidade Mackenzie. Apesar disso, logo recomeçaram os atritos e as agressões aos nossos cobradores de "pedágio". Compreendi que aquela insistência buscava um conflito, o que não era nosso objetivo.

Dito e feito. Em poucos minutos, a rixa aumentou, surgiram homens armados no Mackenzie — traziam bombas químicas, fabricadas nos laboratórios da faculdade, carabinas e revólveres — que deflagraram a batalha contra nós e o prédio da Filosofia. Tentavam invadi-la e nos desalojar pela violência. Serviram à repressão e às forças policiais que, no final, viriam para apoiá-las, invadir o edifício e incendiá-lo, depois de depredar todas suas instalações.

Na conflagração, a direita assassinou, com um tiro na cabeça, o estudante seminarista José Carlos Guimarães, do Colégio Marina Cintra, situado na Consolação. José Guimarães era um dos defensores do prédio, como centenas de outros estudantes, que acorreram à Maria Antônia ao saberem da agressão. Como nossa meta não era ocupar o Mackenzie e sim defender a Maria Antônia, decidi por uma retirada para evitar novas mortes e não propiciar pretexto para uma repressão generalizada ao Movimento Estudantil. Depois de um comício relâmpago na rua Visconde de Cairu, onde discursei empunhando a camisa ensanguentada de José Guimarães, saímos em passeata pelo centro, denunciando o assassinato do jovem e pobre estudante, que viera estudar e trabalhar em São Paulo.

Os bandos paramilitares e o CCC, fundado por João Marcos Flaquer e comandado pelos delegados "Raul Careca" e Otávio Medeiros, com a participação dos estudantes Ricardo Osni, Francisco José Menin, João Parisi Filho, José Parisi, Boris Casoy, entre outros, que dirigiram o ataque ao prédio da Filosofia, com cobertura das autoridades, havia tempos usavam e abusavam da violência. Espancavam lideranças, dissolviam reuniões, vandalizavam urnas e locais de votação nas eleições estudantis como no dia 27 de setembro de 1967. Porém, a partir daquele dia, demos um basta e começamos a responder à altura. Como comprovam as fotografias de militantes do Movimento Estudantil, defendendo-se das investidas do CCC na própria Filosofia ocupada. Retrucamos com tiros a uma agressão armada noturna para surpresa e recuo imediato dos paramilitares. Bem mais tarde, Flaquer, Osni e os irmãos Parisi figurariam como torturadores no rol do livro *Tortura Nunca Mais*. O tiro que assassinou José Guimarães foi atribuído a Osni, segundo o próprio delegado José Paulo Bonchristiano, do Dops, em entrevista à repórter Marina Silva, da Agência Pública.

José Parisi tinha o péssimo hábito de agredir estudantes e, arrogante, vivia se infiltrando nas manifestações como provocador. Numa dessas vezes, surpreendido e cercado por dezenas de estudantes como agente a serviço do Deops e trazido à minha presença, parecia um menino travesso que, chorando, me implorava para evitar seu linchamento. Dono de um histórico de agressões, invasões de faculdades, dissolução de assembleias, destruição de urnas de votação nas eleições, sequestros de estudantes, era tido como um dos auxiliares de Raul Careca. Para evitar o pior, decidi que ficaria "preso" conosco e criei as condições para soltá-lo, apesar do desgaste que sofri — a maioria queria mesmo era dar-lhe uma boa surra, antes de deixá-lo nu em alguma rua movimentada como a Augusta.

A versão da ditadura, do governo Abreu Sodré e da reitora do Mackenzie, que felicitou os agressores e assassinos, foi da "guerra" entre estudantes e entre as instituições. Nada mais falso. Tratou-se de provocação pensada, organizada e executada pelos órgãos de repressão para atacar e incendiar a principal faculdade da USP, onde até mesmo havíamos feito uma reforma universitária comandada por uma comissão paritária de estudantes e professores.

Antes de relatar minha prisão, minha memória me leva a Iara Iavelberg, líder estudantil, militante da Polop, presidente do Grêmio da Psicologia que hoje leva seu nome. Culta, libertária, feminista, elegante, quatro anos mais velha do que eu, Iara era uma liderança natural. Eu a via de longe nas assembleias e às vezes conversava nas reuniões políticas, um fosso de divergências políticas separava a Dissidência da Polop. No fundo eu a admirava, mas eu aos poucos me apaixonava, sem ser correspondido. Ela nem sequer me notava fora a convivência estudantil e política. Fiz de tudo para namorá-la, mas nada. Desisti e eis que, após uma assembleia, saímos para jantar com um grupo que depois se tornaria constante e unido: André Gouveia, Zé Arantes, Lola, Moacyr Urbano Villela e sua namorada Beth Chachamovits e tantos outros. Foi quando me dei conta de que Iara já me percebia, sentava-se ao meu lado, me envolvia. Não cabia em mim de alegria e passamos a namorar e a viver uma curta e tumultuada paixão, que durou pouco, como tudo naqueles tempos, mas marcou minha vida para sempre. Imaturo e irascível, não fui capaz de manter a relação e, aos poucos, com idas e vindas, reencontros e separações, acabamos com a relação, mas não com o afeto e a amizade.

A BATALHA DA MARIA ANTÔNIA

Ainda me lembro, como se fosse hoje, nosso reencontro nas ruas em pé de guerra, da Maria Antônia cercada por barricadas, numa noite no mês de agosto ou setembro, e nossa alegria e a imediata vontade de ficarmos juntos. E assim foi, pela última vez vi Iara e nos amamos com intensidade e paixão. Era 1968.

Iara filiou-se à VPR e tornou-se companheira de Carlos Lamarca. Foi brutalmente assassinada em agosto de 1971, em Salvador, para onde se deslocara acompanhando o capitão na sua última e derradeira tentativa de montar uma guerrilha no sertão da Bahia.

Cercada em seu apartamento pelas forças da repressão, foi covardemente assassinada e, como aconteceu com outros companheiros, os órgãos da ditadura, com a cumplicidade da imprensa, montaram a farsa do suicídio, desmascarada pela família de Iara e órgãos de Direitos Humanos em 2003, quando pôde finalmente ser enterrada no cemitério judaico em São Paulo.

Nunca mais me esqueci de Iara. Quando recebi a notícia de seu assassinato, uma onda de dor e revolta tomou conta de mim durante meses. Em todos os momentos de alegria ou tristeza, quando me vêm à mente meus companheiros e companheiras caídos na luta contra a ditadura, a figura de Iara preenche minha solidão. Meu desespero me dá forças e vontade de viver a vida como ela viveu, com paixão, plenamente, sem medo de ser feliz.

7

CABRAS MARCADOS PARA MORRER

*A angústia de viver na prisão e a
desconfiança de que seriam todos fuzilados*

A tomada de assalto da Faculdade de Filosofia e o assassinato de José Guimarães significavam a extensão dos métodos da ditadura ao Movimento Estudantil. Era o começo do fim da tolerância com os estudantes e com a fração da classe média que o respaldava. Dias depois, em 13 de outubro, tropas policiais e militares cercariam o Congresso da UNE, em Ibiúna. Era o prenúncio do AI-5, baixado em 13 de dezembro de 1968.

Em Ibiúna, escapei da morte, segundo testemunho do ex-investigador do Deops Herwin de Barros, que participou da operação. Herwin disse que havia ordens explícitas de me prender, interrogar e matar. Verdade ou não, o fato é que Herwin foi perseguido e aposentado na Polícia paulista, e relatou sua versão, em 2005, conforme está publicado na edição 1.841 da revista *IstoÉ*. A mesma versão foi contada ao *site* 247, editada no dia 30 de junho de 2011.

Em 1999, reencontrei Herwin e ele lembrou-me que portava um ancinho de mão, que teria encontrado em um sítio próximo ao local do congresso. Advogava e foi solidário comigo durante os próximos anos, sempre me visitando para relembrarmos os momentos de tensão e medo que precederam a chegada da polícia. Seu comportamento correto comigo e sua preocupação com minha segurança explica a perseguição de que foi alvo posteriormente.

Nas fotos de minha prisão, ele aparece com o ancinho, que está guardado até hoje nos arquivos do jornalista, escritor e meu amigo Fernando Morais. Além desta foto, ele aparece também na camioneta Rural Willys que nos conduziu para o Deops na capital paulista, eu, Travassos e Guilherme Ribas, presidente da Ubes, União Brasileira dos

Estudantes Secundaristas. Herwin morreu em 2015, já aposentado da Polícia Civil.

A reação da opinião pública, apesar da cobertura negativa da mídia — sempre ela, a serviço da ditadura a pretexto de combater o "terrorismo" —, foi de amparo aos estudantes e de repúdio à criminalização do Congresso. Nossas famílias, intelectuais, artistas, jornalistas e lideranças políticas exigiram a libertação dos estudantes presos, o que aconteceu algumas semanas depois. Mas restaram atrás das grades as principais lideranças do Movimento Estudantil e alguns líderes regionais.

A repressão e os jornais fizeram de tudo para desmoralizar o movimento e a UNE. Expuseram com estardalhaço fotos do local e exploraram a presença das mulheres como se houvesse nisso alguma coisa perniciosa. Isso, numa época em que o machismo era ainda mais acentuado do que nos dias de hoje. Mostraram pílulas anticoncepcionais que as meninas portavam nas bolsas como algo criminoso. Procurava-se jogar, contra nós, os preconceitos, aquele moralismo hipócrita que o Movimento Estudantil rechaçara por meio da participação igualitária das mulheres que haviam se tornado militantes e dirigentes de várias faculdades.

De Ibiúna, eu, Luís Travassos e Vladimir Palmeira fomos levados para o Deops no centro de São Paulo e, de lá, para o Forte Itaipu, na Praia Grande, litoral Sul paulista, então comandado pelo tenente-coronel Erasmo Dias.

Um tanto folclórico, Erasmo Dias ganharia fama nos anos seguintes como figura repressora e ditatorial que de fato era, apesar de histriônica e com tendências paranoicas. Era um verdadeiro palhaço, não fora o poder que detinha e deteve nos anos de chumbo. Seria secretário de Segurança de São Paulo, responsável pela invasão e depredação da PUC em 1977, deputado estadual no mesmo período que eu — 1987-1991 —, deputado federal e ainda vereador de São Paulo. Seu bem maior era aquela coragem típica dos totalitários, para quem a vida não vale nada e sim o fanatismo. Era um homem típico de nossa direita, violento, preconceituoso, religioso e semianalfabeto, a despeito de ter cursado filosofia na USP. Acabou morrendo no ostracismo.

Vladimir, que ainda não fora identificado, quase conseguiu fugir do ônibus que o trazia. Eu vim em um jipe com Ribas e Travassos, ladeado por Herwin, armado com um pedaço de madeira com pregos. A tentativa de fuga de Vladimir marcaria uma posição política e um estado de espírito. Nele, a desconfiança e crítica radical às avaliações dominantes entre nós. Em nós, a firme decisão de lutar, de fugir, de recomeçar. Vladimir já indicava sua discordância com o andar das direções e organizações.

Líder carismático, orador único, de fala simples e direta, Vladimir fora presidente do Centro Acadêmico Candido Mendes (CACO), da famosa Faculdade de Direito da UFRJ, outro polo político histórico do Movimento Estudantil, abrigando um centro acadêmico com largo currículo de lutas e vítimas. Mais tarde, Vladimir presidiu a União Metropolitana dos Estudantes, a UMED. De família alagoana, o pai, Rui Palmeira, era senador, como o irmão Guilherme, que depois seria governador de Alagoas.

Filiado ao PCB, Vladimir era mais do que um líder de massas, como comprova a passeata dos 100 mil. Quadro político com sólida formação cultural, sempre foi um político nato, capaz de combinar formas de luta, firmar alianças, dialogar. Não era dedicado à organização ou à ação direta, mas sabia agitar e conquistar como ninguém, na discussão, no doutrinamento. Como se dizia, ele era imbatível.

A passeata dos 100 mil, realizada no centro do Rio no dia 26 de junho de 1968, foi o ponto alto da liderança de Vladimir pelo impacto que teve e o amplo apoio conquistado. Era, na prática, de novo, um NÃO do Rio de Janeiro à ditadura. Como na derrota eleitoral em 1966, reuniu amplos setores sociais e contou com a presença massiva de artistas, intelectuais, jornalistas, servidores públicos, a classe média progressista e uma forte presença até de setores da Igreja Católica. Fez soar, na ditadura, o sinal de alarme, deixando-a temerosa com a possibilidade de ser repetida em outras capitais, apesar das ameaças e da brutal repressão que sofreu. Vladimir expressou e representou a indignação contra a ditadura e a vontade de lutar e resistir, e o fez de forma brilhante com todo o seu carisma, uma oratória simples, mas incendiária: Abaixo a ditadura! O povo no poder!

Costa e Silva e seu *entourage* não tiveram alternativa a não ser receber uma delegação da passeata, entre eles os líderes estudantis Franklin Martins e Marcos Medeiros, tal a força e o impacto que teve e do crescimento da oposição estudantil e popular à ditadura. Não deu em nada, mas marcou o auge da força e representatividade do Movimento Estudantil contra a ditadura.

Tinha por ele grande admiração e muita curiosidade de conhecê-lo. Na primeira oportunidade, viajei ao Rio e minhas intuições se confirmaram: uma empatia e uma química, de afeto, amizade e tolerância, firmaram-se deste o primeiro abraço. Nascia ali uma parceria política, uma cumplicidade e uma amizade que nem a separação por uma década abalaria. Muito menos as divergências, a distância e mesmo o confronto político no PT em 1998, que levou à intervenção no Rio e a retirada da candidatura de Vladimir por decisão nacional aprovada em encontro extraordinário.

As outras lideranças eram minhas conhecidas, algumas com proximidade, como Travassos, Omar Laino e Marco Aurélio Ribeiro, líderes estudantis de São Paulo. Travassos e Omar eram da minha faculdade e o segundo havia me sucedido no Centro Acadêmico 22 de Agosto. Marco Aurélio presidia o XI de Agosto, sucedera Aloysio Nunes Ferreira Filho. Este militava comigo na célula do PCB, depois na dissidência do partido e me apoiara para a presidência da UEE. Conheci seu pai, deputado estadual Aloysio Ferreira, da UDN, ainda na década de 1960, quando eu trabalhava com Avallone Junior.

Walter Cover era uma liderança do interior de São Paulo — no governo Lula, trabalhamos juntos na Casa Civil — e Franklin Martins era uma liderança do Movimento Estudantil carioca, filho do combativo senador Mário Martins, opositor da ditadura. A exemplo de Vladimir, Franklin militava no MR-8 e participaria, em 1969, do sequestro do embaixador norte-americano Charles Elbrick.

Antônio Guilherme Ribeiro Ribas, do PCdoB e presidente da Ubes e, a exemplo de Vladimir, Travassos e eu, não foi alcançado pelo *habeas corpus* que libertou as demais lideranças e ficou preso em Quitaúna. Dele, guardo a melhor lembrança, sua cara de menino bonachão e irônico e a coragem. É um dos desaparecidos do Araguaia. Condenado a um ano e dezoito meses de prisão, cumpriu toda a pena depois de uma longa via-sacra por presídios, quartéis e delegacias. Saiu mais forte do que entrou e partiu para a luta com seus companheiros do PCdoB. Seguramente, não foi incluído na lista para ser trocado pelo embaixador norte-americano por sua pena estar muito próxima do fim.

No Deops, uma "comissão de recepção" composta por delegados, agentes e alguns oficiais da Força Pública nos aguardava. De forma desonrosa, covarde e vil, passaram a nos agredir com palavrões, socos e chutes. Segundo eles, era uma vingança contra nossa resistência com pedras, paus, bolinhas de gude, rojões, contra a cavalaria e a tropa de choque, lançadas contra nós para dissolver passeatas e atos relâmpagos.

Mas sentimos a solidariedade que havia fora do prédio do Deops, como aconteceria no presídio Tiradentes, dos familiares, das lideranças da oposição popular e estudantil, dos advogados e alguns políticos.

A comida era uma porcaria e as celas, soturnas e antigas, mas nosso espírito e moral permaneceram altos. A ficha ainda não havia caído.

No dia 16 de outubro, fomos transferidos, viajando na carroceria de um caminhão que tinha a parte traseira coberta com uma lona. De repente, nos demos conta de que havíamos chegado a uma praia. Vladimir, surpreso, alertou para o risco de sermos fuzilados ou jogados ao mar, método usado pela repressão em vários países naquela época. Houve medo, pânico, embora todos disfarçássemos. Alguém iniciou um discurso. Dizia que deveríamos morrer heroicamente etc. e tal, quando a realidade se impôs: simplesmente o motorista confundira o percurso. Estávamos perdidos! Ou melhor, eles, os militares, estavam perdidos. Erraram a entrada do Forte de Itaipu. Risos nervosos, suspiros e um certo alívio. Era a primeira situação pândega e inverossímil de muitas que iríamos viver na companhia do coronel Erasmo Dias, ele mesmo um misto de realidade e ficção.

Mal chegamos, começou o espetáculo. O coronel trapalhão reúne a tropa, ilumina toda área de formação, desata um discurso ideológico e ameaçador contra nós, enaltecendo a "Revolução de 64". Fala de tudo: do comunismo, de Cuba, da Rússia, do terrorismo, da perdição moral da juventude. Diz que, se tentássemos fugir, nos fuzilaria a todos, o que se tornaria uma obsessão dele. E que, por sermos o que éramos, devíamos e merecíamos mesmo o pelotão de fuzilamento.

Ficamos embasbacados, entre o riso e o medo, entre o ridículo da cena e o perigo da personalidade doentia do nosso anfitrião compulsório.

Fomos levados para uma casa recém-pintada e o terreno limpo, no alto do Forte, talvez uma antiga casa do comandante, com vários quartos, cozinha, banheiros, sala ampla, quadra de basquete anexa, cercada com trincheiras e sacos de areia e guarda armada permanente, armada com metralhadoras. Algo entre o real e o imaginário, um pouco de fanfarronice e excesso de zelo e segurança, não sei se para nos impressionar ou desestimular uma eventual tentativa de fuga.

Na hora do jantar, os pernilongos cobriam o prato de comida. Tivemos que combatê-los e restabelecemos o "equilíbrio ecológico". Dormimos, estávamos todos exaustos, esgotados.

De manhã, acordamos com gritos. Parecia alguém desequilibrado, histérico. Reconhecemos então a voz do coronel. Tresloucado, repreendia os soldados e particularmente o oficial do dia. E por qual motivo? Por causa de nosso café que estava frio.

CABRAS MARCADOS PARA MORRER

A vida no Grupo de Artilharia Antiaérea (6º GAA) era bucólica e muito aborrecida porque não tínhamos o que fazer. A leitura era proibida, não havia rádio e as visitas eram raras. Nossa rotina era basicamente tomar café, almoçar e jantar, além das longas conversas e avaliações, a expectativa pelo julgamento dos *habeas corpus* e a espera pela libertação.

A ditadura nos usou como garotos-propaganda. Cortou nossos cabelos, alimentou-nos, tratou dos dentes de quem necessitava, submeteu-nos a exames médicos e psicológicos com analistas do S-2, serviço reservado do Exército, a Inteligência e a Contrainteligência.

Como em todos os regimes ditatoriais, alguns se destacam pelo gosto repressor e pelo prazer de fazer sofrer. Lembro-me do dia em que o oficial não permitiu que minha mãe me visitasse bem no Dia das Mães, em maio, quando também fazia aniversário. A expressão que ele usou diz tudo: "Comunista não tem mãe!".

Minha irmã Ana relata que era uma criança ao me visitar acompanhando meus pais, mas que nunca se esqueceu e demorou anos para usar roupa verde, por causa da fisionomia daquele militar de bigode, fardado de verde e com uma expressão de nojo, e que simplesmente impediu a visita.

Respondemos a um exaustivo interrogatório: família, infância, estudos, amizades, gostos, viagens, leituras, opção política, ideológica, preferências partidárias, posição na política internacional, experiência de vida e profissional, além da militância.

Éramos o exemplo vivo do bom tratamento nas prisões da ditadura. Apesar de tudo, recebíamos visitas da família e de advogados. Alguns até engordaram! Outras prisões, porém, já eram câmeras de tortura e morte.

Ao mesmo tempo que traçavam nosso perfil e procuravam entender nossa opção política, os militares não escondiam que não era papel deles serem carcereiros, o que logo ficou evidente com a missão recebida por Erasmo Dias e as tropas aquarteladas na Baixada.

Em 1970, o coronel seria escolhido para combater a guerrilha no Vale do Ribeira. A campanha de cerco ao campo de treinamento da VPR, comandada por Carlos Lamarca, exporia as fraquezas do exército na luta contra os guerrilheiros. Lamarca e seus companheiros dominaram um grupo de soldados, vestiram suas roupas e furaram o bloqueio, dirigindo um veículo militar até São Paulo.

No dia 10 de novembro de 1968, fomos transferidos para o 2º Batalhão de Comando de São Vicente, próximo de Santos, situado em uma das principais avenidas da cidade. Era um batalhão especial, comandado por uma oficialidade de nível superior, qualificada, e tudo indica ligada à linha-dura. Quem nos tratou, e de forma correta, foi Lauro Rocca Dieguez, oficial superior com formação no exterior, bilíngue, profissional, nacionalista.

Em 1977, comandando a Diretoria de Patrimônio do Exército, já como general, e como um dos apoiadores do ministro Sílvio Frota, demitido pelo ditador Ernesto Geisel, propôs um ataque ao QG da 3ª Brigada de Infantaria Motorizada. Na ocasião, ligou para o ex-presidente Médici, buscando seu apoio. Segundo o jornalista Elio Gaspari, em seu livro *A Ditadura Envergonhada*, a resposta foi esta: "Põe água na cabeça". Acabou ali qualquer esperança de dar certo o golpe pretendido pelo ministro militar demitido. O irmão de Lauro, Adolpho Rocca Dieguez, general como ele, foi diretor da Petrobras, onde permaneceu até fevereiro de 1969.

Nas conversas com a oficialidade (de informação e comando) ficava claro o interesse deles em compreender o porquê de nossa posição ideológica socialista, que eles entendiam como pró-União Soviética, e o comunismo. Diziam e repetiam que eram também contrários ao imperialismo norte-americano, mas ainda contra todos, seja dos EUA e/ou da URSS, Japão, Alemanha. Resquícios da 2ª Guerra Mundial e presença da Guerra Fria. Algumas de suas posições antecipavam as do governo Geisel na política exterior, no reconhecimento de Angola, Moçambique, Guiné-Bissau e Cabo Verde, no acordo nuclear com a Alemanha (então República Federal da Alemanha, RFA), rompimento de tratados e acordos militares com os Estados Unidos, busca de novos mercados e de fornecedores de tecnologia e armamentos, além da mudança da política com relação ao Oriente Médio, Israel e Palestina (OLP).

Lá ficamos em aposentos de sala-quarto, prisão com beliches de madeira, que dava para uma avenida. Comíamos a comida do "cassino" dos oficiais e recebíamos visitas, mas por pouco tempo, porque seríamos transferidos para São Paulo. Depois da edição do AI-5 e do não cumprimento da ordem de soltura expedida pelo Superior Tribunal Militar (STM), era o começo da descida ao inferno para nós três, ao contrário de nossos companheiros Franklin, Marco Aurélio, Omar e Cover, libertados antes, no dia 12 de dezembro de 1968, véspera do anúncio do AI-5.

Era o fim do *habeas corpus* e das garantias individuais, o começo do terror e da repressão sem limites e nós percebemos que estávamos em perigo. Terminara a fase da propaganda e do cuidado com as aparências.

CABRAS MARCADOS PARA MORRER

Como bem disse Jarbas Passarinho, coronel do exército e ministro da Educação: "Às favas todos os escrúpulos de consciência".

Não havia mais lei ou justiça. O STF era um simulacro da Suprema Corte, abjeto e de joelhos, acovardado perante a tirania, incapaz de se rebelar em um gesto digno de juristas como Victor Nunes Leal, Hermes Lima, Evandro Lins e Silva e Adauto Lúcio Cardoso, que honraram a toga e não se curvaram à farda.

No 2º Batalhão de Comando, em São Vicente, recebíamos visitas dos advogados e pude ter, pela primeira vez, a visita de uma namorada, a Silvia, que conhecera no Movimento Estudantil e conseguiu me visitar por intermédio do deputado Fernando Perrone (do MDB, mas, na verdade, do PCB). Visita de advogado já era uma festa; de namorada, nem se fala. Na verdade, Silvia conhecia um agente do Deops, o que facilitou as visitas na prisão e depois na delegacia. Ela, durante esses meses de prisão, me visitou até na Auditoria Militar. No Forte de Itaipu, Erasmo Dias costumava dizer em alto e bom som para todos ouvirem, visitas e advogados, que comunista não tem país, nem mãe e nem pai. Mais uma de suas bravatas, na verdade uma de suas fraquezas, pois sua vida familiar estava marcada por tragédias.

Na 16ª Delegacia, rua 11 de Junho, Vila Clementino, em São Paulo, encontramos um retrato da Polícia Civil e da Segurança Pública paulista do final da década de 1960, em plena ditadura: uma cela de mais ou menos 6 m x 4 m, uma grade, quatro colchões no chão e uma lâmpada pendurada no teto. Era inverno, a chuva, o vento e a poeira entravam na cela. A delegacia não dispunha da mínima condição para receber presos, nem mesmo como detenção provisória. Dependíamos do carcereiro que, como alertaria depois o líder negro sul-africano Nelson Mandela, passava a ser o ser humano mais importante em nossas vidas.

A comida vinha de restaurantes dos arredores, um prato feito que dependia do poder aquisitivo de cada preso e obviamente da caixinha, a gorjeta para o carcereiro.

A delegacia parecia de mentira, mas era bem real. À noite, policiais realizavam prisões de prostitutas, contraventores e moradores de rua. A esses presos de ocasião cabia fazer a limpeza, cozinhar, lavar roupa dos agentes, escrivães e outros funcionários.

Para nós, apesar da mudança das condições carcerárias, tudo continuava na mesma. O que nos interessava eram a luta lá fora e a possibilidade de fugir, já que o *habeas corpus* e a liberdade eram impossíveis pela via legal.

Sobrava para o grupo contatar nossas organizações, informar-se sobre a luta e a situação política. O resto eram as iniquidades do dia a dia na cadeia onde, naqueles anos, a vida não tinha nenhum valor e o dinheiro comprava tudo — jornal, rádio, comida, sexo e informação, talvez até a fuga, coisa que não tentamos até porque não tínhamos um vintém.

A vida na cadeia era cheia de pequenas causas e irrisórios dilemas. Além da leitura, não havia nada o que fazer, era a luta pela sobrevivência dia a dia. O clima entre nós nem sempre era amigável, produto do estresse e do confinamento 24 horas. Às vezes discutíamos por causa de uma lâmpada, a única, que Travassos, num acesso de raiva, quebrara, e não era fácil conseguir outra. Tinha também a ideologia, já que, segundo o dogma vigente na esquerda, preso não podia manter relações com presas comuns, na verdade prostitutas ilegalmente presas para prestar serviços braçais na delegacia, quando não para fazer sexo com policiais.

Eu já era bastante conhecido e sempre chamado pelas meninas para visitá-las. Não hesitava, apesar dos protestos do Travassos — meio brincadeira — de minha falta de "firmeza ideológica". Eu, para irritá-lo, dizia que preferia pular a cerca, literalmente o muro, do que bater punheta.

Na verdade, a fuga era a minha obsessão desde o Forte Itaipu. Estudei, com apoio externo, uma eventual fuga através do mar, já que era possível descer do nosso alojamento no forte até o litoral sem praia, crivado de pedras e arrecifes. Também planejamos fugir no caminho para a Auditoria Militar, na avenida Brigadeiro Luís Antônio. Parecia uma situação ideal para render a escolta que ia comigo no jipe do Exército e escapar. Essa fuga era possível, não era uma operação arriscada e nem exigia muita logística ou poder de fogo. Nossa escolta era pequena e, na verdade, amadora. O problema era me esconder depois, ou nos esconder, caso Vladimir me acompanhasse, o que também era possível inclusive com a fuga para o exterior. Na verdade, era uma operação militar simples pela experiência já dos GTAs, que eram grupos de três a cinco guerrilheiros, com um chefe, armamentos, aparelhos, apoios, responsáveis por operações militares, fossem elas de iniciativa própria ou da organização. Com operações mais complexas, a segurança era pequena e relaxada, nunca imaginaram que faríamos uma operação, em plena avenida Brigadeiro Luís Antônio no cruzamento que nos leva para a Praça da Sé, Largo São Francisco ou ainda para a 23 de Maio ou mesmo subir a Brigadeiro; o local facilitava uma fuga rápida.

CABRAS MARCADOS PARA MORRER

Mas o plano acabou descartado depois que, de propósito, surgiram vazamentos na imprensa indicando que os irresponsáveis "militaristas" da ALN queriam me tirar da cadeia. Nunca imaginei que sairia da cadeia da forma como aconteceu.

Eu jamais aceitei ficar preso sem tentar fugir, repito que era uma obsessão. Não era em si uma operação complexa, o problema era o depois, como nos esconder e onde, com quais documentos e disfarces, ficar no país ou sair, questões que não sabíamos como nossa organização estava resolvendo. Mesmo assim, eu estava decidido a fugir e a correr todo risco antes e depois. Fiquei tão obcecado com a real possibilidade de fugir que sonhava com a operação, o cruzamento da Brigadeiro Luís Antônio que sempre frequentei e conhecia como a palma da mão, por ter morado muito tempo nos arredores. Pensava nela quando ia para a auditoria, repassando cada fase da operação como num filme, mal sabia que iria realmente ser libertado, mas numa operação muito mais espetacular e de repercussão política nacional e internacional.

Nossa agonia recomeçou. Vladimir foi transferido para o Rio, um mau sinal. De novo interrogatórios, solitária, risco real de tortura. Eu e Travassos fomos para o 4º RI (Regimento de Infantaria) em Quitaúna que, apesar de ficar na Grande São Paulo, região Oeste na cidade de Osasco e estar ligada à capital por uma linha ferroviária da CPTM, para os advogados e famílias era por demais longe de São Paulo, um lugar ermo e sem vida urbana. Havia a estação ferroviária, a Vila Militar e o quartel. Quitaúna era fria, úmida e, principalmente, odiosa, e que exalava ódio contra nós. De lá, Lamarca desertou com um carregamento de armas, munições, fardas e o apoio de outros militares, o que anunciava os tempos difíceis que, de fato, vieram.

Comida péssima, tratamento duro e brutal, sem banho de sol nem assistência de saúde. A cela era minúscula, cada uma do tamanho de uma cama de solteiro com um corredor comum de 3 m x 1,5 m, onde ficava a privada, "o boi", o buraco por onde saía a água do banho. O respiro vinha da grade principal de entrada.

Mas os demais presos do próprio quartel — soldados e recrutas — nos davam todo o apoio e faziam a diferença. Transmitiam informações, traziam notícias das rádios e recortes de jornais.

Mandavam também comida, algumas revistas, inclusive as masculinas, que ninguém é de ferro, principalmente na nossa idade e na cadeia; um pouco de aventura, sonho e ficção sempre faz bem.

Até hoje não consigo entender como vivemos aqueles meses em Quitaúna, de uma maneira alegre, um pouco irresponsável, como encaramos a prisão e suas desgraças. Não que não houvesse dias de tristeza, angústia e mesmo de brigas homéricas, tanto pela política quanto pela mais ínfima e boba situação da cadeia: a luz, o barulho, essas coisas.

O Ribas, era uma criança e acabou assassinado no Araguaia. Depois de 1979, estive com seu irmão Dalmo e conheci seu pai, Walter. Era jovem demais e a prisão pesava mais para ele, gregário e familiar. Sinto até hoje uma ponta de dor quando me lembro de seu sorriso maroto no rosto gordo e rosado. Ao deixá-lo só naquela masmorra, sempre acreditei que o reencontraria um dia para abraçá-lo, o que não aconteceu.

Um belo dia, às vésperas do Dia da Pátria, o soldado que cumpria prisão ao lado da nossa cela me chama e avisa: "Cabeleira" — ele era o único que me chamava assim, apesar de não ter mais a longa cabeleira que exibia no Movimento Estudantil — "Você está na lista". Pergunto: "Que lista?". E ele: "Sequestraram o embaixador norte-americano. Você e o Travassos estão na lista".

8

VAI PRA CUBA!

*A troca pelo embaixador norte-americano,
o exílio, o treinamento guerrilheiro e outras aventuras*

Meu coração disparou. Tudo que eu queria era sair daquele lugar e ir para Cuba. Foi a primeira coisa que me veio à mente: vou para Cuba e um dia volto para continuar a luta. Imensa felicidade e, de repente, a consciência dos riscos. E se o sequestro falhar, e se acharem o embaixador?

Luís Travassos se opôs ao sequestro e, radicalizando, afirmou que não embarcaria. Com cuidado para não acender chamas e abrir velhas feridas, argumentei que não dependia de nós. Não estava nas nossas mãos decidir se aceitávamos ou não. Que a própria junta militar aceitara o acordo, possivelmente sob pressão dos EUA e que rejeitaria qualquer negativa. Éramos quinze os presos políticos que o consórcio ALN e MR-8 exigira em troca da libertação do embaixador norte-americano Charles Elbrick. Um "não" da nossa parte colocaria em risco a vida do embaixador.

Dito e feito. Quando Travassos comunicou ao oficial do dia e ao coronel que se recusava a embarcar, recebeu como resposta uma saraivada de chutes e xingamentos. Empurrado, saiu "catando cavaco" até o jipe que nos aguardava. Uma cena cômica, não fosse a violência estúpida dos oficiais.

Lá estávamos indo ao encontro de Vladimir Palmeira, José Ibrahim, Onofre Pinto, Gregório Bezerra, Ricardo Vilas Boas Sá Rego, Maria Augusta Carneiro, Argonauta Pacheco, Rolando Frati, João Leonardo da Silva Rocha, Mário Zanconato, o "Xuxu", Flávio Tavares, Ivens Marchetti e Ricardo Zarattini.

Era uma lista de unidade e ampla. Três líderes estudantis de três organizações — dissidência do PCB, AP e MR-8 —, líderes sindicais jovens como Zé Ibrahim, e velhos experientes do PCB ligados a Carlos Marighella, casos de Argonauta Pacheco e Rolando Frati. Outros barbaramente torturados e correndo risco de vida, como Onofre Pinto,

VAI PRA CUBA!

sargento do exército, militante da VPR como Ibrahim; João Leonardo da Silva Rocha, de um dos GTAs (Grupo Tático Armado), da ALN; Ricardo Zarattini, engenheiro, quadro político, organizador, agitador, também da ALN; Gregório Bezerra, uma lenda, velho militante e dirigente do PCB. Sargento do exército, Bezerra participara do levante de 1935. Preso, foi torturado, amarrado e arrastado pelas ruas de Recife em 1964; Flávio Tavares, jornalista, escritor, brizolista, lutador nacionalista e revolucionário, vilmente torturado como descreveu em seu livro *Memórias do Esquecimento*; Ivens Marchetti e Mário Zanconato, um arquiteto e o outro médico, torturados e em risco de vida. Por fim, Ricardo Vilas Boas, músico, e Maria Augusta, líderes estudantis e ativistas do MR-8.

Todos, com exceção de Gregório Bezerra, recolhido em Recife, e Mário Zanconato, em Belém, foram levados para o Rio e reunidos no Aeroporto do Galeão. Ali, em pé, enfileirados e amarrados, esperamos longas horas por uma decisão, sem saber exatamente o que acontecia.

Lá fora, travava-se batalha encarniçada nos bastidores da ditadura. Uma facção militar, avessa ao acordo e à nossa libertação, conspirava e se preparava para tomar o aeroporto e impedir a troca. No seu comando estava o coronel Dickson Grael, que chegou a tomar a sede da Rádio Nacional e transmitir um manifesto contrário à junta militar.

Mas no dia 7 de setembro, às 17 horas, data cheia de simbolismo, o grupo rebelado foi impedido de assaltar o Galeão. Na minha memória ficou a imagem da altercação entre oficiais superiores no aeroporto, que me pareceu violenta e perigosa, mas terminou com a prevalência do superior hierárquico, um brigadeiro, que exigiu que fôssemos soltos e embarcados. Partimos no avião da FAB, o Hércules C-130 — 56, prefixo 2456, comandado pelo coronel Egon Reinisch, que nos transportaria até o México.

A cena de nossa partida está registrada na famosa foto dos treze prisioneiros em frente ao Hércules 56. Eu tenho as mãos levantadas e mostrando as algemas, um pedido de Flávio Tavares. Quando ouvi Flávio clamar por um gesto de indignação e protesto, não tive dúvida. Levantei os braços e expus as algemas que, aliás, só foram retiradas na Cidade do México. Nesse dia e nesse ato singelo, aprendi a sempre fazer gestos que simbolizem seja nossa luta e ideais, seja a denúncia da violação de nossos direitos.

Quando Gregório Bezerra subiu no avião, no Recife, senti seu carisma pelo porte, o olhar, a voz de comando, aquela dos grandes revolucionários. Logo se impôs, como relatou com emoção Flávio Tavares em seu livro. Gregório disse ao cabo, na verdade ordenou: "Minhas algemas estão apertadas". Obedientemente, o cabo afrouxou as algemas. Fui tomado de uma intensa emoção. Um velhinho, como dizíamos sem perceber o preconceito, mas na verdade um gigante com uma coragem única e convicção inabalável. Nem anos e anos de prisão em condições desumanas, nem a tortura dobraram Gregório Bezerra, inflexível em seus princípios e valores.

A viagem transcorreu muito incômoda, mas vale tudo se o destino é a liberdade. Algemados, com fome, ensurdecidos pelo barulho — o Hércules é um avião de transporte sem pressurização —, mas felizes. Chegamos à Cidade do México e fomos recebidos por jornalistas do mundo inteiro, o que revelava o impacto internacional do sequestro vitorioso. Apesar da descoberta do cativeiro do embaixador e das prisões, inaugurava-se no Brasil um método eficaz de retirar da repressão os revolucionários presos, torturados e condenados a morrer. Mais de uma centena de prisioneiros seriam trocados nos sequestros dos embaixadores da Alemanha, da Suíça e do cônsul do Japão, em São Paulo.

Na viagem tudo passava pela minha cabeça, o incômodo real do barulho infernal dos motores do Hércules 56, o banco duro, as algemas, a fome, a vontade de urinar, tudo desaparecia, como num filme. Eu recordava com cenas rápidas os anos vividos desde 1965, quando cheguei à PUC, até a prisão em Ibiúna. Passava pela minha cabeça que, agora, o inacreditável estava acontecendo, estava sendo libertado em troca do embaixador norte-americano, uma ação da guerrilha, um fato histórico com repercussão internacional, rumo ao México, à liberdade, a Cuba, sempre decidido a voltar um dia para o Brasil.

As horas literalmente voavam, as imagens e lembranças dos companheiros e companheiras que continuavam nos cárceres da ditadura povoavam minha imaginação e me chamavam à luta, a voltar e voltar a lutar. Mas minha alma sangrava, saudades da família, dos irmãos e irmãs, do *Seu* Castorino e dona Olga, da minha Passa Quatro, lembranças fugazes de Sampa, da vida de estudante, de suas ruas, bares, teatros, cinemas, das pensões e da vida estudantil, consciente de que nada nunca mais seria igual, agora era a guerra e eu. Um soldado.

Ao mesmo tempo, uma alegria, uma satisfação imensa havia tomado conta de mim. Tínhamos imposto uma grande derrota à ditadura, uma humilhação, e estávamos a caminho da liberdade para voltar à luta. Um desejo de toda vida seria realizado, o de ir para Cuba, conhecer o primeiro território livre da América. Não passava pela minha cabeça de jovem que aquela ilha na forma de um *caiman*, um gênero de jacarés, e seu povo iam entrar na minha vida para nunca mais sair.

As forças e as entidades democráticas progressistas do México, país com larga tradição de asilo a perseguidos políticos, nos receberam bem, como haviam recebido os primeiros exilados da ditadura, ainda em 1964, entre eles, Francisco Julião, o líder das Ligas Camponesas do Nordeste. Com entusiasmo e boas-vindas, ficamos mais tranquilos e seguros. Milhares de manifestantes cercaram o Hércules 56, obrigando o piloto a reativar os motores para poder taxiar.

Antes de descer do avião, as autoridades mexicanas exigiram do comandante que retirasse nossas algemas, uma vergonha para o Brasil retratada em toda a imprensa internacional.

Fomos hospedados no Hotel del Bosque, ao lado do parque Chapultepec. Gastamos os primeiros dias avaliando a situação e buscando informações sobre o Brasil e o mundo. Também aproveitamos para tirar o atraso: o prazer de uma comida boa, uma bebida, dormir numa cama, tomar banho em um chuveiro de verdade.

José Ibrahim e João Leonardo, logo de chegada, cumprindo uma velha promessa, derrubaram uma garrafa de tequila. Vivíamos vigiados pela polícia mexicana e, logo, notamos a presença de agentes da CIA, do SNI, da Dina chilena e, com certeza, do nosso lado, da G-2 cubana e da KGB. Mas, mesmo assim, ainda podíamos levar uma vida quase normal: ir ao cinema, a recepções, reuniões, passeios e longas caminhadas pela manhã no parque Chapultepec, comandadas por Gregório Bezerra.

O hotel havia sido esvaziado e apenas nós, os quinze, éramos hóspedes. Logo a realidade nos fez a pergunta óbvia: e agora, o que fazer, como reiniciar a luta? Pela proximidade com Vladimir Palmeira e Luís Travassos, comecei a discutir com eles o que fazer. Travassos decidira ir para o Chile, Vladimir estava dependendo de sua organização, o MR-8, que, como a ALN e a VPR, pretendia enviar seus militantes para Cuba.

Eu me sentia um peixe fora d'água, pois não estava filiado a nenhuma das três organizações. Após longas discussões, decidi o que estava escrito: vou para Cuba, faço treinamentos e volto para o Brasil.

Se minha proximidade no grupo dos quinze era com Vladimir e Travassos, meus laços políticos e ideológicos estavam com a ALN e seus quadros: João Leonardo, de quem me aproximei logo, Zarattini, Frati e, mais tarde, Argonauta. Estava mais distante de Onofre e Ibrahim, apesar da amizade. Nosso afastamento entrava na conta das divisões políticas e das divergências da época das greves e do Movimento Estudantil.

Gregório Bezerra, como o PCB decidiu, seguiu para Cuba e depois, Moscou, onde trataria de um câncer. Flávio Tavares optou pelo México e fez bem. Lá, ele poderia, como jornalista e ativista político, fazer oposição à ditadura, escrevendo desde o exílio sobre sua luta contra a tortura e a morte.

Ricardo Vilas Boas escolheu a França, onde continuou a luta com sua melhor arma, a música, até voltar para o Brasil com a anistia. Em um primeiro momento, os demais foram para Cuba. Lá ficamos eu, Vladimir e Maria Augusta pelo MR-8, Onofre e Zé Ibrahim pela VPR, João Leonardo, Zarattini, Frati, Argonauta e Xuxu pela ALN. Ivens Marchetti, também do MR-8, depois foi para a Suécia. Eu fiquei como uma espécie de agregado da ALN.

Dos onze que optaram por Cuba, quatro retornariam ao Brasil: Onofre, Zarattini, João Leonardo e eu. Vladimir foi para a Bélgica e Maria Augusta para a Itália. Frati e Argonauta ficaram em Cuba, depois Frati foi para a Itália. Mário Zanconato permaneceu em Cuba, dedicou-se à medicina, casou-se com uma cubana e constituiu família, enquanto Ibrahim foi para a Europa.

Não foi fácil a decisão sobre Cuba. Vladimir era contrário e acatou a opção apenas por disciplina. Éramos filiados a organizações e estávamos em guerra. Ficou também porque outros militantes do MR-8, como Franklin Martins, chegariam logo à ilha. Minha ligação com Vladimir era forte e, por isso, ouvi seus argumentos. No fundo, ele considerava Cuba outra ditadura e não suportava o "caudilhismo", o "coronelismo" e o papel de Fidel Castro. Desacreditado com o modelo econômico de Cuba, previa o pior, apesar da solidariedade e admiração pelo fervor revolucionário do povo, da juventude e de todas as conquistas da revolução que recém-completara dez anos.

Vladimir, posso afirmar, fez o treinamento militar com disciplina, embora contrariado, e assim que pôde, depois de ficar evidente a impossibilidade da volta ao país pelo MR-8, rumou para a Europa. Só retornaria ao Brasil em 1979, com a anistia.

Decidi ir para Havana, com prazer e ansiedade. Não via o momento de desembarcar e reencontrar meus companheiros da dissidência em treinamento de guerrilha. Na Cidade do México levávamos uma vida um tanto irreal. Parecia um filme, vigiados o tempo todo, envolvidos

VAI PRA CUBA!

nas discussões e avaliações, nos dilemas de cada um, ao mesmo tempo ansiosos por viver a vida, sair para passear, namorar, ir ao cinema, festas e conhecer pessoas. Sabíamos que seria efêmera nossa estada, mas eu procurava aproveitá-la ao máximo.

Logo conheci uma mexicana de quem, infelizmente, não consigo me lembrar o nome, recordo que era irmã de um famoso artista da televisão, de novelas. Passamos a sair juntos e, um dia, fomos ao cinema. Reclamei das imagens desfocadas do filme e ela, um pouco ofendida, disse que a imagem estava perfeita.

Já em Havana, fui com Travassos assistir aos Jogos Pan-Americanos, que Cuba sediava. Escolhemos a esgrima e lá fomos nós. Sentamos e, depois de alguns minutos, reclamei que o assalto não começava e Travassos um tanto preocupado me disse: "Zé, já começou, você precisa ir ao oftalmologista". Foi então que descobri que estava míope, mas, na verdade, eu não estava enxergando bem desde que saíra da prisão.

Vivíamos tanto a luta e os problemas do Brasil que, apesar da riqueza cultural, da fantástica história revolucionária do México, e da beleza do país, de seu passado, pré-hispânico e de sua luta contra o Império norte--americano, sua extraordinária Universidade Nacional e seu esplendoroso Museu, um povo com história e orgulho apesar da tragédia nacional da usurpação de seu território pelo imperialismo, não aproveitei a estada nem sequer para conhecer seu patrimônio arqueológico e colonial. Um erro que consertaria no futuro.

Anos depois, vim a saber em relato de minha irmã Neide que o telegrama que enviei para meu cunhado Flamarion, na época importante colunista político no *Jornal do Brasil*, onde pontificava Carlos Castelo Branco, o Castelinho, informando que chegara bem, quase lhe custou a demissão pela dona do jornal, a Condessa Pereira Carneiro. Quem evitou a demissão foi o mesmo Castelinho.

A chegada a Cuba foi triunfal. Fomos recebidos como revolucionários que éramos, lutadores pela liberdade. Ao descer do avião, uma surpresa, de muitas, me aguardava: Alfredo Guevara, que eu conhecera em 1968, no Brasil, me esperava de braços abertos, selando uma amizade que perduraria até sua morte, em 2014.

Alfredo era filho de imigrantes espanhóis, de tradição anarquista, que militou e lutou na resistência em Cuba, no M-26-7. Conheceu bem as masmorras e a tortura no regime de Fulgencio Batista. No início da Revolução, integrou o grupo que elaborou as primeiras leis e medidas revolucionárias. Intelectual orgânico, fundou e dirigiu o Instituto Cubano de Arte e Indústria Cinematográfica (ICAIC), que transformou o cinema cubano em um dos mais inovadores e importantes da América Latina. Ligou-se ao Cinema Novo brasileiro, aos seus diretores, como Glauber Rocha e Leon Hirszman. Com trânsito em toda a América Latina e Europa, representou Cuba na Unesco nos anos em que amargou um "exílio" político da luta dentro do Partido Comunista Cubano. Distanciou-se por divergências em torno de temas culturais e de comportamento, particularmente a hoje denominada homofobia, a que ele se opunha.

Mas a maior surpresa foi sermos recebidos por Fidel Castro. Conversou longamente conosco, costume que, logo aprendi, era um prazer para ele, que bebia cada palavra do interlocutor. Interessava-se por tudo, no caso, o Brasil ditatorial, nossa luta e prisão. Isso quando não estava ele próprio expondo, com convicção típica e argumentos sólidos, o seu ponto de vista, trazendo uma proposta de solução para o tema em debate. Ou simplesmente abordando um assunto trivial, uma doença, uma comida, uma viagem, uma avaliação pessoal.

Fidel me impressionou não apenas pelo carisma e simpatia, mas pela juventude. Estava com quarenta e três anos, no auge de sua capacidade de trabalho e era senhor absoluto dos destinos de Cuba. O país vivia dias de reconstrução e avanços extraordinários, os problemas e as consequências nefastas do bloqueio e da sabotagem diária promovido pelas administrações em Washington — democratas ou republicanas —, ainda estavam no início, e a ofensiva revolucionária de 68, estatizando todo comércio e serviços, ainda não era sentida como foi na década de 1970. O Partido Comunista de Cuba (PCC) tinha apenas quatro anos e vivia um processo de crescimento e consolidação. Liquidara a guerrilha contrarrevolucionária do Escambray, depois de derrotar a fracassada invasão pela Bahia dos Porcos em 1961, financiada e promovida pelos Estados Unidos.

Discursava mais do que falava, parecia sempre em um palanque, simpático, irônico, encantava seu interlocutor, muito bem-informado sobre o Brasil e a ditadura, sobre nossa luta e sobre cada um de nós. Voltei a me encontrar com ele na reunião da Organização Continental Latino- -Americana e Caribenha de Estudantes (Oclae) quando retomamos o diálogo, agora sobre o Movimento Estudantil, do qual Fidel tinha sido um dos principais dirigentes e líderes em Cuba na época de Fulgencio Batista.

VAI PRA CUBA!

As fotos da época retratam nossa chegada ao aeroporto José Martí e a recepção por Fidel. Cuba era a revolução da nossa geração, o primeiro território livre da América, exemplo de tomada de poder por meio da guerrilha. A epopeia de Sierra Maestra era um símbolo e as figuras de Fidel, Che Guevara e Camilo Cienfuegos dominavam nossa imaginação.

Mas a ilha já era mais do que uma revolução, era um país em reconstrução e transformação. Daí a minha curiosidade em conhecê-la, entender de perto a revolução e sua economia, suas instituições, organizações sociais, relações externas e projetos para o futuro.

Logo me identifiquei. O povo cubano é parecido com o nosso, uma mistura étnica de escravos negros e espanhóis com o sangue indígena, do mesmo período — a idade da pedra lascada — dos nossos tupis e guaranis. Algo como uma mistura de Minas Gerais com a Bahia, onde se ouviam Nelson Ned e Roberto Carlos, acompanhava-se o Cinema Novo e comia-se arroz, *frijol* (feijão), aipim (mandioca), carne de porco sempre, como em Minas. Bebiam-se cerveja e rum, a "cachaça" cubana e do Caribe, o *Havana Club, anejo 7 años*.

Gente amante do "baile", dançar e cantar eram e são paixões nacionais. Neófito, mais ligado no cinema e na literatura, tive que ouvir de um camponês sua estranheza pela minha ignorância musical com a seguinte reprimenda, *Chico, no me digas! No le gusta la música, pero la música es la lengua de los pueblos*. Ou seja, como posso querer ser internacionalista e lutar pelos povos se não compartilho sua linguagem comum, a música?

Apesar do exílio, do *banzo*, da distância do Brasil, da falta de notícias, nunca me senti estrangeiro em Cuba. Viajamos para conhecer o país, o povo, a Revolução, seus problemas e impasses. Fizemos o que os cubanos chamam *un recorrido* pela ilha, mas somente após os exames médicos e o tratamento a partir do diagnóstico de cada um. No meu caso, aos 23 anos, só necessitava de óculos, por causa da miopia descoberta no México. A viagem teve aquele enfoque de agenda oficial para mostrar "as conquistas da revolução" que, aliás, eram reais: fim do analfabetismo, do racismo brutal nos tempos da ditadura de Fulgencio Batista, da pobreza extrema e generalizada, das máfias, do jogo e do desemprego massivo. Ainda nos anos 1960, Cuba afirmava a educação e a saúde como direitos, consolidando-se depois como uma nação com baixíssimos percentuais de mortalidade infantil e materna, muito bem situada no Índice de

Desenvolvimento Humano (IDH), livre de endemias e epidemias comuns em toda a América Latina.

Isso tudo apesar da agressão e do bloqueio norte-americano — hoje condenado praticamente por todo o planeta, menos Israel e Estados Unidos — das reiteradas agressões, atentados, sabotagens, guerrilhas contrarrevolucionárias como a de região de Escambray, várias tentativas de assassinar Fidel e outras lideranças da Revolução.

Porém, a Revolução e o governo enfrentavam seus problemas, alguns sem solução em curto prazo, como a estatização generalizada dos serviços, desde o salão de beleza até o pipoqueiro. Algo impossível, mas que havia se tornado realidade na chamada "ofensiva revolucionária" de 1968.

Cuba não tem queda-d'água, carvão nem petróleo, não tinha em 1969 e, depois, as reservas descobertas não atenderiam nem 20% da demanda. A energia que produz vem de termelétricas movidas a óleo combustível, subsidiado pela União Soviética até 1991 e, mais tarde, pela Venezuela de Hugo Chávez. O país dependia das exportações de açúcar, níquel, charutos, cigarros, bebidas, e do turismo. Naqueles anos, só do açúcar, e o turismo havia desaparecido enquanto atividade econômica. Cuba importava todas as matérias-primas, alimentos, insumos, máquinas e equipamentos e até a ração para a avicultura, suinocultura e pecuária.

Com o bloqueio e a hostilidade norte-americana, tudo dependia dos russos e do chamado campo socialista, do Conselho para Assistência Econômica Mútua (Comecon), bloco formado pela URSS e as nações do Leste Europeu que, na década de 1960, ainda não tinha o peso econômico adquirido depois de 1975.

A prestação e a venda de serviços, na vida real, colapsaram. Em 1969, eram raros os bares e restaurantes, mesmo em Havana. O próprio comércio se desorganizou com a estatização do setor de serviços, do varejo e do atacado. Este, que se tornaria hegemônico nas próximas décadas em todas as economias, em Cuba estava totalmente estatizado, algo inacreditável. Uma economia de guerra, de sobrevivência, de escassez.

Sem condições de abastecer o mercado de produtos essenciais, da cesta básica, Cuba optou pelo racionamento institucionalizado. Adotou a chamada *libreta* para que todas as famílias pudessem ter o básico e impedindo que os mais pobres, a maioria, passassem fome.

Sua agricultura, na verdade monocultura latifundista, *terrateniente*, nunca foi produtora de alimentos. Historicamente, Cuba sempre adquiriu

VAI PRA CUBA!

o básico no exterior. Mesmo com a reforma agrária e a nacionalização dos setores de açúcar e tabaco, além da consolidação de uma associação nacional de pequenos agricultores, a Revolução não alcançou a autossuficiência em legumes, hortaliças, frutas, carne e leite. Menos ainda em cereais, milho, arroz e feijão.

A vida de um país assim nunca seria fácil, e governá-lo não era uma tarefa para amadores. Sem mencionarmos a ameaça permanente de uma invasão dos EUA, vizinho tão próximo e que dispunha do apoio dos atrelados governos da América Latina, com a exceção do México.

Estatizar uma economia pobre e na escassez só é possível com uma opção pelo igualitarismo generalizado. No caso cubano, a escolha pela absoluta prioridade da universalização de educação, saúde, esportes, lazer, cultura e defesa nacional permitiu proporcionar justiça e bem-estar social. Por isso mesmo sobreviveu, contra todos os prognósticos, com firme respaldo popular.

Sempre tive dificuldade para analisar a economia cubana dentro de parâmetros e cânones da economia clássica. Difícil compará-la à de outro país vivendo uma situação de paz e integrado à comunidade internacional. Trata-se, ainda, de uma nação em permanente estado de mobilização política e militar, com uma população organizada em milícias e dispondo, até 1991, de uma das forças armadas mais modernas do mundo — resultado do suporte em tecnologia, logística, comunicações e armamentos em todos níveis, inclusive na defesa via mísseis, oferecido pela URSS.

Foi nesse clima e contexto que, ao chegar, soube do planejamento da safra de açúcar, com a meta de atingir 10 milhões de toneladas, número quase impossível diante de tantas limitações. Ainda agravadas pelo custo dos insumos, matérias-primas, máquinas e equipamentos importados de países distantes milhares de quilômetros de Cuba e, eventualmente, pagando juros e preços com ágio de risco altíssimo.

E a safra dos 10 milhões — a produção média histórica não chegava a 5 milhões — fracassou, como era de se esperar. Para mim, porém, dado o entusiasmo popular e a movimentação do governo e do país, de todos os recursos de logística e produção, parecia improvável, mas não impossível.

O projeto da supersafra desorganizou toda a produção agrícola e industrial. Teve consequências negativas nos anos seguintes na produção e abastecimento do país, e levou, tudo indica, à guinada na orientação do modelo econômico para uma cópia adaptada a Cuba do planejamento central da URSS.

Entre nós, Zarattini enxergou as consequências do sobre-esforço para tentar produzir 10 milhões de toneladas de açúcar. Vladimir intuiu o insucesso com seu pessimismo político sobre a governança fidelista e também previu que a meta não seria alcançada.

Fidel reconheceu o malogro, não obstante o esforço de milhões de cubanos, da epopeia de jovens, idosos e mulheres que se jogaram de corpo e alma na "Gigantesca Batalha", era assim que os cubanos viam e tratavam os desafios anuais estabelecidos pelo PCC e pelo governo. Fidel ofereceu seu cargo, ou seja, pediu demissão, o que simplesmente era irreal e não foi aceito.

Voltarei a tratar de Cuba, agora retorno à minha situação. Era hora de definir minha relação com a ALN e os cubanos. A primeira se resolveu pela pressão dos companheiros da dissidência de São Paulo que já estavam na famosa Casa dos 28, como ficaria conhecida, preparando-se para o treinamento militar.

Com as restrições de setores da ALN, nunca ficou claro para mim quem — Antonio Benetazzo, Lauriberto José Reys, José Roberto Arantes, desde o Brasil, Jeová Assis Gomes ou Carlos Eduardo Fleury — acabou por impor meu ingresso na Casa e no treinamento, contando para essa decisão com a boa vontade dos cubanos e da direção do partido, responsável pela sensível e compartimentada área, detentor das relações e acordos com as organizações e partidos do Brasil.

Minha situação, na verdade, era peculiar. Perguntado pelos cubanos qual organização respondia por mim, fui taxativo: "Nenhuma, eu respondo pela relação com vocês, com Cuba e o PCC".

Hoje me pergunto por que os cubanos aceitaram essa particularidade. Talvez pela ligação especial, pessoal e política, que estabeleci com Alfredo Guevara, que tinha acesso direto a Fidel, seu irmão Raúl Castro, Vilma Espín e outros dirigentes. Parte porque a direção do partido sentia-se na obrigação de dar suporte aos brasileiros trocados pelo embaixador norte-americano que buscavam asilo e proteção em Cuba. Também era particularmente próximo a Manuel Piñeiro, então responsável no PCC pelas relações exteriores, com os partidos e organizações. Tal relação permitia acesso a informações e contatos nos momentos mais difíceis e me daria condições, como veremos, de voltar ao Brasil pela segunda vez em 1974-75.

Manuel Piñeiro, o comandante *Barba Roja*, como era conhecido, era especial, como revolucionário, quadro político, militar e ser humano.

VAI PRA CUBA!

Alegre, irônico, piadista, duro na queda, exigente como sua função exigia, era uma lenda pelo seu papel no apoio às lutas de libertação nacional na África e Ásia e contra as ditaduras na América Latina. Temido pelos inimigos da Revolução Cubana, era um mestre da inteligência e da estratégia política. Convivi com ele até sua prematura morte em 1998. Casou-se com Marta Harnecker e teve uma filha, Camilla, que vive em Cuba. Aproximou-se ainda mais das nossas lutas pelo papel de Marta como educadora política e escritora. O casal sempre me recebeu em casa como se eu fosse um deles e me apoiou como nunca naqueles anos duros e difíceis da luta no Brasil, seja me aconselhando e garantindo acesso às informações reservadas sobre o movimento revolucionário latino--americano e a situação internacional.

Ainda jovem, estudando nos Estados Unidos, filho de um executivo da empresa Bacardi, para onde a família o mandara para afastá-lo da luta contra a ditadura de Batista, Manuel Piñeiro, volta a Cuba, marcado pela discriminação social e racial que sofreu nos Estados Unidos. Participa da fundação do Movimento 26 de Julho em 1955 e, perseguido pela repressão, subiu a Serra Maestra, uniu-se a Fidel e depois comandou a celebre Frente Oriental "Frank País", nome de um dos líderes do assalto ao quartel Moncada. Conquistou o grau de comandante do exército rebelde na Batalha de Santiago de Cuba.

Piñeiro, homem de confiança absoluta e total e um dos comandantes do núcleo duro da Revolução Cubana, foi diretor da Inteligência cubana nos primórdios da revolução, ministro adjunto do Interior e depois chefe do famoso Departamento América do PCC. Para mim, ele foi, antes de mais nada, um amigo. Fazíamos aniversário quase juntos — ele no dia 14 e eu no dia 16 de março —, um companheiro e tanto, fez de tudo para eu não voltar para o Brasil em 1975, dado o risco. Decidido, ele se empenhou para garantir uma volta segura, em condições de lutar e sobreviver. Todas as vezes que voltei a Cuba, nas décadas de 1980 e 1990, sempre o visitava, não apenas para "conspirar", mas para revê-lo e desfrutar de sua companhia e inteligência. Mesmo depois que deixou o Departamento América, em 1997, continuei a visitá-lo, até que sua morte prematura, em março de 1998, me surpreendeu. Perdi um camarada.

Eu me integraria ao III Exército da ALN e iniciaria a primeira fase de adestramento, aguardando seguir ao campo de treinamento guer-rilheiro propriamente dito.

Primeiramente, era preciso preparo físico, alimentação adequada, lazer, desintoxicação do tempo da cadeia e a recuperação da subnutrição e das sequelas da tortura para muitos, quase todos, com exceção daqueles que haviam chegado clandestinamente do Brasil, enviados pela ALN.

Foi no famoso, apesar de clandestino, "Ponto Zero", que fizemos o treinamento básico de armas e tiros. Era um campo de treinamento do exército nas proximidades de Havana, com vários estandes de tiro.

Juntei-me ao pessoal da ALN e absorvi a rotina semimilitar: divisão de trabalho, limpeza, vigilância — tínhamos armamento na famosa Casa dos 28 e ainda havia sempre o risco de atentados. Era uma mescla de quartel e república de estudantes, com tarefas próprias de nossas idades. Éramos, na maioria, homens. Havia apenas quatro mulheres: Maria Augusta Thomaz, Ana Cerqueira César Corbisier, Ana Maria Ribas Brasil Palmeira e Eliane Zamikhowsky. Delas, conhecia Maria Augusta, aluna do Sedes Sapientiae, e Ana Maria, liderança estudantil do Rio de Janeiro e companheira de Vladimir Palmeira. Ana Corbisier e Eliane conheci em Cuba. Ana é filha de Roland Corbisier, um escritor, filósofo e político cassado pela ditadura e sua mãe descendia dos Cerqueira César, tradicional família da aristocracia paulista ligada aos Mesquitas, proprietários do jornal *O Estado de S. Paulo*. Ana foi casada com Carlos Matheus, diretor do Gallup, então o mais importante instituto de pesquisa do país.

Dos companheiros, eu conhecia e tinha laços profundos com Antônio Benetazzo, José Roberto Arantes, Lauriberto Reys, o Lauri. João Leonardo, Frati, Argonauta, Xuxu, estes conheci durante a viagem no avião da FAB. Lá, encontrei outros militantes da ALN, como Vinícius Medeiros Caldevilla, João Carlos Cavalcanti, Flávio Molina, Frederico Meyer, Boanerges Massa, Aylton Mortati, o "Tenente", Arno Preis, Ruy Carlos Berbet, Luiz Antonio Araújo, Sílvio de Albuquerque Mota, Márcio Beck Machado, José Pereira da Silva e Luiz Raimundo Bandeira Coutinho.

Por lá ficamos alguns meses antes de irmos para Pinar Del Rio, a famosa província cubana situada na ponta ocidental da ilha, onde se planta, *siembra*, o tabaco que dá origem aos melhores e mais famosos charutos do mundo, os *Habanos*. Na época, não sabíamos a localização do campo de treinamento guerrilheiro, onde iniciamos a parte militar propriamente dita.

Na casa, aprendi a cozinhar com Frati. Após me observar, semanas a fio, lavando e secando louças e talheres, panelas e conchas, perguntou-me se não tinha vergonha de não saber cozinhar. Mesmo não considerando lavar e secar, tarefa menor, coloquei-me sob as ordens do *chef* Frati. Ele me ensinou o básico: preparar arroz, feijão, carne assada, o que me salvou quando vivi sozinho na volta para Cuba, em 1972, e no Brasil na clandestinidade. Nunca fui bom no ofício, mas dava para o essencial.

Nossa vida era ocupada pelo treinamento, exames de saúde, raros passeios, leitura, muita discussão política e avaliação da conjuntura brasileira.

Negociações e entreveros com os cubanos eram o nosso dia a dia, próprio de quem estava acostumado a resolver tudo, comprando ali na esquina. Em Cuba, dependíamos dos "assistentes", um capítulo à parte, com altos e baixos, boas e más relações, bons e maus momentos. Mas sempre com solidariedade e compromisso com nossa luta. Esta foi e continua sendo a minha avaliação.

Nessa fase, iniciei uma maravilhosa relação com o Instituto Cubano de Arte e Indústria Cinematográficos (ICAIC) e o cinema. Eram ambientes que, no fundo, substituíam a família e a vida social brasileiras. Frequentava o apartamento de Alfredo Guevara, onde vivia com sua mãe, sobrinho e irmão, e o Instituto, o ambiente de trabalho e a biblioteca, a sala de exibições e a vasta cinematografia francesa, italiana e russa, além da cubana e muito da América Latina, inclusive do Brasil.

Mas o tempo voava e nos cobrava. Voltar e lutar era minha obsessão. Fui para o treinamento militar sem grande paixão, mas com disciplina. Acredito que "passei" sem louvor, mas pelo menos dava para o gasto. De fato, nunca me vi como guerrilheiro e sim como um militante se preparando para retornar ao Brasil. Sempre entendi que precisava me preparar para o que desse e viesse, daí a necessidade do treinamento militar. Mas não perdi o foco no país. Acompanhei como pude o panorama econômico, político e social, a evolução da situação institucional e a crise da ditadura que levou o general Emílio Garrastazu Médici ao poder.

Era a hora de fazer a revolução, a hora da ação. Abracei essa opção e me dediquei ao projeto. Hoje, vasculhando na memória não só os fatos, mas os sentimentos, sinto calafrios e me surpreendo como nós estávamos decididos. Como o imperativo moral nos impelia para o dever, como a responsabilidade nos cobrava cumprir nossa missão, não no sentido militar apenas, mas de cidadãos, de seres humanos.

Mas a realidade do Brasil dizia o contrário, que não tínhamos chances, que estávamos perdendo a guerra, que havia mudado o quadro político e econômico, que os tempos eram de terror. Havia sinais claros da derrota. Estavam na sucessão de quedas e de mortes, sendo a de Carlos Marighella, assassinado na alameda Casa Branca, em São Paulo, durante uma emboscada, o maior golpe que sofremos, pelo seu papel e liderança real, sua capacidade de ação, agregação e prestígio internacional.

Crescia entre os companheiros da Dissidência de São Paulo um sentimento de oposição não apenas à orientação geral da ALN, mas, talvez tão importante, em relação à forma como eram tratados os problemas, crises, erros, quedas e mortes.

Havia um abismo entre a direção de Marighella, sua capacidade e carisma, e a de seus delegados e enviados a Cuba. Formara-se uma cisão entre os "paulistas", a maioria da Casa, e a direção local e no exterior da ALN.

Eu não era da direção. Era mais da "base", um "soldado", mas meu convívio com os principais quadros da Casa era (quase) por osmose, político, afetivo e de uma grande cumplicidade. Viam-me como um quadro a preservar para o futuro e eu os via, de certa forma, como meus orientadores. Isto desde o Movimento Estudantil, principalmente da parte de Benetazzo e José Arantes.

Durante a prática, as graves divergências ficavam de lado, até porque treinávamos sob o comando de oficiais cubanos e não discutíamos "questões internas", como se dizia. A rotina era intensa, cansativa e, no final, estávamos esgotados. Nas madrugadas, no meu turno de guarda, o céu estrelado do Caribe me transportava para o Brasil, para Passa Quatro. A distância de Tania, namorada brasileira que conheci em Cuba, e as saudades apertavam. A angústia e a solidão tomavam conta de mim. O sinal de perigo acendeu: uma depressão estava a caminho.

O treinamento tinha uma parte teórica, na qual estudávamos a história de Cuba, da América Latina, das guerras revolucionárias e problemas militares, táticas de batalha, marchas, acampamentos, trincheiras, emboscadas, tiro, armamentos, explosivos, entre outras coisas. Tudo em uma sala de aula improvisada, pois o alojamento e demais cômodos foram construídos com madeira da região. O dormitório era de campanha, coletivo, o refeitório e a sala de aula unidos e abertos, cobertos com telhas. Fossa e banheiro foram construídos por nós e ficavam mais afastados do conjunto.

Se diariamente recebíamos aulas práticas, as marchas aconteciam mais espaçadamente. Eram preparativos nada extraordinários. Não se aproximavam daqueles das tropas especiais, mas quem se esforçasse sairia dali apto a combater e no combate, aí sim, se forma o guerrilheiro.

VAI PRA CUBA!

O treinamento era para civis que não serviram o exército no Brasil. Com raras exceções, uma delas, Aylton Mortati, o "Tenente", servia para o preparo físico, tiro, marcha, táticas de combate, leitura de mapas, orientação e sobrevivência. Criava reflexos e condicionamentos. Cada um reagiu conforme o interesse e a vocação. É preciso ter gosto, paixão pela vida militar e, no caso, pela guerrilha.

Para alguns, parecia um faz de conta; para outros, era como se fosse real. Para mim, nem uma coisa nem outra. Para quem decidira pela luta armada, aprender a atirar com todo o tipo de armamento — de pistola a canhões sem recuo, passando por morteiros e bazucas, além de manejar explosivos, obter noções e prática de combate, marcha, emboscada, sobrevivência e comunicação — era crucial. Alguns, e não foram poucos, tinham vocação. Cito, por exemplo, João Carlos Cavalcanti, o "Vicente", Maria Augusta Thomaz, a "Bica", Boanerges Massa, o "Felipe", João Leonardo, o "Mário", só para citar alguns de que me lembro. Para não ser injusto, também me impressionou a atuação de Benetazzo e Zé Arantes, jovens universitários e urbanos que se destacavam na dedicação.

O treinamento rural foi seguido por um curso de clandestinidade, de luta urbana, que era a atuação mais importante e efetiva da ALN, de aparelhos, pontos, códigos e senhas, rotas de fuga, esconderijos, comunicação, inteligência e contrainteligência, realizado em outras cidades de Cuba, de forma reservada e com cobertura dos órgãos do governo.

Fiquei interessado nessa segunda etapa porque, no futuro, seria fundamental, particularmente a área de disfarces, falsificação de documentos, clandestinidade e técnicas de comunicação em rádio, códigos, senhas, tintas invisíveis etc.

Nessa fase de minha vida, em Cuba, tive uma profunda relação com Alfredo e o ICAIC, pois precisamos aprender algumas profissões como disfarce e mesmo para trabalhar, além de cursos necessários de rádio, códigos e criptografia. Fiz um curso de fotografia e revelação e aprendi alguns ofícios, por assim dizer. Fiz um longo curso de câmera, isso mesmo, no ICAIC, onde cheguei a produzir um pequeno curta-metragem sobre o Cemitério Cristobal Colon, na *Calle* 12, de La Habana. Tomei como roteiro as mudanças na arquitetura dos túmulos antes e depois da Revolução, até mesmo o aumento do número de túmulos sem símbolos religiosos e os luxuosos e fantásticos túmulos da aristocracia açucareira cubana. Fiz também algo surreal, um curso de projetista de filmes num cinema, o Cine Yara, perto do ICAIC, na *calle* 23 com a 27. Toda noite eu trabalhava algumas horas treinando, até que um dia fui chamado e, com cuidado, me pediram que parasse de namorar dentro da cabine durante a exibição dos filmes. Era meu aviso-prévio.

Durante um outro período, trabalhei no ICAIC organizando a biblioteca da presidência e auxiliando na versão dos filmes brasileiros para o espanhol, na verdade, para o cubano, com todas as suas idiossincrasias e modo de falar próprio. Era uma função que me agradava e dava oportunidade de rever o nosso cinema novo. Também, como era filho de gráficos, trabalhei numa gráfica e empresa de revistas em quadrinhos, onde conheci uma checa, técnica em H.Q., simplesmente encantadora, mas que não cedeu aos meus encantos um tanto juvenis para ela. Esse período foi de poucos amores e namoradas, por medida de segurança. Tragicamente mal recordo o nome, apesar da lembrança fotográfica de cada uma: da mulata santiagueira que conheci na Biblioteca Municipal Abel Santamaria Cuadrado-dirigente do Diretório Revolucionário, herói e comandante do assalto ao palácio presidencial em 1957, da cidade de Santiago de Cuba, na província Oriental de Cuba, a Bahia cubana, terra do rum, da *santería*, cidade rebelde, berço da revolução e onde se situa a famosa Sierra Maestra. Depois, a mulata mudou-se para Havana para ficar mais perto de mim, para desespero dos meus assistentes do departamento América do PCC. Zarattini e eu éramos assíduos frequentadores da Biblioteca de Santiago, local ideal para ler, pesquisar e paquerar.

Outro namoro foi com uma judia que perdi no tempo, mas não no esquecimento, névoas do passado. Morava nos fundos da Sinagoga de Havana entre 13 e 15, Calle l, se não me engano. Passamos momentos maravilhosos no aconchego do seu minúsculo apartamento, atrás da Sinagoga. Namoros e romances relâmpagos, como com a basca, do ETA, que conheci no hotel de trânsito do ICAIC, quando me restabelecia da depressão e do acidente (que contarei mais adiante), e que logo voltou para seu país Euskal Herria — o nome do País Basco.

É preciso lembrar que não havia voos de Cuba para nenhum país da América Latina, com exceção do México. Que a rota para voltar ao Brasil incluía escalas em Moscou ou Praga, depois um país da Europa ou do norte da África (Argélia ou Marrocos), um país da América do Sul e só então chegava-se ao Brasil, nunca por São Paulo ou Rio. Nesse retorno, tudo era decisivo: o disfarce, o despiste, o sangue-frio, a postura, a roupa, a profissão, o sotaque. Um erro significava a morte.

Na chegada, mais riscos: passar pela aduana e acertar o contato com a organização. Sem preparo e sem determinação era impossível. O adestramento propiciava segurança e tranquilidade, chaves do sucesso. Assim, faço um balanço positivo da experiência, destacando, de novo, que não era a dos fuzileiros navais ou dos marines norte-americanos, mas resolvia nossa necessidade. Para quem quisesse, de fato, ter um treinamento especial, o melhor era combater com o exército cubano em uma das missões na América Latina ou na África.

Nessa época, um fato pitoresco ou risível aconteceu. Em Cuba, expressei meu interesse pela aviação de combate. Desde criança tivera o desejo de ser piloto. Em Passa Quatro, havia grande admiração pela Força Aérea Brasileira. Lá, havia um fã-clube da FAB. Itamar Rocha, depois brigadeiro e chefe do Estado-Maior da FAB, era filho de Passa Quatro e, ainda jovem, sobrevoava a cidade. Pelo menos, na minha imaginação, no meu sonho, Rocha honraria a farda e a bandeira que jurou. Em 1968, recusara-se a autorizar uma operação criminosa imposta ao Esquadrão Aeroterrestre de Salvamento da Aeronáutica, o grupo Para-Sar. O corpo especial fora incumbido de realizar ações de assassinato massivo de opositores do regime militar, episódio denunciado pelo capitão Sérgio Miranda Ribeiro de Carvalho, o "Sérgio Macaco". A denúncia, hoje comprovada por testemunhas e documentos históricos, custaria ao capitão o cargo e a ida para a reserva.

Outro fato que ficou marcado em minha memória foi uma pequena crise durante o treinamento por causa da personalidade de um dos mais importantes comandantes de Cuba, Dariel Alarcón "Benigno", um dos três sobreviventes da guerrilha do Che Guevara na Bolívia. Benigno, aos dezessete anos, se integrou ao exército rebelde depois do assassinato de sua esposa de quinze anos, grávida, pelos soldados de Batista. Foi alfabetizado e combateu ao lado do Che em Cuba, no Gongo e depois na Bolívia, de onde escapou atravessando os Andes a pé até o Chile, onde Salvador Allende, então senador, protegeu-o para viajar para Cuba. Na Ilha desempenhou importantes papéis nas FAR e na Polícia, inclusive na inteligência. Deixou o país em 1996 e exilou-se na França, onde faleceu em 2016.

Também Arnaldo Ochoa, o lendário general cubano internacionalista, depois processado por crime de tráfico de drogas, condenado e executado, era assíduo em nos visitar e conversar sobre a luta contra as ditaduras na nossa região, como Benigno. Em uma de nossas marchas e treinamentos, Benigno nos comandou e, ao me dar uma ordem totalmente sem sentido, reagi e dei início a um mal-entendido que resultou, como é natural no meio militar, em advertência e penalidade, criando um clima ruim entre mim e ele.

De um momento para o outro, Benigno simplesmente me disse que aprendera com *el* Che que quando um homem reconhece seu erro deve ser imediatamente perdoado e assim ficamos. Na verdade, nunca mais o vi e fiquei com uma imagem ruim dele, de um comportamento um pouco exibicionista para alguém que não precisa provar nada, para nós era um herói e um dos maiores comandantes vivos em Cuba.

Um incidente folclórico aconteceu no treinamento de tiro com uma P38/40, submetralhadora alemã de três peças, uma obra de arte. Com capacidade de 500 tiros por minuto, calibre 9 x 19 e cartucho com trinta e duas munições, fácil de desmontar e por isso mesmo perigosa, no caso de malmontada. Ela soltou-se no momento em que eu atirava, fazendo um movimento para cima de mim (eu estava deitado), podendo atingir quem estivesse ao meu lado. Como o instrutor cubano cuidou de proteger somente Boanerges Massa, o "Felipe", criou-se um mal-estar tremendo, como se os outros possíveis alvos fossem importantes como o "Médico". Minha arma predileta era o fuzil belga FAL, calibre 7,62, com trinta balas e alcance máximo de 800 metros, por razões óbvias, já que utilizado pelo exército brasileiro, caso contrário seria o lendário fuzil de assalto russo AK-47, sigla da denominação russa Avtomat Kalashnikova obraztsa 1947 goda ("Arma Automática de Kalashnikov modelo de 1947"), é um fuzil de calibre 7,62 x 39 mm criado em 1947 por Mikhail Kalashnikov e produzido na União Soviética pela indústria estatal IZH. Com alcance 300 metros, pode levar até noventa munições, pau para toda obra, uma arma hoje de uso em todo o mundo. Já foram produzidos mais de 100 milhões de fuzis e a pistola Browning 9 mm, com treze balas no carregador, fabricada também na Bélgica e nos Estados Unidos.

A vida me encaminhou para a Casa dos 28 e à volta ao Brasil, ainda em 1970, menos de um ano após ter sido banido e considerado apátrida. Antes, porém, enfrentaria três novas situações: um acidente de campo, uma depressão psíquica e a ruptura com a ALN, que daria origem ao Molipo, o Movimento de Libertação Popular.

O primeiro revés ocorreu quando, em provas que envolviam cruzar rios, desníveis e fendas com cordas esticadas, sofri uma queda de aproximadamente cinco metros, afetando e traumatizando meus rins. Foi motivado por pura indisciplina e teimosia minha, pois não foi por falta de alerta do oficial de comando. Para melhor marchar e superar obstáculos, carregava o fuzil FAL atravessado nas costas, perigo evidente em caso de queda.

Fui internado no hospital Calixto Garcia, de Havana e, embora bem tratado, mergulhei numa profunda depressão que retardava meu restabelecimento e a volta ao campo.

No primeiro momento, os médicos não se deram conta do problema. Foi Alfredo Guevara que, ao me visitar, percebeu a gravidade. Entrou em contato com seu irmão, psiquiatra, que diagnosticou a depressão. A solução foi o tratamento químico com a troca do hospital pelo hotel de trânsito do ICAIC e para o ambiente familiar da casa de Alfredo. Em seguida, me restabeleci. Sobre esse acidente, depois correram estórias e lendas, que eu teria me afogado ou sido afogado por terceiros, o que não é verdade.

Nessa fase, eu vivia uma profunda solidão. Eu não admitia, porque não prejudicava meu treinamento ou meus estudos, mas as noites eram terríveis, principalmente quando dava plantão. Meu turno de guarda, sozinho, isolado apenas com o céu maravilhoso de Cuba, era um tormento, as horas não passavam e isso piorava com as saudades de Tania, que ficara em Havana. A depressão se agravou com meu rompimento com Tania, nome usado por Iara Xavier para encobrir sua verdadeira identidade, e o agravamento da situação da ALN no Brasil e da esquerda em geral. Um sentimento de impotência e ansiedade tomava conta de mim, somado à solidão e à carência afetiva.

Quando regressei ao adestramento, esperava-me a deterioração das relações entre a maioria dos hóspedes da Casa dos 28 e a direção da ALN, esta já sem o comando de Marighella e Joaquim Câmara Ferreira, o primeiro emboscado e assassinado em plena rua, e o segundo morto na tortura. Prisões e mortes desorganizaram o comando da ALN e fracionaram sua relação horizontal entre estados e setores; logística, comunicação, imprensa, grupos de combate, apoios, contatos, tudo abrindo espaço para direções inexperientes e com baixa ou nenhuma legitimidade e autoridade. Consolidou-se a decisão de fundar o Molipo a partir dos contatos, estrutura, liderança, projetos e planos para implantação no campo de Jeová Assis Gomes e Carlos Eduardo Pires Fleury, o "Fleurizinho" — para distinguir do outro, Sérgio Paranhos Fleury, o policial torturador e assassino do Deops.

A decisão de abandonar a ALN, criar o Molipo e voltar para o Brasil será vista no futuro como uma aventura, um erro gravíssimo, um suicídio, quase um crime cometido contra nós por nós mesmos.

De certa forma, a separação do que restara da ALN era quase um imperativo político e de segurança. Na prática, a reconstituição da Dissidência de São Paulo, agora como organização político-militar, com planos de consolidar no interior de Goiás (hoje Tocantins) uma base de apoio e recuo para aqueles guerrilheiros e militantes impossibilitados de continuar nas áreas urbanas. Mas também suporte para o trabalho camponês, treinamento, reserva e depósito de armas e explosivos, produção de documentos.

Nas cidades e no campo, a proposta crítica à atuação da ALN envolvia retomar o trabalho político, de agitação, de luta social, uma ilusão que sintetizava o tamanho e a dimensão de nossa alienação quanto à realidade do país e o nível de repressão existente.

É possível avaliar que não fomos capazes de mudar a prática da ALN. Na verdade, a luta tornara-se um círculo vicioso de improvável sobrevivência. Mas é inacreditável como, em tais condições, de forma heroica e persistente, os principais quadros do Molipo voltaram ao Brasil, instalaram-se nas cidades e no campo, organizaram-se, estabeleceram contatos, recrutaram novos militantes, fizeram ações armadas, publicaram jornais, discutiram o país — a luta armada, a cisão com a ALN — até o fim, sem recuar, desistir ou, quando presos, se render ou, pior, delatar os companheiros, mesmo na certeza que lhes aguardavam a tortura e a morte.

Recordar cada momento que passei em São Paulo nos anos de 1971 e 1972, minha relação com cada um que foi assassinado, o esforço sobre--humano de Benetazzo, Jeová, Fleury, João Carlos, Lauri, Zé Arantes para retomar o "trabalho político", a "linha de massas", a "agitação", a "luta social" não apaga ou minora o erro que cometemos, embalados e envoltos na decisão de voltar e lutar.

Não quero fugir da responsabilidade e da avaliação política da alternativa pela luta armada, depois de ter lutado pacífica e politicamente, dentro da legalidade e fora dela, contra a ditadura. Justamente nós que tínhamos reconstituído, sob severa repressão, um movimento estudantil amplo, popular e nacional contra a ditadura.

Reafirmei e repito que acertamos na avaliação do golpe de 1964, sua natureza e caráter, da ditadura e da fase do capitalismo brasileiro. Vivíamos a época das revoluções, guerrilhas e guerras como a do Vietnã, mas erramos e fomos incapazes de combinar as formas e as fases da luta. Ou será que fomos empurrados, encurralados e obrigados a combater com as armas do inimigo, no campo da guerra e das armas?

Será que nos restava apenas o recuo, para o exterior ou para a vida familiar, profissional, nós que já estávamos marcados, perseguidos, condenados?

Levanto essas questões e cenários não para justificar nossa decisão. Mas para que nos coloquemos no lugar de cada cidadão, jovem ou não, que optou pela luta armada. Para não simplesmente sentenciarmos: foi um erro! Vale lembrar que toda a oposição foi calada ou dizimada na era Médici, pacífica ou não, legal ou não, política ou não, social ou não. Foi a fase do terror de uma ditadura que durou vinte e um anos.

Há outro tema polêmico e, às vezes, proibido, que persegue aqueles que foram treinar ou se asilar em Cuba e para as organizações que se apoiaram na solidariedade do governo e do Estado cubano: o grau ou a interferência política dos cubanos nas organizações e nas decisões dos dirigentes, particularmente da ALN que, no caso, é sobre esta que posso ter informações seguras devido ao papel que tive e por minha relação especial com o Partido Comunista Cubano e o comando revolucionário. Talvez daí tenha surgido a lenda de que eu era agente da G-2, o serviço secreto cubano espalhado pelos órgãos de repressão e alguns setores da esquerda. Mais por questões de cunho pessoal do que da organização, já que eu não ocupava cargo de direção no Molipo e muito menos na ALN.

Sou testemunha de que a opção dos dirigentes do Molipo pelo regresso ao Brasil foi exclusivamente deles. Tomada conscientemente de forma pensada e longamente amadurecida, discutida e avaliada pelos que voltaram e não aceita, sem problemas, pelos que não concordaram em voltar, alguns até saindo de Cuba para a Europa. Outros optando por permanecer em Cuba.

É verdade que alguns poucos falharam. Assumiram o compromisso de voltar e, no percurso, desertaram colocando em risco a segurança de seus contatos e de toda organização. Ficaram sujeitos à quarentena em Cuba, necessária nessas situações de guerra. Era o mínimo, embora algumas vozes propusessem, sem apoio da maioria, penas mais graves, inclusive a pura e simples execução como traidores e desertores, um disparate logo repudiado.

Além do fato histórico de que a deliberação foi soberana e livre da parte da liderança do Molipo, no meu caso, a resolução de voltar ao Brasil — por duas vezes, em 1971, retornando a Cuba em 1972 e de novo ao Brasil em 1974-75 permanecendo até 1979 — é que me dá segurança para afirmar que os cubanos fizeram de tudo para que eu não retornasse. Retardaram ao máximo o meu regresso em 1974 e não tiveram nenhuma participação em 1971. Apenas ofereceram todo o amparo possível para que voltássemos em segurança. Para mim e João Leonardo da Silva Rocha, até mesmo viabilizando as operações plásticas que mudaram nossas faces.

Muitas vezes me pergunto como fomos capazes de fazer, eu e João Leonardo, as operações plásticas como se fossemos apenas extrair um dente. Não era pouca coisa na época, estamos falando de uma plástica em 1970, 1971, com os recursos da época. Era quase uma carnificina ou, no mínimo, de alto risco, apesar da evolução da medicina cubana, pois, pelo apoio às guerras de libertação nacional na África e ao povo vietnamita, centenas de feridos de guerra eram tratados em Cuba.

Nem eu nem João Leonardo tivemos qualquer dúvida e vacilo, simplesmente era necessário e nos dava segurança para voltar, nosso objetivo e ponto final.

Inventamos e, lógico, para justificar a internação e as cirurgias, criamos uma história de um acidente com um trator num plano agrícola, onde supostamente trabalhávamos, para dar veracidade à nossa "legenda", como se dizia então.

Da operação, me lembro dos lençóis ficando vermelhos de sangue e a anestesia fazendo efeito, depois só pesadelos. Eu na tortura e me perguntando por que fiz isso, misturando a cirurgia com a prisão ou a queda, como se dizia. Nosso restabelecimento foi tranquilo e rápido, fomos para a praia de Santa Maria del Mar, perto de Havana, ao lado de creches onde as professoras cubanas faziam nossa alegria, como se nada tivesse acontecido conosco. Era só alegria e ansiedade para voltar ao Brasil, assim éramos.

A Clínica Central Cira García era o único hospital clínico-cirúrgico do país destinado completamente à atenção a estrangeiros em todas as especialidades, destacando-se ortopedia, traumatologia e cirurgia estética, onde fomos operados. Parecia militar e o médico — se não me engano — era descendente de chinês e altamente competente e experiente. Era uma casa que ainda existe e funciona, e eu voltaria lá para desfazer a plástica, em 1979.

VAI PRA CUBA!

A operação consistiu em quebrar meu nariz e introduzir uma prótese. As minhas fotos, já de volta ao Brasil, vivendo em Cruzeiro do Oeste, no Paraná, mostram claramente um nariz adunco. A segunda mudança foi nos olhos, que foram repuxados. Ainda guardo até hoje as cicatrizes que tenho no couro cabeludo, acima das orelhas. Sofri muita dor de cabeça ainda na década de 1990, quando fui obrigado a raspar e refazer a operação pelo surgimento de um queloide que ameaçava se transformar numa grave infecção, seja porque eu coçava, sem me dar conta, como um cacoete, seja pelo uso do pente. A terceira mudança, menos visível, foi nas bochechas do rosto. Fomos nos restabelecer em Santa Maria del Mar, uma praia ao leste de Havana, hoje um dos mais importantes centros turísticos de Cuba, com dezenas de hotéis. Sempre mantivemos a história do acidente e escondemos nossa nacionalidade brasileira. Andávamos com documentos como se fôssemos centro-americanos.

9

CLANDESTINO!

*A volta ao Brasil, a angústia e o temor de passar os dias
sabendo que pode ser capturado a qualquer momento*

Desde que decidi ir para Cuba, em 1969, sempre estive me preparando para voltar ao Brasil. Certo ou errado, nas condições políticas e históricas em que vivia, com a experiência política e a cultura que acumulara, foi a minha resolução e dela não me arrependo. Jamais pensei em viver no exterior, muito menos no exílio. E havia um imperativo moral: nunca acatei o banimento e a cassação de minha nacionalidade. Voltar, pisar na minha terra, respirar seu ar, isso era como recuperar tudo aquilo que ninguém poderia ter me tirado.

Ao contrário do meio ambiente isolado da Mantiqueira, fui educado no espírito da liberdade, aventura e paixão pelo desconhecido, sob a influência do positivismo, espírito inconfidente e dos imigrantes italianos. Aprendi que, para conquistar a felicidade utópica, "navegar é preciso", como ensina o poeta português Fernando Pessoa.

Não é segredo que a Revolução Cubana, por autodefesa e para não cair no isolamento, escolheu corretamente apoiar os movimentos de libertação nacional, e levou essa escolha às últimas consequências em Angola.

No país africano, lutaram dezenas de milhares de cubanos, já que as tropas eram substituídas a cada período por novos soldados e oficiais. Milhares e milhares morreram ou ficaram feridos, foi a batalha decisiva para derrotar o colonialismo português e principalmente para tirar do país as tropas mercenárias e do regime racista da África do Sul, garantia não apenas da continuidade da luta pela independência nacional, mas decisiva para a derrota do *apartheid*.

Também é verdade que todos os governos dos Estados Unidos, desde 1959, quando foram tomadas decisões democráticas e nacionalistas, como a implantação da reforma agrária, rejeitaram e combateram a Revolução comandada por Fidel Castro.

A verdade histórica é que o imperialismo não aceitava conviver com uma nação soberana, que punha em prática mudanças sociais e econômicas, que libertavam o povo cubano da pobreza e da ignorância, do controle externo de sua economia e da tirania política. Isso, sem contar a ocupação ilegal pelos Estados Unidos, ainda hoje, de parte de seu território, a baía de Guantánamo, de triste história, transformada em prisão e centro de torturas.

Cuba estimulou e impulsionou, através da Tricontinental — a conferência que reuniu nações e organizações da América Latina, Ásia e África — e da Organização Latino-Americana de Solidariedade (OLAS), composta por diversos movimentos revolucionários e anti-imperialistas da América Latina que, em maior ou menor medida, compartilhavam as propostas estratégicas da Revolução Cubana, as lutas políticas e as guerrilhas contra as ditaduras latino-americanas. Concluir que os cubanos dirigiram ou decidiram como e quando a luta armada se daria não corresponde à realidade.

Os fatos ocorridos no Brasil no pós-1964 e notadamente entre os anos de 1967 e 1973, quando irromperam as organizações armadas, todas por iniciativa e decisões de grupos políticos locais, demonstram suas raízes exclusivamente brasileiras.

Trata-se de história. Não é nenhuma novidade a trajetória brasileira de guerras, rebeliões, insurreições e quarteladas no Segundo Império e na República. Após 1889, as elites submeteram o país a diferentes formas de tirania, desde o Estado de sítio quase permanente entre 1922 e 1930, passando pelo Estado Novo de 1937 a 1946, até a ditadura de 1964 a 1985. Sempre se impuseram pela força das armas, ainda que sem combates como em 1930. Só não foram vitoriosas quando reagimos também através das armas. Assim sucedeu no contragolpe do marechal Henrique Lott, em novembro de 1955, e durante a revolta gaúcha liderada por Leonel Brizola, em 1961. Os setores situados no topo da pirâmide socioeconômica brasileira raras vezes venceram uma eleição presidencial. Em duas vezes, com Jânio Quadros e Fernando Collor, a vitória resultou em renúncia e fracasso. Getúlio derrotou a elite em 1950 e Lula, quatro vezes (duas apoiando Dilma).

Na República Velha, apesar da simulação de eleições, a aliança "café com leite", unindo São Paulo e Minas Gerais, somente sobreviveu à custa da repressão. Foi assim de 1894 a 1930, quando conviveu com as revoltas de 1922 e 1924, com a Coluna Prestes, para cair em 1930, vencida pelas armas.

Repito: não foi sem sentido histórico e sem memória que elegemos a resistência armada. Foi sem sentido temporal e sem a compreensão dos erros de 1935 e dos acertos de 1961, esta é a questão. Faltou-nos capacidade para combinar a luta popular, social e política com a resistência e/ou a rebelião popular armada. Confundimos a fraqueza e a conciliação da oposição MDB-PCB ante a ditadura com a negativa da luta eleitoral e da luta social. Não percebemos a necessidade de combinar a luta institucional com a luta extraparlamentar como a conduzida e dirigida por nós e uma ampla frente ainda que não orgânica entre 1965 e 1969.

Erramos no momento e na forma de luta exclusiva. Não importa se tal ocorreu por opção ou imposição da repressão, que fechou todos os canais de participação social e política. Preferimos o enfrentamento armado, militar e ofensivo, quando devíamos ter priorizado uma defensiva estratégica com ofensivas táticas contra o regime que, em 1973, entraria em crise. É preciso aprender com a história essa lição que nos serve hoje, diante do novo golpe desferido contra nossa democracia em 2016.

Mas voltemos a 1970-71 quando, após a preparação militar e para viver na clandestinidade, de ter aprendido várias profissões, da minha cirurgia plástica, iniciamos o estágio final antes do retorno ao Brasil. No meu caso, a partir de uma decisão da direção em território brasileiro, tanto que fui recebido por Antonio Benetazzo, meu primeiro "ponto" em São Vicente, litoral paulista. "Ponto", como se sabe, era a expressão que usávamos para o encontro em um determinado local e hora com outro companheiro ou mesmo vários companheiros e/ou companheiras. A pontualidade e as medidas de segurança eram essenciais e desobedecê--las poderia nos custar a vida.

Antes mesmo do embarque, entrávamos em fase de clandestinidade já em Cuba. Sempre cercados de medidas extremas de sigilo e segurança, dado o risco de prisão no aeroporto se a informação vazasse. Os órgãos de repressão das ditaduras latino-americanas e dos EUA já colaboravam entre si, apesar do isolamento do regime brasileiro na Europa e do repúdio da opinião pública internacional às denúncias de tortura, assassinatos e ao próprio golpe.

Obviamente, só era possível viajar com documentos falsos. No meu caso, estrangeiros. Um passaporte argentino cedido pelo movimento guerrilheiro Montoneros — especial, já que seu real dono tinha nascido e vivido no Brasil por alguns anos, apesar da nacionalidade argentina.

Sem ter viajado ao exterior — exceto naquele voo no Hércules 56 — e só falando português e espanhol e lendo modestamente francês —, me adaptei com facilidade, acredito que pelo treinamento e pela disciplina. No percurso havia o apoio, evidente, dos países socialistas, no meu caso a União Soviética e a Checoslováquia e suas embaixadas e serviços secretos.

Na viagem, passei por Moscou, Praga e Frankfurt, que era o caminho natural mais seguro, e fiz escala — se não me falha a memória — em Lisboa, onde peguei um voo da TAP para Recife. O que queria realmente era pisar em solo brasileiro. Nas cidades pelas quais passei, a prioridade da segurança, a tensão e o medo — por que não? — e a ansiedade pela chegada me cegavam.

Vinha armado, com documentos falsos, trazia informações sigilosas, pontos de encontro, endereços e recursos. No fundo falso da mala carregava tudo, fora o que minha memória, treinada, trazia de informações e planos. Naqueles anos, nos aeroportos ainda não havia controles eletrônicos, raio x e muito menos *scanners*. As medidas de segurança e vigilância nos aeroportos só vieram depois das Olimpíadas de Munique, na Alemanha, onde, em 5 de setembro de 1972, onze integrantes da equipe olímpica de Israel foram tomados reféns pelo grupo armado palestino denominado Setembro Negro, sendo, até hoje, a maior ação militar já ocorrida em uma olimpíada.

Não me esqueço do frio de 17 graus negativos de Moscou, dos dias curtos, da ansiedade de ir para Praga, onde encontraria Frederico Eduardo Mayer, que falava alemão. Praga é um museu a céu aberto, uma maravilha para um mineirinho de Passa Quatro. No entanto, o clima político e social denunciava as nefastas consequências da ocupação por tropas soviéticas e do Pacto de Varsóvia, do fim da Primavera de Praga e da destituição do governo reformista de Alexander Dubcek. Como líder estudantil, eu condenara a invasão, ocorrida em agosto de 1968. Nunca imaginaria que, dois anos depois, receberia apoio do governo imposto aos checos para regressar clandestinamente ao Brasil.

"Gaspar" — nome de guerra de Frederico Eduardo Mayer — me salvou do constrangimento e do risco de só comer um prato em Praga, incapaz de entender patavina da língua checa e muito menos de alemão, pois não conseguia pedir comida nos restaurantes e passear pelos museus e locais históricos da cidade.

CLANDESTINO!

Com sua chegada, melhorei minha dieta, principalmente porque o dinheiro era curto, medo de pedir um prato caríssimo para nossos padrões. Não podíamos desperdiçar ou errar no pedido. Com "Gaspar", foi uma festa, comida e passeios, voltávamos a ser os mesmos jovens estudantes de sempre, vivendo dias felizes, apesar de tensos e que pareciam não terminar nunca, devido à grande ansiedade e ao desejo de voltar para a pátria.

Moscou era a meca, apesar da minha formação não stalinista. Visitei a Praça Vermelha, o Kremlin, o túmulo de Lenin e nada mais, pois o tempo era curto.

Na volta ao país, a cidade de Recife e o Nordeste reacendiam minha paixão pelo Brasil. A cidade histórica, de novo a comida regional, o que se tornaria uma paixão em minha vida e um hábito, o de provar sempre a comida da terra. Desde minhas primeiras leituras sobre a formação do Brasil, sempre me fascinou a constituição étnica do povo, o índio, o negro e o português, depois o imigrante espanhol, italiano, árabe e japonês. Por razões, não só políticas, mas sentimentais, minha imaginação viajava pelas rebeliões desde a Inconfidência Mineira, que me dizia respeito, até as rebeliões e guerras do Segundo Império. Todas me atraíam como aventura humana e sonho utópico de liberdade. Fiquei marcado pelo papel histórico e as revoltas libertárias de independência em Minas Gerais, Rio Grande do Sul, Pernambuco e Bahia. Sentia uma atração quase mística pelos Cabanos e Farrapos, pela Guerra da Independência na Bahia, pela Praieira e Confederação do Equador, pelos Balaios e pela Revolta dos Alfaiates.

Desde os catorze anos, fui aluno estudioso de história, geografia e literatura. Minhas únicas medalhas de primeiro lugar na escola recebi graças à geografia e à história. Muito cedo, li Pandiá Calógeras, Afonso de Taunay, Rocha Pombo, Haddock Lobo, Melo Antonio. Depois, José Honório Rodrigues, Edgard Carone, Euclides da Cunha, Emilia Viotti, Caio Prado Júnior, Nelson Werneck Sodré, Florestan Fernandes, Hélio Silva, Manoel Correia de Andrade, Ignácio Rangel, Roberto Simonsen e Celso Furtado. Antes de conhecer os clássicos do marxismo, já havia lido os da nossa história e, também, literatura: Machado de Assis, Lima Barreto, Aluísio de Azevedo, José de Alencar, Castro Alves, Érico Veríssimo. Ainda jovem, li também Sílvio Romero, Alberto Torres e Oliveira Vianna para, logo, vê-los superados pelos historiadores como José Honório Rodrigues, Edgard Carone.

A leitura, seja de Conan Doyle ou Isaac Babel, H. G. Wells ou Machado de Assis, sempre servia como companhia e companheira nas pensões onde a solidão me perseguia e também nas prisões, no exílio, na clandestinidade.

Assim, quando retornei ao Brasil em 1971-72, conheci o Nordeste, o agreste e o sertão — que só sabia da existência pelos livros —, o teatro e o cinema. Resolvi que me dedicaria a estudar o país e seu povo. Cidadão do mundo, como me tornaria, começava, sem saber, uma nova etapa da vida, a mais dura, sofrida e arriscada, mas que me traria ensinamentos duradouros, começando pela inacreditável estada de um ano no Brasil, clandestino e militando no Molipo.

As lembranças e recordações de minha presença em São Paulo, entre 1971 e 1972, são remotas e fragmentadas. Não consigo chegar a uma conclusão se bloqueadas por algum mecanismo de defesa ou se simplesmente por um trauma pelas perdas e derrotas daqueles anos.

Desembarquei no aeroporto de Guararapes, no Recife, e me surpreendi, como relatei, com uma tropa em formação. Susto que só passou depois que percebi que era uma comemoração do Dia da Bandeira. De Recife a São Paulo a viagem foi de ônibus. Segui para São Vicente, no litoral, e instalei-me em uma pensão simples e barata, situada em uma travessa da praia José Menino. Almoçava em restaurantes populares e me passava por turista. Na pensão, convivi, forçosamente, com um casal fogoso, que não parava de transar no quarto ao lado, dividido por uma parede de madeira. Por medida de segurança, abdiquei de seguir o exemplo da dupla. Não sem lamentar as oportunidades que, na praia, todos os dias apareciam. Haja disciplina e sacrifício.

Quem apareceu no ponto para me contatar em nome do Molipo foi Antonio Benetazzo. Alegria que durou pouco, pois as notícias que trazia não eram nada boas, que recebi como uma sequência de golpes no estômago e na cabeça. O choque emocional me destroçava. Todos os meus melhores amigos estavam mortos. Pouco me importavam as consequências políticas naquele momento e o desastre do ponto de vista da organização e da luta. Só pensava neles: lembranças, rostos, falas, manias, gestos e gostos. Mas Benê parecia impassível. Éramos combatentes e, depois de um diagnóstico da situação política do país e do Molipo, passamos às tarefas e aos planos.

Eu iria para São Paulo — mantinha a ilusão de atuar nas cidades — clandestino, armado e com documentos falsos. Faria parte de um Grupo Tático Armado (GTA) ou, pelo menos, integraria um setor de

CLANDESTINO!

levantamento para ações, fosse de propaganda ou expropriação, com obtenção de armas, de papéis (espelhos) para falsificar carteiras de identidade e certidões de nascimento, além de dinheiro e outros valores, não em bancos, mas em casas de câmbio, joalherias ou cofres particulares.

Na realidade, eu era mais um problema do que uma solução. Não podia fazer contatos ou buscar apoio, pois tinha, ainda, um rosto conhecido. Apesar da plástica, o risco era grande. Era o único dos presos políticos trocados pelo embaixador que militava no Molipo e na cidade. João Leonardo escondia-se em região rural.

Minha tarefa era me instalar no bairro do Brás, em São Paulo, e esperar ordens. Após um período de readaptação à cidade e à rotina, buscaria emprego, procurando viver como se legal fosse e não clandestino, algo tremendamente arriscado.

Não tinha contato com praticamente ninguém. Somente receberia instruções de Benetazzo ou de pessoa a quem ele delegasse tal função. Passei, de certa forma, a vegetar. Levantava, saía, pegava um ônibus, andava pela cidade, almoçava, de novo outro ônibus, como o Penha-Lapa, ia ao cinema, fazia hora até a tarde, quando voltava para a pensão na rua Cavalheiro. Sempre alerta para não circular em áreas de risco, imediações de faculdades, bares e restaurantes visados, áreas de controle, ou cercanias de delegacias e quartéis, áreas de policiamento rotineiro.

Para o clandestino, a informação diária sobre a cidade é tudo. Todo tempo atento aos jornais, rádios e TVs, para nunca estar onde não deveria estar, sempre evitando batidas policiais, congestionamentos, acidentes. Era também necessário cuidar da estada na pensão e manter naturalmente a convivência com os hóspedes e os donos.

Nunca se deveria repetir determinadas ações e agendas e, antes de ir a qualquer lugar ou "ponto", executar o levantamento da área. O negócio era manter a arma sempre limpa e todos documentos e objetos de valor seguros.

É fácil imaginar o desgaste físico e mental e o curto tempo de sobrevida em tais condições. Principalmente entrando em ação, seja de organizar ou combater. De cada dez combatentes ou apoiadores, a maioria cai, ferido ou morto em combate ou, mais frequentemente, preso, resultado das informações obtidas pela repressão via tortura ou infiltração.

Participei de algumas ações, levantamentos, em grupo ou sozinho, fiz algumas propostas de ação e frequentei reuniões de avaliação e discussão.

Na condição de problema, o custo da minha permanência em São Paulo não compensava o risco. As operações da repressão a partir das torturas foram encurralando o Molipo. Pequeno, dependia da busca de contatos e de apoiadores da ALN ou do Movimento Estudantil. Nas universidades, eram contatos pessoais das lideranças do Molipo, caso de Benetazzo, José Arantes, Lauri, Jeová, Fleury. Ainda restava alguma ligação com o meio sindical e operário, militantes vinculados a estruturas que haviam perdido conexão com a ALN.

Começou uma discussão sobre recuo para o campo, o que reforçaria a segunda perna da concepção da luta armada, a coluna guerrilheira. Ou, ao menos, sua implantação nas zonas rurais já escolhidas. Para o Molipo, eram uma espécie de herança da ALN, compreendendo os municípios de Guará, Alto Paraíso e Gurupi, hoje no estado de Tocantins, e os arredores do Rio Verde, no sul de Goiás.

Dar-se-ia continuidade à implantação no interior, servindo de retaguarda para quadros "queimados" na cidade ou mesmo linha de recuo para armas e recursos financeiros sob ameaça.

Em que pese a total ausência de condições políticas e de base de apoio maciço, o Molipo realizou ações, publicou um jornal, organizou debates e avaliações, buscou novos contatos. Fez de tudo um pouco: propaganda, agitação, expropriações, implantação de aparelhos e expansão de contatos.

É evidente que não levou à prática a crítica dirigida à ALN. A própria luta pela sobrevivência, quase impossível nas cidades sob as condições daqueles anos de 1970-72, absorvia todos os recursos humanos e materiais. De fato, a luta urbana, além de quase suicida, visava a apenas sobreviver, um círculo vicioso que consumia toda a nossa energia.

Estávamos conscientes e sabíamos o que fazer? Ou vivíamos em permanente estado febril, de excitação, desespero e pânico que não nos permitia avaliar a situação? Hoje, avalio que os dois estados de espírito nos dominavam e conduziam. Seria pedir demasiado, na guerra e na clandestinidade, que jovens inexperientes mantivessem autocontrole e segurança em condições tão extremas.

Sem entrar em pânico e nem nos acovardar, caímos um por um, com algumas exceções, como o meu caso e a dos que estavam em outros estados, como Ana Corbusier e João Leonardo — depois assassinado na Bahia em 1975 —, ou dos que foram retirados para a zona rural, como Maria Augusta Thomaz e Márcio Beck Machado, assassinados pelas tropas da ditadura em 1973, em Rio Verde — todos atuando segundo as regras e condições da luta urbana. Enfrentamento suicida, mesmo quando acompanhado do apoio popular, rebeliões, greves gerais e insurreições. Nunca me esqueci do filme *A Batalha de Argel*, um clássico do diretor Gillo Pontecorvo, que aborda justamente este tema, o custo da guerra na cidade, a tortura e os crimes do colonialismo francês.

Para sair da pensão, eu tinha a opção da passarela da estrada de ferro, sempre mais arriscada, mas foi aquela que, certo dia, escolhi. Mas não é que encontro uma patrulha tipo "Cosme e Damião", da PM, que aborda os transeuntes pedindo-lhes identificação? E vinha na minha direção, e eu armado. Naqueles anos, apesar do estado policial, ainda não havia os controles como câmaras e *scanners*, e eu com minha companheira de uma década, uma Browning 9 mm prateada, linda, amável e protetora, fácil de limpar e que nunca me traiu, eu tinha duas opções. Dar meia-volta e correr o risco de ser chamado e perseguido. Ou prosseguir caminhando até os policiais, opção que escolhi. Por incrível que pareça, não fui parado — talvez pela roupa, o *status* social, fui salvo pelo preconceito de classe!

Mas quase me sujei todo, tamanho o medo. Aprendi uma lição, a de nunca usar passarelas.

Em outro momento, fui traído pela desatenção. No caminho para um ponto de ônibus, esbarro num passageiro e minha capanga, presa em meu pulso, escapa e cai no chão fazendo um som seco e forte, o som do metal da pistola, diferente do som de uma carteira de documentos e dinheiro que cai. De novo, o acaso me salva. Se alguém achou estranho, ao constatar minha naturalidade ao recolher a bolsa, não atribuiu nenhuma importância ao incidente. Valeu o treinamento e o sangue-frio.

Devastadora foi a noite em que, tranquilo no quarto da pensão, que dava para a rua Gomes Cardim e era anexo a um bar de esquina na rua Cavalheiro, acabara de limpar a arma e percebi que policiais estavam invadindo a pensão. Ouvia gritos e ordens. Calculei que o corredor da entrada da pensão já estava tomado — tinha um portão e um corredor coberto e a primeira porta era a do meu quarto.

Preparei-me para o pior. Para mim, foram dez, vinte, trinta segundos que duraram horas. Peguei a pistola e pensei em como resistir. Não tinha nada a destruir ou esconder, só e tão somente a mim mesmo, o que era impossível.

De repente, percebo que era a PM, a Rota, fazendo uma batida no bar e não na pensão. Relaxei e passei a observar pelas frestas da janela e acompanhar, pelo som das vozes e ordens, a batida que logo se encerrou.

Eu nem acreditava. Não era comigo e não era o DOI-Codi! O pavor me deixou em frangalhos, perdi o sono e a vontade de comer. Pensei que seria a pior situação, a de enfrentar, mas não seria.

O pior estava a caminho. Como quase tudo na vida, aconteceu assim sem mais nem menos, simplesmente eu e outros companheiros do Molipo encontramos uma patrulha móvel do DOI-Codi pela frente, que andava numa perua Veraneio, muito usada pela repressão. Suspeitando de nós, passou a nos perseguir e, em seguida, a atirar. Inexperiente, um de nós disparou sua arma na Veraneio através do vidro traseiro do nosso carro que, estilhaçado, impedia que víssemos os perseguidores. O sangue gelava e eu esperava a morte, sentia-me como um idiota vendo o vidro todo embaçado. Até que alguém quebrou o vidro com a coronha de uma submetralhadora. Era preciso tomar uma decisão. Ou parávamos e enfrentávamos os policiais, já que tínhamos armas e poder de fogo suficiente, mas o risco era enorme, ou tentávamos escapar. A solução adotada foi a de escapar, confiar no motorista e medo dos policiais, já que tínhamos reagido com todas as forças.

Graças à destreza e ao sangue-frio de João Carlos Cavalcanti, o "Vicente", conseguimos iludir os policiais e escapar. Durante a fuga entramos em uma rua sem saída e, nesse momento, de novo, a adrenalina e o medo, quase pânico, tomaram conta de nós. Uma marcha à ré, imediata e rápida, nos colocou de novo na avenida e lá fomos nós em alta velocidade, escapando da repressão. Esses encontros furtivos com a polícia eram comuns naqueles anos, já que eles saíam assim como sem destino, mas, na verdade, à procura de suspeitos. Era uma roleta-russa para nós, mas também para eles, que podiam ser surpreendidos por nós, embora não fosse esse nosso objetivo — estávamos apenas fazendo levantamento para realizar uma ação de desapropriação, em busca de recursos financeiros.

Com isso, aprendemos algumas lições banais. Primeiro, não andar em grupo de quatro, todos armados e no mesmo carro. Segundo, jamais circular em um bairro sem conhecer cada rua e seu fluxo de trânsito e, ainda mais, com um mapa aberto e sendo consultado.

O que nos salvou no final daquela perseguição — já na avenida Paulista, imediações da rua Treze de Maio onde hoje está o *Shopping Plaza Paulista*

CLANDESTINO!

— foi o meu tempo de *office boy*. As escadarias da rua dos Ingleses levam à rua Treze de Maio — ou pelo menos levavam nos anos 1970 —, onde cada um embarcou em um ônibus para diferentes destinos. Chegando à pensão, eu não me aguentava em pé e tremia. Passado o perigo, vinham o cansaço e a consciência de que, mais uma vez, a morte nos visitara.

Ainda fizemos alguns levantamentos de casas com joias e cofres e de depósitos de papel jornal do Grupo Folha, que emprestava não apenas as páginas de seus jornais para defender o regime, especialmente a *Folha de S.Paulo*, mas também suas camionetas de distribuição para a repressão usá-las sob forma camuflada.

Aluguei uma casa na zona Norte onde, mais tarde, Antonio Benetazzo se hospedou. No meu quarto de pensão, "guardei" por algumas semanas a companheira Maria Augusta Thomaz, baleada no confronto da rua Turiassu, no bairro paulistano de Perdizes. Um projétil de calibre 22 atravessara seu abdômen, porém sem atingir nenhum órgão vital.

Antes de levar Maria Augusta para o meu quarto tentei, em vão, hospedá--la em outra pensão vizinha. A dona exigia uma certidão de casamento para nos hospedar. Como era de se esperar, não resistimos à tentação e, numa tarde chuvosa, nos amamos com aquele carinho e afeto que existe quando a vida nos escapa e nossos sentidos reclamam viver e amar.

As notícias eram aterradoras e era preciso um esforço sobre-humano para manter a calma, manter a lucidez, não se desesperar e não entrar em pânico. O medo era um companheiro que não nos abandonava nunca, muito menos na hora de dormir, quando chegava a beirar o terror.

A dor de perder companheiros, amigos de uma vida, dos sonhos e dos amores, que conosco partilharam a alegria de viver — Flavio Molina, Frederico Mayer, que voltara comigo — não há palavras para expressá-la, era de destroçar nossas almas e nos deixar dias e dias prostrados, como que perdidos, sem rumo.

Assim foi quando recebi a notícia da morte de Zé Arantes. Veio-me à mente a sua imagem nas reuniões fazendo pequenas obras de arte com papéis e sua imensa capacidade de análise política e de ação, sua oratória única, sua liderança. Como ia fazer falta e como ele era para mim importante, como eu havia me espelhado nele! Duríssima também foi a perda de Lauri. Não era possível imaginá-lo morto. Ele não podia morrer, amava a vida, a música, as festas, sempre com o violão a tiracolo, sempre compondo, à espera dos festivais da TV Record para se inscrever.

Sempre alegrando o Crusp, onde vivia, sempre discursando, na verdade cantando e fazendo versos, falava como se estivesse numa plenária ou assembleia, era um artista da vida. Fui perdendo a minha própria vida, os que eram parte dela. Às vezes pensava que nunca mais iria sorrir ou ser feliz. Ficava horas e horas vivendo na solidão das pensões e da clandestinidade. Os dias alegres e felizes passados com eles seriam e são até hoje meus companheiros das horas de sofrimento e solidão. O triste é que outros seriam ainda de forma vil e covarde assassinados pela ditadura.

Minha permanência em São Paulo se esgotara, as consultas se sucediam. "Vicente" me procurou para avaliarmos minha ida para o campo ou para o exterior, que era a preferência da direção. Após algumas avaliações, chegamos a um acordo: a decisão do Molipo era enviar-me de volta à Cuba. Aceitei a solução com a condição de que voltaria assim que possível.

Meu regresso foi uma epopeia e eu deixei São Paulo pelo Brás. A Viação São Geraldo tinha uma linha para Recife que partia da avenida Celso Garcia, e lá fui eu com os nordestinos que viajavam para visitar os parentes ou de volta à terra, com seus sacos de algodão ou juta lotados de tudo: roupas, panelas, brinquedos, presentes, comida, um retrato fiel do Brasil, da São Paulo que acolhe, mas também expulsa.

Na viagem, uma surpresa: em Caratinga, região do Vale do Aço de Minas, uma passageira dá à luz uma criança com toda a assistência da empresa. É um menino que, claro, recebe o nome de Geraldo.

Doía sair do Brasil, mas eu não tinha escolha. Melhor seria me concentrar no essencial até a chegada a Havana: a segurança, a rota, os contatos, o disfarce, os documentos, os custos.

Mais uma vez, o treinamento e a disciplina me salvaram. Desembarcando em Recife, mudei de disfarce. Passei de jovem trabalhador a executivo com terno, pasta de couro e hospedado no Hotel Internacional, na praia de São Conrado, Boa Viagem. Meu personagem era o de turista argentino a caminho da Europa, depois de um período no Brasil.

Tudo transcorreu conforme o planejado até o momento de comprar minha passagem para Lisboa pela TAP. Constatei que meu visto de turista estava vencido no meu passaporte argentino, o que seria, por si só, um senhor problema. Além disso, o passaporte era falso, o que o tornava um gravíssimo problema. Fui salvo por um despachante que, mediante uma comissão extra, conseguiu a prorrogação do visto por mais seis meses. Evidentemente, tinha ótimo trânsito com as autoridades aduaneiras.

CLANDESTINO!

Em Recife fiquei estupefato e deprimido com a prostituição infantil e juvenil, uma tristeza, um quadro desolador, fora a miséria visível. A hospitalidade do povo pernambucano e a comida, meu pecado mortal, era a única recompensa.

Relaxado após o incidente, aproveitei para passear na praia e descansar. À espera, estava um trajeto com certo risco — Lisboa — onde eu não desembarcaria, mas faria escala para Roma — cujo regime colaborava com ditadura brasileira. Afinal, também era uma ditadura de direita, a de Oliveira Salazar. Passei despercebido — graças à plástica e ao passaporte especialíssimo, brinde dos *hermanos* Montoneros. Diariamente, agradecia a eles. Em Portugal, não saí do aeroporto. Só vim a conhecer Lisboa na década de 1990, quando passei por lá e fui ciceroneado por uma deputada trotskista eleita pelo Partido Socialista, filiada à Organização Socialista Internacionalista, a OSI, a nossa "Liberdade e Luta", hoje "O Trabalho". Desembarquei em Roma são e salvo, mas com pouco dinheiro, consumido em Recife e na remuneração do despachante.

10

SIM, EU VOLTEI!

*Uma nova temporada em Cuba e a volta ao
Brasil como clandestino e dono de uma alfaiataria*

Roma vivia uma greve geral com engajamento de todas as centrais sindicais, a católica, a socialista e a comunista. Tive enorme dificuldade para contatar meu apoio e a embaixada da Checoslováquia, que me daria cobertura e visto para chegar a Praga, onde estaria seguro.

Confuso, praticamente sem recursos, com frio e fome, sem contatos, perdi a vontade de conhecer a capital italiana. O risco e a clandestinidade, ao contrário dos filmes, travam tudo: paladar, olfato, audição. É preciso se recompor, estudar alternativas, checar a segurança, usar todos os sentidos para perceber o inimigo.

Minha cabeça doía e o estômago pedia mais comida. Recorria ao possível: minestrone, aquela sopa com massa e legumes, acompanhada de pão. Outra opção era uma fatia barata de pizza e um copo de vinho, na verdade, mais vinho do que pizza, para aguentar o frio.

Comentando a dor de cabeça persistente com o gerente da pensão e um dos garçons, este, aliás, comunista, recebi uma resposta pronta e vitoriosa: Se você, *amico*, tomar um vinho melhor e *mangi bene, tutti* dor de cabeça desaparecerá! Conselho que segui, primeiro comendo fiado e depois, quando recebi minha "mesada" para seguir viagem, pagando com gosto uma boa gorjeta.

Na embaixada checa fui tratado com rispidez, algo próprio da burocracia. Não demorei muito a chegar a Praga.

De Praga para Moscou e de lá para Havana foi uma grande, lentíssima, mas necessária volta. O bloqueio norte-americano era total e nós éramos clandestinos. Mesmo apesar da Espanha de Francisco Franco preservar relações com Cuba, era uma ditadura e nada era seguro. Nem mesmo

SIM, EU VOLTEI!

Londres ou Paris oferecia total segurança. Já Frankfurt nos dava mais tranquilidade. A então Alemanha Ocidental (RFA) era governada pelo social-democrata Willy Brandt e sua Ostpolitik.

A chegada a Havana foi cercada de sigilo, medidas de segurança, isolamento, produção de relatórios e de memórias sobre o país, a conjuntura, o Molipo, as prisões e as mortes e a própria viagem. Era crucial montar o *quedograma*, o mapa das prisões, buscando identificar suas causas, as infiltrações, conferir todos os contatos, endereços de correio (*buzones*, em espanhol), rotas, apoios, aparelhos e comunicações. Mais do que tudo, urgia reorganizar o Molipo em Cuba e fortalecer, no exterior, a circulação de informações sobre torturas, prisões, assassinatos, censura, planos de expansão, economia, Amazônia, além de temas de interesse internacional, como índios, pobreza, Igreja, sempre ajudando as entidades de defesa de Direitos Humanos e dos exilados na Europa. Denunciar internacionalmente a ditadura e construir redes de apoio eram tão importantes quanto rearticular as organizações, no caso, o Molipo.

O ponto sensível era o trato com os companheiros que haviam escolhido ficar em Cuba, geralmente por não concordarem com a volta e não mais com o caminho da luta armada, permanecendo todos na trincheira da luta contra a ditadura. Ou com os que haviam voltado por conta própria e haviam parado na metade do caminho, permanecendo geralmente na Europa ou no Chile, na condição de portadores de informações sigilosas, quando não documentos, recursos e mesmo armas. Sem contar os compromissos que, de livre e espontânea vontade, haviam assumido, sem poder cumprir. Os que permaneceram em Cuba, considerando que não eram mais militantes, deveriam deixar a condição de membros de uma organização e passar a viver em Cuba como cidadãos estrangeiros, nas mesmas condições que os cubanos.

Foi a decisão que tomei e comuniquei aos cubanos, conforme mandato que havia recebido de Antonio Benetazzo e de José Carlos Cavalcanti, que assumiria a direção do Molipo no Brasil. Em seguida, contatei de novo todos aqueles que se reivindicavam do Molipo, menos os que haviam decidido não voltar ao Brasil e que, na prática, estavam integrados na vida do país, vários com famílias constituídas e com filhos cubanos.

Tarefa espinhosa essa, a de investigar os "retornados" ou aqueles que apareciam em Montevidéu ou Santiago, procedentes do Brasil, dado o risco de infiltração. Foram os casos de um amigo já falecido, Natanael de

Moura Girardi, ferido e contatado no Uruguai, e de Sílvio de Albuquerque Mota, o "Sacristão", que regressou na metade da viagem para Cuba e foi colocado em quarentena.

Sem medidas extremas e descabidas, mas sem ingenuidade, tomei decisões preventivas e de segurança razoáveis, dadas as condições e os precedentes como os de José Anselmo dos Santos, o Cabo Anselmo, considerado altamente suspeito pela VPR, mas "perdoado" no processo investigativo da organização, com as consequências hoje conhecidas. Até a mulher grávida Anselmo havia entregado à repressão brasileira, que a assassinou de forma brutal, além de todos os companheiros que retornaram com ele ou sob sua orientação.

Permaneci em Cuba até o final de 1974, quando comecei o segundo retorno. Durante minha estada, além de manter contato com os poucos quadros que haviam restado no Molipo, de fazer o desligamento dos que tinham escolhido permanecer na ilha, e de colocar na quarentena os suspeitos, tratei do meu regresso. Contatei as outras organizações, estudei o país, o governo Médici, produzi informações e estudos sobre a realidade do país, a política do regime e a luta no exílio. Preparei-me para viver no Brasil com outra identidade. Apesar da opinião contrária dos cubanos, era uma decisão irrevogável da minha parte e de Ana Corbisier, a "Maria", e também de Cida Horta, não fosse a filha dela com Benetazzo, a Maria Antônia, que nascera em Cuba.

Ana foi minha parceira e companheira de luta e clandestinidade nesses anos todos. Trabalhamos para retomar os contatos com João Leonardo, o único militante do Molipo ainda vivo e organizado, ou melhor, em contato conosco no país. Todos os demais, sem exceção, ou estavam mortos, presos, no exílio, ou simplesmente não haviam retornado ao Brasil.

Esse era o estado final do Molipo e mesmo da ALN naquela fase pós-1971-72. Benetazzo, Lauri, Zé Arantes, Jeová, Fleury, João Carlos, Márcio, Maria Augusta, Aylton, Flávio Molina, Frederico Mayer, Arno Preis e Ruy Berbert estavam mortos. Ana Maria Palmeira, mulher de Vladimir, perdera o contato, sobreviveria e viveria na clandestinidade, como eu e Ana Corbisier, até 1979.

Não era fácil a decisão do que fazer, além do trabalho e do treinamento de novo em Cuba, entre 1972 e 1974. Aproveitamos para estudar o Brasil. Em mim, cresceu o desejo de voltar e viajar pelo país e conhecê-lo melhor e, para isso, eu e Ana nos preparamos. Mantivemos contato com

SIM, EU VOLTEI!

João Leonardo, estabelecido no alto da serra, entre São José do Egito, em Pernambuco, e Patos, na Paraíba. Lá, ele era o "Zé Careca", tinha como companheira uma viúva, Virginia, mãe de seis filhos, onde tocavam um pequeno sítio. Bastante popular e querido pela comunidade, seria, bem mais tarde, homenageado com um busto na praça principal do município. A inauguração, em abril de 2011, uma cerimônia ecumênica, contou com a minha presença e a de Ana.

Nesses dois anos (de 1972 a 1974), minha principal tarefa foi construir uma história, "uma legenda", uma documentação com nova identidade e um novo passaporte para voltar ao Brasil. Além de treinar defesa pessoal, tiro novamente, radiocomunicação, criptografia, estudar e reconhecer as rotas de entrada no país e suas comunicações.

Com a ajuda de Cida Horta, arquitetamos a história de um filho de Guaratinguetá, cidade natal dela, situada, no Vale do Paraíba, caminho de Passa Quatro. Decorei tudo sobre a infância, adolescência e juventude dos Hortas e tudo sobre Guaratinguetá: famílias, profissionais, políticos, escolas, lazer, diversão, economia. No final do processo, eu podia descrever toda a "minha vida" na cidade, discorrendo sobre o município com a mesma autoridade com que falaria de Passa Quatro e de minha família.

Escolhemos o nome de Carlos Henrique Gouveia de Mello, nascido no dia 4 de setembro de 1948. Produzimos todos os documentos, da certidão de nascimento ao certificado de reservista, passando pelo RG, carteira de motorista, CPF, título de eleitor e carteira de trabalho. Após quase um ano de ensaios e estudos, o personagem estava pronto: Carlos Henrique, brigado com a família e os irmãos, ia tentar a vida no Nordeste ou na fronteira do país, em Rondônia.

A escolha dependia de João Leonardo e de minha capacidade de implantação. Tinha determinação e estava apto. Era uma questão de sobrevivência. No meu caso, opção mesmo.

A exemplo do período entre 1971 e 1972, circulei e fiz contatos em Havana com outros militantes e brasileiros. Mas, a partir de 1973, desapareci. Vivi de novo compartimentado e isolado, evitando deixar rastros para a Inteligência inimiga. Quer dizer, antes de ser clandestino no Brasil, tornei-me clandestino em Cuba.

Nessa época, eu e Ana estudamos a Transamazônica, o Funrural, a nova agricultura, hoje agronegócio, que surgia no Brasil, e a expansão das fronteiras. Época de aprendizado e de releitura dos clássicos. Além dos brasileiros

ZÉ DIRCEU

já citados, os americanos Paul Sweezy e Leo Huberman, o ucraniano Paul A. Baran e o francês Charles Bettelheim. Também escrevemos ensaios sobre o acordo nuclear Brasil-Alemanha, a reforma do ensino médio, a crise do petróleo, a ocupação da Amazônia, a política externa para a África e o Oriente Médio, o subimperialismo brasileiro e muitos outros.

Minha parceria com Ana foi decisiva para nossa volta e para criar relações no exterior. Ana domina o espanhol e o francês, além de se virar com outras línguas como o inglês e o italiano. Ela fez de tudo para eu retomar a fala e a leitura que aprendera com os padres franceses em Passa Quatro, uma perda de tempo devido à minha indisciplina para o estudo de línguas, que se repetiria em 2006-7.

Éramos parceiros no estudo e nas pesquisas, na produção de avaliações sobre o Brasil e sua economia e política. Ana é de uma disciplina e vontade política únicas. Com o tempo e a convivência diária, além da atração mútua, acabamos mantendo uma relação afetiva com altos e baixos, natural naqueles tempos em que a vida e a luta uniam e separava pessoas, assim de repente.

Nessa fase, meus namoros eram raros pela necessidade de compartimentação e semiclandestinidade, já que nossas identidades não eram as reais. Tive alguns casos no prédio em que morávamos, no Vedado, depois que fui liberado, e nada mais.

Havia uma sede por informações e estatísticas do Brasil, uma vontade enorme de entender a esfinge que devorava a minha geração. Tempos de acompanhar a crise de 1973, a guerrilha do Araguaia, a eleição de 1974 com a vitória do MDB. Novos ventos sopravam. O país tinha um novo ditador e alguns novos termos e palavras ganhavam espaço no discurso oficial. Falava-se em abertura, distensão, nacionalismo e pragmatismo responsável na política externa.

Meu retorno para o Brasil foi demorado. A ansiedade era grande, as medidas de segurança extremas, mas no fim de 1974 iniciei a esperada volta. Não me recordo de detalhes da viagem de volta ao Brasil, com exceção de que, além de Moscou, Praga e Frankfurt, fiz escala em Bogotá e entrei no Brasil por Manaus.

Lembro-me do calor insuportável da cidade, mas também do seu encanto, da Zona Franca, do povo, da música, da comida, da grandiosidade do Rio Negro, da floresta Amazônica, do "fantasmagórico" Teatro Amazonas, do povo índio e do pequeno hotel, uma pensão em que me hospedei.

SIM, EU VOLTEI!

Ainda em Moscou, uma cena cinematográfica. Eu viajava juntamente com uma delegação de pilotos de caças MIG cubanos, a caminho da Crimeia, onde cursariam escolas militares. Chegando ao Aeroporto Sheremetyevo, fui detido pela Polícia da Aduana. Só depois me dei conta de que estava em mãos da famosa e temida KGB, a polícia secreta da União Soviética. Conversa vai, conversa vem, mantive o silêncio sobre meu destino e passaporte cubano, seguro que um funcionário da embaixada me resgataria, o que logo ocorreu. Não perdi a serenidade, apesar do inusitado; nunca havia sido detido em nenhum aeroporto, nem nos brasileiros, só me faltava essa, ser preso em Moscou pela KGB. Nunca entendi direito o que realmente aconteceu, se fui detectado pelo meu sotaque, ou simplesmente devido à excelência do serviço secreto soviético.

Na passagem por Bogotá, não me impressionou tanto a capital da Colômbia, apesar de sua geografia. O tempo era curto e eu precisava ficar em guarda, não correr risco, passar por turista, em escala. Por isso, limitei-me a conhecer o Cristo, de que me lembro vagamente, e, de novo, a culinária colombiana. O que eu queria realmente era pisar em solo brasileiro, chegar em casa. Por isso, não dei muita atenção, infelizmente, às cidades que visitei. A prioridade da segurança — a tensão, o medo e a ansiedade pela chegada ao Brasil me cegavam, me impediam de aproveitar as cidades, as culturas e os povos. Uma pena.

Como em 1971, eu viajava com arma, usava documentos falsos e de novo trazia informações sigilosas, pontos de encontro etc. Tudo num fundo falso da mala, como a outra vez. E na memória, planos e informações.

Depois de Manaus, segui para Fortaleza, num voo da Vasp, se não me engano, com uma parada em São Luís. Passei maus momentos duas vezes, a primeira quando o avião aterrissou na capital maranhense e nos pediram para descer por razões técnicas, mas passei minutos em dúvida e com medo, até vir a informação de que dormiríamos na cidade, para que a aeronave fosse consertada.

Fiquei encantado com São Luís, o hotel, a ilha, a cidade histórica, de novo a comida regional, que se tornaria uma paixão em minha vida e um hábito, comer sempre a comida da região. Finalmente desembarquei em Fortaleza e fiz meu primeiro contato com João Leonardo, em Arcoverde, sertão pernambucano. Instalei-me em Caruaru e fiz de Campina Grande minha opção de recuo. Conheci toda a região, construí amizades e uma história para minha permanência no Nordeste.

Hospedado no Hotel Guanabara, em Caruaru, comecei a viajar. Cumpria o percurso Caruaru, Campina Grande, Patos, Cajazeiras, Crato, Juazeiro do Norte, Salgueiro — ida e volta. Conheci em Placas, Cruzeiro do Nordeste, num entroncamento rodoviário, o dono de uma boate e de um hotel e tornei-me amigo dele, o que me oferecia segurança, além de tornar-me conhecido na região, reduzindo a atenção na minha figura e presença.

Enquanto isso, avaliava com João Leonardo qual a melhor solução para minha implantação. Nordeste? Rondônia? Nossa área em Goiás, hoje Tocantins, estava "queimada".

No hotel e na boate-hotel em Placas, Cruzeiro do Nordeste, 27 quilômetros de Arcoverde, em Pernambuco, cruzamento da BR-232 com a PE-110, era figura carimbada. Um tipo apaixonado pela culinária regional, com sotaque de caipira do interior de Minas ou São Paulo, não me era difícil passar despercebido. O único problema era que o tempo corria contra mim. Tinha que me estabelecer, exercer alguma atividade profissional ou ir embora para outro destino. As cidades com o nome de Cruzeiro estavam e estariam no meu caminho, primeiro Cruzeiro, ao lado de Passa Quatro, agora Cruzeiro do Nordeste e mais tarde, Cruzeiro do Oeste, no Paraná.

O risco era enorme, apesar do fim das atividades da guerrilha no Araguaia e das ações armadas nas áreas urbanas. A repressão da era Geisel ainda era presente, como comprovariam os casos de Vladimir Herzog e Manoel Fiel Filho, torturados e assassinados pelo DOI-Codi de São Paulo. Havia muitos informantes da polícia e do exército nas cidades e a ameaça perene de encontrar um conhecido de 1968 ou mesmo alguém da repressão que me reconhecesse.

Depois de algumas peripécias, como o namoro com a filha do dono do hotel em Placas e a amizade com o dono de uma boate, foi ele que se apaixonou por mim, mas não foi correspondido. Fui ao encontro de um senhor na rodoviária do Crato, a caminho de Salgueiro. Vestido como sertanejo, terno de linho, camisa branca sem colarinho, sandálias boas e bonitas, ele me pareceu triste e ensimesmado. Buscando puxar conversa e ter uma companhia na viagem — medida básica de segurança — descobri que ele tinha sido roubado e, envergonhado, não pedira socorro a ninguém.

Não me deixou pagar sua passagem, revelando certo orgulho sertanejo. Sugeri então um empréstimo. Em resposta, convidou-me para almoçar em sua casa. Aceitei e lá fomos para Salgueiro. Ao chegar, me dei conta de que meu companheiro de viagem era um fazendeiro mais do que remediado.

SIM, EU VOLTEI!

Durante o almoço familiar, uma cena hilária. Dos assuntos triviais, passamos à política, que eu evitava como o diabo. Então, constato que um dos filhos do meu parceiro era delegado ou coletor, como se dizia, da Receita, e o outro era juiz. Temeroso, ouço de um deles que "o problema do Brasil hoje são os terroristas". O que me levou a engasgar e mudar de assunto imediatamente. Mas era apenas um comentário banal, sem relação com minha presença. Ali passava por um jovem que, em férias no Nordeste, seguia para Serra Talhada para encontrar um conhecido.

O clandestino depende do acaso e do imprevisível para sobreviver. Naquelas semanas que passei entre Paraíba, Ceará e Pernambuco, aprendi muito sobre a região. Tive o pressentimento de que me sairia bem nessa nova jornada, por mais difícil que fosse.

Já era hora de partir, mas dependia da ordem do João Leonardo e dos contatos e apoios no caminho. Iria conhecer o Paraná e Rondônia, cruzar pelo hoje Mato Grosso do Sul e Mato Grosso. Rondônia me soava distante e mágica, já o Paraná me era familiar tão somente pelos caminhões que vinham de lá, passando por Passa Quatro cobertos de terra vermelha, transportando café, fruto do avanço da lavoura paulista. Uma lembrança da infância. Enquanto isso, Ana se instalaria no Nordeste, sem saber ao certo onde. Acabou em Salvador, também em contato com João Leonardo e, só muito tempo depois, comigo.

Parti pesaroso, viveria com prazer e alegria no sertão ou no agreste, mas ansioso por chegar ao meu novo destino. Era março ou abril de 1975. Quando comemorava meus vinte e nove anos em silêncio e sozinho, planejei a viagem de São Paulo para Maringá, no Paraná, destino na primeira fase de minha implantação, sem abandonar a ideia de ir para Rondônia.

A saudade da família e dos amigos era grande. Já se passavam quase sete anos desde minha prisão em Ibiúna. Porém, qualquer contato era impossível, pois havia um risco imenso de prisão e morte. Chegando a Maringá, no Paraná, fui recebido por um pequeno e alegre *nissei*, primeira geração de filhos de japoneses imigrados para o Brasil. Era um paulistano do bairro da Liberdade, mais velho, advogado. Após o golpe, partira para tentar a vida em Umuarama, no Noroeste do Paraná. Ligado ao MDB, defensor dos Direitos Humanos, opunha-se à ditadura. Apoiador da ALN e de João Leonardo, que o visitara na volta ao Brasil, conhecia e ajudara também a Arno Preis, catarinense, todos colegas do Centro Acadêmico XI de Agosto, do Largo de São Francisco.

De imediato, tínhamos uma decisão a tomar: o que fazer diante da repressão desencadeada por Geisel contra o PCB paranaense, oposição moderada e pacífica, antes da sua prometida distensão lenta, gradual e segura?

Hoje podemos achar contraditório oprimir para distender. Mas reprimir a oposição moderada e pacífica? Contudo, fazia sentido, para a ditadura, acuar o PCB, uma das forças que compunham a Frente Democrática formada em torno e dentro do MDB, leque de opositores ao regime militar em qualquer atividade: sindical, política partidária, estudantil e eleitoral.

O temor do arbítrio era o crescimento do MDB, que o derrotara nas eleições de 1974, particularmente no Paraná, que abrigava a hidrelétrica binacional de Itaipu, maior e mais importante obra do regime militar.

O episódio eleitoral de 1974 demonstrara que Geisel e o regime não dispunham do respaldo da maioria do povo. Ameaçada de tornar-se minoria no colégio eleitoral que ela própria inventara, a ditadura iria reagir. Em 1978, o MDB poderia eleger o presidente da República.

Liquidar toda a oposição antes de iniciar a abertura era crucial para os estrategistas de Geisel, assessorados pelos órgãos de Inteligência. Pesquisas do governo indicavam que, mesmo sob censura e submetida ao controle da legislação eleitoral antidemocrática, a oposição venceria as próximas eleições.

Em situações similares, a regra recomenda ficar parado e quieto onde estiver. Foi o que fiz. Escolhi permanecer na cidade de Cruzeiro do Oeste, distante 124 km de Maringá e 14 km de Umuarama. Ali, a presença de um batalhão da Polícia Militar significava, ao contrário do que poderia parecer, segurança para mim. Pouco ou quase nenhum furto ou roubo, sem desconfianças quanto a estranhos pela simples razão de ser ainda uma região fronteiriça, onde, por exemplo, era normal andar armado e possuir armas de caça.

No início, tudo me parecia emocionante. Na nova vida, o que mais me atraiu foi a agricultura. Resolvi ler tudo sobre o tema, particularmente sobre o Voisin, um método intensivo de manejo do gado e da pastagem em confinamento, geraria o famoso *baby beef*, originado do chamado coração da alcatra. Interessei-me também pelo cultivo de hortifrutigranjeiros e decidi buscar um sítio para arrendar. Precisava de um parceiro.

O plano era me estabelecer — a ida para Rondônia estava adiada — em Cruzeiro do Oeste. Para conhecer o Norte do Paraná, resolvi viajar, saber sobre sua história, colonização, economia e cultura, além de me inteirar sobre a imigração ucraniana, alemã, polonesa, mesclada com a

SIM, EU VOLTEI!

chegada de paulistas, gaúchos e nordestinos, algo completamente novo para mim. Além da geografia do Paraná — seu clima, rios, terra fértil, as onduladas curvas que cercam vales — e a beleza do rio Ivaí que, abruptamente, surgiu na minha frente como uma visão de uma força indomável.

Mas a natureza também pode ser hostil e me recebeu com uma geada negra, a maior do século. Como consequência do frio intenso, ocorre um congelamento da seiva da planta, que escurece e morre. A geada de 1975 erradicou a cultura do café do Norte paranaense e deflagrou uma revolução na economia do estado.

O Paraná fora colonizado por um duplo movimento de pinça: o avanço da fronteira agrícola paulista do café, pequenas e médias propriedades, mesclada com a colonização inglesa, que operou, na prática, uma divisão da terra. Aconteceu à custa da expulsão, quando não do extermínio, das populações indígenas e do desmatamento brutal e extensivo. Enquanto isso, no Sudoeste, dava-se o avanço da fronteira agrícola cansada e superpovoada gaúcha por Cascavel e região. O café predominava no Norte e o milho e o porco no Sudoeste. A geada unificaria tais fronteiras e daí brotaria a agricultura moderna, consorciada, do trigo e da soja.

A geada paralisou meus planos de criação de gado confinado ou de plantação de hortaliças. Empaquei. Foi quando surgiu a oportunidade de viajar. Aconteceu na pensão do Ovídio, meu endereço em Cruzeiro do Oeste. Ali se hospedavam vendedores, corretores, representantes comerciais, caminhoneiros, funcionários públicos, professores e outros forasteiros. De volta do trabalho, os hóspedes se reuniam para ver televisão, conversar, jogar cartas, xadrez, dama e dominó.

Por hábito e precaução, não bebia nem fumava. Algo que, naquele ambiente de fronteira, era totalmente estranho. Sentia-me entrosado, mas logo me dei conta que estava errado. Tudo começou e terminou com Neto, um vendedor gaúcho dos filtros Fram e aditivos para veículos, lançando a seguinte pérola, na verdade um anátema: "Aqui quem não bebe e não fuma ou é boiola ou terrorista". Silêncio e logo risadas e tapas nas minhas costas. A brincadeira me levou imediatamente a beber umas caipirinhas de limão. Aliás, caipirinhas que o dono da pensão, a meu pedido, sob pretexto de uma gastrite, fazia com quase nenhuma cachaça, hábito que tenho até hoje. Aprendi uma lição: o peixe vive na água e o camaleão se mistura com a folhagem.

Neto afeiçoou-se a mim e passou a me procurar para jogar conversa fora e contar anedotas. Gostava também de conversar sobre livros, sobre teatro. Piadista e trabalhador, logo me fez uma proposta: "Enquanto você espera uma resposta do teu sócio, venha viajar comigo, conhecer o Norte do Paraná". Era tudo que eu queria e precisava. Não ficar ocioso em Cruzeiro do Oeste, exposto na cidade como um desocupado.

Até então, eu e meu parceiro, José Alcindo Gil, havíamos levantado os valores e condições de arrendamento da terra e o preço dos insumos: ureia, cana de açúcar, melaço, milho, camas de aviário e também pesquisamos o custo da construção das divisórias do confinamento. Fomos atrás de cereais, grãos, capins, tipos e variedade de capim, como o capim-gordura e o colonião. Viajamos para Dourados, no Mato Grosso do Sul, e Casa Branca, em São Paulo, para conhecer experiências bem-sucedidas de confinamento de gado para produção de *baby beef*. Primeiramente, a do espanhol Belarmino Iglesias, fundador do depois famoso restaurante Rubaiyat.

Indecisos, chegamos a retomar a ideia de plantar cacau em Rondônia. Para tanto, viajamos para a Bahia e visitamos a Comissão Executiva do Plano da Lavoura Cacaueira, a Ceplac, bela experiência, dada a excelência do centro de pesquisas. Sem contar a oportunidade de rever cidades de São Paulo a caminho da Bahia, como Ribeirão Preto, que me impressionou pelo crescimento e riqueza. Conhecemos ainda Teófilo Otoni e o Nordeste de Minas, onde a pobreza contrastava com a "Califórnia brasileira", apelido então da região de Ribeirão Preto.

Percebi as transformações pelas quais passava o país, apesar da ditadura ou por causa dela. Confirmou minha visão das reformas autoritárias do capitalismo brasileiro, onde o Proálcool era um exemplo e a agricultura empresarial do binômio soja-trigo outro, sem citar a ocupação selvagem e predadora da Amazônia.

Tive o privilégio de conviver com o médico anestesista José Alcindo Gil e, também, com o advogado Ivo Sooma, pessoas cultas e progressistas, vinculados ao Paraná, à sua terra e gente. Sooma, de cultura japonesa, mas aculturado e libertário. Gil, de família paulista, cafeicultora, mas criado em Rolândia, Norte do Paraná. Visionário, em 1975 já era ambientalista. Homem de ação, lutou e preservou o Parque Municipal do qual Umuarama hoje desfruta.

Ainda jovem, Gil percorreu todos os rios do Paraná e Mato Grosso. Meteu-se sertão adentro a pé, a cavalo e de barco. Chegou ao Paraguai, conheceu o Pantanal, tornando-se defensor dos índios e da memória

SIM, EU VOLTEI!

do genocídio de seus povos e cultura. Um senhor memorialista sobre a história da colonização do Paraná.

Sooma passou a vida advogando para os sem defensores. Enfrentou a ditadura na imprensa, militou na OAB e na defesa dos Direitos Humanos. Bonachão, viveu a vida, sempre disposto a me apoiar arriscando tudo que possuía, o que não era muito, mas era tudo mesmo. Ele e Gil foram minhas âncoras e bússolas, me guiaram e me salvaram.

Depois do Paraná, Bahia, São Paulo e Minas Gerais, decidi viajar para outras regiões. Fui ao Vale do Aço, à Serra Gaúcha, ao Vale do Itajaí, à região de Dourados (MS).

Era uma nova vida e uma situação, pessoal e política, sem contato, sem ação. Restava-me sobreviver sem perder a capacidade de analisar e avaliar a vida política, econômica, social e cultural do país.

Vida nova do ponto de vista individual. Estava fora de meu meio pela terceira vez. Deixei a vida na militância estudantil e na universidade em São Paulo. Deixei meu apartamento e minha família em Minas. Depois a refiz, bem ou mal, no exílio, com novos laços afetivos: a Casa dos 28, o Molipo, a relação forte com Cuba. Voltei aos meses de guerra e risco em São Paulo. Eram perdas muitas e profundas. Precisava buscar energia para recomeçar no Paraná. Em cinco anos, minha vida se transformara, a morte e as perdas pesavam e temia ser tragado pelo abismo.

A vida clandestina é uma armadilha. Procura-se a normalidade, a rotina, o usual, o cotidiano, o familiar, os hábitos simples. Ao mesmo tempo, é preciso manter a guarda, as medidas de segurança, as regras básicas, saber reconhecer o perigo, qualquer sinal, incidente, acidente. Quanto menor a cidade maior o perigo.

Ler jornais sempre começando pelo caderno de esportes e depois, a Ilustrada, da *Folha de S.Paulo*. Todo cuidado é pouco. Nada de bebidas, confusões, brigas, tão comuns nos bares e clubes. Máxima cautela com novos amigos e visitantes, atenção às informações sobre a situação política e dos movimentos da repressão. Jamais viajar sem conhecer, reconhecer e levantar todas as informações sobre rotas e as cidades no caminho. Sempre possuir alternativas.

Jamais perder a noção de que todos os seus documentos são falsos. Minha identidade fora construída. Eu era uma ficção, a exemplo de todos os clandestinos. Andava armado e era perseguido, no meu caso sem alarde ou publicidade.

Lia livros, revistas e jornais somente em casa e conversar sobre política, nunca. Mesmo quando o interlocutor era amigo e totalmente seguro, impunha-se o equilíbrio, "informado" pela formação e cultura de Carlos Henrique e sua história, mas não politizado ou partidário.

Mas não mudei de time. Seria demais. Continuei corintiano e mantive meu sotaque caipira do interior paulista, herança de minha mãe, das férias na casa de minhas tias, tudo compatível com o personagem Carlos Henrique.

Ambientado com o pequeno mundo dos viajantes e visitantes, das pensões e dos jovens da cidade, tinha que alugar uma casa e fazer um investimento para ter trabalho e renda na cidade. Não podia simplesmente viajar e viajar.

O acaso me socorreu. Um dos meus amigos de Cruzeiro, o alfaiate Wilson Bellini, disse certa vez que seu sonho era ter a sua própria alfaiataria. Bellini era um senhor estilista, tinha corte e gosto. Não pensei duas vezes. Propus-lhe uma sociedade. Eu entraria com o capital, que não era muito, mas bastante para bancar o aluguel de um salão e adquirir uma máquina de costura, balcão, material básico para uma alfaiataria como tesoura e régua. Ele participaria com o trabalho e a técnica, além do contato com os clientes, o que não era pouco. Bom negócio para os dois, tanto que deu certo.

Eu tinha um pequeno capital, hoje cerca de 50 mil reais, que o Molipo me entregara para minha volta, na expectativa de uma implantação para sobrevivência e retomada da luta. Pelo menos para estar no país e aprender com minha nova vida, o objetivo final de estar preparado para a hora da virada ou do recomeço.

Cuidei — e muito — do meu pequeno patrimônio que se transformou no curto prazo numa alfaiataria, depois no Magazine do Homem e por fim na pequena confecção de calças. Tudo seria vendido no futuro e o saldo seria minha reserva para a nova fase da luta.

O negócio criou um ambiente social e me aproximou da juventude da cidade. Virou *point* obrigatório para um café e uma prosa. Passamos a vender tecidos e prosperar.

Enquanto isso, mantinha a proximidade com Ivo Sooma e Gil. Com eles, podia discutir e avaliar a situação política do país e trocar ideias sobre um pouco de tudo. Gil era uma enciclopédia ambulante. Das coisas, dos bichos, das gentes, das culturas, do Brasil, antenado já em 1975 na literatura ambiental.

SIM, EU VOLTEI!

Nossa preocupação estava em João Leonardo e com Ana. Não era fácil o contato. Os "pontos" eram de alto risco e a comunicação com Cuba, dificílima, arriscada e criptografada, via *buzones*, as caixas postais. Ou, mais perigoso ainda, através de emissários, o que nunca aceitei.

Com Cuba só fazia contato via correio internacional, pelo caminho da Europa. Era minha lei e dela não me afastei jamais. Aliás, com o passar do tempo, apesar de mais seguro e confiante, não relaxei as medidas de segurança. Pelo contrário, aumentei o autopoliciamento e a disciplina. Nunca deixei de fazer exercícios, treinar os códigos de comunicação, limpar as armas. Além da Browning, eu herdei munição e um Winchester mais uma carabina deixada por João Leonardo e Arno Preis. Precisava cuidar da segurança, da casa e da alfaiataria. Qualquer intervenção externa seria detectada pelas "armadilhas" deixadas diariamente, inocentes, mas altamente eficazes como o tempo comprovaria.

Nessa época, não ousava ir a São Paulo ou ao Rio de Janeiro. Somente viajava pelo Sul e o Nordeste. Não me atrevia a contatar velhos companheiros, mas, pelos jornais, sabia de sua atuação política, na imprensa, na defesa dos direitos humanos, na cultura, na luta sindical e estudantil, muitos deles então ligados à Igreja, às pastorais, às comunidades de base, à oposição sindical, às associações de bairro, aos jornais alternativos.

O país mudara após a crise do petróleo em 1973 e a derrota eleitoral de 1974. Geisel impulsionara um duplo movimento, tanto reprimindo o PCB, quanto se impondo aos quartéis. Disciplinou as forças armadas, expurgou e enquadrou a repressão, os DOI-Codi, afrouxou a censura, procurando compor com os barões da mídia, sem ceder à oposição, seja do MDB, seja a extraparlamentar, aquela da luta popular e sindical fora dos quadros do peleguismo ou do oficialismo. Era a novidade do período que, somada ao crescimento do MDB, conformaria os próximos anos e provocaria uma mudança na correlação de forças no país.

O antagonismo à abertura de Geisel, e mais tarde à de Figueiredo, era grande e ativo. Respaldada pelos aparelhos da repressão, órgãos de Inteligência e com cobertura da chamada linha-dura liderada pelo general Sílvio Frota — candidato à sucessão de Geisel —, chegou aos atentados a bancas de revistas, à sede da Ordem dos Advogados do Brasil e à ala progressista da Igreja Católica. A ultradireita visava a impedir o crescimento da oposição, a atividade dos sindicatos, as ações em favor da anistia aos presos políticos e exilados, a travar o Movimento contra Carestia, a reorganização da UNE, a consolidação dos jornais alternativos, as associações de bairro, e o rompimento do dique do peleguismo pelo novo sindicalismo.

Crescia o movimento contra a ditadura e pela extinção do AI-5, mas Geisel tinha planos autoritários e de médio prazo para o Brasil. Queria manter sob seu controle a repressão e a distensão. Este movimento governara suas decisões para fazer seu sucessor.

Diante do risco de perder o controle do processo de abertura política e em resposta à ação da direita, afastou o ministro Frota e enquadrou as forças armadas. À esquerda, diante do avanço da oposição e da rebeldia do MDB e do Congresso, decretou o "Pacote de Abril". Retrocedendo aos tempos do AI-5, inventou a figura do senador biônico, escolhido sem voto popular, e cerceou as campanhas eleitorais. Cassou mandatos e assegurou maioria para o governo no colégio eleitoral.

O "Pacote de Abril" travou a arrancada que o MDB prometera nas eleições legislativas de 1974, ao eleger dezesseis senadores em vinte e uma disputas. O partido crescera em representação nas câmaras alta (Senado) e baixa (Câmara dos Deputados), mas não lograra transformar sua grande votação em organização partidária. Tanto foi assim que, entre 1976 e 1977, perderia o comando da oposição, praticamente exercido por forças extraparlamentares, tais como o Movimento Estudantil, a imprensa alternativa, entidades como OAB, ABI e CNBB e por figuras de expressão nacional como Dom Paulo Evaristo Arns, Raymundo Faoro e Prudente de Morais Neto, entre outras.

Sem exagero, pode-se dizer que o MDB, como um todo, nem sempre esteve presente, apesar da participação dos autênticos e setores progressistas do partido, que custou prisões de alguns de seus líderes e cassação de mandatos, em apoio e solidariedade nas lutas sociais e políticas travadas por trabalhadores, moradores da periferia e estudantes durante aqueles anos.

Em 1978, Geisel "elegeria" João Baptista Figueiredo presidente da República, para desgraça do Brasil. Aumentou o mandato presidencial para seis anos, mas não conteve a ascensão oposicionista. Em 1977 e 1978, o Brasil já era outro país.

Geisel imprimiu uma tendência nacionalista à sua gestão, o que se espelhou na sua política externa. Procurou vencer a crise lançando o segundo Plano Nacional de Desenvolvimento (PND), sob o comando do ministro do Planejamento, João Paulo dos Reis Veloso. Continuou investindo, sustentando a expansão e a consolidação da indústria de

SIM, EU VOLTEI!

base, embora à custa do endividamento nacional. Certo ou errado, não optou pela solução fácil e burra da recessão, com juros altos, corte de gastos e venda de patrimônio público que, na redemocratização, Fernando Collor, depois Fernando Henrique Cardoso e agora Michel Temer, em parceria com o PSDB, transformariam em dogma político e por fim em norma constitucional.

Com sua política externa — por razões nem sempre democráticas —, rompeu o acordo militar com os Estados Unidos, reconheceu o Estado Palestino e as ex-colônias portuguesas na África e assinou o acordo nuclear com a Alemanha, abrindo na oposição uma dissidência que o cineasta Glauber Rocha, num de seus arroubos, ou alucinações, sobre Golbery e Geisel, verbalizou, retomando um elemento atávico no nosso subconsciente coletivo: o nacionalismo, mesmo autoritário e estatal.

Geisel e os militares, com apoio civil e empresarial, inclusive dos donos da informação, consolidaram o setor estatal capitalista de nossa economia, outra tendência histórica e indispensável, sem o que o Brasil não seria um país industrializado, embora permanecendo desigual e injusto.

O progresso econômico, a diversificação e a expansão da indústria e da agropecuária mudaram a composição social da classe trabalhadora e da sociedade. Irrompeu uma vasta e múltipla classe operária industrial. O setor comercial se consolidou, o segmento de serviços iniciou seu crescimento e, no campo, aumentou o número de trabalhadores. Desaparece o colonato, crescem e se consolidam a pequena agricultura familiar e o agronegócio. Surgem os extremos, os Sem Terra e os "paulistas", a grilagem e ocupação da Amazônia, a condensação urbana e as favelas, a concentração de renda e a pobreza extrema.

O Brasil se expressa na política com as grandes greves de 1976 e 1977. A UNE se reconstrói, o movimento pela anistia se amplia e desponta um sindicalismo autêntico. O ABC paulista faz a ditadura tremer, incentivado por uma voz rouca, mas firme: Lula. Surge o Conclat, a Conferência Nacional das Classes Trabalhadoras, que coloca em xeque a estrutura sindical oficialista-pelega, legado da Era Vargas.

No campo, a Contag, Confederação Nacional dos Trabalhadores na Agricultura, ressurge forte, bem como a Igreja, suas bases populares, sua luta nos bairros das grandes cidades. As CEBs, as pastorais, os sindicatos, uma nova esquerda se rearticula envolvida nas lutas por moradia, saúde, creches, educação, transporte e saneamento.

Definitivamente, é um Brasil onde não cabe mais uma ditadura. Nem os senhores da mídia resistiram. Aderiram logo e foram preparando o desembarque da tirania que eles mesmos haviam imposto ao país em 1964.

Mas a ditadura não cairia nem em 1978 nem nas ruas. Iria se prolongar até 1985, quando o colégio eleitoral elegeu indiretamente Tancredo Neves, para continuar a distensão, agora com o nome de transição ou redemocratização. É outra história intimamente ligada ao passado da esquerda e da oposição liberal-burguesa. De como se desenvolvem nos anos de arbítrio e surgem novas forças política e sociais, à direita e à esquerda. São tais forças que contornaram o Brasil de 1978 a 1983 e, depois, de 1985 a 2003, quando Luiz Inácio Lula da Silva assumiria a presidência da República.

Somente em 1977 e 1978 eu buscaria contatar antigos apoios, companheiros e amigos, nunca familiares. João Leonardo me procurou e decidimos que eu ficaria no Paraná. Não seguiria mais para Rondônia para plantar cacau, estava arquivado o plano A. Firmou-se o plano B, o de Cruzeiro do Oeste.

A ideia era implantar-me nessa região e, a partir dela, fazer contatos em São Paulo, enquanto Mário — João Leonardo — cuidaria de passar o sítio que tinha, arrendando-o para um terceiro já escolhido e se explicando com dois ou três contratos que tinha desenvolvido na sua área.

Não queríamos perder a base e a retaguarda que era a área de Mário, onde ele estava estabelecido havia mais de três anos. Ele deveria ir para Recife, onde trabalharia como operário ou se estabeleceria por conta própria, como carpinteiro, torneiro ou proprietário de restaurante. A partir de então nós dois íamos ver como desenvolver os contatos em São Paulo e, aos poucos, trazer Maria (Ana Corbisier), Adélia (Cida Horta) e outros companheiros.

A visita de João Leonardo animou a todos. Não era fácil reencontrar um companheiro como ele — alegre, irônico, divertido — e depois retornar à solidão e ao monólogo.

Gil, Ivo Sooma e eu repassamos o quadro político do país e a nossa situação, definindo uma orientação defensiva e de sobrevivência, antes da fase de retomada de contatos. 1975 fora um ano de grandes perdas para o PCB, principalmente no Paraná.

Aí acontecem dois fatos que mudam todos os planos. Mário não aparece nos pontos em Londrina durante dois meses, julho e agosto, nos

SIM, EU VOLTEI!

quais tenho que viajar todas primeiras e segundas semanas. Fico então sem contato com Mário. O próximo ponto era em dezembro de 1975, depois de pegar Maria, sem base de apoio, já que temos que tomar as medidas de segurança e sem trabalho. Ou seja, depois de seis meses, volto à estaca zero. Com a agravante de que não podia ficar sem fazer nada para ir a São Paulo em busca de contatos, pois esperava primeiro ter a implantação assegurada.

Decido ir buscar Ana Corbisier, a "Maria", em novembro, dezembro, e cobrir os últimos pontos de Mário. Viajo com retaguarda segura e de certa maneira implantado. Justifico a viagem como visita a primos no Nordeste, onde já havia vivido. Iria ficar mais ou menos uns vinte dias fora, o que não é comum, ainda que as festas de fim de ano também justificassem minha saída.

A viagem se dá sem problemas. Passo pela primeira vez por São Paulo, sem me hospedar, ainda com bastante precaução. Encontro "Maria" sem problemas e discutimos a situação. Vou aos pontos com Mário e ele não aparece. A coisa fica grave já que é evidente que alguma coisa aconteceu. Mário cobrira os pontos Sul no meio do ano e, agora no fim, não cobre os pontos do Nordeste, apenas 100 km da região onde estava implantado.

Na esperança que Mário se contate conosco, decido que "Maria" fique em Salvador e com base nos dados que Mário havia me subministrado. Hotéis em que ficava, pessoas que conhecia, lojas em que comprava nas cidades próximas de sua área, fazemos um plano para descobrir a cidade onde ele estava e daí o sítio da zona rural. Plano realmente levado à prática mais ou menos depois de seis meses, através de um difícil e inseguro trabalho de Maria que, mais uma vez, dava mostras de sua capacidade operativa, valor individual e firmeza política.

Encontrando o sítio e a cidade onde Mário vivia, ficamos convencidos de que ele havia caído e sido assassinado pelos órgãos repressivos do regime.

Ao alugar a casa, aumentei minha segurança e privacidade. A pensão era totalmente vulnerável, porém, como morar sozinho agravava a solidão, continuei a frequentá-la. Ampliei minhas amizades com Wilson Bellini, Ivan Aires Barbosa, o "Corinho", que seria meu contador, e também Antônio Gomes, o "Zoinho".

A aproximação de Clara mudou tudo e deu um sentido à minha vida no Paraná. Era uma loira alta dirigindo seu carro, sempre ativa, conversando, entrando e saindo dos bancos, farmácias, lojas, e dona de pequenas boutiques, uma em Cruzeiro, na rua atrás da minha alfaiataria. Toda vez que a via descer do carro, com seu sorriso, os olhos claros, botas de cano longo e saia rodada, me prendia a atenção. Nós nos fitávamos, estudávamos, mas não ousávamos trocar uma palavra.

Até que, no cair de uma tarde, quando seguia para jantar na pensão, perdi minha lente de contato. Anoitecia e não conseguia encontrá-la no asfalto escuro. Eis que surge um carro com farol aceso. Dele alguém desce e, pelas botas e pernas, vi que era Clara. "O que procuras?", perguntou.

Entre confuso e surpreso, mas ao mesmo tempo ansioso pelo contato, expliquei a situação e passamos a procurar as lentes, juntos. Nasceu ali uma amizade que viraria paixão.

A cena nunca me abandonou e até hoje me alegra e provoca profunda nostalgia de um tempo feliz que vivi, apesar das circunstâncias. Jamais imaginara aqueles longos anos de clandestinidade tão familiares e amorosos.

Minha vida se ligaria à de Clara, não somente uma vida afetiva e familiar — de que sentia falta — mas também profissional. Logo a cidade percebeu que o "estrangeiro" roubara de seus filhos uma de suas flores, no caso uma mulher independente, bem-sucedida, bonita e dona de quatro pequenas boutiques.

Desconfiança e inveja foram as primeiras reações. Algo como "esse aventureiro vai roubar nossa jovem empresária e depois a abandonará ou, pior, dará um golpe e desaparecerá. Ou vai se casar com ela".

Logo me colocaram o apelido de "Pedro Caroço", alusão à letra da música cantada por Genival Lacerda, *Severina Xique Xique* — que traz este verso: "Ele tá de olho é na boutique dela!". Isso me aborrecia, mas, ao mesmo tempo, me tornava uma pessoa da cidade, "um dos nossos", desaparecendo o distanciamento com o "intruso e concorrente".

Clara e eu passamos a viajar juntos para São Paulo, Curitiba, Vale do Itajaí, Irati, Ponta Grossa, Foz do Iguaçu, Ciudad Puerto Stroessner, hoje Ciudad del Leste, no Paraguai. Eu aparecia em festas, bailes, quermesses, almoços e, aos poucos, criando um vínculo com os donos de lojas, farmácias, escritórios de contabilidade, veterinários. Frequentava o clube da cidade e a Associação Atlética Banco do Brasil (AABB), rotina diária sem prejuízo de minhas idas à Umuarama e outras viagens.

Mas persistia o receio de ser descoberto, apesar de todas as precauções. Minha preocupação concentrava-se nos documentos falsos apresentados para alugar a casa, o prédio da alfaiataria, comprar os equipamentos e

SIM, EU VOLTEI!

insumos, abrir conta bancária, registro nos hotéis, sem contar as visitas à cidade de chefes regionais do Serviço Nacional de Informações, o SNI, ou da Segunda Seção do Exército — S-2 (CIE).

Temia um erro ou engano de minha parte, receava encontrar um conhecido ou cometer alguma indiscrição como dar uma opinião ou aparentar algo que não combinasse com meu disfarce. Por conta disso, não discutia depois de um limite, não frequentava boates ou rinhas de galo, naquela época toleradas em todo Brasil.

11

PEQUENOS NEGÓCIOS, PEQUENAS EMPRESAS

Como o dono do Magazine do
Homem virou o "Carlos da Clara"

Resolvi, por sugestão de Clara, abrir uma boutique de roupas masculinas. Aprendendo com ela, vi que existia um vazio nesse comércio na região, especialmente de marcas como *Lee, Staroup* e *Levi's*. Fomos os dois a São Paulo e, depois de encontrar fornecedores seguros e ter a garantia, com o aval dela, de venda a prazo, decidi tocar o negócio.

Na volta, encontrei uma sala num ponto ótimo, ao lado da sede do Banestado, distante 100 metros da minha alfaiataria, em frente ao escritório de meu contador. Ficava também bem perto da loja de um sírio-libanês, cujos filhos eram meus amigos e que depois, surpreso, descobri que eram palestinos, para minha alegria por raízes óbvias.

Com poucos recursos, recolhi ao redor da cidade restos de árvores derrubadas, toras, troncos e galhos. Com esse material montei a bancada, os bancos e as prateleiras da boutique. Foi decisiva minha amizade com o marceneiro Osvaldo, que se esmerou ao produzir uma pequena obra de arte, transformando a loja em uma atração local. Pintada de várias cores, tinha na porta o seu nome: "Magazine do Homem".

O sucesso das calças *jeans*, novidade em Cruzeiro e arredores, foi enorme. Grifes de venda rápida e segura garantiram lucro e continuidade da butique do "Carlos da Clara", um novo nome. E assim, eu me tornava definitivamente mais um lojista de Cruzeiro do Oeste.

No final de 1976, Clara e eu resolvemos nos casar. Passamos a viver em uma casa recém-construída, ao lado de outras três alugadas conjuntamente por nós, seus pais, seu irmão Orlando e sua prima-irmã Marli, casada com Laerte, pequeno empresário paulista, que fora tentar a sorte no Paraná.

PEQUENOS NEGÓCIOS, PEQUENAS EMPRESAS

Clara é filha de Henrique Becker, descendente de alemães e holandeses, e de Helena Kubiks, de origem polonesa, famílias de colonos da região de Irati, Ponta Grossa. Tem dois irmãos e duas irmãs, Arlete, Beth, Orlando e "Lito", como eu, Carlos Henrique.

Seu Henrique foi agricultor e comerciante e Helena, dona de casa e ajudante na lavoura e na "venda". Clara se formou em contabilidade e foi trabalhar na Acarpa, Associação de Crédito e Assistência Rural, hoje Emater do Paraná. Seguiu para Cruzeiro e lá, para completar a renda, passou a vender roupas. Progrediu e, já na condição de pequena empresária, chamou os pais e as irmãs para morar na cidade.

Para mim, foi um achado a convivência com a cultura alemã, holandesa e polonesa. Tudo era novo, a começar pela comida esplêndida da sogra, as conservas caseiras, a cerveja artesanal e o pão feito em casa. Para um comilão mineiro, era o paraíso.

Também descobri a religiosidade católica dos poloneses e suas crenças atávicas, a rigidez e os códigos de honra dos alemães, seus preceitos, alguns preconceituosos, e a vida rural tipicamente holandesa dos Van der Neuts, em Irati.

Fazíamos viagens periódicas para São Paulo para repor o estoque das lojas. Íamos de ônibus, pela Viação Garcia. Da rodoviária paulistana, então na praça Júlio Prestes, seguíamos para a rua José Paulino, no Bom Retiro, depois a 25 de Março e, às vezes, ao Brás. Ficávamos hospedados no Hotel Cruz D'Avis, na avenida Prestes Maia, bem perto do Deops, centro de tortura e prisões políticas.

Eram dias de alegria, de rever São Paulo e recordar minha juventude de *office boy*, percorrendo o centrão. Tão perto e tão longe pela proibição de revê-lo e reviver os anos 1960 de passeatas e comícios, o trotar dos cavalos da repressão, o som das bombas de gás lacrimogêneo, os tiros, os gritos e nossa ingênua coragem nos gritos de "Abaixo a ditadura!".

Clara conhecia os segredos do comércio paulistano: comerciantes, tecidos, confecções, armarinhos, bijuterias ou joias. Sabia negociar. Na volta a Cruzeiro do Oeste, o acaso me surpreendeu. Primeiro, fiquei com um mal-estar, uma dor no corpo, indisposição, mas não dei importância. Como não melhorava, fui para casa. Adormeci e quando acordei delirava, com febre altíssima. Não conseguia me levantar da cama. Rapidamente meu quadro clínico evoluiria para uma pneumonia. Clara apareceu e me salvou daquela situação.

Outra vez, estava com Clara em Ponta Grossa, onde fomos fazer compras. Havíamos saído de uma loja de discos e estávamos procurando o carro alguns quarteirões além, quando me dei conta de que esquecera a capanga com meus documentos e a pistola.

Valeu minha tranquilidade. Retornei lentamente, entrei na loja como se nada tivesse acontecido e perguntei a atendente se não encontrara uma capanga. "Aqui está", respondeu, para meu alívio.

Perto do que eu só saberia depois da anistia, esses dois episódios não foram nada. Certo dia, o prefeito Aristófanes Hatum, de apelido "Tofinho", chamou Clara para uma conversa porque queria saber quem era aquele Carlos. Indagou sobre sua família, sua história, seus antecedentes. Por intuição e para me proteger, Clara respondeu que conhecia minha família e tinha certeza de minha seriedade.

"Tofinho" buscava informações a pedido de um coronel do SNI que visitava a região regularmente. Queria informações sobre eventos suspeitos, forasteiros, sobre o estado de ânimo, psicossocial como diziam, da população, sobre o MDB, sindicatos, crises políticas na Arena, desavenças no estado, entre outras coisas.

Corri, de verdade, o risco de ser descoberto, não fosse a lealdade e a coragem da Clara. Mesmo não sabendo minha verdadeira identidade, intuía que meu "exílio" em Cruzeiro poderia ter sido motivado por problemas não familiares, como eu dizia, mas políticos, ainda que de maneira difusa, sem necessariamente estar ligado ao "terrorismo", como o regime militar chamava a oposição armada.

Consolidado o "Magazine do Homem", visitei São Paulo com mais frequência, sozinho ou com Clara. Decidi comprar a casa de uma amiga dela, professora que retornava para São Paulo. Minha situação financeira ficou estável, quitei a casa, pequena, de madeira, mas confortável, em três pagamentos, e nos mudamos. Lia, estudava e me preparava para o fim da ditadura ou, pelo menos, para a retomada dos contatos em São Paulo.

Entre 1976 e 1977, contatei Ana, "via correio". Tivemos um único encontro em Curitiba, quando trocamos informações sobre nossas realidades e trabalho. João Leonardo cortou o contato comigo, o que era péssimo sinal. Temia pelo pior e não podia fazer nada.

Ana estabelecera-se em Salvador, onde vivia com seu companheiro, Lázaro, que conhecera na cidade, já clandestina. Trabalhavam em uma comunidade da periferia, uma ocupação comum em Salvador. Vivia

PEQUENOS NEGÓCIOS, PEQUENAS EMPRESAS

como peixe n'água, competente e sociável, liderava e agitava, apesar dos riscos, organizando os vizinhos.

Acabou por revelar sua identidade a Lázaro, o que era temerário. No caso, porém, consolidou a relação do casal, dado o voto de confiança, permitindo a tarefa política. Na volta à legalidade, Ana regressou a São Paulo com Lázaro e atuaram juntos no Partido dos Trabalhadores. Tiveram um filho, João Leonardo, e se separaram na década de 1990.

Até a anistia, nunca abri nem mesmo para Ana onde eu estava. E ela fez o mesmo em relação a mim. Quando a visitei em Salvador e conheci pessoalmente seu apartamento e sua vizinhança, percebi o que significava o inchaço das cidades, o êxodo rural e a total falta de serviços públicos. Constatei ainda os sacrifícios dos movimentos populares por habitação, saúde e transportes, com a presença visível das pastorais da Igreja Católica.

Sem notícias de João Leonardo e com Ana longe, recebi mais um golpe com a notícia da morte acidental da filha de Benetazzo e Cida Horta, com quem eu vivera em Havana. Foi a gota-d'água. Enlouquecia de não poder me abrir, chorar e gritar no silêncio de meu pequeno escritório. A morte recente trazia as anteriores à memória. Jamais reveria a ironia refinada de Benê, a inteligência de Zé Arantes, a alegria e a irreverência de Lauri, as broncas de Jeová, as indiretas do Fleuryzinho, as ordens de João Carlos e do "Tenente". E o mais dolorido: o riso, a luz de vida e alegria de Maria Antônia.

Todos mortos. Atormentado, eu revia meus momentos com Flávio Molina e Frederico Mayer em Praga, jovens cariocas, adolescentes, quase crianças. Lembrava de Márcio Beck, com sua seriedade e disciplina. Era como se eu morresse aos poucos em cada um, em cada momento vivido com eles. O tempo passava, mas me cobrava uma resposta: o que aconteceu com vocês? A resposta fria era uma só: foram torturados, violados, massacrados e, de forma vil e covarde, assassinados. Às suas famílias, pais e mães, não foi dado o direito sequer de velar os filhos e dar-lhes uma sepultura. Suas memórias foram caluniadas, difamadas, injuriadas.

Não havia como fazer o caminho de volta. A resposta às dúvidas estava na própria realidade do país, onde ressurgiam o movimento estudantil, as greves operárias, as lutas no campo. Em 1974, a votação do MDB representava uma tomada de consciência e um repúdio à ditadura. O enfrentamento ocorria em duas frentes. Em uma delas, partidária, figurava o MDB, ampla aliança que incorporava o PCB, PCdoB, o MR-8, trabalhistas do PTB, todos que se opunham ao regime, inclusive egressos do PDC, a Democracia Cristã, e até de velhas siglas pré-1964, casos dos PSD e da UDN. Na outra frente se situavam os movimentos populares apoiando as greves e mobilizações, a que se juntavam os protestos nos bairros e os comitês pela anistia.

Para nós, que vínhamos da luta armada, os retornados ainda na clandestinidade e os que foram libertados após cumprirem as penas, o caminho era incorporar-se a essas lutas, nos jornais e revistas, nas livrarias, nas faculdades e cursinhos como professores, nos sindicatos, nas CEBs e pastorais, nos comitês e associações de bairros.

Sem saber, bati na porta certa. Os antigos militantes da ALN, mais identificados com a Dissidência e o PCB, todos ex-presos políticos, já estavam totalmente engajados no *front* dos bairros e sindicatos, nos jornais e revistas alternativas, nas CEBs e pastorais. Fui ao encontro da minha própria história, do meu recomeço.

O Brasil havia mudado e muito. Já em 1970, os votos nulos e brancos mais a abstenção chegavam a 30%. Em 1974, a derrota da Arena nas eleições majoritárias para o Senado expressava o desgaste da ditadura e, com a elevação dos preços internacionais do petróleo, o esgotamento do "milagre econômico" e da era Médici.

Em certo sentido, a eleição de Geisel repunha no centro do poder o grupo da "Sorbonne brasileira", a Escola Superior de Guerra (ESG), cuja maior expressão fora Castelo Branco e seu inspirador, Golbery do Couto e Silva.

Em 1975, as primeiras contradições dentro do regime militar afloram e a oposição volta às ruas. Responde ao assassinato sob tortura do jornalista Vladimir Herzog com uma missa massiva na Catedral da Sé presidida por dom Paulo Evaristo Arns, arcebispo de São Paulo. Dentro da estratégia de uma abertura controlada, o regime desencadeia, em 1975, ampla repressão contra o PCB, que não só não participara, como condenara a luta armada. A continuidade da tortura torna-se evidente com a morte do operário Manoel Fiel Filho, novamente no DOI-Codi paulista, confrontando abertamente a autoridade de Geisel, que reage demitindo o comandante do II Exército, general Ednardo D'Ávila Mello. Depois da demissão de Ednardo, em dezembro de 1976 sob o comando do general Dilermando Monteiro, próximo do ditador, os órgãos de repressão, sob suas ordens, promovem contra o PCdoB a "Chacina da Lapa", onde são assassinados Pedro Pomar e Ângelo Arroyo, enquanto João Batista Franco Drummond seria massacrado e morto no DOI-Codi.

PEQUENOS NEGÓCIOS, PEQUENAS EMPRESAS

Diante do risco de uma derrota nas urnas, em 1978, o regime cassa deputados, inclusive o líder do MDB, Alencar Furtado, do Paraná, e reprime o Movimento Estudantil com a invasão da PUC-SP comandada pelo coronel Erasmo Dias. Surgem dissidências no regime, cuja expressão maior foi o senador Teotônio Vilela, de Alagoas, eleito pela Arena, que não só defende a anistia, a visita aos presos e denuncia a tortura.

Um reflexo da mudança era a ascensão da imprensa alternativa, em geral, propriedade dos jornalistas e não de empresários. Surgem os jornais *Em Tempo, Repórter, Coojornal, Versus, Beijo, EX, Movimento*, todos na esteira do *Pasquim* (1969), da revista *Bondinho* (1970), o *Jornal Livre* (1971), *Opinião* (1972), e da revista *Argumento* (1973). Vários jornais se apresentavam já como feministas como o *Nós, Mulheres* e o *Mulherio*. O governo ditatorial censurava a maioria e mandava recolher até revistas clandestinas de pequena tiragem, editadas em gráficas de diretórios estudantis, como as pequenas *Silêncio* e *Circus*, publicadas em Belo Horizonte, em 1974, por estudantes, entre eles Luiz Fernando Emediato, editor deste livro. Com essas duas impedidas de circular, Emediato editou a revista literária *Inéditos*, logo posta sob censura prévia, o que inviabilizou sua existência.

Do outro lado, uma péssima novidade: consolidam-se, à sombra da ditadura, as Organizações Globo, de Roberto Marinho, apoiador de primeira hora dos golpistas e do regime militar, dos órgãos de repressão e de tortura, favorecidas em troca pelo fechamento e o cerco aos diários *Correio da Manhã* e *Jornal do Brasil*.

A Rede Globo, concessão pública, construída por Roberto Marinho com recursos ilegais de origem estrangeira do grupo Time Life, como prova fartamente à época Assis Chateaubriand, que comandava os Diários Associados, concorrente da Globo, beneficiara-se não apenas dos investimentos federais na infraestrutura de comunicações, como no controle de um sistema nacional de repetidoras e afiliadas, todas obtidas graças ao respaldo da ditadura e/ou através de "aquisições" escusas, forçadas, ilegais algumas, contestadas na Justiça até hoje, mas sem solução.

O grupo de Marinho seria o grande esteio do regime militar, da "integração nacional", e do "Milagre Brasileiro". Na TV Globo, o *Jornal Nacional* figura como a maior evidência dessa adesão. Quanto maior era a opressão e a violência do regime, a TV Globo ainda exibia programas de loas à ditadura como o do deputado lacerdista Amaral Neto, xenófobo, explorador dos sentimentos nacionalistas e, ao mesmo tempo, dos preconceitos do nosso povo, inculcados pela doutrina de segurança nacional, vulgarizada pela emissora da família Marinho.

Em Brasília, novamente o regime teria que cortar na carne para se afirmar dentro das forças armadas. O general Hugo Abreu, chefe do Gabinete Militar de Geisel e seu interlocutor junto as forças armadas, é exonerado. O que não impedirá novas dissidências, caso da candidatura à presidência do general Euler Bentes, pelo MDB, submetida ao colégio eleitoral. Não se tratava mais de um anticandidato como Ulysses Guimarães, em 1974, mas uma tentativa bizarra da oposição de chegar ao poder por dentro do regime e não pela mobilização popular e a luta política.

Geisel revogara o AI-5 e "elegeria" Figueiredo. Mas o regime perdia apoio no empresariado e na mídia e se expunha a um racha. Os donos de jornais, rádios e TVs, o punhado de famílias que dominam a mídia, tateavam saídas sem ruptura. Havia o temor de que a ditadura caísse nas ruas ou se desintegrasse. Tanto o MDB quanto a elite que apoiava o regime iniciaram um minueto conhecido no Brasil: a conciliação por cima, mudar sem mudar, o de sempre.

Nesse ambiente de crise, agravada pelo segundo choque do petróleo e do esgotamento do II Plano Nacional de Desenvolvimento, decidi retomar meus contatos. Havia dois problemas, um de segurança — o risco de contatar São Paulo, com todo o histórico de quedas, era assustador — e, o outro, de cobertura. Precisava de uma justificativa para minhas viagens, mais frequentes e sozinho.

A primeira resolvi pelo elo mais forte da cadeia: buscar arrimo em amigos, sem relação direta com a luta armada e a esquerda, nunca investigados ou suspeitos de ligação com a ALN. A segunda, encaixei na relação familiar, a necessidade de resolver desavenças e conflitos familiares.

A propósito, 1978 fora um ano especial. Jamais imaginara ser pai, clandestino, procurado e com identidade falsa. Mas a vida é mais forte e os laços de afeto se impõem.

Clara chegava aos 40 anos. Era agora ou nunca. Então, decidimos ter um filho. Assim nasceu Zeca, José Carlos, José como eu, Carlos como o bisavô e o tio, como Marighella e Lamarca. Agora, sim, eu era um homem completo. Zeca nasceu no Hospital São Paulo, em Umuarama, onde Gil era médico-anestesista e sócio-proprietário. Um alemão polaco, de olhos claros e pele branca, revelando sua ascendência, com o tempo foi se parecendo cada vez mais comigo quando jovem. Clara trabalhou até a véspera e o parto foi normal, perfeito.

PEQUENOS NEGÓCIOS, PEQUENAS EMPRESAS

Em São Paulo, procurei Cláudio e Radha Abramo, uma daquelas decisões de alto e baixo risco ao mesmo tempo. Alto pela visibilidade política e social da família Abramo, de esquerda e com atuação política, ligada às vanguardas artísticas, à militância no jornalismo, com participação pública em atos e manifestações. Lélia Abramo, atriz e militante, seria uma das fundadoras do PT. Lívio, artista plástico, ligado às vanguardas modernistas e ativista político. Perseu, jornalista, sindicalista, futuro fundador do PT e de seu primeiro jornal nacional. Fúlvio, também jornalista, ativista tanto da Quarta Internacional trotskista, quanto do PSB, juntamente com Mário Pedrosa e outros, viveu exilado na Bolívia. Cláudio, jornalista, culto, como todos Abramo, irônico e irreverente, solidário e combativo.

Eram descendentes de italianos, *oriundi*, com grande tradição familiar na imprensa. Cláudio tivera um papel importante na renovação do jornal *O Estado de S. Paulo*, como seu pai, e outros imigrantes italianos, e da *Folha de S.Paulo*, de onde seria afastado em episódio vergonhoso, por imposição do general Frota, primeiro deixando a chefia da Redação e, depois, partindo para um "exílio" como correspondente em Londres. Outra vítima das pressões militares urdida inclusive pela *Folha de S.Paulo* foi Mino Carta, então diretor da Redação da revista *Veja*, que se demitiu, segundo ele próprio, tendo como pano de fundo um empréstimo de 50 milhões de dólares da Caixa Econômica federal ao Grupo Abril — que edita a *Veja* — generosamente autorizado pela ditadura que exigia, em troca, a demissão de Mino Carta. Simples assim.

Minha relação com Cláudio e Radha remontava a 1966, 1968. Eu e Travassos nos tornamos, por assim dizer, discípulos de Cláudio e Radha que, além de conselhos, nos davam guarida ao nos esconder da repressão. Cheguei a morar no apartamento deles, em 1968.

Conviver com os Abramo era especial. Cláudio possuía vasto conhecimento de história, não só da esquerda e do movimento socialista, como da política e do jornalismo. Viviam o mundo da cultura e da imprensa, da esquerda europeia e brasileira, com tradições libertárias. Professavam um verdadeiro culto à radicalidade política com um apurado sentido de realidade. Não um pragmatismo simplório, mas a absoluta obediência às realidades sociais, políticas e econômicas. De vida austera, confortável no limite para cumprirem suas tarefas e criarem as filhas, Berenice e Bárbara. Com eles reencontrei meu lar e fiz minha universidade. Seriam decisivos na minha formação política e humana.

Uma noite, bati à porta da casa na rua Professor Artur Ramos e fui recebido como se nunca tivesse me ausentado por longos dez anos. Recomeçou nossa relação afetiva e política que se rompera com minha prisão, em 1968. Imediatamente, mas com segurança, recolocaram-me em contato com a esquerda.

Naquela mesma noite chegaram, depois de irem ao cinema, Berenice e seu namorado, depois marido, Rodolpho Gamberini, também jornalista. Bárbara, só voltei a ver muito tempo depois. Estava casada com Vinícius Caldeira Brant, ex-presidente da UNE e militante da AP, depois sociólogo e pesquisador.

Nas conversas com Cláudio e Radha, fui tomando consciência da amplitude da oposição à ditadura e, ainda, da imensa força criativa da nossa cultura, para além da situação política, social e econômica. Eu acompanhava o panorama pela *Folha* e pelo *Estadão*, mas era outra coisa estar em São Paulo e em contato com artistas, intelectuais, escritores, alguns que conhecia dos teatros de Arena, Ruth Escobar, TUSP (Teatro da USP) e Tuca (Teatro da PUC-SP), além das lutas estudantis.

Corria o ano de 1979 e eu precisava resolver o que fazer. Nas idas e vindas entre o Paraná e São Paulo, depois de entrar em contato com companheiros do movimento estudantil e da luta armada, concluí que era necessário voltar à legalidade.

Nossa opção — minha, de Cláudio e de Radha — foram Paulo de Tarso Venceslau e Luiz Roberto Clauset, dono da Livraria Zapata. PT Venceslau, como o chamávamos, era visadíssimo. Cumprira pena, participara do sequestro do embaixador americano Charles Elbrick, mas era o único sobrevivente do Movimento Estudantil com quem eu tinha laços políticos e de amizade. Mas era de alto risco.

Optamos então por Clauset. Era um contato fácil e próximo de Rose Nogueira e de Miriam Botassi, que militara conosco no Movimento Estudantil a partir da Escola de Sociologia e Política. Todo cuidado era pouco. Apesar da revogação do AI-5, ainda havia um longo caminho até a anistia e a volta dos exilados a partir de 1979.

Não me recordo quantas vezes viajei entre os dois estados, até a decisão de me estabelecer em São Paulo. Comecei os preparativos para deixar Cruzeiro do Oeste, ainda não definitivamente, mas, pelo menos, vender a alfaiataria e a fábrica de calças. Era impossível voltar para São Paulo e manter as três atividades em Cruzeiro. Wilson Bellini comprou minha parte na alfaiataria e depois a boutique. A fábrica de calças acabei por desativar.

Os pais, Olga e Castorino, o irmão Luís Eduardo, a irmã Neide, Zé Dirceu (terceiro, abaixo de Neide) e vizinhos

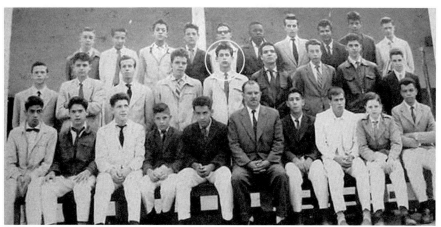

Com os colegas, no Ginásio São Miguel, em Passa Quatro (MG)

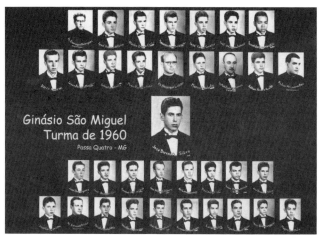

O formando José Dirceu

Foto oficial de formatura no curso ginasial em Passa Quatro

As manifestações estudantis explodiam nas ruas

A ditadura militar reprimia as manifestações populares desde 1964

Zé Dirceu despontava no Movimento Estudantil no Centro Acadêmico 22 de Agosto na PUC

Os estudantes e trabalhadores insistiam nas manifestações...

...enfrentando a repressão com vigor

Zé Dirceu, presidente da União Estadual dos Estudantes – UEE – e Luís Travassos, presidente da União Nacional dos Estudantes – UNE – lideravam as principais manifestações em São Paulo

Zé Dirceu e Luís Travassos incendiavam as ruas de São Paulo nas manifestações estudantis de 1967 e 1968

Vladimir Palmeira foi um dos líderes da Passeata dos 100 mil, em 1968, no Rio de Janeiro: a maior manifestação de protesto contra a ditadura militar, com participação popular e de artistas como Chico Buarque

O estudante secundarista José Guimarães foi baleado na rua Maria Antônia, em São Paulo, por uma bala vinda da Faculdade Mackenzie, e morreu. Zé Dirceu exibiu a camisa ensanguentada do estudante assassinado, incendiando a multidão

As manifestações continuavam, a polícia reprimia e Zé Dirceu brincava com a "imprensa burguesa", que dava ampla cobertura ao movimento estudantil

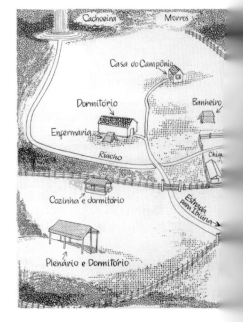

Quase 800 estudantes de todo o país tentaram fazer o Congresso Nacional da UNE em Ibiúna, interior de São Paulo, em dezembro de 1968, armados de ideias e estilingues

O Congresso da UNE foi organizado clandestinamente. Descoberto, foi reprimido com a prisão de 700 estudantes, entre eles Zé Dirceu e Antônio Guilherme Ribeiro Ribas, que morreria na Guerrilha do Araguaia, cinco anos depois

Zé Dirceu estava entre os 15 presos políticos trocados pelo embaixador norte-americano Charles Burke Elbrick, sequestrado no Rio pelos grupos de luta armada urbana MR-8 e ALN. No Pará, o PCdoB tentava organizar a guerrilha rural. Um dos membros do grupo, o futuro deputado federal José Genoino, foi o primeiro a ser preso. Dos demais, quase todos foram assassinados

Desembarcando em Cuba, depois de muita tensão...

Zé Dirceu, Gregório Bezerra e Luís Travassos, diante de Fidel

Na Havana revolucionária

Mirando Havana, seu segundo lar

Cortando cana pela revolução

ÁLBUM DE FAMÍLIA: "Carlos", o clandestino, com a mulher Clara Becker no aniversário do filho Zeca, em 1979, e três décadas depois com o filho Zeca, agora deputado, a sempre amiga Clara Becker e com os quatro filhos: Zeca, Camila, Maria Antônia e Joana

Clandestino no Brasil, tentando reorganizar o Molipo, Zé Dirceu enfrentou choques amargos: seus companheiros de treinamento em Cuba foram violentamente assassinados. José Roberto Arantes, aos 28 anos e Carlos Eduardo Pires Fleury, aos 27, em 1971; Lauriberto Reyes, aos 27, em 1972; e João Leonardo Rocha, aos 36, em 1975. Em 1976, a repressão massacrou Pedro Pomar e Ângelo Arroyo, dirigentes do PCdoB, no bairro da Lapa, em São Paulo

José Roberto Arantes

João Leonardo Rocha

Lauriberto Reyes

Antônio Benetazzo

Carlos Eduardo Fleury

Ângelo Arroyo   *Pedro Pomar*

A chacina da Lapa colocou um ponto-final na aventura guerrilheira do PCdoB

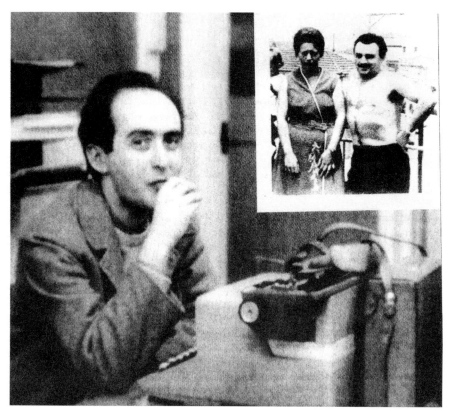

Enquanto sobrevivia preocupado, na clandestinidade, mais acontecimentos dramáticos para Zé Dirceu: as torturas e mortes do jornalista Vladimir Herzog em outubro de 1975 e Manoel Fiel Filho em janeiro de 1976. Ambos no Doi-Codi em São Paulo. Lutar contra a ditadura no Brasil estava cada dia mais perigoso

Com a anistia, a "volta" ao país, a recuperação da identidade e uma nova história a caminho

12

O SEGREDO DE CARLOS

*Chegou o dia. "Eu não sou eu", disse
o ex-guerrilheiro para a mulher*

Desvencilhar-me do negócio foi simples. Difícil era comunicar minha decisão a Clara. E mais: revelar quem eu, de fato, era. Tinha absoluta consciência da imperativa necessidade de — por razões de segurança — preservar minha verdadeira identidade até a última hora.

A anistia foi aprovada no dia 28 de agosto de 1979. Aquele seria o ano das grandes greves do ABCD. Nas principais cidades do país, metalúrgicos, químicos, bancários e professores enfrentavam a ditadura e, na prática, aboliram a lei de greve. A UNE estava reconstruída e o bipartidarismo condenado à extinção, o que aconteceria em dezembro com a nova Lei Orgânica dos Partidos.

O mundo e a América Latina estavam também em movimento. Os sandinistas, liderados por Daniel Ortega, triunfavam na Nicarágua, assim como o sindicato independente Solidariedade, na Polônia. A revolução dos aiatolás no Irã e a invasão do Afeganistão pela União Soviética prometiam agravar a Guerra Fria. Em 1979, Margaret Thatcher venceu os trabalhistas na Grã-Bretanha, sinal dos tempos que viriam com a vitória, em 1980, de Ronald Reagan nos Estados Unidos.

Sem o risco da tortura e da morte, retomei os contatos. Clauset e Rose, Miriam e Paulo, depois Cida Horta foram solidários e, apesar de serem ex-presos políticos, não vacilaram no apoio. Cida, a única que não fora presa, acabara de retornar de Cuba após quase dez anos de exílio. Ainda me lembro da alegria mesclada de medo, da ansiedade no primeiro contato com Clauset e do meu primeiro encontro com Miriam, numa livraria. Conversar com Clauset, Miriam, Cida, e depois Paulo e Rose, era como se eu nascesse de novo. Era o recomeço.

O SEGREDO DE CARLOS

Eles seriam decisivos para minha sobrevivência nos primeiros dois anos e na retomada de minha militância política. Com Miriam, mantive uma relação afetiva e frequentei a casa de sua família, almoçava com seus familiares aos domingos. Depois das reuniões do diretório, eu vivi em sua casa, na Vila Mariana e na Chácara Klabin, então um conjunto de pequenas casas. Na minha volta a São Paulo, participamos da organização do diretório do PT do Jardim Paulista e chegamos a ter uma relação infelizmente mal resolvida que deixou marcas, mais por culpa minha.

A anistia que chegara não era a que queríamos, aquela que puniria os crimes e os criminosos da ditadura, como aconteceu na Argentina, Chile e Uruguai. Mas era a possível — e a viável — a aprovada pelo Congresso.

Com o coração despedaçado e a alma perdida, fui ao encontro de Clara. Saímos de carro e contei a ela, minha parceira, companheira e mãe de meu filho, que eu não era o Carlos dela, o Carlos da Clara, o Carlos da Butique, o "Pedro Caroço", mas aquele outro das fotos e dos jornais, o José Dirceu de Oliveira e Silva, o Zé Dirceu, trocado — com mais quinze companheiros — pelo embaixador norte-americano Charles Elbrick.

Não consigo descrever minha dor e minha culpa, apesar de absoluta convicção de ter feito o que devia. Maior foi o sofrimento de Clara, absolutamente perplexa, mas serena, às vezes revoltada, mas solidária e companheira.

Até hoje não sei como agradecer a ela pela compreensão. Confiou em mim e continuamos tocando a vida. Clara manteve o segredo e ajudou-me a vender a loja e a fábrica como se nada de mais tivesse acontecido. Apostamos no jogo do bicho o milhar do número da Lei da Anistia e, incrível, ganhamos. Festejamos e a vida continuou. Sem o seu apoio e afeto, jamais eu teria sobrevivido.

Decidi, depois de muito discutir com Ivo e Gil, voltar a Havana para remover a plástica. Ou refazê-la, restabelecendo, na medida do possível, meu rosto anterior para regressar ao Brasil, como se tivesse passado os últimos dez anos em Cuba.

Para isso, eu precisava sair clandestino do Brasil, com passaporte frio. Depois, voltaria legalmente, anistiado, retomando minha identidade real, recomeçando minha vida, o que significava manter em Cruzeiro do Oeste a identidade falsa de Carlos Henrique, o que só consegui com o respaldo de Clara. Ivo e Gil foram também decisivos. Ivo foi ao Peru, contatou a embaixada de Cuba e organizou minha ida e recepção em Lima.

Em São Paulo, articulei, apoiado por Cláudio e Radha Abramo e por companheiros da ex-ALN, minha saída por Congonhas, num voo da Aeroperú. O passaporte falsificado me deu um prazer especial de iludir a repressão. Era como se fosse uma vingança, a desforra por tudo que a ditadura causara aos meus companheiros. Sobrevivera durante cinco anos incógnito no Brasil após ter sobrevivido entre 1971 e 1972, também no país. Preparava-me para voltar, concluir a tarefa e a missão que haviam me delegado, de ajudar a derrotar a tirania, e de retomar a luta pela democracia e o socialismo. Era setembro de 1979.

De Lima, voei para Havana, via Panamá, primeiro num voo da KLM, em um DC-10, que seguia para Amsterdã e faria escala em Ciudad del Panamá. Na hora da aterrissagem, o DC-10 sofreu uma pane, uma das turbinas se soltara, causando um princípio de pânico, quando vivi a experiência de um pouso forçado. Difícil foi convencer meu acompanhante cubano, Sergio Cervantes, a embarcar novamente em um outro avião, em uma aeronave da Cubana de Aviación, que não inspirava confiança. Felizmente, tudo correu bem até Havana.

A operação logística e política de manter duas identidades, viajar a Cuba via Peru, refazer a plástica e voltar legalmente para o Brasil era complicada. Tomei essa decisão pela possibilidade real de um retrocesso político no Brasil, mesmo com a anistia e o fim do AI-5, insinuado logo a seguir pelos atentados e reações à direita contra o governo Figueiredo.

Assim, entre 1978 e 1979, vivi uma vida dupla e tripla, entre várias identidades, em um país que sofria profundas mudanças políticas e experimentava a euforia da liberdade, ainda que controlada, com o ressurgimento ou nascimento de partidos como o PTB, PDT, PCB, PPS, PCdoB, PDS, substituindo a Arena, PMDB, no lugar do MDB e o Partido Popular de Tancredo Neves, logo absorvido pelo PMDB.

Não tinha muito tempo para ir a Cuba e voltar. Queria visitar os meus pais em Passa Quatro e passar, pelo menos, o Natal e o Ano-Novo com Clara e o nosso filho Zeca. Em Havana, foquei na cirurgia de reversão da plástica e nos contatos políticos. Meu objetivo era retornar com o salvo-conduto da ONU, e retirar meu passaporte brasileiro na embaixada de Lima.

Meu banimento e perda da nacionalidade foram revogados com o fim do AI-5. Contudo, como o Brasil não mantinha relações diplomáticas com Cuba, só era possível obter o passaporte em Lima e, para viajar de Havana até lá, precisava do salvo-conduto. Quanto menos tempo em Havana, menos contatos, mais segura e rapidamente eu voltaria.

Em Havana, recebi todo apoio do governo e do Partido. Restava Lima, onde geralmente os retornados esperavam semanas, quando não meses, pelo passaporte. Na minha situação, temia uma demora ainda maior.

Quem me socorreu foram os Abramo. Contataram Vera Pedrosa — filha de Mário Pedrosa, um dos fundadores do PT, depois embaixadora em Paris no governo Lula — e Marcos Duprat, artista plástico, ambos diplomatas de carreira lotados em Lima. Tudo funcionou como devia e, no dia 19 de dezembro de 1979, desembarquei no aeroporto de Congonhas, em São Paulo. Retornava de Havana, onde vivera desde 1969, versão que predominou e se consolidou até 1986, quando eu mesmo, então candidato a deputado pelo Partido dos Trabalhadores, resolvi contar a verdadeira história de minha vida.

Em São Paulo, o objetivo era recomeçar do zero, retomando o fio da minha trajetória, rompido no dia 12 de outubro de 1968, em Ibiúna, onde fora preso no 30º Congresso da UNE. Deixava para trás o personagem Carlos Henrique Gouveia de Mello, mas não minha vida e minha família em Cruzeiro do Oeste, até hoje parte integral de minha existência: Zeca, Clara, minha neta Camilla, meu amigo Ivo, já falecido, Gil e tantos outros.

Na casa dos Abramo vivi quase um ano, entre 1980 e 1981. Passaria o Ano-Novo com Clara e Zeca, e o Natal em Passa Quatro, onde me reencontrei com minha infância e adolescência, meus pais, Castorino e Olga, e os meus irmãos, que foram me recepcionar em Congonhas. Em Minas, descubro sobrinhos e cunhados que não conhecia e reencontro as minhas irmãs que deixei meninas em 1968.

Não voltava para o Brasil e sim para casa, para Passa Quatro, para o Colégio São Miguel, a infância, a Serra, as laranjas, as jabuticabas, os quintais, a Associação Comercial, o "Caixotão", os bailes, meus amores adolescentes, o perfume da flor de manacá, a rebelde e libertária Minas Gerais de Tiradentes, a Revolução de 30, JK, os padres Miguel, Domingos, Zé Maria e Michel, os meus companheiros caídos na luta, Osvaldão, Ivan, o "Comandante Cabanas", do PCdoB e da AP, mas nossos, de Passa Quatro.

O meu pai, Castorino, ainda bonito nos seus setenta anos, sonhou ganhar na loteria durante aqueles dez anos e viajar para Cuba para rever o filho. E lá estava eu, de volta, nos meus trinta e três anos. Meus irmãos Abel, Luís e Mário, minha irmã Neide e as menores Ana e Carmo, casadas e com filhos.

Minha família, como todas, sofreu as consequências de nossa luta contra a ditadura. Neide lembra como os telefones eram monitorados e, de tempos em tempos, uma voz dura e não identificada citava o nome completo dos pais e dela e, confirmado, desligava. Durante a ligação o barulho de uma chave que ligava e desligava era, evidentemente, gravado.

Minha outra irmã, Ana Maria, vivendo no Rio, pelas atitudes, conversas e como costumava ser abordada por pessoas, percebia claramente que sua vida pessoal — seu trajeto, lugares que frequentava e mesmo indo para o trabalho — era monitorada constantemente. Em Passa Quatro, ocorria o mesmo com nosso telefone residencial.

A lembrança mais marcante que deixei para Ana Maria foram as imagens televisionadas de nossa prisão, em Ibiúna, e nossa ida para o exílio, no aeroporto, depois do sequestro do embaixador. Minha mãe acabara de adquirir um aparelho de televisão e convidou os vizinhos para assistir, quando o *Repórter Esso* deu a notícia. Foi um choque.

Ainda em 1969, na manhã de 7 de setembro, a cidade passa-quatrense amanheceu completamente pichada por manifestações contra o governo e a ditadura. O desfile das escolas foi disperso e cheio de comentários curiosos e surpresos dos alunos de todos os colégios. Minha irmã Ana relata que ela e muitos sentiam como se tivesse, de próprio punho, participado desse ato de repúdio e revolta contra a situação vigente no país e também o meu exílio. No final do dia chegou a notícia de que meu irmão Abel fora preso, acusado de ser um dos que participaram ou colaboraram com o ato de protesto em Passa Quatro. Outro choque e outra dor para a família.

Pela idade que Ana Maria tinha quando saí de Passa Quatro, quatro anos, depois quando fui para o exílio, treze anos, e quando voltei, vinte e três anos, seu conhecimento a meu respeito era através da imprensa, das entrelinhas que aprendera a ler e interpretava. Com o tempo, conheceu o país, se politizou com minha história de vida e luta.

Quando voltei, em 1979, eu me hospedei com Clara e Zeca em sua casa, vi nela um potencial, e a convidei para irmos juntos para São Paulo. Sua mensagem para mim, levada por Chico Buarque — que vou contar em seguida —, me impactou e me dei conta de que havia uma empatia entre nós, ela, já mãe de uma filha, recém-nascida. Mas Ana não tinha como aceitar minha proposta.

Quando estive em Cuba para refazer a plástica, e voltar legalmente ao país com o salvo-conduto da ONU, recebi um bilhete que minha

O SEGREDO DE CARLOS

família me enviara por sugestão e com o apoio do deputado Airton Soares, um dos mais solidários com os exilados e presos políticos. Um parêntese: mais tarde, fomos companheiros no PT e dele só guardo boas lembranças. Sou testemunha de sua atuação e competência como um dos líderes da oposição à ditadura. A mensagem era um bilhete sem referências que pudesse indicar quem mandava. Quem levaria seria o cantor e compositor Chico Buarque, que visitava Cuba pela primeira vez, em 1978, como jurado do Prêmio Casa de las Américas. Na sua volta ao Brasil, foi preso, juntamente com o escritor Antônio Callado, o jornalista Fernando Morais e as suas respectivas mulheres, Marieta Severo, Ana e Bia. Hoje consta, dos arquivos liberados da ditadura, a frase que escreveu de próprio punho recusando continuar respondendo aos verdugos: "Não vou responder mais nada", assinado Chico Buarque.

No bilhete, cada um dos meus irmãos e irmãs, meus pais, escreveu com sua letra uma pequena mensagem permitindo a identificação de quem escrevera.

Conheci e estive algumas vezes com Chico Buarque, ainda quando estudava na FAU, a Faculdade de Arquitetura e Urbanismo da USP, e frequentava a rua Maria Antônia e seus bares. Depois, raramente o encontrei, mas sua música, para nós que enfrentamos a saudade e a solidão do exílio, era como se estivéssemos em casa, no Brasil, além de ser também um grito de resistência e de luta.

Mas quem mais sofreu foram meus pais. Mamãe, dona Olga, não aguentou a prisão do meu irmão Abel, transferido para Juiz de Fora após ter assumido toda culpa pelas pichações contra a ditadura. Teve uma febre emocional, ficou doente e com o seu estado psicológico tão abalado que não falava coisa com coisa. Demorou para se equilibrar e entender o que estava acontecendo. Para agravar a situação, o irmão de meu cunhado Flamarion, Dinamar Mossri, que era oficial do exército, e chegara a comandar o BGP (Batalhão da Guarda Presidencial) em Brasília, e estando em Passa Quatro de férias, foi encarregado do IPM, o que aumentou o sofrimento das duas famílias.

Pedro Mossri, outro irmão, contava depois que, pela primeira vez, viu meu pai, Castorino, chorando e falando sozinho pelas ruas da cidade. Foram dez anos de tristeza pela minha ausência, por não saberem como eu estava vivendo, temerosos da minha integridade física e da deles também.

As notícias que minha família recebia eram truncadas, por razões óbvias de segurança. Ora era um bilhete deixado por uma freira sem identificação dando notícias minhas, sem certeza da veracidade, ora um telefonema, lacônico, informando que eu estava doente com problemas renais, sendo medicado.

Meu pai, um homem sereno e tranquilo, comentava que tinha receio que eu voltasse amargo, revoltado com o que havia passado durante os dez anos. Sem falhar, mamãe o aguardou todos os dias às 18 horas, quando deixava a tipografia, para juntos rezarem o terço. Depois papai jantava e voltava ao trabalho para fazer serão, como se dizia.

Minha mãe, católica fervorosa, rezava pela minha liberdade, relata minha irmã Ana, com a certeza de mãe "quando se volta para o alto e entrega seu filho". Papai fez economias todos esses anos sonhando em viajar para Cuba para me reencontrar, mesmo sem saber como; parou de fumar e de beber sua cervejinha.

Minha última passagem em casa fora um pouco antes da prisão, quando já estava sendo perseguido. Cheguei à noite e minha irmã Ana acordou e recorda: acompanhado de um amigo, pedi para mamãe fazer o que comer e ela fez salsicha ao molho, esquentou o que tinha, arroz, feijão, e serviu com salada e ovos fritos. Ana se lembra de minhas palavras, "saudades da comidinha de casa". Dormi e, de madrugada, parti sem despedidas. Na minha família era sagrado atender a todos que pediam um prato de comida, sempre pedindo a Deus que não me faltasse o que comer.

Dá para imaginar a surpresa e alegria deles ao me receber de volta com saúde, alegre, com esperanças, convicção e disposto à luta. Além disso, com uma família — Clara e Zeca —, uma alegria só turvada pelo receio de uma nova prisão enquanto a ditadura perdurasse.

No aeroporto, tive o primeiro contato com a imprensa. Falar o quê? Se não estive aqui esses dez anos, mas estive? Preciso segurar a vontade de falar, principalmente dos ecos da proposta de um novo partido dos trabalhadores. Depois, na casa dos Abramo, aconteceu o reencontro com os companheiros e as companheiras de 1968.

Ao abraçar meus pais e irmãs, uma sensação única apoderou-se de mim. Pensei: agora sim, estou em casa, na minha pátria. Mas, ao mesmo tempo, a vida dupla me acossava. Minha irmã Neide me abraçou e eu, de imediato, lhe entreguei um pacote para ela tomar conta. Eram os presentes para o Zeca, meu filho, com três anos então, e de cuja existência meus pais ainda não sabiam.

Passadas as festas e virado o ano, a realidade: recomeçar minha vida pessoal, profissional e política, reconhecer uma cidade que deixara há dez anos, reencontrar os sobreviventes, reaprender tudo, voltar aos estudos de direito na PUC, arranjar um emprego. Porém, como a ditadura e a repressão ainda continuavam vivas, não abri mão da segurança. Continuei andando armado, com um plano alternativo para sair do país com documentos duplos, rota de fuga, recursos, passaporte, situação necessária, condição para encarar o imprevisto.

Minha presença no país, ainda que clandestina e isolada no Paraná, até 1977, me dera a vantagem de conhecer a situação do Brasil. Continuei viajando para Cruzeiro do Oeste com a preocupação de não chamar a atenção. Em São Paulo, preservei os vínculos com Gil e Ivo, mas minha vida e os novos desafios agora eram nessa metrópole.

Comecei a procurar trabalho e a preparar os papéis para retomar meu curso de direito, interrompido no terceiro ano, em 1967. A volta do clandestino para a realidade não é simples, é preciso se adaptar, aceitar a condição de retornado, anistiado e, na prática, deixá-la para trás, trabalhando, estudando e refazendo seu meio. Sem isso, você "volta" para o exílio, a clandestinidade, a cadeia, a prisão ou se prende nas memórias, no passado, nas perdas, na depressão.

Retomei os contatos com Miriam — eu havia me escondido em sua casa na Vila Klabin —, Clauset e Rose Nogueira, PT Venceslau, com a ex-ALN, o "coletivo", o próprio PT, Paulo Vannuchi — o "PV" —, Moacyr Urbano Villela, Carlinhos Lichtenstein, Celso Horta, Reinaldo Morano — "Xuxu" — e o gaúcho Laerte Meliga. Com exceção de Moacyr, todos haviam sido presos, torturados e haviam cumprido longas penas. Foi com eles que retomei o debate e a luta política.

Buscando um emprego, soube que na Assembleia Legislativa de São Paulo havia uma seleção para contratar auxiliares administrativos para a liderança do PT, cuja bancada era formada por deputados e deputadas vindos do PMDB: Geraldo Siqueira; Eduardo Suplicy, que se elegera deputado federal deixando como sucessor uma figura ímpar, o psicanalista João Baptista Breda; Irma Passoni; Sérgio Santos e Marco Aurélio Ribeiro. Desses eu conhecia Marco Aurélio, ex-presidente do Centro Acadêmico XI de Agosto, parceiro do Movimento Estudantil, com quem estivera preso em Itaipu. Sortudo, Marco Aurélio fora solto no dia 12 de dezembro de 1968, véspera do AI-5. Geraldinho e sua assessoria vinham do Movimento Estudantil e da AP, como

Antônio Doria e Ricardinho (Azevedo), seus assessores e quadros políticos experientes. Sérgio era das bases populares da zona Norte paulistana, Irma, da zona Sul, ambos com relações com a Igreja e o PCdoB; Suplicy, professor da Fundação Getúlio Vargas (FGV), liderança que se consolidava, de origem elitista, mas eleito pela oposição à ditadura com base no apoio da classe média, intelectuais, artistas, estudantes e jornalistas.

Fiz um teste de redação, datilografia, legislativo e partidos políticos. Graças ao meu curso de datilografia em Passa Quatro, acabei aprovado e contratado. Vencia o primeiro obstáculo, com um emprego ideal, ligado ao PT, no Parlamento, e com uma bancada combativa e ansiosa por uma assessoria que organizasse o gabinete da liderança da bancada e que os apoiasse na atuação legislativa.

A minha volta à PUC foi tranquila, pois a Lei de Anistia assegurava minha matrícula. A reitoria e a direção da faculdade faziam oposição ao regime, que invadira seu prédio na Monte Alegre, bairro de Perdizes, em São Paulo, em 1977. Vários professores e assistentes eram meus contemporâneos na faculdade e o Centro Acadêmico 22 de Agosto estava também nas mãos da oposição.

Fui obrigado a cursar o "Básico", além de moral e cívica, cujo nome da matéria já diz tudo, pura louvação à ditadura e sua "moral" e OSPB, Organização Social e Política do Brasil, uma fraude que a ditadura inventou para ensinar a sua versão da história do Brasil, praticamente eliminando o estudo e ensino da verdadeira história, geografia e filosofia. Logo os professores me dispensaram das aulas. Fiz as provas e os trabalhos e, sendo aprovado, regressei ao terceiro ano do curso, em 1981.

Faltava para mim uma casa, um canto. Encontrei um pequeno apartamento que ficava em cima de um restaurante e da agência do Banco do Brasil na rua Pinheiros, esquina com a avenida Faria Lima. Tinha algumas vantagens: o aluguel era barato, ficava perto dos Abramo, era seguro e sem vizinhos. Pegava dois ônibus todos os dias para ir aonde precisava. Como o apartamento ficava perto da PUC, subia a rua Teodoro Sampaio, seguia pela Dr. Arnaldo e depois descia rumo à rua Cardoso de Almeida e à Monte Alegre. Era tudo o que precisava, uma vida organizada. Mais tarde, descobri porque o aluguel era barato: o forno do restaurante português que funcionava no térreo ficava bem embaixo do meu quarto.

Desde que chegara decidira me incorporar à fundação do Partido dos Trabalhadores, ao Comitê de Anistia e ao "Coletivo". Minhas horas

O SEGREDO DE CARLOS

rodadas de pensões, repúblicas, trabalho de *office boy*, almoxarife, arquivista, relações-públicas e tesouraria me ajudariam na tarefa de auxiliar na reorganização e requalificação da liderança do PT na Assembleia.

O "Coletivo" era pequeno, mas acumulara uma experiência única, antes e depois da luta armada. Nossas prioridades eram os embates sociais, sindicais e populares, a denúncia das torturas, desaparecimentos e assassinatos, o resgate da memória dos mortos e desaparecidos e a punição dos crimes e dos torturadores. Cada um tinha sua vida profissional ligada geralmente à própria luta social, à imprensa alternativa e a organizações e centros de estudos e pesquisas. Reinaldo, que era médico, voltava a clinicar; Paulo Vannuchi era próximo ao Sindicado dos Metalúrgicos; Paulo de Tarso estava ligado ao jornal *Versus*; Carlinhos, com o Cedic (Centro de Experimentação e Divulgação Científica) do Instituto Sedes Sapientiae e Moacyr com os movimentos sociais.

Como era natural, me aproximei mais de PT Venceslau. Frequentei sua casa com regularidade e convivi com ele e sua então companheira, Renata Vilas Boas, depois esposa e mãe de dois filhos de Vannuchi. Na clandestinidade, frequentara, apresentado por Ana, a casa de "amigos" que ela conhecera em viagens. De fato, recebia correspondência dela nesse endereço, onde conheci o irmão de Renata. Aliás, Renata me diria sempre: "Meu irmão desconfiava que você não era nada daquilo que dizia". Eu me apresentava como agrônomo. Filha de diretor de banco, Renata dedicava-se totalmente ao trabalho de base na zona Leste paulistana.

Naqueles primeiros anos, além da Assembleia, da PUC, da casa dos Abramo e dos amigos, frequentava também o escritório de Airton Soares, deputado federal pelo MDB, que se filiara ao PT, no bairro da Bela Vista. Ali também funcionou o Comitê Brasileiro da Anistia (CBA) e depois a primeira sede provisória do PT.

Foi nessa época que conheci Luiz Eduardo Greenhalgh. Advogado, um dos fundadores do CBA, defensor de sindicalistas em processos movidos com base na Lei de Segurança Nacional (LSN), Greenhalgh viria a ser vice-prefeito de São Paulo e deputado federal pelo PT.

Dois espaços se tornaram parte do meu cotidiano: o escritório de Airton Soares e a sede da Associação Brasileira de Imprensa (ABI), na rua Augusta. Ali reunia-se o grupo de profissionais, artistas, intelectuais e escritores, todos ligados ao PT, estigmatizado por alguns como o núcleo "das estrelas".

Conheci Eduardo e Marta Suplicy no apartamento de Márcio Moreira Alves, nas Laranjeiras, no Rio. Suplicy era deputado federal e seu amigo João Baptista Breda era deputado estadual eleito pelo MDB e filiado ao PT. Psiquiatra e homossexual assumido, Breda era um precursor da luta contra a discriminação e o preconceito. Ótimo parlamentar, irônico e corajoso, encarava a repressão e era o escudeiro de Eduardo.

Eles me impressionaram. Recém-egresso da clandestinidade, com a mala presa na pensão, sempre vivi apertado financeiramente e nunca fui de fumar e beber, com exceção de curtos períodos em 1968 e depois em 1972. Apenas na década de 1990 comecei a beber, primeiro rum, depois vinho e Jack Daniels, uísque norte-americano do Tennessee feito à base de milho, centeio, cevada.

Naquela noite, no apartamento de Marcito, optei por beber vinho. Logo, percebi que Marta estava me observando. Ela se aproximou e perguntou: "Você sabe o que está bebendo?". Respondi que sim, que era vinho. E ela: "Sim, vinho, mas do Porto. Sabe o que é?". Eu respondi que não, e Marta explicou do que se tratava, dando-me a primeira lição sobre vinhos.

Com Marcito, Ana e eu tentamos criar um folhetim político, informativo com notícias exclusivas, *insides*, que se tornariam uma febre mais tarde, e só fracassamos por falta de anunciantes. Marcito fora um amparo importante para os exilados em Lisboa e Ana se apoiara muitas vezes nele para nossas atividades, viagens e operações entre Cuba e o Brasil.

Naquela visita a Marcito, reencontrei Tania, na verdade Iara Xavier, irmã de Alex e Iuri, assassinados pela ditadura, com quem eu convivera e namorara em Havana apesar das divergências entre seus irmãos, a mãe Zilda Xavier e o pai, todos dedicados militantes da ALN. Iara, que perdera seu companheiro, Arnaldo Cardoso, pai do seu filho, no enfrentamento com o regime, dedicou sua vida ao resgate da memória e à denúncia dos crimes da repressão.

Meu namoro com Iara foi uma volta à adolescência perdida, ela era uma menina, mas já adulta pela luta e politizada pelo exemplo dos pais, Zilda e João Batista. Apaixonada pelos irmãos, dura na discussão política, às vezes sectária, tivemos um breve namoro, uma luz na solidão e no banzo que me atacava de tempos em tempos. Nosso relacionamento era de passeios, idas ao cinema, a parques de diversão e "pousadas" que, na verdade, eram pequenos motéis, já que não morávamos juntos. Nosso namoro não era bem-visto e aceito pela mãe e irmãos, creio que mais pelas questões políticas do que pelo namoro propriamente dito ou por mim mesmo. Acabou de repente, Iara se afastou, sofri muito, mas nada como a luta, o treinamento e outros amores para curar as dores da paixão.

Também no CBA e no escritório de Airton Soares conheci Suzana Lisboa, gaúcha, judia, viúva de Luiz Eurico Lisboa, outro assassinado pela ditadura. Suzana lutava para esclarecer o assassinato de seu companheiro. Acabou localizando os restos mortais de Luiz Eurico e foi uma parceira constante dos pais de Sônia de Moraes Angel, em busca do paradeiro da filha e de seu companheiro, Stuart Angel, filho da estilista Zuzu Angel, também assassinada pela ditadura em um acidente forjado de carro no Rio, em 1976. Artista da moda brasileira, Zuzu granjeara fama internacional. Desfilava suas criações em Nova York, onde sua clientela incluía personalidades do *show business* como Liza Minelli e Joan Crawford. Impetuosa, denunciou a crueldade do regime militar ao secretário de Estado norte-americano Henry Kissinger e ao senador democrata Edward Kennedy. Representava uma ameaça à tirania e, por isso, foi perseguida e morta. Suzana foi minha primeira namorada em São Paulo. Não chegamos a morar juntos e nos tornamos grandes amigos. Sua dedicação à luta pela anistia e em busca dos mortos e desaparecidos me impactaram para além de sua beleza e coragem.

13

NASCE UMA ESTRELA!

*O ex-guerrilheiro assina a ata de
fundação do Partido dos Trabalhadores*

Conheci Lula por intermédio de Paulo Vannuchi e Frei Betto. Betto tinha trabalhado na *Folha da Tarde* nos anos de 1967 e 1968 cobrindo as mobilizações estudantis. A imagem que eu tinha de Lula remontava aos anos 1977 e 1978, quando ele surgiu com aquela voz roufenha, sua liderança e sagacidade, desafiando o governo militar e resistindo às ameaças que, depois, se transformariam em repressão, intervenção e prisões no mais poderoso sindicato do país.

Importante também era que, ao lado de Lula, despontavam novas e combativas lideranças sindicais, como os bancários Olívio Dutra e Luiz Gushiken, o petroleiro Jacó Bittar, de Campinas, e Wagner Benevides, de Minas, João Paulo Pires Vasconcelos, dos metalúrgicos mineiros, e os professores Gumercindo Milhomem e Luiz Dulci. Vinham para confrontar o oficialismo e o peleguismo presentes em muitas associações sindicais.

No primeiro momento, a figura de dona Marisa, mulher de Lula, me impressionou e eu não estava errado. O tempo comprovaria sua força junto ao marido. Apesar das diferenças culturais e de classe, logo me identifiquei com Lula. O jeito espontâneo de se impor perante os interlocutores, sua sede de conhecimento, os sinais claros de uma inteligência rara e sua coragem ficaram na minha memória. Mesmo com diferenças sobre questões relevantes para mim, como as da Anistia ou do Movimento Estudantil, que Lula via com desconfiança e muitas vezes subestimava, começamos com o pé direito. O principal naquele momento era construir um partido dos trabalhadores.

Não sou muito de empatias ou simpatias, foco mais nas realizações e práticas, na luta e nos objetivos e, nesse sentido, Lula tinha plenas condições de liderar o novo partido. Estava decidido a me filiar ao PT e fui surpreendido com o convite para ser um dos 111 fundadores da legenda. Assinei a ata da sua fundação e estive presente no Congresso do Colégio Sion, em São Paulo, onde se debateu e aprovou o manifesto e a plataforma de lutas do partido.

No "Coletivo", após longos debates, deliberamos priorizar a construção do PT e, mais importante, optamos por nos dissolver como corrente política. Não existiria a ex-ALN-Molipo no PT. Não era simples essa resolução, pois perdurava o compromisso com o passado, mas o presente se impôs. A própria experiência e a autocrítica de todos — imersos na luta popular — levavam ao rio que se formava, o PT.

Tiramos uma segunda resolução mais significativa e com repercussão a longo prazo: não seríamos mais um partido de vanguarda, marxista, leninista, revolucionário dentro do PT como outras correntes e partidos, PRC, CS, MEP, ALA, e mesmo os trotskistas, morenistas, fundada por Nahuel Moreno. Moreno, argentino, falecido em 1987, foi o criador e dirigente da Liga Internacional dos Trabalhadores, Quarta Internacional (LIT-QI) que, no Brasil, constituiu-se como Convergência Socialista no PT e depois PSTU. Os posadistas, que se guiavam pela liderança de J. Posadas, os lambertistas, fundada por Pierre Boussel "Lambert", francês, falecido em 2008, fundador e oriundo da QI, CIR, Centro Internacional de Reconstrução, no Brasil e no PT conhecida como OSI — O Trabalho, a Liberdade e Luta e os mandelistas da QI-SU, Secretariado Unificado, fundada por Ernest Mandel, belga falecido em 1995, no Brasil, e no PT Democracia Socialista.

Defendemos, na constituição da sigla, uma coluna vertebral unindo os sindicalistas que detinham a legitimidade e a liderança, além de uma expressiva e majoritária base social operária e trabalhadora e as pastorais, comunidades de base e movimentos populares e as esquerdas independentes, provenientes da luta armada ou não, onde nos enquadrávamos. Era o que seria, no futuro, uma vasta aliança de artistas, intelectuais, advogados, jornalistas, médicos, que se uniram aos militantes da luta armada para forjar e construir, com base na força dos sindicalistas e das bases populares, a maioria do PT.

O que nos unia: construir não só um partido, mas um partido de massas, organizado, com base social, militância e núcleos. Um partido de ação e atuação social, política e institucional e não apenas eleitoral. Porém, não apenas social e popular, mas um partido democrático, no

NASCE UMA ESTRELA!

qual as decisões são tomadas pelo voto de cada filiado e com absoluta liberdade para debater, divergir, opinar e publicar, mas no qual as decisões, uma vez tomadas, seriam cumpridas.

Estávamos vacinados do militarismo, do vanguardismo e do burocratismo centralizador. Estavam lançadas as bases para construir uma maioria, mas também as bases da principal divergência dos primeiros anos da legenda. Criar um partido estratégico para lutar pelo poder, a partir das lutas sociais e econômicas articuladas com a luta político-institucional que, nessa fase, visava a derrubar a ditadura e construir uma maioria social e política sob a direção do PT. Estávamos em 1980, 1981. O PT estava recém-fundado, em 10 de fevereiro de 1980. O PMDB era o partido hegemônico e a ditadura ainda sobreviveria por mais cinco anos.

Assistiríamos a seguir ao agravamento da crise econômica entre os anos 1981 e 1983 e a disputa dentro da Arena, que levaria à derrota de Mário Andreazza, candidato oficial do regime, para Paulo Maluf. E também a criação da Frente Liberal e a eleição de Tancredo Neves no colégio eleitoral, depois da maior campanha política e de massas contra o arbítrio desde 1964. Mobilização nunca então vista que, por momentos, parecia capaz de aprovar a emenda das Diretas Já ou mesmo derrubar a ditadura nas ruas, seja pela fraqueza do general-presidente Figueiredo, seja pela debilidade do regime. O fim da ditadura nas ruas e pelas ruas só não aconteceu pela firme vontade de uma transição por cima, expressa na aliança PMDB-PFL na chapa Tancredo-Sarney.

Vivíamos ainda a repressão às greves no ABCD, com a prisão de sessenta e quatro sindicalistas e o pipocar de atos terroristas de direita, atentados a sedes e bancas de jornais, envio de cartas-bombas como a que vitimou a secretária da OAB, Lyda Monteiro da Silva. Foram quarenta e seis atentados ao longo de 1980. Em dezembro, ainda seria proibida a festa do jornal *Voz da Unidade*, do PCB.

A recessão econômica se aprofunda em 1981 e o governo é colocado em xeque com o atentado no centro de convenções do Riocentro, onde uma bomba que explodiria em um *show* em comemoração ao 1º de Maio, organizado por artistas da oposição, mas acabou sendo detonada acidentalmente, antes da hora, no colo de um sargento do exército que a preparava. O sargento morre e um oficial fica gravemente ferido. Montado para ocultar os verdadeiros autores, um Inquérito Policial--Militar produz uma versão risível e sem a menor credibilidade. Os responsáveis nunca seriam punidos. De qualquer forma, seria o canto do cisne dos DOI-Codis e dos atentados.

O regime estava enfraquecido com as greves e o crescimento da oposição. O governo, depois da demissão de Golbery do Couto e Silva, que se desentendera com Figueiredo por causa do caso Riocentro e do enfarto do ditador, em 1981, baixa novo pacote eleitoral. Veta as coligações e vincula o voto para as eleições de 1982. Era o medo de uma nova e acachapante derrota como a de 1974.

Figueiredo, cardiopata, viaja para Cleveland nos Estados Unidos para implantar uma ponte de safena, deixando no cargo o seu vice, Aureliano Chaves, que se chocou com setores militares e depois se aliaria às oposições em 1984, apoiando Tancredo Neves.

Vladimir Palmeira foi morar em São Paulo com sua mulher, Regina, agrônoma e pesquisadora. Eu e ele retomávamos nossa relação com o Movimento Estudantil. Discutíamos o que fazer no Partido dos Trabalhadores, enquanto Vladimir buscava trabalho na imprensa, resistia em estabelecer-se no Rio de Janeiro, onde tinha raízes e liderança. Eu entendia sua opção e lhe dava apoio total.

Decidimos, juntamente com Travassos, não aceitar, apesar de gratos e orgulhosos, o convite de Lula para participarmos do Diretório Nacional do PT, o que foi uma decisão acertada. Nossa opção era a de começar pela base e nos filiarmos a um diretório zonal e assim fizemos. Passei a integrar o diretório zonal do Jardim Paulista.

Estabelecido na capital paulista, visitava Passa Quatro e Cruzeiro do Oeste nas datas festivas, no Natal, no Ano-Novo, aniversário do Zeca, do meu pai e da minha mãe. Aos poucos, nossas vidas — minha e de Clara — foram se afastando.

Clara fora profética — dizendo que havia me perdido — quando fiz a ela a revelação de quem eu era, que o José Dirceu não era o Carlos. Clara entendeu que não havia como ficarmos casados, mas que isso não significava que nossas vidas se separariam com o fim do nosso casamento. Estávamos unidos não apenas pelo Zeca, mas através do sentimento especial de gratidão, lealdade, solidariedade, amizade e carinho, o que nos permitiu — a trancos e barrancos — criar nosso filho e resguardar uma afetuosa relação.

Nos primeiros anos, tudo era novo no PT, pois o partido tinha seu manifesto e não era pouca coisa, princípios que nos guiariam nas décadas

NASCE UMA ESTRELA!

seguintes. Possuía uma plataforma que iniciava pedindo o fim da ditadura e reunia um conjunto de reivindicações dos movimentos sociais e populares, sindical, estudantil, camponês, dos sem terra e pela democracia. Mas como chegar lá, com que instrumento e por qual caminho?

A discussão era travada em uma conjuntura e um momento histórico em que essas questões eram reais e não hipóteses ou teorias. Era possível derrubar a ditadura, mas quem ou com quem era possível chegar ao governo? Com quem e com qual programa? Com uma greve geral? Nas ruas? Pela via eleitoral? No colégio eleitoral? Por meio de uma Constituinte?

Também eram passíveis de solução os problemas que se colocavam para o PT. Que tipo de partido? Isso estava resolvido no manifesto, mas cada força política que o constituía interpretava o documento segundo sua visão e experiência. Um partido legal? De núcleos e diretórios? Com que programa de governo ou de poder? Ou era só uma plataforma de luta contra a ditadura, como se fosse uma frente? Era ou não era para ser um partido?

Como legalizar um partido dentro das leis ditatoriais? Como disputar eleições mesmo com as restrições impostas pelo governo? Como combinar a luta social com a política e a luta eleitoral? Vamos apresentar programas para governar de cidades e estados ou só para derrubar a ditadura?

São questões que fomos resolvendo nas lutas e no debate, mas grande parte delas acabou solucionada no duro aprendizado dos erros e dos acertos. A construção do PT foi se conformando no embate social e político contra a ditadura e, com o fim dela, o partido estava pronto para lutar pelo poder, pelo governo do país. Com suas limitações, contradições, imperfeições e desigualdades, o PT se erigiu, sempre articulando a luta democrática com as conquistas sociais, a busca de justiça e de igualdade, na defesa dos direitos sociais, trabalhistas e previdenciários e da reforma agrária. Não bastava o fim da ditadura, era preciso mudar o país.

Em 1981, o Partido dos Trabalhadores faria seu primeiro encontro nacional. Antes, superara a barreira das filiações, uma exigência da Lei dos Partidos. Bem-sucedida, a campanha nacional de filiações envolveu a militância nas fábricas, bairros, escolas, igrejas, associações, sindicatos, comitês e movimentos. Centenas de milhares de cidadãos se filiaram e, no dia 10 de fevereiro de 1980, ingressava no TSE o pedido de legalização da legenda.

Participei dessa jornada, no mínimo uma ironia para quem fora treinado para a guerrilha, percorrendo as ruas do centro paulistano e dos bairros considerados nobres, como o Jardim Paulista e o Jardim Europa.

Viajei pelo interior do estado e pelo país em companhia de Apolônio de Carvalho e de Henrique Santillo, senador por Goiás, eleito pelo MDB, em um roteiro de debates, plenárias, encontros, almoços. Foi minha primeira viagem pelo Brasil como petista.

Legalizado, o PT enfrentou seu primeiro dilema e o resolveu democraticamente. Recusou o regramento antidemocrático da lei partidária que obrigava a realização de convenções onde havia delegados natos e delegados com mais de um voto, parlamentares que acumulavam cargos executivos na sigla.

Criamos nossas próprias regras — uma pessoa, um voto —, o que valia não só para a eleição do Diretório Municipal, mas também dos estaduais e do nacional. Cada delegado tinha direito a somente um voto. Como a lei nos obrigava, fazíamos as convenções oficiais *pro forma*. As decisões eram e são até hoje formadas pelos encontros em nível municipal/zonal, estadual e nacional.

A estrutura territorial/geográfica dos diretórios era outro problema. Organizava o partido de forma burocrática e desligado das lutas setoriais, dos movimentos sociais, das minorias, das mulheres, jovens, estudantes, negros, homossexuais. Impunha-se encontrar uma saída.

Como no caso das convenções/encontros, organizamos os diretórios, uma necessidade não apenas legal, mas política e social. O Brasil é um país federativo e municipalista. Nós criamos os núcleos de base por movimentos e por categorias: saúde, educação, mulheres, jovens, professores, cultura, artistas, médicos. E assim fomos articulando as duas estruturas não sem disputas e divergências, em parte responsáveis pelo enfraquecimento dos núcleos a médio prazo.

Algumas tendências se apoiavam na nucleação para se impor como maioria que não eram entre o conjunto dos filiados eleitores nos diretórios municipais. Outras se organizaram em núcleos do PT, com centralismo e direção e, portanto, políticas próprias.

Todo poder aos núcleos foi uma palavra de ordem natural e legítima no PT, mas contaminada de morte pelo aparelhamento e vanguardismo das tendências. Corria-se o risco de transformar o PT em um partido de vanguarda, só de militantes. Mesmo com a experiência histórica, inclusive brasileira, já havendo comprovado o fracasso dessas formas de organização partidária. Nem todo filiado se nucleia e milita, o que não invalida a organização por núcleos, de todo necessária, ainda mais nas condições brasileiras.

NASCE UMA ESTRELA!

O PT não iria incorrer no mesmo erro de muitas organizações que se consideraram "o partido" de vanguarda do proletariado, mas não que passavam de pequenas vanguardas, descoladas da luta real dos trabalhadores e voltadas para si mesmas, para questões teóricas, internas e para a disputa do poder e da "linha política".

Isso foi reproduzido no PT e transformou os núcleos em correias de transmissão de certas correntes e/ou em meios de disputar o poder e a orientação partidária, desviando os núcleos de seu papel de organização para a defesa de direitos sociais e de combate político contra a ditadura.

O embate confundia-se com o principal: o PT era uma frente contra a ditadura ou um partido para disputar o poder? Foi a primeira e principal disputa dentro do partido e definiria, para o bem e para o mal, seu futuro e destino.

Composto por diferentes correntes e os mais diversos movimentos, o PT era naturalmente democrático e de base. Portava raízes sociais e políticas, expressando um acúmulo não só da luta dos anos 1975 a 1980, mas recebendo também lideranças, tendências e organizações que o conectavam com as raízes socialistas históricas brasileiras, desde a libertária-anarquista, passando pela trotskista, stalinista, socialismo democrático e democracia socialista. Ademais, trazia poderosa militância sindical e social de origem católica, inspirada nas pastorais e comunidades de base e influenciada pela Teologia da Libertação e pelo sandinismo nicaraguense. Havia ainda as organizações políticas, pequenas vanguardas marxistas, leninistas e trotskistas, sem contar os quadros políticos independentes que, no passado, haviam militado no PCB, ALN, PCdoB e PSB. Não era, portanto, nada simples conviver nessa pluralidade. Só a democracia — e a liderança real, legítima, mas carregada de um peso simbólico, de Lula — podia garantir a unidade de tal partido.

Os sindicalistas e os militantes populares — a imensa maioria dos filiados — não se organizavam e não tinham experiência partidária. Já as organizações procedentes da luta contra a ditadura ostentavam disciplina, centralismo, organização, jornais, finanças e votavam fechadas, disputando e vencendo as discussões e conquistando cargos, enquanto a maioria desorganizada ia perdendo, de fato, a direção do partido.

De susto em susto, forjou-se uma aliança entre os sindicalistas, as bases católicas dos movimentos populares, a intelectualidade, por assim dizer, e os petistas independentes, particularmente os oriundos da luta armada, onde me incluo.

O detonador dessa união foi a dupla militância, ou as "duas camisas", forma caricatural e, às vezes, pejorativa de descrever os militantes das organizações que não reconheciam o PT como partido, mas como frente, inclusive algumas com militância não só no PT, mas no PDT e mesmo no PMDB.

Não era o mesmo que o "centrismo" trotskista, mas frequentemente se confundiam como no caso da Convergência Socialista, hoje PSTU, que se recusou, abertamente, a cumprir as decisões do PT. Na maioria das vezes, era realmente a dupla militância. Tratava-se da batalha pela direção partidária. Existia, ainda, aquela diferença fundamental de avaliação histórica: quem acreditava — ou não — que o PT dirigido por Lula e pelos sindicalistas e aliados poderia ser construído como partido.

Cuidava-se, também, de abandonar uma falsa ideia, a proposta de partido de vanguarda marxista-leninista, "único" representante do proletariado. Era o que reivindicavam para si cada uma das organizações citadas, em maior ou menor grau. Velho hábito e herança nefasta do passado.

Tal divergência era a principal, mas não a única. Fazia-se acompanhar de profundas discordâncias quanto ao modo de organizar o PT, como já vimos, mas também como enfrentar o regime militar. Como encarar o pleito de 1982? Com qual programa e alianças? Como abordar a questão do socialismo? Era só o começo da contenda pela direção do PT e do seu futuro.

A questão das "duas camisas", da democracia interna, dos núcleos, era apenas reflexo das discrepâncias programáticas e estratégicas. Mas, antes, era preciso conquistar a maioria na legenda.

Naqueles anos em que dividia meu cotidiano entre a Faculdade, a Assembleia e o PT, conheci — numa festa de comemoração da libertação de Flávia Schilling, militante política sequestrada e presa no Uruguai — a psicóloga Ângela Saragoça. Aconteceu na escola infantil Saruê, da qual Ângela era uma das proprietárias.

Morena, linda, cabelos e olhos negros, Ângela dançava, com um cigarro em uma mão e uma garrafa de conhaque na outra. Logo que a olhei senti uma atração incontrolável. Dançamos, bebemos e saímos juntos da festa.

O carro de Ângela — uma Brasília 1972, caindo aos pedaços — estava estacionado em uma ladeira. A Brasília, explica-se, não tinha "motor de arranque". E lá vamos nós, bastante "altos", empurrar a Brasília. Como conseguimos, até hoje não sei. No caminho, fomos parados por uma

NASCE UMA ESTRELA!

viatura da PM e nada de Ângela encontrar os documentos do carro e sua carteira de habilitação. Viciado em segurança e precavido contra provocações ou falsas batidas policiais, fiquei tenso e em guarda. Pensei: "Lá vamos nós para uma delegacia e para a imprensa". Nisto, um dos suboficiais me reconheceu, disse ao oficial responsável pela *blitz* que eu trabalhava na liderança do PT na Assembleia. Agarrei-me nessa deixa, confirmei a informação e propus levar no dia seguinte os documentos do carro e apresentá-los ao setor da PM da Assembleia. De pronto, o oficial aceitou. Foi minha primeira saída com Ângela, empurrando uma Brasília ladeira abaixo e correndo o risco de ser preso.

Só seria pior na noite em que a convidei para jantar. Preparei uma macarronada à carbonara, cheia de bacon, e surpreso, descobri que Ângela era vegetariana. Ela morava sozinha numa casinha branca e azul, na rua Harmonia, Vila Madalena, em São Paulo, um bairro ainda bucólico, sem prédios, uma pequena comunidade libertária, de esquerda, musical e alegre, na esquina de uma pizzaria da outra sócia da escola, Gisela. Mudei-me para lá após meses de namoro. Ângela era filha de uma militante política sindical, Irene Terras Saragoça, perseguida pela ditadura. Seu pai, Manuel, português de Aveiro, vivia no litoral Sul de São Paulo e a mãe, em Santos. Seu irmão, também Manuel, era médico nefrologista no Hospital São Paulo. Começava uma nova relação, uma nova família.

Dona Irene me adotou e foi até sua morte uma grande amiga, conselheira e sogra única. Antes de falecer, recebeu dos sindicalistas e da Câmara Municipal de Cubatão, terra natal de Ângela e onde a família se estabelecera, uma homenagem à sua luta contra a ditadura e em defesa dos trabalhadores. Foi dona Irene quem nos apoiou — e praticamente nos sustentou nos primeiros anos, com uma proverbial cesta básica mensal e ajuda financeira de tempos em tempos. Ângela precisava tocar a escola e eu ganhava o básico, algo como três salários mínimos de hoje.

Eram um novo meio social e político, a Vila, como era chamado o bairro, a Saruê, os amigos e amigas de Ângela. Comecei a frequentar Santos e o litoral, liguei-me ao PT da Baixada e vivia como se estivesse em casa, na política e no emocional. Não antes de disputar o amor de Ângela com Enzo Nico Junior, geólogo e ativista, grande amigo até hoje. Sua mãe militava na Comissão de Justiça e Paz e Enzo tinha raízes na geologia da USP, berço de ativistas e guerrilheiros da ALN, como ele e Alexandre Vannuchi, assassinado pela ditadura.

No PT, para além do avanço do partido, as indefinições aumentavam. A atuação das correntes organizadas levara sindicalistas, pastorais e CEBs a se aproximar dos movimentos de bairro — que reivindicavam habitação, creches, saúde, transportes — e da esquerda independente e não organizada em correntes e constituída por intelectuais, jornalistas e profissionais liberais.

O que nos unia eram a defesa do PT como partido e a disputa de eleições, sem vacilar. Para obter e exercer mandatos e legislar, fazendo oposição a governos não só do PDS, mas também do PMDB. Afinal, em 1982, haveria eleições para vereador, prefeito, governador, deputados estaduais e federais e para senadores.

Outro tema que nos dividia era a democracia interna, que defendíamos sem vacilar e praticávamos com a proporcionalidade nas direções deliberativas e nos diretórios. Mas não nas executivas às quais só as chapas com, no mínimo, 20% de votos teriam acesso, um ponto de discórdia que só se resolveria depois de regulamentadas as tendências no partido.

Mais graves eram as divergências sobre governo e programa, ainda marcadas pela principalidade na luta contra a ditadura. As tendências — partidos — recusavam-se a disputar governos e governar, logo a construir e propor programas para cidades e estados. Era como se fôssemos primeiro abater a ditadura e depois governar. Como derrubá-la, era outro ponto de discórdia. Explico: para setores do PT, que o viam como frente, seu papel era a luta contra o regime. Para nós, o papel do partido era, para além da luta contra a ditadura, a luta pelo poder. Ainda não tínhamos clareza como, mas era o nosso objetivo.

Essas questões, o litígio pelo comando dos diretórios e a linha política e orientação revelariam dezenas de lideranças e centenas de dirigentes e militantes, não só do movimento sindical e popular, mas das universidades e da intelectualidade, e particularmente os quadros políticos oriundos da luta armada, vacinados contra vanguardismos e aparelhismos.

Assim, as disputas não eram pelo poder e sim por políticas e formas de organização e luta, programas e plataformas identificadas com a luta política — contra a ditadura — e a luta social, sindical e popular, em defesa de melhores condições de vida para a classe trabalhadora, razão de ser do PT.

Também as formas de organização estavam vinculadas aos objetivos políticos. Éramos um partido dos movimentos sindical e popular, mas não éramos "o movimento". Éramos um partido para a luta política institucional, ainda mediada pela ditadura, daí o principal objetivo de

NASCE UMA ESTRELA!

sua derrubada. A luta política era a combinação da luta sócio-sindical com a luta institucional e sua definição era outro ponto de discórdia.

Vamos recordar sempre que o PT nasceu das lutas sociais e do enfrentamento da ditadura. Acolheu vertentes importantes, parlamentares do MDB, intelectuais, artistas, escritores, professores, pensadores, quadros e militantes provados na luta, na tortura, na prisão, na clandestinidade e no exílio. Bebeu nas diferentes correntes socialistas do país, do trotskismo, passando pelo anarquismo, doutrina social católica, teologia da libertação, marxismo humanista, leninista, guevarismo e social-democracia. Nada era estranho ao PT, do militarismo revisado da ALN à social-democracia, do sindicalismo laborista ao anarcossindicalismo. Essa era sua virtude e poderia ser sua fortuna. Daí seu pluralismo, sua diversidade, democracia, com direito de tendência, debate público e decisão democrática por delegados eleitos pelos filiados na base.

Naqueles anos, diante da hegemonia do PMDB, vitorioso nas eleições de 1982, parecia uma ilusão. Incluindo-se o poderio do regime e do seu partido, o PDS, havia ainda o PP de Tancredo Neves — uma primeira tentativa de transição com o PDS, que fracassou e retornou ao seio do PMDB —, o PDT de Brizola, herdeiro do trabalhismo de Getúlio e Jango, as correntes comunistas, casos do PCB e do PCdoB, além do PTB, agora atrelado ao oficialismo. Mas nossa força estava no Brasil excluído, na classe operária, nos sem terra, na juventude, na já organizada oposição sindical, além das pastorais e das CEBs.

Não vamos esquecer que o PT já se confundia com Lula e sua liderança e a desconfiança com ambos era grande. Oscilava entre a má-fé, porque não era informação digna de credibilidade, das supostas ligações de Lula ao oficialismo para dividir a oposição, ao absurdo de que Lula seria "agente da CIA". O sectarismo mostrava-se incapaz de ler, na realidade, o nascimento de uma nova força política.

Entre 1981 e 1987, aprofundei meu relacionamento com todas as forças da oposição. Do trotskismo ao MDB, passando pelo PCdoB, então hegemônico na UNE-Ubes, pelo PCB e por todas as correntes da esquerda. Na Assembleia e na PUC, "formei-me" em atuação parlamentar e legislativa e em ciências jurídicas. No PT, militando "formei-me" nas lutas sociais. Foi minha verdadeira escola.

É verdade que eu tinha quinze anos de luta — estudantil, clandestina, armada — e já passara pelo PCB, Disp, Dissidência Universitária de São

Paulo, e Molipo, vivera em vários estados e conhecera parte da América Latina e da Europa. Mas foi no PT que tive a oportunidade de servir, com minha experiência anfíbia de militante — quadro e organizador — e na "frente de massas", presidencial do CA e da UEE, como se dizia na época. Com minha experiência partidária e "sindical" no Movimento Estudantil, no Centro Acadêmico e na UEE, no PCB-Disp e no Molipo, minha vida iria se confundir com a do PT e estava só começando.

Houve um impasse, não público e aberto, sobre disputar ou não eleições. Aqueles que defendiam a posição negativa partiam da hipótese de que o regime seria derrubado nas ruas e por uma greve geral. Confundiam-se também com a defesa do partido enquanto Frente. De forma difusa e não declarada, a posição encontrava eco no basismo e em setores do movimento popular, não no sindical.

Porém, foi atropelada pela decisão de Lula ao se apresentar como candidato ao governo de São Paulo e pela necessidade prática e natural de eleger vereadores, deputados, senadores, prefeitos e governadores.

Era uma aspiração e uma demanda democrática restabelecer as eleições diretas para prefeitos de capitais e de "áreas de segurança nacional" — uma típica criação do governo autoritário — e de governadores. Dificilmente a tese absenteísta encontraria eco. Estava fadada ao fracasso, como realmente aconteceu.

Não disputar as eleições de 1982 seria um erro histórico irremediável. Até porque o espaço democrático já era ocupado pelo PMDB, fundado em 1980, e, logo, por PDT, PCdoB, PTB, PP e PCB. Na base eleitoral do PT, estariam os trabalhadores do campo e da cidade. Porém, na votação inaugural, a maior contribuição veio da base sindical, do eleitorado de esquerda, das classes médias e da influência de setores da Igreja Católica.

Naquela época, o partido se apoiava em seu manifesto de fundação e na plataforma de lutas. Não contava com experiência de gestão pública. A construção de um programa de governo e a atuação parlamentar seriam um longo caminho a ser percorrido nas próximas décadas. Nossos primeiros candidatos eleitos aprenderam na prática. Exerceram os mandatos conquistados pelo voto, respaldados na experiência dos que se filiaram ao PT oriundos de outras siglas e na vivência nas organizações populares, sindicais, universidades, escolas, entidades de bairros, em suas profissões e atividades empresariais, comunitárias e cooperativas.

NASCE UMA ESTRELA!

A presença do PT na vida parlamentar e governamental do país, no debate e na disputa política seria, a cada ano e eleição, cada vez maior e sofreria a influência dos vícios e virtudes de nossa nascente democracia. Mas iria moldá-la e transformá-la para espanto dos que não acreditavam que seria possível um partido dos trabalhadores com suas características.

As eleições aconteceram com vinculação de voto e proibição de coligações. Mais uma tentativa casuística do governo — ainda que correta, no caso das coligações proporcionais — de bloquear o avanço oposicionista, agora não só do MDB. O resultado foi desastroso. Apesar de todo casuísmo e controle da mídia e da propaganda eleitoral, ainda sob efeito da Lei Falcão, que só permitia — em segundos — a foto do candidato e sua biografia e programa. O PMDB elegeu Franco Montoro governador em São Paulo e Tancredo, em Minas. O PDT conduziu Brizola ao governo do Rio.

O PT elegeu oito deputados federais, seis de São Paulo — Eduardo Suplicy, Djalma Bom, Irma Passoni, José Genoino, Bete Mendes e Airton Soares. José Eudes, pelo Rio, e Luiz Dulci, por Minas Gerais, o que revelava o caráter ainda paulista do PT. Candidato a governador de São Paulo, Lula ficou em 4º lugar, obtendo 10% dos votos. Para o momento histórico e as condições disponíveis, um resultado razoável.

Vivíamos o ciclo de ascensão do PMDB, líder incontestе da oposição democrática. Mal se esboçava o ciclo de ascensão do PT, partido ainda em movimento, inexperiente, recém-fundado.

Marcou posição e iniciou um processo de expansão eleitoral que não se deteria nos próximos vinte anos, apesar dos erros e limitações.

Em São Paulo, sua principal base, a campanha "Lula Governador" usou a palavra de ordem "Vote no 13 que o resto é burguês". Isso num período em que a confrontação principal ainda se dava entre o PDS — ditadura de um lado — e PMDB, oposição do outro.

Na TV e no rádio foi pior. Inexperientes e imaturos, confundimos nosso nível de informação com o do eleitor em geral. As biografias de ex-presos políticos, lutadores da resistência armada à ditadura e de operários e lideranças populares eram tomadas pelo eleitor como de ex--prisioneiros comuns e não políticos, além de candidatos sem experiência nem qualificação para os cargos.

Mesmo assim, as campanhas foram memoráveis pelo carinho, entusiasmo, receptividade popular e pelo esforço dos militantes do PT, dos sindicatos e dos movimentos sociais. Sem recursos e experiência, mas com dedicação e vontade, arrecadaram fundos com festas, bingos, rifas, vendas de bótons e camisetas.

O entusiasmo e a curiosidade por Lula eram tamanhos que nos confundiu, pois pensávamos que era apoio político eleitoral. Ainda não, mas era o começo. Ficou provada a liderança de Lula e afirmada a visibilidade eleitoral do partido. Começava uma nova etapa na construção do PT. Íamos aprender e mudar o modo de fazer política no país, no parlamento e nos governos.

Outras lideranças também se consolidaram e voltaram a exercer seu papel, assentadas na memória pré-1964 e em suas realizações nos governos estaduais: Leonel Brizola, no Rio Grande do Sul, e Miguel Arraes, em Pernambuco, reorganizando seus partidos, o PDT e o PSB, assim como o PCdoB e o PCB, depois PPS, desligados da Frente MDB, que os abrigara durante os anos de chumbo.

Brizola, de forma audaciosa, candidatou-se ao governo do Rio. Apostando na memória popular e nacionalista da ex-capital brasileira — pela qual fora eleito deputado federal em 1962, a bordo de 300 mil votos, a maior votação de um parlamentar no país — derrotou não só o regime como a Rede Globo de Televisão. Aconteceu quando a Globo, além de oferecer cobertura midiática favorável ao candidato do regime, Wellington Moreira Franco, do PDS, passou a veicular os números fraudados da empresa Proconsult, trama descoberta e desmascarada. Por toda a vida, Brizola lutou contra a influência do conglomerado da família Marinho e seu papel político de cúmplice da ditadura.

Arraes filiou-se ao PMDB, elegendo-se deputado federal. Retomou seu lugar como líder nacionalista e nordestino. Seria, de novo, governador de Pernambuco, cargo que ocupava em 1964, quando foi deposto, preso e exilado.

É importante fazer justiça ao papel desses líderes e partidos nos embates pela democracia, mesmo exilados e/ou clandestinos no país. PTB (depois PDT), PSB, PCdoB e PCB também experimentaram condições de repressão e terror juntos com e sob a liderança do MDB. A duras penas e não sem contradições, construíram uma formidável frente política que soube usar suas próprias armas para vencer as eleições.

O MDB foi criado pelo AI-2, juntamente com a Arena e a castração do parlamento e da democracia, para serem dois partidos de mentira, um do "Sim" e outro do "Sim, Senhor", súditos do regime militar. O povo

NASCE UMA ESTRELA!

não se deixou enganar, primeiro se absteve, votou nulo em 1970 e 1972 apesar da censura, da propaganda oficial do "Milagre" e da xenofobia. Depois, em 1974, elegeu dezesseis senadores, infligindo acachapante derrota ao governo militar. Assim, criou as bases sociais e políticas para a autonomia e independência do MDB sob a liderança dos "autênticos", da esquerda (PCB, PCdoB, trabalhistas, socialistas) que Ulysses Guimarães soube compreender e liderar na sua anticandidatura de 1974.

Nós que pegamos em armas contra a ditadura, pregamos o voto nulo em 1966, 1970 e 1972, temos que reconhecer o papel excepcional da frente política constituída em torno do MDB. Sem desmerecer o papel da oposição popular, sindical, social, nas periferias e bairros das metrópoles, do movimento de trabalhadores rurais reorganizando a Contag, da UNE reconstruída, do sindicalismo autêntico que criaria a Anampos, Articulação Nacional dos Movimentos Populares e Sindicais, o Conclat, Conferência Nacional das Classes Trabalhadoras, e depois a CUT. E sem desmerecer o papel das greves, ocupações, manifestações, da Igreja e da CNBB — aqui como uma revisão dura e tardia do apoio dado à ditadura —, o extraordinário e corajoso trabalho de base popular das pastorais em todo país e das CEBs, da imprensa alternativa, dos artistas, cantores, escritores, intelectuais, acadêmicos, jornalistas e advogados.

Sem essa ampla base social, o MDB parlamentar e eleitoral não iria a nenhum lugar. No máximo — apesar do valor moral de sua batalha — teria sido apenas uma frente institucional. Faltava muito para superar a ditadura, mas o PMDB em 1978, 1979 e 1980 — apesar da derrota, no colégio eleitoral, da candidatura Euler Bentes — seria vitorioso em 1982, preparando-se para governar também o Brasil.

Mas antes desse acontecimento havia um longo caminho a percorrer, não sem desvios e tentações de conciliar com a ditadura. Havia medo de enfrentá-la e risco de retrocesso sob eventual ascensão da linha-dura em um cenário de fraqueza do presidente imposto, divisão nas forças armadas, crise, recessão, inflação e crescimento das lutas sociais.

14

A ESTRELA COMEÇA A BRILHAR

*O manifesto dos 113: o PT
é um partido e não uma frente*

Até 1983, completa-se o ciclo de reaprender a viver na legalidade. Reorganizei, pela quarta vez, minha vida familiar e profissional, concluí o curso de direito, assumi o cargo de assessor técnico legislativo, que exigia curso superior e disputei a direção do Diretório Regional do PT. Até então, dedicara grande parte do meu tempo a trabalhar como assessor e a estudar, mas um acontecimento mudou por completo minha vida e, sem nenhuma dúvida, a do Partido dos Trabalhadores.

Havia tempos, a atuação das tendências e partidos incomodava as lideranças sindicais e populares, tanto pelo aparelhismo quanto pela dupla atuação. Mais grave ainda, pelo papel divisionista e por introduzir no partido os vícios e deformações típicos da velha esquerda armada. Tudo isso, apesar de suas inegáveis contribuições à luta política e social e mesmo à construção do PT.

No fundo de tudo, estava a disputa pelo caráter da sigla e por sua política. Em que pesem as discrepâncias legítimas que pautariam as decisões do PT entre 1983 e 1987 — sobre a Constituinte, greve geral, Diretas Já, colégio eleitoral — o fato é que as tendências eram partidos dentro do PT, e o campo sindical, popular e a esquerda independente não eram.

A contradição só poderia ser solucionada pela organização do PT como partido estratégico e não tático-frente, ou seja, por uma maioria que se reunisse sob a liderança dos sindicalistas e de Lula.

Dessa situação, surgiu o histórico Manifesto dos 113, a Articulação dos 113, para se diferenciar dos partidos e organizações inseridas no PT, como a Convergência Socialista; o PRC, Partido Revolucionário Comunista; o MEP, Movimento Emancipação do Proletariado; a própria

A ESTRELA COMEÇA A BRILHAR

DS, Democracia Socialista; e mesmo a OSI, Organização Socialista Internacionalista, tendência O Trabalho que, depois, se dissolveria na Articulação na sua maioria.

A aliança dos sindicalistas, lideranças populares — na maioria, católicas — e a esquerda independente representaram um choque para as tendências. Os três grupos reivindicavam o PT como partido, a constituição de maiorias, a organização dos diretórios e da militância, o enquadramento das tendências perante as decisões dos encontros, o fim da dupla filiação e de estruturas próprias, jornal, finanças, células e, o mais importante, a obrigação de seguir e aplicar as decisões do PT, amplamente debatidas e discutidas.

Também significava uma reação ao "reunismo" e à excessiva disputa interna que consumiam as forças da militância, em prejuízo dos embates populares, um basta ao vanguardismo e ao elitismo.

Vale repisar que as tendências contavam com imprensa e finanças próprias. Seus jornais expressavam suas deliberações e não as da legenda. Já era hora de, no confronto político e democrático, eleger direções do PT majoritárias e com diretrizes e planos de ação e organização definidos nos encontros. E o mais crucial: organizar o PT e sua ação política, sindical, social, parlamentar, suas finanças, seus jornais, seus diretórios, com sedes, atividades políticas e culturais.

O grande debate, essencial para a consolidação da Articulação e do PT como partido, foi o Encontro Estadual de São Paulo, em 1983. Lembrando que, naqueles primeiros anos, São Paulo era o centro político e a principal base social e eleitoral do PT. Berço do sindicalismo autêntico, lá estavam São Bernardo e Lula, o ABCDM, que reunia cinco municípios que o PT governaria várias vezes no futuro, Santo André, São Bernardo, São Caetano, Diadema e Mauá, a maior votação e bancada do PT em 1982. São Paulo congregava o maior movimento popular do país e era também o centro do conservadorismo antitrabalhista, coração da reação e do golpismo em 1964. Era a São Paulo de 1932, mas também a São Paulo da classe operária e das lutas populares de então. A São Paulo do jornalista Vladimir Herzog, do operário Santo Dias e de Dom Evaristo Arns. O Estado que elegerá Franco Montoro governador, em 1982, e que elegeu Orestes Quércia senador, em 1974, batendo a até então invencível Arena.

A vitória da Articulação foi acachapante, com 73% dos votos. Porém, a verdadeira mudança estava na direção eleita, em sua representatividade e no acúmulo de experiência política expressando, além da aliança vitoriosa, a capital e o interior, a academia, a fábrica e os bairros. Definia também a orientação de peitar a ditadura, mobilizando o povo pelas Diretas Já e não pela Constituinte ou pela aposta em uma greve geral. Não significava abandonar a opção das greves e mesmo a greve geral ou a defesa da convocação de uma Assembleia Nacional Constituinte, mas revelava a percepção de que a disputa central se daria em torno da eleição, do direito de o povo eleger seus dirigentes, incluindo o presidente da República.

Ainda me surpreendo com a representatividade, a experiência política e a capacidade de trabalho da direção eleita naquele encontro. As mais expressivas lideranças sindicais paulistas depois de Lula: Djalma Bom, Devanir Ribeiro, José Cicote e Luiz Gushiken.

Marco Aurélio Garcia, Eder Sader e José Álvaro Moisés, da luta contra a ditadura e da universidade.

Alípio Freire, José Machado, Luiz Antônio de Carvalho e Janete Pietá, da luta política e social, entre outros. Alípio, jornalista e artista, militante, tinha sido preso e torturado. Zé Machado, também anfíbio, do interior e da luta contra ditadura, da academia e das prisões. E Rui Falcão, jornalista, ex-militante da VPR, preso, torturado e meu amigo da Disp, sigla da Dissidência Universitária de São Paulo, completava o time. Não há como descrever o privilégio de ter integrado essa direção como membro do diretório e da executiva, como secretário de formação política e depois secretário-geral.

O próprio Diretório Regional era super-representativo, já que a participação nele era proporcional à votação de cada chapa. Na executiva, exigiam-se 20% da votação, assegurando assim seu caráter de executora das decisões da maioria.

Minha prioridade passou a ser a implantação do partido em São Paulo, embora sem perder contato com o PT nacional. O primeiro desafio era arranjar uma sede. Alugamos duas portas na rua Santo Amaro, centro paulistano, ao lado da praça Pérola Byington, junto à avenida Brigadeiro Luís Antônio, próximo da Câmara Municipal. Ali instalamos a sala da executiva. Uma divisória de vidro a separava de um amplo salão, e outra da tesouraria e da livraria. Era o primeiro endereço do Diretório Estadual do PT, o mais importante do país. Era uma garagem, mas representava uma conquista.

Minha primeira tarefa no Diretório foi na área de formação política. Organizamos cursos, cineclubes, cartilhas e seminários. Estava convencido da necessidade de o PT preparar seus filiados e dirigentes através do estímulo

A ESTRELA COMEÇA A BRILHAR

à leitura, à reflexão, ao estudo. Por dois anos, dediquei-me à secretaria de formação. Depois, elegi-me secretário-geral do PT em São Paulo.

Minha experiência no PCB, na Dissidência, no Centro Acadêmico e na UEE, e no Paraná, como pequeno empresário, na Assembleia Legislativa como assessor, na liderança estudantil, no movimento de rua, nas passeatas, no enfrentamento da repressão dava-me condições, como anfíbio — quadro político e líder estudantil —, de contribuir.

Circulava pelos núcleos, diretórios zonais, enquanto, no legislativo, vivia a luta sócio-sindical e a vida dos municípios, vereadores e prefeitos, do funcionalismo público, do governo do estado, dos problemas de orçamento e da gestão pública.

Na secretaria de formação ainda enfrentei o debate sobre programa de governo. Um segmento da esquerda insistia na tese de que a principal missão do PT era "fazer a revolução e tomar o poder". Tanto o manifesto, quanto a ampla plataforma de Lula permitiam a cada tendência defender, na prática, o seu programa para a Revolução. Caímos assim no puro teoricismo e vanguardismo.

Estava convencido do contrário, pois havia urgente necessidade de governar e ter propostas para fazê-lo. Era incrível que um partido tão jovem, porém com grande acúmulo de experiências, herdeiro das lutas sindicais, populares, estudantis, respaldado pela academia e por movimentos sociais que haviam elaborado propostas nos campos da saúde, educação, habitação, transporte, saneamento e gestão pública não consolidasse esse patrimônio. Seria um suicídio.

Bati-me no começo, quase sozinho, enfrentando debates duros. No final, ainda bem, predominou a posição amplamente majoritária de apresentar programas para serem implementados. Alguns de ruptura, porém com rigor político e técnico. Na maioria, viáveis na conjuntura da década de 1990. Nascia o "modo petista de governar". Com todas suas contradições, erros, derrotas, o PT estava se credenciando para a gestão pública.

Não seria sem as dores do parto. O velho resistiu e muito ao nascimento do novo, insistindo em ser apenas oposição até aos próprios governos petistas. Ficar com o bônus de vencer e ser governo, e não com o ônus de governar, tomar decisões, contrariar interesses. Era a velha política de usar o governo apenas e somente para alavancar, fazer avançar a revolução, a luta de classes.

O processo de construção real do PT levou o Diretório Regional de São Paulo a ser pioneiro na área da comunicação e informação com o *Linha Direta*. Foi o mais duradouro órgão de imprensa do partido que, embora regional, exercia influência nacional, seja pelas entrevistas com dirigentes estaduais e nacionais, seja pela procura ávida por notícias. Não se limitava à política partidária e ao noticiário, mas abrangia o cinema, a literatura, a cultura de um modo geral. Avanço que seria consolidado, em 1987, com o lançamento da revista trimestral *Teoria e Debate*, que expressava a diversidade e pluralidade do PT. Em 1996, seria assumida pelo Diretório Nacional com o surgimento da Fundação Perseu Abramo.

Nunca perdi o contato com a militância e a base, a despeito do trabalho na Assembleia e o curso de direito. Depois de 1984, passei a viajar pelo estado, visitando regularmente a Alta Paulista, Mogiana e Noroeste do estado, Ribeirão Preto e Marília, organizando o partido em macrorregiões. Acompanhei também a implantação de legenda na Grande São Paulo, Diadema, Osasco e Guarulhos.

O batismo de fogo do partido não seriam as eleições de 1982. Seria o debate interno de como acabar com o regime militar que, batido nas eleições, sem apoio popular, sem saída para a recessão econômica, cercado de escândalos, ainda se sentia suficientemente forte para reprimir a greve de 1983 e decretar, pela quarta vez, uma intervenção no sindicato. De 1977 a 1983, os sindicalistas haviam granjeado experiência suficiente para enfrentar o arbítrio. Agora era a hora do PT, da disputa político-institucional, encontrar-se com a luta social. O país estava maduro para dar o salto, pois reunira forças com as vitórias eleitorais e sociais.

As correntes mais à esquerda do partido continuavam prisioneiras do vanguardismo. Nós, da Articulação, concluímos que a batalha pela eleição direta do presidente poderia colocar em ação o sentimento democrático, nacional mas também popular, de colocar um fim à ditadura elegendo o presidente pelo voto direto. Achávamos que tal empreitada mobilizaria todas as forças oposicionistas. Em abril, o Encontro Estadual do PT paulista aprovaria a orientação: o centro da luta e da mobilização é pelas Diretas.

No campo da oposição liberal e conservadora à ditadura, as divergências e os desafios também eram grandes. Temiam o ascenso dos movimentos populares, greves operárias e manifestações estudantis. A ala conservadora do PMDB receava as Diretas, ao passo que os "Autênticos" e o PCdoB — fora do MDB, mas ainda aliado — sustentavam que, a partir das ruas,

A ESTRELA COMEÇA A BRILHAR

se conquistasse o direito de eleger o presidente, inclusive convocando comícios com a adesão de seus dois deputados, Aldo Arantes, de Goiás, e Aurélio Peres, de São Paulo. Aconteceu em Goiânia no dia 25 de junho de 1983. Apoiavam a Emenda Dante de Oliveira, deputado do PMDB mato-grossense, chamando as Diretas Já para a presidência para o dia 15 de novembro de 1984.

Desde o início, tanto dentro do PT, pela esquerda, como do PMDB, pela direita, havia restrições ao lançamento da campanha por razões totalmente diversas. Tancredo Neves e mesmo Fernando Henrique Cardoso topavam até apoiar um candidato do PDS, desde que as eleições fossem diretas em 1985.

Mas a resistência do regime e a ameaça da candidatura de Paulo Maluf levavam até as lideranças do PMDB à mobilização e às ruas. Era inevitável, mas a questão das candidaturas no PMDB as dividia: Ulysses Guimarães, Tancredo Neves, Franco Montoro e até Fernando Henrique Cardoso.

No PMDB, Montoro era o mais decidido. Governava São Paulo e sabia do poder da mobilização popular, sindical e política, da capacidade do PT, dos sindicatos, pastorais e CEBs. Professor da PUC, ex-deputado pelo PDC, apoiava-se num arco de forças progressistas e, no dia 29 de junho, reuniu-se com Lula e Brizola, ambos decididos, principalmente Lula, fechando um acordo de Diretas Já e ruas já!

Com a ditadura obstinada na negativa de convocar eleições e o PDS em processo de escolha de candidato para o colégio eleitoral — onde possuía maioria numérica, ainda que dividida entre Paulo Maluf e Mário Andreazza — esse o candidato oficial — não restava à oposição peeme-debista outro caminho que não o das ruas.

Montoro e Tancredo, com a força de governarem São Paulo e Minas, firmaram outro acordo importante: primeiro as Diretas e só depois as candidaturas.

Dia 27 de novembro, o PT organizou o primeiro comício pró-Diretas Já em São Paulo, na praça Charles Miller, em frente ao Estádio do Pacaembu. Aliado ao PDT e ao PMDB, levou 15 mil cidadãos para o grito de "Diretas Já". Coincidentemente, naquele dia morreu Teotônio Vilela, um dos pais da Anistia, dando ao ato um simbolismo especial. Montoro não compareceu, Adhemar de Barros Filho, do PDT, compareceu e foi vaiado, FHC prestou homenagem a Teotônio e saiu ileso. Havia um longo caminho a percorrer, mas o tempo escasso nos obrigava a cerrar fileiras e deixar as divisões de lado.

Não era só a ditadura a se opor às Diretas. Com exceção da *Folha de S.Paulo*, havia silêncio, censura e autocensura na mídia e, como sempre, a Rede Globo à frente. Consciente desse estado, resolvi dedicar-me a buscar a unidade das forças políticas de oposição. Acreditava sinceramente na campanha e na luta e via na mobilização a única força capaz de levar a maioria do Congresso a aprová-la. Mas não descartava o embate nas ruas contra o autoritarismo, caso reprimisse o movimento. Tínhamos sempre a alternativa de uma greve geral, o que não era impossível pela magnitude e qualidade das paralisações de 1983 e a força do movimento sindical em todo país, além da simpatia de amplos setores do empresariado e das classes médias.

Fui designado pelo Diretório Regional do PT e pela direção nacional, com o aval de Lula como interlocutor do PT junto ao PMDB paulista e a Montoro, para coordenar o movimento em São Paulo. Mantinha excelente relacionamento com Franco Montoro, deputado e opositor do golpe já em 1965, meu professor no 1º ano do curso de Direito. Ele fora minha testemunha de defesa em processo que respondi, ainda na faculdade, preso que fora pelo Deops, suspeito de ligação com vizinhos ligados ao Agrupamento de São Paulo — dissidência do PCB — depois ALN de Marighella.

Vejam que história fantástica, essa com que Montoro me socorreu. Logo que me mudei para a alameda Barros, conheci dois vizinhos italianos, Dario Canale e um outro de quem não me recordo o nome. Passamos a nos relacionar e nos ajudar, quando faltava café, açúcar, manteiga ou óleo em casa, e a trocar opiniões sobre nossos países, mas nada de política, apenas apresentar namoradas ou conhecidas. O revolucionário Dario Canale retornaria em 1974 ao Brasil com Ricardo Zarattini. Em maio de 1978, seria novamente preso, torturado e expulso do Brasil. Lutou em Moçambique durante três anos na Frente de Libertação de Moçambique (Frelimo), depois viveu na Alemanha Oriental (RDA), onde escreveu o livro *O surgimento da Seção Brasileira da Internacional Comunista (1917-1928)*, prefaciado por Jose Luís Del Roio. Mais tarde, fez um doutorado na Universidade de Leipzig. Dario escreveu muito: artigos, opúsculos, estudos vários, mas quase sempre com nomes falsos. Trabalhou numa obra vasta sobre a história do Primeiro de Maio no mundo, impressa em alemão, escreveu um manuscrito em italiano que intitulou *SophoDialogi*, que trata de diálogos filosóficos travados com o mesmo Karl Marx, expressão de suas perplexidades com os rumos do socialismo. Doente e vivendo a crise do socialismo no Leste Europeu, aos quarenta e seis anos de idade se

A ESTRELA COMEÇA A BRILHAR

matou. Faço esse registro como uma homenagem à memória de Dario Canale, com quem convivi — um exemplo de revolucionário.

Voltando à história de Montoro. Eis que, um belo dia, o Deops prende os dois e a mim também. No Deops, sem entender a razão da prisão, busquei apoio com advogados amigos e com meu professor e deputado Franco Montoro. Quando fui solto, vim a saber que os dois eram militantes do Partido Comunista Italiano (PCI), químicos, apoiadores da ALN.

Vejam o perigo e a coincidência. Meu apartamento, nos tempos de estudante, era frequentado por militantes do PCB-DI, pelo Câmara Ferreira, o "Toledo", que adorava a comida espanhola de Ivone, uma namorada que conheci nas pensões vizinhas e trabalhava como dançarina em boates. Ivone era uma linda morena, que havia tentado suicídio quando a conheci, por acaso, num final de tarde, quando caminhava na rua José Bonifácio, indo para a alameda Barros. Toledo adorava as comidas que Ivone preparava, sempre acompanhada de uma gelada cervejinha Crystal, se não me engano, fabricada em Minas Gerais.

Toledo era um homem especial, tranquilo, sereno, falava baixo, argumentava, ensinava e me tratava como filho. Culto, homem de ação, sempre me deixava uma tarefa e depois cobrava. Foi um privilégio conhecê-lo e conviver com ele, como todo quadro do PCB, que tinha uma disciplina férrea, formação política geral e sempre estava ensinando, educando. Reconheço que aprendi — e muito — com ele.

Quando cheguei ao México, trocado pelo embaixador americano, recebi, no Hotel Del Bosque, um telegrama da Ivone, com uma frase que jamais esqueci: "Estou aqui à tua espera, apaixonadíssima, Ivone". Coisas belas da vida. Nunca mais tive notícias da Ivone.

Outro fato revelador do momento repressivo em que vivíamos foi o desaparecimento — por muitos dias —, de seu trabalho, do meu irmão Luís Eduardo, que se parece bastante comigo. Sem notícias dele, seu patrão passou a procurá-lo e soube da verdade. Confundido comigo, foi preso entrando no prédio do meu apartamento e ficou desaparecido até provar que era meu irmão e não tinha nenhum envolvimento com o movimento estudantil.

Como ex-líder estudantil, militante de resistência armada, ex-filiado ao PCB, eu tinha contatos com a UNE, o MR-8, o PDT, com a Comissão de Justiça e Paz, ABI, a OAB e, por fim, com o PCdoB e o PMDB, por intermédio de meus antigos colegas de movimento estudantil, exílio e clandestinidade. Montoro indicou o jornalista Jorge da Cunha Lima como interlocutor. Com ele, estabeleci uma relação franca e leal e, juntos — PT e PMDB —, demos às Diretas a unidade que lhes faltava!

Montoro nunca vacilou e apoiou totalmente a proposta de um comício em 25 de janeiro de 1984 na Praça da Sé. Era o homem de coragem que eu conhecera em 1965, na PUC, onde nunca se calara ou se submetera à ditadura. Mesmo com a maioria do PMDB em dúvida, ele não fraquejou. PT, PDT, PMDB, PTB, OAB, ABI, UNE, sindicatos e Comissão de Justiça e Paz convocaram o ato para o dia do aniversário de São Paulo, um desafio aberto à ditadura. No dia, Montoro franqueou o metrô, mostrando que esse era o Montoro, democrata-cristão mas, antes de tudo, democrata, mesmo levando em conta, talvez, seu desejo legítimo de ser o candidato do PMDB à presidência.

Foi uma grande vitória e marcou a virada na campanha, agora realmente popular. Duzentos e cinquenta mil pessoas compareceram para ouvir Ulysses Guimarães, Fernando Henrique Cardoso, Lula e, por fim, Franco Montoro. José Richa, governador do Paraná; Iris Rezende, de Goiás; Brizola, do Rio; Nabor Júnior, do Acre; Ramez Tebet, vice-governador do Mato Grosso do Sul, também foram ao comício. Tancredo Neves, governador de Minas, para minha tristeza, ficou em Belo Horizonte recepcionando o então presidente, João Baptista Figueiredo. Apesar disso, enviou seu apoio explícito e entusiasta.

Lula foi correto. Pediu unidade em respeito ao povo que a queria para conquistar as Diretas e aplausos para os outros. E se houvesse vaia que fosse para ele!

Estava aberta a vereda para o grande comício da Candelária, gigantesco ato com cerca de 800 mil cidadãos, e, por fim, após vários atos por todo país. A apoteose final foi no Vale do Anhangabaú.

Durante a campanha, a censura da ditadura somou-se à da Rede Globo. Somente quando o repúdio geral passou a ameaçar seus jornalistas e os carros da emissora, e possibilidade real de o regime cair ficou patente, a emissora cedeu e cobriu, pelo menos com mais espaço, o comício da Candelária.

Figueiredo ainda tentou uma saída. Com medo de aprovação da emenda das Diretas, propôs eleições para 1988, regulamentando as indiretas em 1985. Mas, simultaneamente, mandou tropas cercarem o Congresso Nacional e decretou Estado de Emergência no dia 25 de abril, quando a Câmara dos Deputados votou a proposta de Diretas Já. A emenda foi aprovada por 298 deputados contra sessenta e cinco, além de 112

A ESTRELA COMEÇA A BRILHAR

ausências. Porém, não alcançou o quórum constitucional de 308 votos para a aprovação. Era a derrota das Diretas, um último tapa na cara na vontade popular desferido pelo regime militar.

As consequências do acordo que originou a Aliança Democrática não seriam de curto prazo e nem se esgotariam no governo José Sarney. Chegariam à Constituinte, levariam FHC ao governo e estariam ainda presentes na deposição da presidenta Dilma Rousseff, em 2016.

A conciliação por cima, para evitar que a ditadura caísse nas ruas com a presença definitiva do PT na disputa pela hegemonia política, não seria a última. Tudo para não mudar, para não reformar o que conta, para manter a apropriação da riqueza produzida, a propriedade e renda. A estrutura política institucional do Estado brasileiro.

Sarney foi presidente por um acaso. Mas não podemos afirmar com certeza e segurança que seu governo seria diferente daquele que Tancredo faria. Na natureza, certamente não.

Na chamada Nova República, havia novos atores na cena política. Além do PT, PDT, PSB, PCdoB, PCB, consolidava-se a Contag, irrompia o Movimento dos Trabalhadores Rurais Sem Terra (MST), além da CUT e da Central de Movimentos Populares (CMP).

Eram etapas de lutas crescentes e cada vez mais amplas que formaram milhares de lideranças, militantes, formas de luta, entidades, associações, clubes culturais, sindicatos, jornais, revistas e cursos políticos. Eram os trabalhadores e os excluídos de volta ao panorama político. Nada seria como antes, apesar das aparências e das festas na posse de Sarney.

Mas antes é preciso retomar o fio da história do PT nesse período, já que ele é parte dela como autor e será decisivamente influenciado por ela e seus atores, os movimentos sociais e a Nova República.

A formação da Articulação dos 113 e sua vitória em São Paulo, nossa participação nas campanhas e greves em 1983, nas Diretas em 1984 e na eleição de 1985 indicavam que o PT definia novas políticas, seu perfil e caráter. Aprendia a disputar eleições e, ao mesmo tempo, enfrentava uma fase na defensiva, isolado, minoritário na sociedade com o fracasso das Diretas e a recusa ao colégio eleitoral. Pior. Com a implantação do Plano Cruzado, seriam anos duros e longos, não sem disputas internas, divisões e crises.

Dois movimentos políticos foram decisivos para o PT sair da casca, onde as tendências organizadas como partidos o prendiam: a formação da Articulação dos 113 e a vitória na disputa do Diretório Regional de

São Paulo, ambos em 1983. A articulação pôs fim à dispersão política e orgânica dos sindicalistas, lideranças populares de origem católica e a esquerda independente. E foi no Diretório de São Paulo que, primeiramente, colocamos em prática essas propostas, organizando o partido e seus instrumentos, finanças, jornal, revista, formação. Era colocar em prática os anunciados do Manifesto dos 113 ou fracassar!

Depois do fraco resultado nas eleições de 1982, como era de se esperar, a virada de 1983 e a presença forte, atuante, em todo país do PT nas Diretas, tudo indicava que teríamos um crescimento espetacular em 1986, mas não foi assim. O malogro das Diretas, a questão do colégio eleitoral e a posse de José Sarney no acordo com o PFL, o Plano Cruzado, indicavam que haveria um longo caminho a percorrer. Íamos aprender e estamos ainda aprendendo a duras penas!

A força do movimento social que deu origem à CMP, CUT e ao MST foi estruturada no decorrer no período entre 1975 e 1985, na campanha contra a carestia, nos bairros, nos movimentos por creches e saúde, por habitações e melhor transporte. Mas foi principalmente o movimento sindical autêntico e de oposição ao sindicalismo oficial-pelego que fez a diferença.

Diga-se de passagem, que, mesmo o sindicalismo, o velho para distinguir do novo, dirigido e influenciado pelo PCB, demandava a partir de uma concepção "legalista" e de conciliação, mas fazia suas greves e negociações, para fazer justiça à história.

Para relembrar. Em 1968, foi constituído o Movimento Intersindical Antiarrocho (MIA), reativado em agosto de 1978, sob a enfraquecida hegemonia do PCB. Ocorreu em um encontro sindical com 286 líderes de cinquenta e sete categorias no campus do Cragoatá, da Universidade Federal Fluminense, em Niterói, reunindo representantes do campo e da cidade de treze Estados e contando com a presença dos autênticos, de Lula, de Olívio Dutra e outros dentro da chamada "Unidade Sindical".

A proposta de um congresso de classes trabalhadoras em contraposição ao Conclap — este das classes produtoras e realizado em 1977 —, unindo todo o movimento sindical, dos pelegos aos autênticos, concretizou-se em 1981. A Conclat deu um salto em direção à constituição da Central Única dos Trabalhadores, nos moldes da Central Geral dos Trabalhadores (CGT) pré-1964, reprimida e demolida pelo golpe.

As discordâncias sobre a estrutura sindical, o imposto sindical, a tática de greves e o enfrentamento ao regime militar, a greve geral, a participação das

A ESTRELA COMEÇA A BRILHAR

federações e confederações na futura CUT criariam cisão irreparável entre a Unidade Sindical/PCB e a Anampos/novo sindicalismo autêntico/PT.

A Anampos era a reunião do movimento sindical e popular, dos CEBs, pastorais, sindicatos rurais e urbanos sob forte influência dos sindicalistas ligados ao PT e à Igreja Católica. Na prática, era a preparação para o racha, a divisão no Conclat, cujo 7º Encontro Unitário ocorreria em agosto de 1981, quando os campos Anampos e Unidade Sindical demarcaram seus pontos de divergência, até na composição da Comissão Nacional pró-CUT.

Na Carta de Cragoatá, a contestação à ditadura era o elo e soldava a unidade: Constituinte, greve geral contra o arrocho, liberdade sindical e direito de greve, anistia, investimentos sociais, saúde, educação, habitação, saneamento e transportes. E ainda reforma tributária e bancária, e fim da legislação corporativa da CLT.

Os desacordos expressavam as transformações econômicas, sociais e culturais na própria classe trabalhadora, com o surgimento da indústria de transformação, pesada, de bens duráveis, dos serviços, como o bancário, e do público, contrapondo-se às "velhas" profissões da indústria da alimentação e de bens de consumo, do comércio, gráficos, portuários, ferroviários, com grande peso na classe operária anterior a 1964.

Eram o novo e o velho, daí a discórdia e a queda de braço pelo comando do movimento sindical, naquela ocasião disputado por partidos novos, como o PT, e correntes de esquerda, católicas ou não, além de entidades internacionais ligadas à social-democracia, além da norte--americana Federação Americana do Trabalho e Congresso de Organizações Industriais (AFL-CIO) — American Federation of Labor and Congress of Industrial Organizations —, a maior central operária dos Estados Unidos e Canadá. Formada em 1955 pela fusão da AFL (1886) com a CIO (1935), é composta por cinquenta e quatro federações nacionais e internacionais que, juntas, representam mais de 10 milhões de trabalhadores. É membro da Confederação Internacional das Organizações Sindicais Livres.

O vigor do novo sindicalismo tivera sua gênese nas grandes greves que realizara no final dos anos 1970 e começo dos 1980. Também era impulsionado pelo fortalecimento dos movimentos de bairros e favelas e a consolidação dos grandes sindicatos de metalúrgicos, petroleiros, químicos, bancários, professores e tantas outras categorias. Com tais ações, surgiram as comissões de fábrica e o fim da proibição de greves.

15

O BLOCO DO EU SOZINHO

*O PT rejeita a conciliação por
cima, insiste nas Diretas Já e se isola*

O ABC era o centro da luta e de Lula, o líder. Paralisações pipocavam
na Grande São Paulo, coração industrial do Brasil, deflagradas contra
o arrocho, a falsificação dos índices de inflação e pelo direito de greve
contra o regime militar. Entre 1979, com a decisiva greve na fábrica da
Scania, em maio, até 1983, com um ensaio de greve geral, tivemos vitórias
e derrotas. Adiada pelas eleições de 1982, a CUT seria afinal fundada
em 1983, apesar da oposição da Unidade Sindical-PCB e mesmo do
PCdoB no Conclat. E apesar das dissensões, entre as quais o critério de
escolha de delegados, o ano de realização do Conclat, a convocação de
uma Constituinte, antes ou depois da derrota da ditadura, a pauta de
reivindicações, a convocação ou não de uma greve geral.

A vitória expressiva do novo sindicalismo no Ceclats — Congressos
Estaduais — abriria caminho para o Conclat, em 1981. Esses congressos
estabeleceram as bases programáticas e viabilizaram o surgimento da
CUT. Predominaram as posições da maioria dos autênticos contra os da
Unidade Sindical: plano de lutas até a greve geral, extinção do imposto
sindical e CUT pela base. Mas a Unidade Sindical conseguiu equilibrar
sua direção e sua composição aprovando a apresentação rural por estado
pelas federações, o que lhe dava uma maior representação na direção.

Em 26 de agosto de 1983, na emblemática São Bernardo do Campo,
a CUT deixou de ser somente uma ideia. Seu começo fora a saída dos
sindicalistas autênticos da Unidade Sindical e a criação da Anampos para,
em 1981, no Conclat, confrontar-se com a Unidade Sindical e demarcar
as diferenças entre os dois campos na presença de 5 mil sindicalistas e
1.200 sindicatos da cidade e do campo.

ZÉ DIRCEU

Apesar do boicote do PCB e do MR-8, de parte do Contag, da repressão à greve geral de 21 de julho, das intervenções nos sindicatos, a CUT estava criada. Esse relato é primordial para não nos deixarmos levar pelos resultados eleitorais de 1982, 1985 e 1986, ao analisar essa fase do PT. Estavam plantadas as sementes que dariam flores e frutos ainda na mesma década. O partido não se resumia à disputa eleitoral e institucional. Um poderoso momento social se consolida com a criação da CUT e do MST e depois com a aproximação e filiações da Contag na CUT, da adesão do PCdoB e de facções do PCB.

Antes, o PT enfrentou sua primeira grande crise. De fato, desafio e oportunidade, que pode e deve ser analisada de diferentes pontos de vista e de interesse: comparecer ou não ao colégio eleitoral para eleger Tancredo Neves, derrotar Maluf e fazer a transição na Constituinte congressual.

O partido teria que aceitar a derrota da emenda das Diretas Já e disputar, pela via indireta, a presidência. Teria que aceitar a candidatura de Tancredo, a aliança com uma dissidência do PDS, sucessor da Arena, comandada por Antônio Carlos Magalhães, José Sarney, Marco Maciel e Jorge Bornhausen.

Logo o PT, que advogava a continuidade da campanha das Diretas, a greve geral, o repúdio ao colégio eleitoral e à eleição indireta, a rejeição do acordo de conciliação da Aliança Democrática e a Constituinte exclusiva, eleita apenas para fazer a nova Constituição.

Com apoio massivo, de novo, da mídia, de todos os partidos, PDT e, inclusive, PCB e PCdoB, MR-8 e outros agrupamentos, a campanha de Tancredo se confundiu no imaginário popular com a continuidade das Diretas, de seus comícios e assim foi com ampla participação popular. E o PT se isolou.

Optou por pagar um preço alto, que só se agravaria com o falecimento de Tancredo — e a comoção nacional com sua agonia, morte e funeral, em 21 de abril de 1985 —, a posse de José Sarney, o Plano Cruzado e as eleições de 1986, quando o PMDB faria maioria absoluta na Câmara e no Senado e elegeria vinte e um governadores.

Era a transição por cima, a conciliação conservadora mais uma vez se impondo. Nosso temor era que fosse apenas a troca de um militar por um civil com a continuidade do autoritarismo.

A imensa maioria do PT repudiou as eleições indiretas. Em abril, o 3º Encontro Nacional, com meu apoio e da Articulação, definiu a

O BLOCO DO EU SOZINHO

rejeição ao colégio eleitoral e aprovou a continuidade da campanha pelas Diretas e a Constituinte.

Em janeiro de 1985, antes da eleição de Tancredo, o Encontro Extraordinário do PT, em Diadema, ratificou a decisão e votou pela expulsão dos deputados Airton Soares, Bete Mendes e José Eudes, antes mesmo de eles votarem em Tancredo. Foi um erro a forma com que o fizemos, pois a expulsão só poderia ocorrer depois de concretizada a indisciplina grave e punível com a pena máxima, como mandava o estatuto partidário. Os três se desfiliaram do PT.

Mas era só o começo do calvário. Em seguida, teríamos as eleições de 1985. Naquele ano, a sigla faria uma experiência única disputando a eleição para prefeito das capitais e áreas de Segurança Nacional.

Concluído o curso de direito, inscrevera-me no mestrado em economia da PUC. Apresentei uma proposta sobre a industrialização do Paraná e a influência da geada negra de 1975, aquela que dizimara a cultura do café, produzindo consequências na forma de propriedade rural e na agregação de capital e tecnologia no campo com repercussões na distribuição da propriedade e da renda. Minha orientadora foi a professora Eunice Durham. Levava o curso, apesar das dificuldades com as disciplinas de Cálculo e Estatística, reunindo material de pesquisa e dados. Assessor técnico legislativo, recebia um salário que me permitia sair do sufoco financeiro. Dividia-me entre a presidência do Diretório Regional de São Paulo e uma candidatura a deputado estadual.

Naquele ano — 1985 — havia eleição à prefeitura de São Paulo. Há tempos, vinha incomodado com um tipo de disputa eleitoral pensado para marcar posição e defender pautas nacionais, uma Constituinte, e outras demandas justas, como as reformas agrária, tributária e urbana, mas sem fazer a ligação imediata com os problemas em nível municipal. Também a forma de fazer campanha — o discurso e a propaganda — precisava mudar, sobretudo com a extinção da Lei Falcão. Escaldado com os números de 1982, considerava o pleito uma oportunidade para o PT inovar, apresentando-se como alternativa real de governo e a maior cidade do país, São Paulo, era justamente onde o PT se mostrava mais forte.

Acompanhara a atuação de Eduardo Suplicy como deputado estadual e federal, mas, antes de mais nada, na condição de ativista das lutas populares. Sempre estava presente, como Irma Passoni, Geraldo Siqueira, Eduardo Jorge e Anízio Batista. Mas ele não era sindicalista, não vivia na periferia, não era ligado às pastorais e isso fazia a diferença. Era da alta classe média, ainda que seu coração e mente estivessem com os trabalhadores. Suplicy era economista, professor da FGV e administrador de empresas. Como deputado estadual e federal, tinha uma trajetória parlamentar e de luta popular significativa.

Era bisneto do conde Francesco Matarazzo, filho de Filomena Matarazzo (1908-2013), neta do conde e corretor de café Paulo Cochrane Suplicy (1896-1977).

Comecei a sondar uma provável candidatura Suplicy a prefeito. Poderia suceder a Mário Covas, prefeito indireto, biônico como se dizia, indicado por Montoro, em 1983, para um mandato tampão.

FHC recusara os convites para o Ministério do Desenvolvimento Social, pois sua pretensão era o Itamaraty, para onde Tancredo indicara o banqueiro Olavo Setúbal. Nomeado líder do governo no Congresso, cargo até então inexistente, seu verdadeiro e oculto desejo era suceder a Montoro, mas havia um problema: o vice-governador Orestes Quércia e seu escudeiro-mor, Alberto Goldman, com o controle da maioria do PMDB.

Decide então, após a morte de Tancredo, candidatar-se a prefeito de São Paulo pelo PMDB. Fez tudo para aliar-se ao PFL, reproduzindo a Aliança Democrática. Contudo, o PFL preferiu juntar-se a Jânio Quadros, candidato do PTB.

Decidimos ter nosso próprio candidato, decorrência mais do que natural da recusa ao colégio eleitoral e da oposição ao governo Sarney. Suplicy foi o escolhido e eu fui convidado para integrar a coordenação de sua campanha, o que fiz com prazer. Era uma vez um mestrado que abandonei e nunca mais retomei, do que me arrependo até hoje.

Não por ter assumido responsabilidade na campanha de Suplicy, que, com altos e baixos, crises com a comunicação, escassez de recursos e as surpresas típicas de personalidade e modo de ser de Eduardo, foi uma campanha exitosa e de grandes ensinamentos para o PT. Apesar das derrotas, com cinco anos de idade, o PT começava a aprender a disputar eleições.

Viveríamos a pressão para apoiar o PMDB e Fernando Henrique Cardoso contra a direita. No futuro, ouviríamos a mesma ladainha para apoiar o PSDB contra a direita — a quem eles se aliaram para eleger Tancredo e depois o próprio FHC, em 1994. Sofremos o terrorismo do voto útil para derrotar o mal maior chamado Jânio Quadros. Resistimos e Suplicy obteve 20% dos votos válidos, FHC teve 32% e Jânio venceu com 38%. O fracasso de FHC, em parte, deveu-se ao apoio do PFL a Jânio e ao próprio candidato do PMDB e aos seus erros e, de certa forma, seu elitismo e arrogância intelectual, embora Jânio sempre tenha liderado as pesquisas. Era a São Paulo conservadora, depois malufista.

Na eleição, testamos o *marketing* político com grandes divergências entre a direção política da campanha, o candidato e a equipe de rádio e TV dirigida por Erazê Martinho e Chico Malfitani. Erazê era amigo de Suplicy; seu escudeiro fiel, Breda. Esse confrontava Suplicy, admoestando-o sem piedade e criticando-o duramente sempre que necessário. Não era fácil colocar limites no candidato. Eduardo era e é único, nas qualidades e nas extravagâncias, mas era e é o nosso Suplicy, orgulho da militância do PT que sempre o perdoa. Por 1% do que Suplicy aprontava, com suas idiossincrasias, qualquer um de nós estaria trucidado pela militância. Coisas da natureza humana.

Nesses desencontros, estava o ovo da serpente que envenenaria o PT nos próximos trinta anos: o *marketing* político, que acabou por assumir, assaltar as direções, primeiro das campanhas e depois funestamente dos governos, fora o custo astronômico e inacreditável que, a cada eleição, dobrava, triplicava, consumindo 60%, às vezes 80%, do total arrecadado pelo partido. Em 2012 já estava claro que não era viável prosseguir com essa política. No entanto, não fomos capazes de impedir o desastre que se consumou em 2011 com o papel assumido pelo *marketing* no governo de Dilma Rousseff, com sua "faxina ética".

A evidência de que algo não corria bem seria a eleição para a Constituinte exclusiva e os governos e assembleias estaduais. E a prova de fogo do partido envolveria uma combinação explosiva: o Plano Cruzado e a eleição de 1986 com um PT, apesar da articulação dos 113 e da vitória em São Paulo, carregando ainda a duplicidade entre movimento e partido, reforma e revolução, partido e frente.

A dúvida sobre participar ou não das eleições sempre estava presente e o tema da violência e/ou luta armada rondava o PT.

Era um debate ruim, pelo malogro da guerrilha. Era enganoso e desonesto, porque escondia que tinha sido sempre a direita e os militares que haviam recorrido ao golpe militar em 1950, 1955, 1961, até que venceram em 1964 e se impuseram pelas armas e o terror de Estado.

Da mesma forma, o debate necessário e indispensável entre reforma e revolução, os limites de cada um e sua relação com o socialismo, outra bandeira sujeita à exploração ideológica pelos nossos adversários.

Nós é que sempre fomos vítimas de golpes e da violência política. Restava evidente, historicamente, que os vitimados e submetidos à tirania têm o direito sagrado à rebelião, ao recurso das armas.

O PT era parte viva e fundamental da luta pela democracia no país, herdeiro da geração que desafiou a ditadura nas ruas, nas greves, nos bairros e, por fim, nas Diretas. Era percebido como um partido democrático, como demonstravam a eleição direta dos diretórios e delegados aos encontros, as deliberações programáticas e políticas. Nosso compromisso com a democracia ia além da utopia socialista.

Por isso mesmo, o jogo sujo contra o partido concentrou-se na exploração de dois fatos. Um deles, a tentativa de assalto a uma agência do Banco do Brasil, em Salvador, por militantes do Partido Comunista Brasileiro Revolucionário, o PCBR, filiados ao PT. Mesmo expulsos e ficando comprovado que o partido não tivera nenhuma participação no episódio e muito menos anuiria ou sabia do ato, pagamos um alto preço político e eleitoral, em novembro daquele ano.

Principalmente porque, logo a seguir, em Leme, interior paulista, a Polícia Militar reprimiu violentamente uma greve de cortadores de cana, os "boias-frias", assassinando dois trabalhadores rurais. Prática que se repete até hoje. O inquérito policial atribuiu o fato ao PT, levantando a suspeita de que tiros haviam partido do carro onde estava José Genoino, então deputado federal.

Estava montada a farsa, envolvendo Suplicy e Djalma Bom, presentes e amparando os "boias-frias". A torpeza não teve limites. O governador Montoro, juntamente com o ministro da Justiça, Paulo Brossard, e o ministro do Trabalho, Almir Pazzianotto, compraram a versão caluniosa, mesmo antes de qualquer conclusão policial que, aliás, comprovaria a inexistência de vínculo entre os tiros e os deputados do PT.

A autora e amplificadora da infâmia foi nada menos que a Rede Globo, auxiliada de bom grado pelo *Estadão*, assumido como inimigo do PT.

Mas como prova de que nada está decidido ou fechado em termos de conjuntura e momento político, o verdadeiro dilema, a esfinge do PT, não foi a questão da violência ou a luta armada, foi o Plano Cruzado.

Dentro da caixa de pandora estava a inflação. O cruzado era tão somente o instrumento, a tentativa, depois fracassada, de reduzir e controlar a inflação, o pior imposto para os salários. Era um alerta ao PT e à esquerda e deveríamos ter aprendido a lição. O governo Sarney

O BLOCO DO EU SOZINHO

congelou preços e salários, proibiu a indexação de contratos de curto prazo e inventou uma nova moeda.

Foi um típico plano eleitoreiro, quisessem ou não seus autores, Pérsio Arida e André Lara Resende, economistas da PUC do Rio de Janeiro. No primeiro momento funcionou, dando ao PMDB uma vitória eleitoral esmagadora. Elegeu a maioria absoluta do Congresso Constituinte e, em São Paulo, Orestes Quércia governador, além de Mário Covas e Fernando Henrique Cardoso, senadores.

O PT emplacou dezesseis deputados federais e nenhum senador. Não ganhou nenhum estado para governar, mas fez expressiva bancada estadual.

Secretário-geral do Diretório Regional paulista, meu primeiro desejo era presidir o partido no estado. No entanto, o cargo estava reservado aos sindicalistas, por decisão não escrita, uma vedação consuetudinária. Escolhi, então, a candidatura a deputado estadual. Não queria me afastar de São Paulo, tampouco da Articulação dos 113, cuja maior base também estava em solo paulista. Assim, não corria riscos numa eleição estadual e poderia mesmo combinar o mandato com a atuação no PT, além de ficar com a família e os amigos.

Funcionário da Assembleia havia seis anos, a opção pelo mandato estadual funcionava como uma extensão do trabalho de assessor e dirigente que realizara no parlamento estadual, que também seria constituinte em 1989, ano da eleição presidencial. O que limitaria, mas não impediria minha participação na primeira campanha presidencial de Lula. Minha campanha para a Assembleia apoiou-se na geração de 1968, na tarefa realizada na estruturação do PT, na esquerda de um modo geral, mesmo fora do partido, e na minha relação com setores da intelectualidade.

Sua força: a militância petista, o movimento estudantil, o ativismo no combate ao autoritarismo e a defesa das Diretas Já. Fui o quinto deputado eleito numa bancada de doze. Foi a opção acertada. A campanha me permitiu ver a importância da presença do parlamentar nas fábricas e sindicatos, nos bairros, na luta por um transporte melhor, postos de saúde, saneamento, casas populares e educação de qualidade. Lancei minha candidatura simbolicamente em cima de um caminhão na rua Maria Antônia, uma homenagem e um resgate das lutas estudantis.

As lembranças da campanha são vagas. O meu sobrinho Flama, Flamarion Mossri, que tirou três meses de férias para me apoiar, lembra que o meu comitê ficava na Vila Mariana, num casarão amplo, com varanda, muitas salas e quarto, construído no começo do século XX. Foi uma campanha pobre, com poucos recursos, usando carros de amigos com dois motores fundidos e eu gritando: "Assim não vou ser eleito!". Consegui um ônibus emprestado com quatro telas de TV do lado de fora e, em cima de um palanque montado com microfone e câmera, filmava, em tempo real, o que acontecia na rua. Uma novidade que foi uma sensação.

A maioria da equipe era composta por mulheres, e eu exigia o máximo do meu pessoal, tudo para ontem e muito benfeito. Eu articulava os apoios e conseguia, parte pela minha história de luta, parte pela construção do PT e pelo discurso. Eu já era uma liderança. Naquele tempo, algumas doações davam fôlego por um mês e o equivalente a 10 mil reais era uma fortuna que garantia a campanha por semanas.

Meu mapa eleitoral provou que a construção do PT era a base de minha eleição, votado em todo Estado sem grande concentração em uma só região ou município, provando que tinha condições inclusive de ser eleito deputado federal.

A luta no Movimento Estudantil me aproximava da juventude, que foi minha principal base de apoio, ao lado da militância do PT que nunca me faltaria, como a vida demonstrou depois, em reconhecimento ao meu trabalho de construção partidária.

O Plano Cruzado fracassaria. De sucesso, passou a decepção e raiva, um verdadeiro estelionato eleitoral. Quércia, Covas e FHC eram os principais beneficiados. FHC, o mais hipócrita, pois afastara-se de Sarney e praticamente, sem saber do Plano Cruzado, renunciara ao cargo de líder do governo, rumando para a "oposição independente", típica daquilo que seria uma das marcas do futuro tucanato.

Tínhamos pela frente duas tarefas: a Constituinte e mudar o PT. Experimentamos pequena, confusa e tumultuada experiência de governar, quase fracassada, não fosse o rápido aprendizado na própria caminhada. Fortaleza e Diadema eram nossos exemplos. A capital cearense, na verdade, nunca foi governada pelo PT. A prefeita Maria Luiza Fontenelle e seu grupo político, o Partido Revolucionário Operário (PRO), clandestino, apropriaram-se da administração após se elegerem sob a legenda, a bandeira, a liderança do PT e de Lula. Foi um sequestro do sonho de governar uma das cidades mais importantes do país, depois vingado e realizado nos governos de outra cearense, Luizianne Lins.

O BLOCO DO EU SOZINHO

Diadema teve um final feliz. Lá aprendemos, aos trancos e barrancos, a administrar e bem. Com participação popular e inversão de prioridades durante praticamente trinta anos, Gilson Menezes, o primeiro prefeito, saiu do PT para o PSB e voltou ao PT. Depois elegemos José Augusto da Silva Ramos; e José de Filippi Júnior, também petista, o sucedeu. Zé Augusto saiu do PT e foi para o PSDB. Apesar de tudo, transformamos Diadema, que tinha aspecto de uma grande favela, em uma cidade com todos os serviços básicos, exemplo de inversão de prioridades sem descuidar do desenvolvimento local e regional. Em 2002, ali recebi 25 mil votos para deputado federal, homenagem da militância petista e do povo de Diadema à minha presença de vinte anos na cidade.

Algo de muito errado acontecia em nossos governos. Tínhamos a experiência dos "prefeitos populares" do MDB, a trajetória de Dirceu Cardoso em Lages, Santa Catarina; de Humberto Parro em Osasco, São Paulo; de Chico Pinto em Feira de Santana, na Bahia, emedebistas autênticos. Para mim, o diagnóstico dos problemas da legenda não se situava na falta de tarimba, nas dificuldades orçamentárias ou no embaraço provocado pela herança da gestão anterior. Não era o boicote dos governos estaduais, era mais embaixo. O PT se recusara a associar-se com o governo e a governar. Era aí, síndrome do voluntarismo e do vanguardismo. Impunha-se não só chegar ao poder como aprender a governar. Governando juntamente com a população e buscando soluções, construiríamos a nossa base social e cultural. Era o desafio mais sólido e duradouro do que a prova eleitoral.

Sem uma decisão em encontro, lastreado em maioria expressiva e com direção escolhida para aplicar a nova política, seria impossível continuar. Pior do que uma política errada são duas políticas, duas táticas e visões do país.

Realizado no começo de 1987, o 5º Encontro "centralizou", como se dizia, as tendências. Algumas estavam no PT de passagem. O partido era transitório, o "tático", na linguagem cifrada da esquerda. Não passaria de uma frente parlamentar. Essa definição política e estratégica seria depois consolidada pelo 7º Encontro em 1990, mas o 5º Encontro avançou na definição, decisiva, da estratégia para construir e não assaltar o poder. Afirmou o socialismo como objetivo dessa luta pela hegemonia contra as classes dominantes. A conquista de governo pelo voto, pacífica, era o caminho da luta pelo socialismo.

Respondia-se assim à resistência das correntes em acatar a democracia petista. Valiam as decisões majoritárias, eliminando-se as dubiedades quanto aos caminhos em busca do poder e do governo, e também a duplicidade de militância e organização. E mais urgente: elevavam-se a disputa eleitoral e o exercício do governo à política estratégica do partido.

A Articulação constituiu uma maioria de 59,4%. Elegeu Olívio Dutra como presidente nacional; eu fui eleito secretário-geral. Em 1988, Olívio Dutra elegeu-se prefeito de Porto Alegre, e Luiz Gushiken assumiu a presidência.

A importância do 5º Encontro é inegável. Moldou o caráter do PT e sua estratégia, lançou Lula como candidato a presidente, definiu a proposta de Constituinte, orientando nossa bancada eleita nas decisões naquele ano. De certa forma, o 5º Encontro armou o partido para a nova etapa iniciada com o fracasso rotundo do Plano Cruzado e a impopularidade do governo Sarney, que retirou o PT do isolamento pós-colégio eleitoral. Deu condições ao partido para superar a recusa das alianças sob o impacto da "transição conservadora" — da Aliança Democrática entre o PMDB-PFL — que levou ao "erro", meu, inclusive, de não apoiar Waldir Pires, na Bahia, e Miguel Arraes, em Pernambuco, nas eleições de 1986, apesar da defesa do apoio feita por algumas correntes, como a Força Socialista.

O surgimento da Força Socialista marca uma mudança de visão estratégica que se processou internamente ao Movimento Comunista Revolucionário (MCR), cuja formação resulta da aglutinação de outras forças políticas (OCDP, PCdoB-Ala Vermelha, e MEP), ocorrida no ano de 1985, atuando para fortalecer um campo de organizações revolucionárias clandestinas sob uma frente política de caráter legal, o PT.

Com o tempo, prevaleceu a avaliação segundo a qual o PT, em função de sua definição ideológica e pelas resoluções de seu 5º Encontro Nacional, de 1987, era um instrumento massivo de profundas transformações sociais, rumo ao socialismo. Essa mudança de visão culmina, em 1989, na transformação do MCR na Força Socialista — Tendência Interna do PT. Atuando como fração pública do PT, a Força Socialista inicia uma transição política que leva à união, com coletivos regionais do PT de diferentes tradições de esquerda, dando origem, em 2004, à Ação Popular Socialista (APS), que se retira do PT na crise de 2005, quando se incorporou ao Partido Socialismo e Liberdade, o PSOL.

Era preciso fortalecer a identidade do partido, manter seu distanciamento do pacto por cima e de índole conservadora e afirmá-lo como oposição intransigente ao PMDB de Sarney.

O BLOCO DO EU SOZINHO

Lula me convidou para assumir a secretaria-geral com a expectativa de que eu reproduzisse nacionalmente o trabalho de articulação, organização partidária, direção e orientação política que havíamos realizado em São Paulo. O problema é que, em São Paulo, existia um núcleo dirigente coeso e plural, disciplinado e formado na direção colegiada, coletiva, no movimento sindical e na esquerda. No país, não obstante todos os esforços nesse sentido, somente em 1995 conseguiríamos eleger uma direção sob uma orientação política comum e com metas políticas definidas.

Cheguei na hora certa na direção nacional. Os anos de 1987 e 1988 seriam cruciais para o PT e, em 1989, viveríamos a primeira eleição presidencial desde 1961.

Havia a Constituinte, e o PT, a despeito de sua pequena bancada, soube se afirmar. Foi o único partido a apresentar uma proposta de Constituição. Em 1988, tivemos o pleito municipal, em que o PT poderia se apresentar como o partido da oposição a Sarney, que não foi ao colégio eleitoral, que se opôs ao estelionato do Plano Cruzado e que, na Constituinte, defendera os trabalhadores, os excluídos e a democracia.

Já no final de 1987, a legenda atingia cerca de 20% dos votos e da simpatia popular não longe dos 25% do PMDB. Era um sinal dos novos tempos. Havia se oposto à Constituinte congressual, com os parlamentares eleitos em 86 para a Câmara e Senado, incluindo o entulho autoritário dos senadores biônicos. Defendeu a eleição de uma Constituinte exclusiva, unicameral, eleita para fazer a Constituição e só. Depois haveria eleições para a Câmara e o Senado. O PT e toda a esquerda jogaram todo o seu peso político na eleição de uma bancada enxuta, mas de alto nível, combativa, organizada, sob a liderança de Lula, até então o constituinte mais votado do Brasil, conduzido a Brasília pela escolha de 651.763 eleitores.

Depois de debate com os filiados — mas aberto à participação de não filiados, de entidades, sindicatos, associações de moradores, intelectuais e artistas —, o PT apresentou uma proposta de Constituinte que destacava, por exemplo, a limitação da propriedade (social) privada, a desapropriação para fins sociais, mesmo de áreas produtivas rurais, a estabilidade no emprego, a jornada de quarenta horas, o voto aos dezesseis anos, os juros de 12% ao ano, a anistia para micro e pequenas empresas, a legalização do aborto e a confirmação do presidencialismo.

Nossa proposição merece um capítulo à parte nestas memórias, para que se registre como o PT lutou e conquistou direitos sociais e liberdades, garantias e direitos políticos. Graças à mobilização social que o partido e a esquerda empreenderam, antes e durante a campanha eleitoral e no decorrer das votações da Constituinte, com as emendas de iniciativa popular e a presença de nossos parlamentares junto à população e suas entidades, a cruzada conservadora urdida pelo chamado Centrão — mesmo com o respaldo da imprensa (Rede Globo à frente) — não logrou aprovar suas propostas regressivas.

1985
CONSTITUINTE

16

ERROS E ACERTOS

O PT não acreditava na vitória de Luiza Erundina
nas eleições para a Prefeitura de São Paulo

A Constituinte promulgada trazia em seu ventre as sementes do Estado de Bem-Estar Social, mas, simultaneamente, a sua contradição: a estrutura tributária regressiva era incapaz de financiar os direitos sociais aprovados. Trouxe ainda algo mais trágico, a efetivação de todos os servidores públicos, concursados ou não, e com a garantia de aposentadoria integral. Preservou os dois sistemas de aposentadoria, um para a maioria dos trabalhadores, outro para o funcionalismo público e um terceiro para os militares. Esses, de certa forma, conservaram seu papel de tutela do poder civil, só eliminada pela consolidação da democracia nos últimos trinta anos. A força das armas e da propriedade se impuseram. O monopólio da mídia eletrônica (televisão e rádio), recebido de graça dos generais e com altíssimos investimentos públicos na infraestrutura de comunicações, foi mantido incólume — e o pouco que se aprovou para democratizá-lo virou letra morta.

Por essas e outras, o Partido dos Trabalhadores decidiu não votar a favor da Constituinte e apenas assiná-la.

Ao fazê-lo, registrava na história do país e do parlamento, nos anais da Constituição promulgada, seu compromisso com o pacto democrático e o pacto social aprovado pelos constituintes. Mas, ao recusar seu voto, registrava sua discordância perante a presença de vários dispositivos e a ausência de outros pelos quais passaria a lutar, apresentando emendas constitucionais.

De má-fé, nossos adversários e a mídia passaram a vender a mentira de que o PT não assinara a Constituição, como se não fôssemos democráticos, quando a realidade provou o contrário. Desde sua promulgação, a aliança PSDB-PFL e mesmo o PMDB fizeram de tudo para rever a

ERROS E ACERTOS

Constituição. Em 1993, tentaram uma ampla revisão constitucional que fracassou, não desistiram e, no governo FHC — e agora no governo usurpador de Michel Temer — foram e vão aos poucos descaracterizando a Constituição Cidadã, sobretudo os direitos trabalhistas, sociais, previdenciários, a defesa da economia popular e da soberania nacional.

Foi fundamental para o PT votar contra a manutenção do voto uninominal, aquele em que o eleitor escolhe um candidato ou pode votar numa legenda. Conforme o número de votos dos deputados de um partido e da respectiva legenda, o partido elege X deputados, dividindo o número de votos válidos do partido pelo coeficiente eleitoral, que é a divisão do número de votos válidos naquele estado para a Câmara, pelo número de deputados a que o estado tem direito. Os mais votados em cada partido preenchem a vaga da coligação proporcional e do critério de oito deputados, no mínimo, por estado e de setenta, no máximo, nas eleições da Câmara dos Deputados. Também a manutenção do Senado, órgão revisor e com poderes superiores à Câmara.

Ao propiciar o mesmo poder de voto para cada estado — três senadores — sem considerar a população e/ou número de eleitores, o constituinte não poderia conceder os mesmos e superiores poderes ao Senado. Como, por exemplo, os de aprovar a indicação de ministros dos tribunais superiores, do procurador-geral da República, de embaixadores, titulares do Banco Central e diretores de agências reguladoras, de julgar o presidente da República e os ministros do STF, e de autorizar, ou não, estados e municípios a contrair dívidas.

Diante de uma Câmara não proporcional e a um Senado com superpoderes, restava ao PT disputar o Executivo sem financiamento público e autorizadas as doações empresariais. Estavam dadas as condições para o abuso do poder econômico e a perpetração de um Legislativo conservador, de direita, dos eternos centrões, dominado pelo dinheiro e pelas oligarquias eletrônicas e dinásticas.

Não há dúvida, porém, que a Constituinte e a Constituição dela resultada foram grandes conquistas democráticas da maioria dos brasileiros. As legitimidades de ambas foram acatadas pela nação. A Constituinte traduzia o pacto para repor a violação da soberania popular e do voto pelo golpe de 1964. Simbolizava a condenação histórica da ditadura.

Não imaginávamos que a injúria e a traição à soberania popular se repetiriam como farsa em 2016, quando o próprio Parlamento, com a anuência da Suprema Corte, rompeu o pacto constitucional de 1988, depondo uma presidente eleita pelo voto popular, diplomada pelo Tribunal Superior Eleitoral e empossada pelo Congresso Nacional.

Pelo PT, assinaram a Constituição Cidadã de 1988: Benedita da Silva (RJ); Eduardo Jorge (SP); Florestan Fernandes (SP); Gumercindo Milhomem (SP); Irma Passoni (SP); João Paulo Pires de Vasconcelos (MG); José Genoino (SP); Luiz Gushiken (SP); Luiz Inácio Lula da Silva (SP); Olívio Dutra (RS); Paulo Delgado (MG); Paulo Paim (RS); Plínio de Arruda Sampaio (SP); Virgílio Guimarães (MG); Vitor Buaiz (ES) e Vladimir Palmeira (RJ).

Os sindicalistas eram maioria, mas representavam diferentes setores da atividade produtiva. Lula, João Paulo e Paim, os metalúrgicos; Gushiken e Olívio, os bancários; Genoino e Milhomem, os professores; Florestan, Paulo Delgado e Virgílio Guimarães, os sociólogos e economistas; Irma Passoni e Eduardo Jorge, a luta popular, dos bairros, das mães, da Igreja Católica; Plínio de Arruda Sampaio, parlamentar cassado, ex-promotor, especialista na questão agrária, trabalhava na FAO; Vladimir e Genoino, ex-líderes estudantis em 1968 e ex-presos políticos.

Eduardo Jorge também fora perseguido pelo regime. Médico, deputado estadual e, então, constituinte, era ligado aos movimentos populares da zona Leste paulistana, assim como Irma era da zona Sul, com forte ligação com a Igreja, a exemplo de Plínio de Arruda Sampaio. Quase uma bancada do Sudeste do país: SP, MG, RJ, ES e com o acréscimo do Rio Grande do Sul, e apenas com dois nordestinos, Lula, de Pernambuco e de Genoino, do Ceará! Eduardo Jorge nasceu na Bahia, Vladimir em Alagoas e Gumercindo no Maranhão, mas a construção dos cinco, enquanto militantes e candidatos, se dera longe da terra natal.

Sociólogo, professor e militante — orgânico, se dizia — com obras clássicas sobre a revolução brasileira, Florestan Fernandes fora professor de FHC. Plínio de Arruda Sampaio era respeitado, com longa experiência política e acadêmica.

Lula era o maior líder, mas Olívio, Gushiken, João Paulo Pires, Gumercindo e Paulo Delgado representavam suas categorias com grande peso em nível nacional. Vitor Buaiz dava um toque aristocrático à bancada popular — não pela tradição, esse seria Plínio Arruda Sampaio — pela cultura e postura revolucionária. Era "verde" e militava na proteção do ambiente natural. Professor e médico, destacava-se na pintura de um quadro da bancada.

ERROS E ACERTOS

Virgílio e Vladimir eram os radicais para contrabalançar com o romantismo de Genoino, ex-guerrilheiro, ainda preso aos preceitos de seu Partido Comunista Revolucionário, o PRC. Com o transcorrer dos anos, iria se tornar um dos mais competentes parlamentares do país.

Assim, a bancada juntava líderes populares, de bairros, que "amassavam barro", ligados ao povo — como Irma e Eduardo Jorge — e intelectuais com uma grande influência na academia, na mídia e na esquerda, como Florestan e Plínio, um à esquerda, outro à "direita", que depois militaria no PSOL! Lula, Olívio, João Paulo, Gushiken, Gumercindo, Paulo Delgado representavam a mais avançada consciência política dos trabalhadores. Era um *mix* perfeito de culturas, experiências e vidas.

Com a Constituinte, o PT aprendeu a fazer política no Parlamento, a compor, negociar, mas também a resistir. Perder para ganhar na coerência e princípios. Consolidou a relação com os movimentos sociais, alargou a base social e fortaleceu a militância. Estávamos preparados para novas batalhas, e não só eleitorais, era preciso ousar!

O país mergulhara na crise. Estava prestes a sofrer uma ruptura, tal o desencanto e a decepção com o PMDB e o governo Sarney, apesar do compromisso legalista e constitucional do presidente, avalista da transição em direção à Constituinte e à democracia. Uma recessão combinada com a inflação galopante empurrava o empresariado para a especulação financeira e o Estado estava às portas da falência.

Ascendia um poderoso ciclo de embates sociais e o PT crescia como produto e motor dessas lutas. Não era impossível chegar ao governo provocando uma ruptura, risco de difícil avaliação, que não podíamos correr. Havíamos optado pelo caminho da luta social e institucional e nos preparamos para disputar as eleições municipais de 1988.

Nascido da costela do MDB-PMDB, durante e ao final da Constituinte, o PSDB também se apresentava pela primeira vez ao eleitorado brasileiro. Retomava-se a tentativa de engendrar uma sigla social-democrata no Brasil. Fora, inicialmente, esboçada nos anos 1978-80, inclusive com a participação de Lula e outros próceres que depois fundariam o PT.

FHC vinha se afastando do PMDB e de Sarney e, não fosse o Plano Cruzado, já teria lançado o PSDB, em 1985. Com o controle do PMDB paulista por Quércia e sua eleição como governador, juntando-se à liderança carismática de Ulysses Guimarães na Constituinte e seu papel de "protetor" do governo Sarney, os futuros tucanos ficaram sem espaço e horizonte no PMDB.

O PSDB veio a despontar com três correntes ainda não claramente demarcadas: a democrata-cristã representada por Franco Montoro, a social-liberal que FHC e Tasso Jereissati lideravam, além da social-democracia que José Serra poderia ter comandado, mas não o fez. Sérgio Motta, mais próximo de Serra, fazia a ponte com FHC. Em tese, o PSDB concorreria contra o PT pelo voto das classes médias progressistas e da classe trabalhadora, sem desconhecer a existência de outros atores na mesma área, como o PCdoB, o PDT e o PSB.

Fomos às eleições não sem problemas e divisões na escolha de candidatos. Na cidade de São Paulo, Luiza Erundina, forte liderança popular, ligada às lutas nos bairros, eleita vereadora em 1982 e candidata a vice de Eduardo Suplicy, em 1985, venceu a prévia contra Plínio de Arruda Sampaio, este apoiado por nós, Lula, eu e grande parte do comando da Articulação.

As bases da Articulação, a esquerda do PT e a maioria dos filiados optaram por Erundina. Parecia um sério erro, uma opção inviável eleitoralmente. Estávamos redondamente enganados e o eleitorado popular nos mostraria o equívoco.

Abertas as urnas, o PT recolhe o resultado de anos de luta e trabalho, o prêmio por ter recusado o colégio eleitoral e denunciado o Plano Cruzado. Também por seu comportamento na Constituinte, o trabalho nas periferias e a atuação de seus vereadores, deputados e lideranças.

Até então, o partido governava apenas Icapuí, no Ceará, aliás, com uma gestão exemplar, e Vila Velha, no Espírito Santo — onde o prefeito Magno Pires implantou, pela primeira vez, o Orçamento Participativo. Em 1988, o PT venceria em trinta e uma cidades de doze estados. Nacionalmente, obteve 12% dos votos. Ganhou três capitais: São Paulo, Vitória e Porto Alegre. Em solo paulista consolidou-se ao vencer em São Bernardo, Santo André, Diadema, Santos e Campinas. Nomes expressivos do PT chegavam ao governo: Olívio Dutra, Vitor Buaiz, Luiza Erundina, Telma de Souza e Jacó Bittar. Entre eles, dois dos principais fundadores do PT, ao lado de Lula: Olívio e Jacó. No ABC, Maurício Soares, um advogado do sindicato, ligado à Igreja; em Santo André, Celso Daniel, o mais preparado quadro do PT em gestão pública; em Diadema, o médico José Augusto, que nos daria alegrias e também tristezas.

Djalma Bom era o vice de Maurício Soares e, no ABC, já surgiam *outdoors* com a inscrição: "O Brasil vai mudar de cara. Lula Presidente".

ERROS E ACERTOS

Luiza Erundina venceu uma eleição dada como ganha por Paulo Maluf, apesar do desastre da gestão janista. Contou com o entusiasmo da militância, o apoio popular, o repúdio à repressão na greve dos metalúrgicos de Volta Redonda, onde foram assassinados três operários durante a invasão da Companhia Siderúrgica Nacional, a CSN, por tropas do exército. Símbolo nacional, a CSN conspurcada era prova viva da presença dos resquícios da ditadura no governo Sarney. A rejeição a Maluf fez o trabalho final. Com Erundina, o PT obtinha seu maior triunfo e ainda derrotava o maior símbolo da direita e do arbítrio.

João Leiva, o candidato do quercismo, apoiado pelo PCB, cometeu um erro grosseiro ao, já com o horário eleitoral encerrado, fazer pesados ataques anticomunistas a Erundina, perdendo assim, para ela, importante eleitorado na Baixada Santista.

O PSDB, recém-criado, elegeu dezoito prefeitos, entre eles Pimenta da Veiga, em Belo Horizonte. Seu sucessor foi Patrus Ananias, do PT, em 1992, o começo de uma sucessão de vitórias da esquerda na capital mineira, que ainda elegeria Célio de Castro e Fernando Pimentel, cada um duas vezes.

Entre 1987 e 1991, Orestes Quércia governou São Paulo e eu, deputado estadual fiz, juntamente com a bancada do PT, oposição frontal ao quercismo. Contestação, às vezes, difícil, dado o risco de ser confundida com a oposição doentia, conservadora, da família Mesquita e do *Estadão*. O jornal e os Mesquita não perdoavam a origem popular de Quércia, sua aliança com o PCB e, principalmente, as derrotas humilhantes que infligiu aos candidatos da elite paulista, casos como o do ex-governador e ex-ministro da Fazenda, Carvalho Pinto, em 1974, e do empresário Antônio Ermírio de Moraes, em 1986.

Quércia fora vereador e prefeito de Campinas, tornou-se senador em 1974, batendo o candidato da Arena, então dado como eleito. Vice-governador em 1982, era um fenômeno eleitoral, tanto que, em 1986, conseguiu 5,6 milhões de votos, derrotando Moraes, Maluf e Suplicy.

O PMDB vinha em ascensão, sinal da perda de apoio do regime. Colheu triunfos convincentes em 1974 e 1976, quando elegeu dez dos quatorze prefeitos nas cidades paulistas com mais de 160 mil eleitores. Em 1978, Montoro elegeu-se senador. FHC, que pleitearia a indicação contra Montoro, concorreu na sublegenda do MDB. Não obstante o amplo apoio da intelectualidade e mesmo de Lula, ficou na suplência de Montoro. Só assumiria a cadeira de senador em 1983, por conta da eleição de Montoro para o governo estadual.

Quércia chegou ao governo com traquejo como vereador, prefeito, senador e já no controle do PMDB paulista, apoiado pelo PCB e seu escudeiro e braço político, Alberto Goldman, que, em 1978, costurara o apoio de Quércia a FHC contra na corrida pelo Senado.

Montoro fizera um governo discreto. Seu grande feito foi a luta pelas Diretas, a defesa da democracia e o respaldo à mobilização popular. Apoiou fortemente os municípios, a descentralização e as pequenas iniciativas locais. Na visão dos adversários, sua marca foi uma caricatura envolvendo as hortas comunitárias e a vaca mecânica, "produtora" de leite de soja. Na verdade, Montoro estava certo. A vaca mecânica, produtora de leite de soja, mostrou-se eficiente, tanto que Cuba a levou para Angola, onde a falta de leite de vaca era quase total. Priorizou a educação e enfrentou recessão, inflação e desemprego em alta. Seu sucessor, Quércia, seria beneficiado pelo Plano Cruzado e quebraria o Estado para transformar em governador seu secretário de Segurança Pública, Luiz Antônio Fleury Filho.

Meu papel na campanha das Diretas, na oposição a Quércia e na secretaria-geral do PT nacional, permitiu-me ocupar bom espaço na imprensa que, somado ao trabalho na Constituinte estadual, em 1989, e na construção do PT paulista, consolidou minha liderança e visibilidade política em termos estaduais. Como deputado — e igualmente pela militância no Movimento Estudantil — optei por trabalhar a área de educação, além das questões de segurança pública e agrária. Mas meu principal foco foi o combate ao quercismo.

Na Assembleia, a bancada petista tinha fortes laços com os movimentos sociais, populares e sindicais. As mulheres — Luiza Erundina, Telma de Souza e Clara Ant — tinham apreciável presença. Lucas Buzato, Expedito Soares e José Cicote, todos já com uma liderança marcante na periferia de São Paulo, Baixada Santista e no sindicalismo. Eu e Machado vínhamos da oposição armada, do movimento estudantil e da prisão. Roberto Gouveia, a exemplo de Erundina, procedia dos movimentos populares da zona Leste paulistana. Telma de Souza, professora e pedagoga, foi uma vereadora atuante e popular do PT. Seu pai fora uma importante liderança sindical na chamada Baixada Santista.

O período Quércia foi marcado por grandes escândalos como a privatização da Vasp e o uso desmedido do Banespa, vítima de péssima gestão, com aumento da inadimplência. Valeu-se de uma política regressiva de segurança à moda Maluf com a sua política de "a Rota na rua" e grandes

ERROS E ACERTOS

obras viárias. O governador mirava a presidência da República como candidato pelo PMDB. Daí o uso da Vasp e do Banespa, das estatais paulistas — Cesp, Eletropaulo, Sabesp, Telesp — como moeda de troca política e compra de apoios Brasil afora.

Na segunda metade da década de 1980 arquei com uma sobrecarga absurda de trabalho, de noites em claro, tanto na Constituinte quanto na campanha presidencial de Lula. Os anos 1990 não seriam diferentes. Candidato a deputado federal, participaria ativamente da campanha ao governo de São Paulo, acumulando o cargo de secretário-geral.

A Constituinte estadual resultou em um momento especial em minha vida política e parlamentar. Já acompanhara a atuação dos nossos deputados e participara da elaboração da proposta da Constituição elaborada dentro e fora do PT. Era resultado dos vinte e cinco anos de luta contra a ditadura e contara com o aporte de técnicos, intelectuais, artistas, escritores, lideranças populares e sindicais. Portanto, nossos constituintes estaduais agiam com o suporte da proposta nacional, amparados igualmente na presença massiva e permanente de delegações de entidades e associações de todas as regiões de São Paulo. Era o "terceiro estado" resumido em assembleia permanente.

Estávamos obrigados a seguir, ao pé da letra, a Constituição Cidadã promulgada, em 1988, por Ulysses Guimarães. Contudo, por omissão ou interpretação, era possível avançar ou recuar nas conquistas sociais e nas atribuições de cada órgão estatal. Nessas brechas se daria a disputa na Constituinte em São Paulo.

Na divisão de trabalho dentro da bancada, travei duas batalhas nos campos da educação e da segurança pública. Meu esforço se concentrou na garantia de recursos orçamentários e na garantia da autonomia para as universidades estaduais em São Paulo — USP, Unesp e Unicamp —, aprovada durante o governo Quércia e com o seu apoio. E, além disso, assegurar verbas a serem obrigatoriamente destinadas para a ciência e tecnologia, no caso para a Fundação de Amparo à Pesquisa do Estado de São Paulo, a Fapesp, batalha que vencemos e que coloca até hoje São Paulo na vanguarda da inovação e desenvolvimento tecnológico.

No campo da Segurança Pública, procurei salvaguardar o controle externo e democrático sobre a atuação da Polícia Civil e Militar. Além de organizar as carreiras e delimitar as funções de cada polícia, depois que nossa proposta de desmilitarização de PM e unificação das polícias foi derrotada.

Outro ponto ocupou meu tempo e mandato constituinte: a oposição à pretensão inconstitucional de Ministério Público Estadual de ser a polícia judiciária do Estado. Isso quando o Constituinte nacional estabelecera que a Polícia Federal era a polícia judiciária da União e as civis a dos estados.

Através dos deputados Plínio de Arruda Sampaio e José Genoino, o PT fora o principal apoio à articulação da criação do Ministério Público com autonomia e como fiscal da lei na Constituição de 1988. Inclusive com o papel de controle externo das polícias, essas, sim, obedecendo à máxima constitucional de separação de poderes e controle mútuo — polícias judiciais do Estado. Já em 1989, os promotores e procuradores fizeram de tudo para assumir a dupla e ilegal função de investigar e acusar em nome do Estado e do povo, só faltando julgar. O que hoje fazem pela quebra do sigilo processual, da presunção da inocência, do devido processo legal, do cerceamento de defesa e do absoluto poder que a mídia lhes dá, o de condenar antes de julgar.

Resistimos, e derrotamos o Ministério Público, em todos os estados. Entretanto, aquilo que, durante quase trinta anos, o MP não conseguiu no Congresso Nacional, o STF, em decisão inconstitucional, lhes concedeu de mão beijada: o poder de investigar. Em que pese a Constituição e o constituinte lhes negar em votação pública na Constituinte o papel e a função de Polícia Judiciária da União e dos estados.

Foi uma das mais graves decisões do STF. Durante duas décadas, a Corte resistiria ao assédio da corporação. Mas, principalmente após a vitória de Lula, em 2002, o STF, aos poucos, foi cedendo até consumar a aberração que, na prática, transformou o MP no único órgão não fiscalizado. Sem qualquer controle, à exceção daquele da própria corporação, um simulacro vergonhoso exercido pelos próprios procuradores, fonte de inúmeras ilegalidades, regalias e privilégios, inclusive salariais, benesses indevidas de que nenhuma outra categoria de servidores desfruta. Com a agravante do sigilo que cerca o orçamento e a folha de pagamento dos procuradores, os benefícios, auxílios de todo tipo, até para compra de livros e educação dos filhos, uma verdadeira casta que aufere rendimentos que ultrapassam até duas ou três vezes o teto constitucional. Sem contar a escandalosa "venda de férias", disseminada pelo Poder Judiciário como uma verdadeira farra do boi, porta escancarada para corrupção, peculato, falsidade ideológica, sonegação fiscal e crime contra a ordem tributária. Tudo nas barbas do Conselho Nacional de Justiça e do Supremo, cúmplices da escalada autoritária do Ministério Público.

17

CAMINHANDO

*Prévias, o grande risco no
caminho das vitórias eleitorais*

Entre 1989 e 1992, o aprendizado do PT nas prefeituras anunciava as contradições que enfrentaríamos nos governos estaduais a partir de 1994 com a eleição de Cristovam Buarque, em Brasília, Vitor Buaiz, no Espírito Santo, e Jorge Viana, no Acre. Jorge e Vitor eram ex-prefeitos tarimbados, Cristovam, ex-reitor da Universidade de Brasília (UnB), um intelectual de raízes brizolistas. Os dois últimos governaram suas cidades com êxito, como fizeram Olívio Dutra, em Porto Alegre, Telma de Souza, em Santos, e Celso Daniel, em Santo André. Enquanto isso, as administrações de Luiza Erundina, em São Paulo, Jacó Bittar, em Campinas, e José Augusto, em Diadema, foram sacudidas por crises e divisões internas. Eram reflexos da contradição em que se debatia o PT entre administrar dentro da correlação de forças e da conjuntura ruim de recessão, desemprego e inflação, ou simplesmente se acomodar ao *status quo* — caso de Campinas — e a tentativa de avançar e romper o modo tradicional de governar, enfrentando as resistências conservadoras às mudanças, caso de São Paulo.

As crises não foram iguais, mas é possível destacar os principais obstáculos: democratizar a gestão sem romper e superar o papel das câmaras municipais; inverter as prioridades, levando em conta o orçamento, remanejando por dentro o destino das receitas, ou fazer reformas tributárias progressivas. Outro tema recorrente era o relacionamento do prefeito com o partido, dos vereadores petistas com ele e com o Diretório Municipal.

Para complicar a espinhosa tarefa dos prefeitos e prefeitas havia a proposta de implantação dos conselhos populares soberanos, deliberativos e impositivos. Não era uma vida fácil a dos nossos prefeitos.

Na teoria, os eixos do PT eram a gestão democrática e a inversão de prioridades: nossas gestões deveriam ter como primazia educação, saúde, transportes, saneamento e habitação. E deveriam inverter também a lógica dos impostos, apoiando-se no IPTU progressivo, no ISS, além da cota-parte do ICMS e o FPM-Federal, Fundo de Participação dos Municípios, parte do IPI e do IR. Missão penosa dadas as demandas represadas desde 1985, o conservadorismo dos legislativos municipais — onde, às vezes, tínhamos um ou dois vereadores — e as divisões internas no partido.

São Paulo, pela dimensão e importância política, polarizou e atraiu o debate político petista e nacional. Mas foi Porto Alegre, com o Orçamento Participativo e a mobilização popular, que se impôs no imaginário petista. Começávamos a construir o "modo petista de governar", um extraordinário avanço, se considerarmos que éramos um partido dos de baixo, dos excluídos e dos trabalhadores.

É verdade que inúmeros intelectuais, professores, técnicos, profissionais aderiram ao Partido dos Trabalhadores. Mas também é verdade que o partido, ao governar, formou não somente uma geração de gestores políticos, como transformou em políticas públicas a agenda dos movimentos sociais. Combinou a experiência das lutas sociais com a academia e a administração pública, unindo lideranças populares, profissionais e técnicos, além de servidores públicos. Uma nova "elite" começava a se formar com novas políticas. Era um começo, dolorido, uma cesariana, um parto com fórceps, mas era o novo nascendo.

Nada aconteceu sem percalços. As crises em Diadema e Campinas são exemplos. Gilson Menezes, apesar da sinceridade e opção pela imersão nas prioridades, não suportou o democratismo e o vanguardismo dos conselhos populares transbordando a autoridade (e a legalidade) do prefeito e confrontando a Câmara. Sem saída, Gilson cometeu o erro de deixar o PT, depois retornou.

Município sem recursos, sem nenhuma infraestrutura e com serviços públicos precários e insuficientes, Diadema era uma cidade metalúrgica e, ao mesmo tempo, com um grande número de favelados e trabalhadores informais. Seria a maior e melhor experiência do PT, que a governou praticamente até 2012. Ou seja, durante trinta anos.

Se há cidade que merece o nome de petista é Diadema. Campinas expressa polo oposto, seja à Porto Alegre ou à Santos e Santo André, para não citar Diadema. Os governos de Telma de Souza, em Santos,

CAMINHANDO

e de Celso Daniel, em Santo André, foram modelos de gestão e com capacidade política de ampliar o apoio ao PT e ao governo, registrando avanços extraordinários. Santos, na saúde, transporte, turismo e nas operações das praias despoluídas; Santo André criou uma escola de governo. Professor da Fundação Getúlio Vargas, Celso Daniel deixou um legado que o reelegeu em 1996, só não fazendo o sucessor em 1992 — não havia reeleição — pela divisão do PT. Seu candidato, Antônio Granado, perdeu a prévia para José Cicote, derrotado pela direita.

A administração de Campinas, apesar dos progressos, debateu-se, desde o seu início, com a personalidade do prefeito Jacó Bittar, um dos fundadores do PT, ao lado de Lula e Olívio. Líder petroleiro, dirigente e fundador da CUT, tinha autoridade para impor ao próprio PT a "sua política", suas alianças e acordos com os governos de Quércia e Collor. Bittar acabou saindo do partido. Mas Campinas era petista e, em 2000, elegeu Antônio da Costa Santos, o Toninho do PT. Evidência de que, a despeito das crises, o partido foi um caso de sucesso e de aprovação popular. Propiciou quatro mandatos em Porto Alegre, três em Aracaju, as vitórias em Belo Horizonte, com Patrus Ananias, Célio de Castro e Fernando Pimentel, que fez o seu sucessor. Além do retorno à prefeitura em Santo André e Campinas, a reeleição em Santos do sucessor de Telma, David Capistrano Filho. Fora Rio Branco, Goiânia, Palmas e tantas outras cidades, lembrando que os prefeitos Vitor Buaiz, Jorge Viana, Olívio Dutra, Tarso Genro, Fernando Pimentel e Marcelo Déda seriam eleitos governadores.

Merece um destaque o governo de Luiza Erundina, em São Paulo, pela inusitada e única eleição de uma liderança popular de esquerda, socialista, radical, para governar a cidade. Erundina sofreu feroz oposição dos meios conservadores e da mídia. Mesmo minoritária na Câmara de Vereadores, seu governo viabilizou a futura eleição de Marta Suplicy e, após, de Fernando Haddad, fazendo com que, em sete administrações paulistanas, três fossem petistas.

Erundina pagou com sua audácia a inversão de prioridades. Com um orçamento apertado, recebeu a cidade em frangalhos da calamitosa administração Jânio Quadros, tanto nas finanças como na gestão. Privilegiou, então, a periferia, investindo nos serviços de saúde, educação, habitação e assistência social para mães e seus filhos, além de trabalhar para melhorar a situação dos desempregados e dos sem-teto.

Foi derrotada em duas iniciativas revolucionárias: a tarifa zero e o IPTU progressivo, anátema para as classes ricas de São Paulo e de todas metrópoles brasileiras. A duras penas, manteve em dia as contas públicas, durante toda a sua gestão. Teve que paralisar várias obras viárias, abandonando algumas, como a do túnel sob a avenida Juscelino Kubitschek. Acossada pela mídia reacionária, a mesma que se calou sobre a herança janista, pagou caro também por seu apoio às greves, inclusive sendo processada e condenada por liberar as catracas dos ônibus durante uma paralisação. Nordestina, ativista da periferia, jamais foi perdoada pela ousadia de governar uma metrópole como São Paulo.

Pecou por isolar-se com sua corrente, o PT Vivo, e por tender às decisões pessoais e de grupo. Sem sucessor, rompida com seu vice, Luiz Eduardo Greenhalgh, viu o senador Eduardo Suplicy ser escolhido como candidato do PT sem sua aprovação, caminho certo para a derrota.

Minha avaliação, quase trinta anos depois, é positiva. Erundina, nas condições de então, fez uma boa administração e Marta Suplicy faria melhor, oito anos depois, embora a imagem forjada pela mídia tenha sido outra. O que se deve ao monopólio de informação e formação que, em São Paulo, possui peso maior, seja por presença da *Folha* e do *Estadão*, seja pelas rádios e pela então absoluta predominância da Rede Globo. Basta comparar os governos do PT com os de Paulo Maluf e Celso Pitta para que se perceba a diferença e a avaliação favorável a nós.

A escolha de Suplicy como sucessor e as divisões em Santo André, Diadema e outras cidades, depois nos estados — como no Rio Grande do Sul e na capital — na hora da escolha dos candidatos, expunha outra grande questão: as prévias e seu equilíbrio em relação aos prefeitos, governadores, direções partidárias e tendências.

Nem sempre o desejo dos líderes e de seus seguidores — tendências, grupos, apoiadores ou filiados — são convergentes. Há casos em que a liderança do prefeito se impõe, conquista a maioria e indica seu candidato, mas nem sempre isso acontece. Preferimos manter as prévias, apesar dos riscos. Particularmente, sempre me empenhei em construir acordos, apostando no diálogo. Mas não hesitei nunca em tomar decisões para alcançar maiorias nas prévias como última solução. Não há dúvida que as derrotas em disputas internas e as cisões decorrentes nos levaram a insucessos eleitorais, a mais eloquente delas na sucessão de Olívio Dutra, em 2002, quando Tarso Genro o derrotou numa prévia interna e perdeu a eleição para Germano Rigotto, do PMDB. Mas, de certa forma, resgatada com nova vitória de Tarso Genro, em 2010.

Prévias ou encontros? A designação dos nomes para concorrer sempre é traumática quando não há maiorias e principalmente políticas, programas que balizem as escolhas e resoluções. E quando se apresentam interesses de grupos ou de pessoas, tudo fica mais difícil, por mais legítimos que sejam.

Minha opção sempre foi a de articular políticas, diretrizes e programas e, a partir e com base neles, maiorias capazes de dirigir e governar o partido e seus destinos. Desse jeito ocorreu com a Articulação dos 113 e com os caminhos escolhidos no 5º e no 7º Encontros Nacionais que nos levaram à jornada de 1989, vitoriosa na conjuntura, a despeito do malogro eleitoral.

De todo modo, no imaginário popular e na disputa pela hegemonia, avançamos, e muito, consolidando o modo petista de governar como diferencial básico. Não só pela ampliação do apoio social e eleitoral ao PT, mas como método para conquistar governos estaduais e, mais tarde, a presidência da República.

Ficaram a experiência e a necessidade de superar a tendência de setores importantes do PT que se recusaram a governar e viam o acesso aos cargos eletivos mais como instrumentos apenas para fomentar e organizar a luta política.

Nesse processo enfrentamos, embora em menor escala, mas ainda danosa, a atitude de alguns setores ao recusarem o ônus de ser governo. Inúmeras vezes, o próprio PT era o principal opositor aos nossos governos, produzindo crises gravíssimas com os governadores Vitor Buaiz, Zeca do PT e Cristovam Buarque.

Era, e é natural, a tensão no debate das políticas relacionadas ao funcionalismo público, importante base do partido e de parlamentares de esquerda. Mas era preciso distinguir. Governo e PT são ambas instâncias do Estado, mas partem de universos diferentes. O governo representa o interesse da sociedade, de classes, é verdade, enquanto o PT exprime interesse do coletivo, da maioria partidária e de nossa base social, os trabalhadores e excluídos.

Saber defender dentro do governo os interesses que representamos, sem confundir o governo com o partido e vice-versa, é o *x* da questão. A questão envolve a forma de ampliar e consolidar, dentro da gestão, o interesse do partido e de sua representação social. Mas se opor ao governo para não assumir ônus, só bônus, é a pior solução. Uma coisa é contestar decisões abertamente contrárias ao nosso programa. Outra é refugar a solidariedade com o governo na crise e na disputa com os adversários que, como sabemos, se comportam como inimigos.

O partido, não obstante as resoluções de seus encontros, ainda procura conciliar e superar as sempre presentes contradições entre a luta social e a institucional, o governo e o partido, entre ser oposição e demandar do Estado e ser situação, entre ser um partido de transformações e um partido de governo, da ordem, entre lutar pelo poder e fazer alianças partidárias e, às vezes, de classe. Eram muitos os desafios no crepúsculo do século XX.

A frente antiditadura que o MDB e seu sucessor, o PMDB, representavam fracassara sem dar uma resposta ao problema do crescimento econômico e da dívida social. Mesmo com a nova Constituição e o restabelecimento da democracia representativa, das liberdades civis, das garantias individuais, entre elas o direito de greve e o fim da censura, persistiam o entulho autoritário e os privilégios sociais e no Estado, na burocracia civil e militar.

Era hora de romper com o passado. Mas quem herdaria o caudal de rebeldia, indignação e sede de justiça, promovendo o reencontro com os trabalhadores? Quem o romperia para, na prática, retomar as velhas ideias liberais, pró-norte-americanos, da UDN, da reação que apoiou e viabilizou o golpe? Quem representaria as classes conservadoras, a propriedade inviolável, a família, as tradições, a religião, os ricos e rentistas?

Com o ocaso do autoritarismo, a direita não se entendeu. Saíram candidatos Paulo Maluf, Aureliano Chaves, Guilherme Afif Domingos e Ronaldo Caiado, esse representando a UDR, o latifúndio armado. Afif procurava se apresentar como a nova cara do capitalismo, Maluf e Aureliano eram filhotes da ditadura, ainda que com sinais trocados.

No campo democrático, antiditadura, irrompiam personalidades como Ulysses, o *Senhor Constituição*, a própria face do MDB-PMDB, mas também o fiador do governo Sarney, o que lhe custaria caríssimo. Covas, o perseguido e cassado, líder do PMDB na Constituinte, encarnava a nova social-democracia.

Brizola era o portador do legado de Getúlio e Jango, da resistência ao golpe em 1961 e 1964. Governador, revolucionou a educação e projetou o Rio Grande do Sul e sua agroindústria, criando as bases para seu desenvolvimento. Governador do Rio em 1982, também imprimira sua marca na educação e na mobilização popular. Na boa e

CAMINHANDO

velha tradição gaúcha, sem medo e sem dono, um dos últimos caudilhos com C maiúsculo, nacionalista sempre.

Roberto Freire, candidato pelo PCB, era de si mesmo. Sem expressão e apoio popular, valia pela história heroica da legenda, mas já dava sinais de ter mudado de lado. Vaidoso e autossuficiente, foi um fracasso rotundo.

Lula representava uma frente política importante — a Frente Brasil Popular —reunindo o PT, o PCdoB e o PSB, uma aliança entre diferentes momentos históricos da classe trabalhadora, representados pelas figuras lendárias de Miguel Arraes, João Amazonas e Luís Carlos Prestes — dissidente então do PCB. Lula pelo PT, representava o novo sindicalismo.

Mas havia um senão e ele se chamava Fernando Collor de Mello, filho e neto de políticos, da elite nordestina, prefeito de Maceió nomeado pela ditadura. Deputado federal em 1982, votara pelas Diretas Já, mas sem participar da mobilização popular. Fechara com Maluf no colégio eleitoral. Arrivista e oportunista, era um filhinho de papai que se apresentava pelo minúsculo e recém-fundado Partido da Reconstrução Nacional, o PRN.

O cenário não era dos melhores para o PT, pela pressão e exploração da mídia. Viviam-se os momentos finais da União Soviética e havia a queda do Muro de Berlim. Ocorrera o massacre da Praça Celestial, em Pequim. Os sandinistas haviam sido derrotados eleitoralmente na Nicarágua e agravara-se a crise em Cuba. Uma época se encerrava, a das revoluções proletárias.

Porém, seria subestimar o petismo. A legenda não tinha compromissos com o chamado socialismo real e tampouco se portava como sua herdeira. Ao contrário, formara-se na solidariedade internacional aos trabalhadores e depositária dos ideais socialistas, mas avessa ao autoritarismo dentro e fora do Brasil. Apoiara as lideranças do sindicato polonês Solidariedade e opusera-se à repressão na China, embora com retórica diversa da política agressiva dos EUA.

Muitos, de má-fé ou pregando no deserto, acreditavam que a crise do socialismo feriria mortalmente o Partido dos Trabalhadores. Nada mais irreal. Por trás do discurso adversário, tentava-se influir no partido e na avaliação que fazia daquela catástrofe política e ideológica. Outros interesses trabalhavam para domesticar o PT. Aviso aos leitores: adiante, retomaremos esse grande tema do primeiro congresso partidário.

Houve muita exploração anticomunista e religiosa, além de baixarias diversas. Mas o que dominou o debate político foi a candidatura de

Fernando Collor e o apoio massivo por ela recebido das classes médias conservadoras e do empresariado, inclusive da Rede Globo, após namoro frustrado com a candidatura do PSDB. Mário Covas mostrou-se incapaz de unir os próprios tucanos e crescer eleitoralmente, mesmo assumindo o famoso discurso do "choque de capitalismo", no fundo, uma tentativa de roubar o discurso de Collor.

Cumpri dupla função nesse período, dividindo-me entre a secretaria nacional e a coordenação da campanha, sem contar a condição de constituinte estadual. Não foi fácil, mas foi um ano de grande alegria. No dia 8 de junho, nasceu a minha tão esperada filha, Joana Saragoça, uma luz em minha vida. Zeca, com onze anos, começava a viajar para São Paulo movido por sua paixão pela Fórmula 1 e por Ayrton Senna. Toda a família comemorou a chegada de Joana. Ela me daria ainda a oportunidade e o privilégio de conviver com a avó materna, Irene Terra Saragoça, que se tornaria minha conselheira e confidente, sempre discreta, cuidadosa com a segurança, atenta às minhas recaídas, esquerdista, bem ao estilo do velho Partidão.

Para complicar ainda mais minha rotina já atribulada, fraturei dois dedos, como mostram as fotos daquele tempo em que apareço com o braço esquerdo engessado. Foi um acidente banal em uma visita com Zeca ao Playcenter, no bairro da Barra Funda, em São Paulo. Tive a calça fisgada por um arame da cerca e, tentando evitar uma queda de cabeça, coloquei a mão à frente e acabei fraturando dedos da mão esquerda. Medicado, não fiz todas as sessões de fisioterapia, o que resultou em um defeito nos dedos, deixando-os um pouco mais abertos até hoje.

18

O ERRO DE LULA

O jogo pesado da política brasileira,
no inesquecível ano de 1989

Ao ajudar na construção da Frente Brasil Popular — sem a qual Lula não iria para o segundo turno, em 1989 — muito me valeram as relações do passado e a experiência na trajetória das Diretas Já: minha proximidade com o PCdoB, com os petistas, com o grupo de David Capistrano, com Miguel Arraes e os históricos do PSB — Saturnino Braga, Roberto Amaral, Jamil Haddad, entre outros. João Amazonas também teve papel relevante, sempre acreditando na vitória de Lula e na importância da Frente, procurando aparar as arestas e superar as divergências entre nós, Brizola, Arraes e o próprio PCdoB.

Em uma eleição atípica, solteira, depois de quase trinta anos de jejum; seria necessário buscar amparo e força na juventude. A mesma que foi às ruas pelas Diretas Já, nos movimentos sociais, na intelectualidade. Não tínhamos recursos nem a experiência que a situação exigia.

Procuramos definir o perfil do vice de Lula. Deveria ser alguém jovem, que representasse a luta contra a ditadura, um nome do PSB e do Sul do país, onde Brizola era imbatível? No Sudeste tínhamos o PT e Lula, a classe operária, os movimentos populares e, no Nordeste, Arraes e Lula. Optamos por Gabeira, verde, símbolo da época que vivíamos, da liberdade, da luta contra o preconceito. Mas Gabeira faria tudo para não ser o candidato. Seu discurso no Encontro do PT pôs tudo a perder.

Não pelo discurso em si, sua manifestação correspondeu apenas à gota d'água que entornou o vaso. Perdurava, ainda, uma mistura de preconceitos enraizada em alguns líderes sindicais, algo próximo à homofobia. Podia não chegar a tanto, mas passava perto. Tudo isso, agravado pela manifestação, sempre naquela linha entre a arrogância e a ignorância sobre o PT, e mesmo sobre Lula e o sindicalismo.

O ERRO DE LULA

Gabeira foi eleito deputado federal pelo Partido Verde (PV) em 1994 e reeleito em 1998. Quando interessou, filiou-se ao PT, reelegendo-se novamente deputado federal em 2002. Deixou a sigla em outubro de 2003, com aquele falso tom de indignação, citando o apoio do PT e de Lula a Cuba como motivo de sua saída. O que lhe garantiu ampla simpatia da mídia a sua campanha de deputado federal em 2006, a começar pela revista *Veja*, emplacando a maior votação do estado. Não teve pudor de conviver — como convivera no PV, aliado de César Maia — com o PSDB, partido ao qual se juntou em 2008 para disputar a prefeitura do Rio. E ainda apoiou José Serra para presidente em 2010, em oposição a Dilma Rousseff.

Transformou-se em feroz opositor ao PT, algo que nunca foi em relação ao PSDB e à direita. Gravada em sua biografia está a eleição de Severino Cavalcanti como presidente da Câmara dos Deputados. Apoiou Severino para, depois, de forma oportunista, transformar-se em seu algoz, sempre contando com a generosa cobertura da Rede Globo, que já o acudira nas campanhas a prefeito e governador, na certeza de governar o Rio por suas mãos. Acabou sua carreira política de forma apagada, fugindo de supostas irregularidades praticadas em seu mandato. Anos mais tarde, engajar-se-ia entusiasticamente nas conspirações golpistas.

Raymundo Faoro, um grande nome, não aceitou nosso convite. Nossa avaliação tendia a fortalecer o Sul, o Rio Grande, e o nome do senador José Paulo Bisol, do PSB gaúcho, terminou sendo escolhido de comum acordo com Arraes e a direção socialista. Uma escolha acertada. Carismático, excelente orador, Bisol seria o companheiro ideal de Lula. Deu uma grande contribuição à campanha, inclusive na nova direção e no discurso. Desencantado com os rumos da sigla, Bisol deixara o PSDB para filiar-se ao PSB.

O 6º Encontro Nacional aprovou a chapa e o plano de ação do governo. Separava claramente o programa partidário do programa de governo proposto para uma frente e um momento determinado da vida do país. Popular, democrático, antimonopolista, defendia a reforma agrária e a suspensão do pagamento da dívida externa.

Além da presença no segundo turno, a campanha cativou pela beleza plástica, o *slogan* e o *jingle* "Lula Lá", a energia da militância petista, da Frente e do movimento popular-sindical. Cresceu pela expansão das adesões, pela força do ativismo, o carisma de Lula, pela equipe de propaganda na televisão e no rádio, que acertou com Paulo de Tarso Santos na direção, pela genialidade irreverente de Carlito Maia, pelo apoio dos artistas. Os recursos eram arrecadados nas ruas, carreatas, comícios, na venda de camisetas, bótons e bandeiras do PT e do Brasil.

Mas foi dureza. Brizola tinha, na esquerda, uma ampla maioria no Sul, Rio Grande principalmente, e no Rio. Collor era o candidato da mídia e era o anti-Lula, que escolhera para adversário, certo que nos derrotaria. Temi mais a Brizola que, posteriormente, como governador carioca, eleito de novo em 1990, seria um interlocutor — e mesmo incômodo aliado — de Collor em um primeiro momento, até por interesses do estado do Rio, de seu governo e da realização da ECO-92. Desconfiava do *impeachment*, escaldado que era em matéria de retrocessos e golpes militares.

Os anos de 1987 e 1988 registraram a ampliação dos protestos contra Sarney e da violência policial contra as manifestações. A repressão foi brutal, por exemplo, contra a greve da Companhia Siderúrgica Nacional, em Volta Redonda, no estado do Rio de Janeiro, com saldo de três operários mortos pelas tropas do Exército, em 1988. No mesmo ano, houve greves dos metalúrgicos no ABC paulista e em Minas Gerais, nas siderúrgicas Mannesmann e Belgo Mineira. Ainda em 1988, o líder seringueiro Chico Mendes foi assassinado no Acre, fato que teve uma repercussão internacional enorme.

Collor montou uma campanha caríssima, de alto nível na televisão e de baixo nível nas ruas. Pagou grupos que se faziam passar por petistas, ameaçando fechar igrejas, ocupar casas, apartamentos e fazendas. Acusou-nos de pretender tomar a poupança e de mudar a cor da bandeira nacional para vermelho. Usou e abusou da violência e de provocações nos comícios. A bordo da retórica anticomunista e religiosa, explorou até a figura de Frei Damião, venerado no Nordeste.

O auge da guerra suja foi o caso Miriam Cordeiro, ex-namorada de Lula. Remunerada pelo irmão de Collor, Leopoldo, acusou Lula de ter proposto a ela abortar o bebê de ambos. Está mais do que provado que Miriam recebeu 156 mil dólares em troca dessa história. A farsa se desfez quando a filha que supostamente Lula não desejava, Lurian, apareceu ao lado do pai em pronunciamento no horário eleitoral.

Alegando que deveríamos ter decidido, em vez de consultá-lo, Lula vetou a presença na televisão da mãe de Miriam e avó de Lurian que desmentiria a própria filha. Disse que não exporia a filha e a avó e, se esse fosse o preço a pagar para vencer as eleições, preferia perder. Uma reação típica de Lula.

O ERRO DE LULA

Estávamos convencidos, pelo menos Gushiken e eu, da necessidade dessa resposta. Lula, porém, adotando comportamento que se repetiria funestamente no futuro na crise do chamado mensalão, rejeitou a solução mais adequada. Fez o pior, à meia-boca, ele mesmo, aquilo que evitaríamos com a fala da avó e de Lurian — calada — desmentindo a vilania de Miriam.

A existência de Lurian era de conhecimento dos formadores de opinião. Lula declarara no seu currículo de candidato à Constituinte ser pai de cinco filhos: Marcos (na verdade, filho de Marisa que era viúva quando conheceu Lula), Fábio, Sandro, Lurian e Luís Cláudio. Jornalistas haviam lido uma reportagem de Luiz Maklouf, publicada no *Jornal do Brasil*, em que Miriam reconhecia o comportamento de Lula e Lurian elogiava o pai que a amava e a reconhecia.

Havia algo mais a caminho: a manipulação do sequestro do empresário Abílio Diniz, "descoberto" às vésperas do segundo turno e atribuído ao PT por vias tortas. Quando da prisão dos sequestradores, autoridades policiais, subordinadas ao governo de Orestes Quércia e ao secretário de Segurança e seu futuro sucessor, Luiz Antônio Fleury Filho, declararam ter localizado "documentos do PT" na casa usada pelos autores do crime. E forçaram os responsáveis a vestir camisetas do partido no momento da apresentação à imprensa.

O *Estadão* tentaria vincular os sequestradores ao PT, afirmando que o padre e avalista da casa alugada por eles era filiado ao partido. Outra farsa. Os sequestradores — chilenos, canadenses e um brasileiro — tinham agido com a intenção de arrecadar fundos para uma das facções da Frente Farabundo Martí de Libertação Nacional (FMLN), da guerrilha de El Salvador. Inexistiu qualquer ligação com o PT e com o Brasil. A responsabilidade — na verdade, a irresponsabilidade — do gravíssimo erro político deveu-se ao comando militar da ala da FMLN autorizando o sequestro no Brasil e durante a campanha eleitoral.

A lista de infâmias não acabara. Restava a edição do último debate na televisão, por obra e graça da Rede Globo para favorecer Collor e prejudicar Lula. Roberto Marinho e seus filhos foram os principais responsáveis pela eleição de Fernando Collor que, mais tarde, cuspiu no prato em que comeu, para decepção da família Marinho, acostumada a presidentes dóceis.

Logo depois da presença de Lula no segundo turno, começamos a costurar o apoio de Leonel Brizola, Mário Covas, Ulysses Guimarães e

Roberto Freire, mais do que necessários. Lula obtivera 17,2% dos votos, Brizola 16,5% e Covas 11,5%. Collor vencera com 30,4%.

Brizola foi generoso e apoiou Lula e, depois, em 1990, insistiria numa aliança para o governo do Rio, infelizmente rechaçada pelo PT. No primeiro momento, ainda estupefato com a ida de Lula para o segundo turno, reagiu emocionalmente. Partiu para a ofensiva. Pediu recontagem dos votos, levantando dúvidas sobre a lisura das eleições e dos resultados, especialmente aqueles relacionados a ele e Lula. Calcado na tentativa de fraude no pleito para governador do Rio, em 1982, buscou credibilidade naqueles fatos, mas a repercussão foi zero e havia o risco do ridículo.

Conversei com Brizola mais de uma vez e senti nele, o que era natural, uma profunda decepção com o resultado. Era a certeza de que perdera sua última oportunidade de disputar e alcançar a presidência da República. Era o real motivo de sua reação, um tanto irracional e de alto risco político.

Para o Caudilho, sempre vitorioso, era duro assimilar o fato. Sobretudo levando-se em conta que se preparara toda a vida para presidir o país na condição de sucessor do varguismo e continuador de sua obra.

Apesar da postura radical de negação de nossa vitória, Brizola abraçou como ninguém a candidatura de Lula. Antes, ainda colocara na mesa a proposta de que ele e Lula deveriam renunciar em favor de Covas, o quarto colocado. Sua adesão e seu total engajamento na campanha do segundo turno proporcionaram ao PT um triunfo esmagador no Rio e no Rio Grande do Sul. Assim era essa figura humana e política a quem aprendi a admirar e respeitar.

Covas, próprio de seu caráter e posição política, propôs ao tucanato apoiar Lula, com quem mantinha bom relacionamento e também comigo, em parte pela forte relação dele com meu cunhado, já falecido, o jornalista Flamarion Mossri, casado com minha irmã Neide. Covas e eu nos conhecemos em 1968, discutimos a luta armada e a oposição via MDB. Corajoso, arranjou-me uma passagem de sua cota parlamentar para que eu participasse de reunião da UNE em Salvador, conforme já relatei aqui. Respondeu por esse gesto de solidariedade, citado como um dos motivos de sua cassação pela ditadura militar.

Fernando Henrique Cardoso e José Richa viajaram. FHC para a Holanda, enquanto Richa foi pescar. Serra tomou o rumo da Suécia. FHC avisou que o apoio tucano dependia do programa, e a cúpula do PSDB bateu o martelo: Lula é o candidato das forças progressistas, mas

O ERRO DE LULA

o respaldo depende do seu programa de governo. Começava uma série de negociações com FHC e Euclides Scalco, representando o PSDB, enquanto Plínio de Arruda Sampaio e eu participávamos pelo PT.

Quanto a Montoro, eu tinha a vantagem de ter sido seu ex-aluno e da parceria nas Diretas. Ajudava, mas tudo emperrava nas questões da reforma agrária e da participação popular. Sem paciência, FHC radicalizava, argumentando que queríamos controlar a imprensa e entregar a reforma agrária aos sindicatos rurais e ao MST!

Aliancista e frentista assumido, notei que a discussão programática era inútil, dadas as históricas divergências entre as siglas e só favorecia aqueles que, no PSDB, ansiavam por aderir a Collor.

O tempo corria contra nós. Sugeri, então, uma solução óbvia: apoiar o PT e, no caso da vitória de Lula, o PSDB iria para a oposição ou ficaria independente, sem compromisso de apoio. Deu certo e fechamos o acordo. No encerramento da campanha estavam FHC, Covas, Lula, Bisol e Arraes.

Não era o momento de vencermos, nem tampouco estavam dadas as condições para tal. De fato, o mais provável era não chegarmos sequer ao segundo turno. O acúmulo de forças, a garra da militância e a liderança de Lula nos conduziram até lá. Vencer no segundo turno não era impossível, mas improvável pelo respaldo histórico das elites a Collor. E pelo ódio a Lula e ao PT, sem excetuar a adesão massiva da mídia empresarial ao candidato conservador.

Duas semanas antes, a eleição parecia empatada. A vantagem de Collor era mínima no dia do pleito: 42,7% a 37,8%. Porém, os episódios Miriam Cordeiro, a manipulação do debate feito pela TV Globo e o sequestro do empresário Abílio Diniz pesaram. Fora o grave erro nosso de recusar a presença de Ulysses no palanque de Lula. Para além dos votos perdidos, era imperdoável porque, no segundo turno, não se recusa apoios, ainda mais em se tratando de Ulysses e do PMDB que, como o PSDB, nada exigiam de Lula e do PT. Uma tragédia, uma burrice, mais do que um erro político. Até hoje me penitencio de não ter me oposto à decisão de Lula e do partido.

Mas fica a pergunta: será que não foi melhor perdemos e só ganharmos em 2002, treze anos depois? Digo que não. Nunca se chega ao governo ou poder porque se quer. Nunca todas condições estão ou estarão criadas. O triunfo de Lula em 1989 desencadearia uma sucessão de fatos, acontecimentos imprevisíveis e de mudanças em todos os sentidos. Teríamos evitado a tragédia dos anos Collor e o Brasil não seria o mesmo.

De toda forma, estava colocada a questão: nosso insucesso simbolizava o esgotamento de um ciclo político aberto com as eleições de 1974, a reconstrução da UNE, a luta pela anistia, as greves entre 1977 e 1983, as Diretas Já, o colégio eleitoral, o governo Sarney, as eleições de 1986, o Plano Cruzado e seu fracasso, as eleições de 1988, as greves de 1988 e 1989, a derrota para Collor. Tudo indicava que sim. Contudo, em que pesem os péssimos resultados eleitorais de 1990, a posse espetacular de Collor e seu passe de mágica econômico, nada mais seria como antes. Collor desencadearia forças políticas e sociais de direita, de novo era o Brasil — atrasado — adotando ideias e políticas do mundo anglo-saxão, de Thatcher-Reagan, do Consenso de Washington.

Vieram para ficar. Após o soluço do *impeachment* e o período Itamar Franco, FHC e o PSDB assumiram o lugar de Collor para dar continuidade à sua política. Os primeiros anos da década de 1990 seriam decisivos para o futuro do PT e do país. A derrota de 1989, simbolicamente a queda do muro de Berlim e o governo Collor teriam consequências não só para o Brasil, mas principalmente para o PT.

Seriam os anos do 7º Encontro Nacional, de eleições para os estados, assembleias e o Congresso Nacional. Haveria grandes mudanças internas no PT e o ensaio de uma reviravolta, primeiro à direita, depois à esquerda do PT com a realização do seu 1º Congresso, em dezembro de 1991 e, por fim, o fracasso de Collor, o *impeachment* e a ida do PSDB para o social-liberalismo.

A Articulação consolidara-se nacionalmente, assim como o PT. Contava com larga maioria na executiva nacional e no diretório. Nacionalizou também a política do partido, não só na sua estruturação, mas também na ação parlamentar e de governo. Era o começo da construção do PT como instituição, como partido de situação em parte dos municípios e estados, mas de oposição em termos nacionais. Faltava, porém, consolidar a política de alianças, a questão do socialismo e da luta pelo governo da união.

O PT era "o partido de esquerda" no país e "a oposição ao governo Collor". Novamente, podia aspirar ao Palácio do Planalto. O peso institucional — governos, mandatos, cargos, eleições — começava a influir no partido e na sua natureza, sobretudo os mandatos parlamentares, dos gabinetes, assessores, recursos; dos prefeitos, governadores, secretários; dos sindicatos, estruturas políticas fortes e "concorrentes" com o partido.

Mas a mudança real que afetaria o PT ocorreu no interior da Articulação e no PRC, corrente de José Genoino. Aconteceu uma ruptura no PRC, herdeiro, como o nome indica, do comunismo revolucionário e marxista. Genoino, Tarso Genro e outros romperam com esse caráter, fizeram um giro "à direita", sobrando a bandeira do PRC e seus dogmas para a corrente MTM — Movimento de Tendência Marxista, dirigida por Ronald Rocha. Ao mesmo tempo, Eduardo Jorge, com grande liderança na zona Leste paulistana e chefe carismático, quase messiânico, na Articulação, ligado à corrente Poder Popular e Socialismo, "Poposo" para os íntimos, realizou um giro ainda mais radical e criou a Vertente Socialista. Eduardo Jorge seguiu em uma linha pacifista, verde, que o levaria ao PV.

Renegado o caminho do PRC, os dissidentes passaram a defender a aproximação com o PSDB. Do que ermergiria uma aliança com o PT Vivo, PT da Capital, de José Eduardo Martins Cardoso e Pedro Dallari, membros do governo Erundina. Era a "direita" do PT se consolidando em uma crítica radical a eles próprios, ao esquerdismo de passado recente, à ditadura do proletariado, ao socialismo real, à revolução armada. Em defesa da "democracia radical", valor universal, daí o nome da tendência.

Mas a maioria petista nunca propugnara essas teses e políticas. Inversamente, retomara as teses de fundação do PT como partido estratégico socialista, democrático, em busca do poder. Visava a governar o Brasil, democratizá-lo não apenas em suas instituições políticas, mas em suas estruturas sociais e econômicas.

O problema foi que a cisão na esquerda penetrou com suas ideias dentro da Articulação, tomando como meio o 1º Congresso, cuja proposta em si já era revisionista. Surge no interior da Democracia Radical a proposta de refundação do PT. Como se o partido, e não eles, fosse adepto das posições públicas marxista-leninistas que eles advogaram e praticaram, inclusive dentro do PT.

A proposta do 1º Congresso nasce, portanto, com um vício, um pecado original. É a semente da divisão que se produzira na Articulação em 1992 e 1993, mas já presente em 1991.

No 7º Encontro, vencido ainda pela Articulação, Lula assume a presidência do PT e eu permaneço secretário-geral, mas por pouco tempo. Era o prelúdio da secessão do Campo Majoritário. Aprova-se a proporcionalidade direta na Comissão Executiva nacional, Genoino assume a segunda vice-presidência e a relação com o Governo Paralelo de Lula, enquanto as correntes — Convergência Socialista, O Trabalho, Força Socialista, DS, DR e Vertente Socialista — obtêm sete cargos. Era o fim de uma era no partido.

A realidade, porém, se impunha ao PT: o governo Collor. Era preciso fazer oposição e o partido não se furtou à tarefa. Lula montou o Governo Paralelo com o objetivo de fiscalizar e questionar os planos do novo presidente. Não sobreviveu, mas serviu de base para consolidar o Instituto Cidadania. Nele, Lula e sua equipe deram continuidade aos programas alternativos, começando pelas áreas de educação e Nordeste, depois progredindo para os campos da energia, reforma agrária, reforma tributária, previdência, saúde pública, custo Brasil, comércio exterior, meio ambiente, Amazônia e infraestrutura.

Na prática, o Instituto Cidadania e Lula combinaram o estudo do país envolvendo professores, técnicos, economistas, ex-ministros, líderes populares, sindicais e empresários, com a realidade brasileira *in loco*, realizando as Caravanas da Cidadania, mesclando a mobilização política e social com o aprendizado e conhecimento do país.

Iniciativa acertada que robusteceu a ideia de "Lula Presidente", dando um empurrão fundamental para seu crescimento político. Collor foi um cometa, passou rápido, quase à velocidade da luz. Começou com seu plano de estabilização, quase inacreditável: tabelamento dos preços, congelamento dos aluguéis e anuidades escolares e confisco por um ano e meio de toda poupança acima de 50 mil cruzeiros (moeda que substituíra o cruzado novo).

Simplesmente o STF aprovou o bloqueio das contas bancárias e o Congresso aprovou todo o pacote que fracassaria rotundamente, empurrando o país para a recessão, com inflação e desemprego, agravado com as demissões em massa de servidores públicos e as privatizações. Sem suporte no Congresso, Collor não logrou aprovar nem o aumento de impostos e muito menos suas reformas "liberalizantes".

Collor foi a primeira tentativa de dar um choque no capitalismo brasileiro, aquele que o PSDB impôs ao candidato Mário Covas: impor o neoliberalismo tardio ao país. Malogrou, mas na sua queda nasceu seu herdeiro, o PSDB de FHC.

Já na montagem do governo do PRN, no famoso "Bolo de Noiva" — um anexo do Itamaraty —, Montoro e FHC negociavam primeiro a posição independente, mas aberta a aprovar "medidas patrióticas, de interesse nacional". Depois, negociavam participar da administração, Serra como ministro da Fazenda, FHC, das Relações Exteriores. Tudo indica que Covas impediu a adesão. Mesmo que a versão oficial tucana seja a de que Collor não desejava o respaldo do PSDB e sim cooptar Serra e FHC. Com o revés do Plano Collor, a queda da ministra Zélia Cardoso de Mello e o crescimento da oposição, o PSDB iria se distanciar de Collor, não antes de quase participar do governo.

Com a multiplicação das denúncias de corrupção envolvendo inicialmente a primeira-dama, Rosane Collor de Mello, e o tesoureiro de campanha, Paulo César Farias, o PC Farias, o presidente realizaria uma reforma ministerial, em 1991. Na prática, entregou o governo ao PFL, pelas mãos de Jorge Bornhausen, senhor absoluto então da política em Santa Catarina, e do banqueiro Marcílio Marques Moreira, que assumem a Secretaria-Geral da Previdência e a Fazenda. Reatou-se o namoro FHC-Collor, mas a crise se aprofundaria com a entrevista do irmão de Collor, Pedro Collor de Mello, em agosto de 1992, em que o próprio irmão do presidente o denuncia como corrupto. Antes, os estudantes convocados pela UNE e com apoio do PCdoB e depois do PT já haviam tomado as ruas do país.

19

FORA COLLOR!

*A grande questão de saber
onde o PT deveria se colocar*

Consolidado como um dos principais coordenadores da Articulação, fui reeleito secretário-geral após o 7º Encontro e resolvi candidatar-me a deputado federal por São Paulo. Meu mandato no Parlamento estadual, minhas tarefas na estruturação do PT no estado e nas Diretas Já garantiriam, pensava eu, minha eleição em novembro de 1990.

Não foi simples assim. Uma luta subterrânea eclodira na Articulação e, no meu caso, agravada pelo papel importante que tive desde a Articulação dos 113 nos embates internos petistas.

Logo me dei conta de que era candidato de mim mesmo. Não fosse o apoio da militância e meu trabalho de dirigente e parlamentar, não teria sido eleito. Era o reflexo do que a disputa eleitoral e nosso sistema uninominal produzem dentro dos partidos e não só entre os partidos. Ou seja, como quem faz a lista é o voto e não a colocação de cada um dentro da listagem da sigla, cada candidato disputa o voto com seus companheiros de chapa.

Exacerbavam esse quadro as diferenças políticas e ideológicas no interior do partido e da Articulação. Resultado disso é que sofri — esse é o termo — oposição violenta de setores da Igreja, sobretudo de Plínio de Arruda Sampaio, Hélio Bicudo e Irma Passoni, numa mescla de anticomunismo e preconceito. Também de setores sindicais temerosos da propalada tendência aparelhista dos militantes oriundos da luta armada ou do Movimento Estudantil. E, por fim, a disputa "natural" dos votos com Aloizio Mercadante, José Genoino, entre outros. A bem da verdade, Lula não se deixou envolver por esse clima sectário.

Campanha pobre, cheguei a Brasília com um resultado decepcionante de 38 mil votos, numa eleição calcada essencialmente no mandato e na militância. Seria assim também em 1998 e 2002. Saí da campanha com um gosto amargo e muitas dúvidas sobre o futuro do Partido dos Trabalhadores, da Articulação e sobre nosso papel. Tinha razão, e tudo iria piorar nos anos seguintes.

Não havia mais unidade no núcleo duro da Articulação. Gushiken e Mercadante se aproximaram das teses e posições de Genoino e Eduardo Jorge. Florescia a postura de "dissolução das tendências", de partido de interlocução, de refundação e de aproximação com o PSDB. Teses às quais eu me opunha e com as quais não concordava em hipótese alguma.

A política de alianças refletia esse pano de fundo e, depois, a política econômica. O partido oscilava entre alianças só à esquerda, no máximo, com setores do PDT. O PMDB era como se não existisse e o extremo oposto, percebendo o PSDB como partido em disputa ou mesmo aliado.

Podemos explicar a inclinação pelos tucanos a partir da gravíssima situação do país, às vésperas de se afastar — via *impeachment* — o primeiro presidente eleito desde 1964, pelos riscos do agravamento da recessão, da inflação e do desemprego e pela total desorganização do aparelho estatal e da burocracia pelas medidas tresloucadas de Collor, suas demissões, extinção de órgãos públicos, fusões de ministérios e privatizações.

Dentro do próprio PSDB, havia uma corrente — Covas à frente — defendendo uma aliança com o PT e até mesmo o apoio a Lula em 1994, com Tasso Jereissati como vice.

É preciso entender que, em 1991 e 1992, o PSDB era um partido novo, paulista e frágil, sem peso eleitoral, governos importantes ou apoio social mobilizado. Estávamos longe do PSDB da era FHC.

Os exemplos da oscilação petista eram claros pela competição no Rio Grande do Sul contra Brizola e o PDT, contra o "populismo" e, na verdade, também contra a herança varguista, com a Democracia Socialista à frente. Também não apoiamos Brizola em 1990 ao governo do Rio, mesmo podendo eleger um senador e uma expressiva bancada federal. E mesmo com Brizola tendo apoiado Lula um ano antes no segundo turno presidencial.

Mais grave era a tentação "democrática". Explico: o medo injustificado da herança do socialismo real, um fantasma a rondar o PT, mais pela força da mídia do que pela realidade. A dinâmica da legenda e a de sua natureza e crescimento eram outras distantes daquelas da Europa do século que acabava. E muito menos da Rússia Soviética. O que definia o

FORA COLLOR!

PT era o Brasil e a revolução brasileira, como a entenderam Caio Prado Júnior, Florestan Fernandes e Celso Furtado.

Nossa esfinge era nossa história, e nosso *habitat* natural, a América Latina e suas lutas históricas contra o colonialismo e o imperialismo. O Brasil é, por origem, um país latino-americano específico pela colonização portuguesa, mas índio, africano, europeu e desde sempre inserido no mundo capitalista, sem nativismos primários e sem ilusões anglo-saxãs ou europeias.

Era preciso, portanto, fixar-se na realidade brasileira e no período histórico que vivíamos, e não no passado e nas angústias, por mais meritórias que sejam, das correntes petistas como o PRC. Tanto isso é verdade que a questão do socialismo e da queda do Muro de Berlim — ou mesmo o anticomunismo — nunca foram fatores determinantes para a derrota do PT, ainda que tais informações tenham sido manipuladas e utilizadas na propaganda *collorida*. O real temor foi, era e é, a perda dos privilégios e poder econômico, social e cultural dos ricos e das altas classes médias.

Para confirmar a força do PT e sua solidez como legenda representativa da esquerda brasileira — o que deveria afastar esses fantasmas —, nossa proposta de realizar, após a derrota eleitoral de 1989, um encontro latino-americano de partidos foi um sucesso total. Era o Foro de São Paulo, como ficou conhecido, com a presença de quarenta e oito organizações políticas. Robustecia o reconhecimento internacional do PT, nascido com a marca da solidariedade internacional, tanto pelo legado da esquerda marxista e/ou trotskista, quanto pelas relações sindicais com a social-democracia europeia. E ainda as relações das pastorais, CEBs e lideranças católicas com o resto do mundo. Pesaram, e muito, os vínculos da esquerda armada com Cuba e com os partidos e frentes da América Latina, casos dos Sandinistas e da Frente Farabundo Martí de Libertação Nacional, em El Salvador, e dos partidos como a Frente Ampla Uruguaia e o PRD mexicano, de certa forma irmão gêmeo do PT. Ainda nesse rumo, igualmente o convívio com o PS e PC chilenos que acolheram e apoiaram centenas de exilados da ditadura brasileira nos anos 1970.

Vale salientar que o Foro de São Paulo é fruto da solidariedade do PT com o povo palestino, o sindicato Solidariedade, da Polônia, os sandinistas, na Nicarágua, com Cuba e os laços comuns que o partido partilha na luta contra as ditaduras do Cone Sul. Nesse sentido, o papel da Secretaria de Relações Públicas Internacionais do PT, dirigida por Marco Aurélio

Garcia, foi decisivo. Ex-exilado, professor, historiador, ex-militante do PCB e da Polop, fundador do PT, era um quadro político excepcional.

Saltava à vista o descompasso entre o PT real — sua força e simbolismo, sua oposição ferrenha a Collor, seu peso internacional, a liderança e carisma de Lula — e suas divergências, interesses, correntes, tendências, sua incapacidade de superar as diferentes concepções que lhe deram origem. Tudo seria agravado com o *racha* da Articulação e o 1º Congresso. Assim caminhava a legenda, entre a vida diária do país e sua "vida interna" e seus dilemas.

Com a divisão da Articulação, de sua coordenação, com parte dela acercando-se da Democracia Radical, caminhamos para o 1º Congresso com uma executiva sem unidade. A coordenação do encontro estava praticamente hegemonizada pelas ideias da DR, agora batizada como Nova Esquerda.

As decisões do 1º Congresso foram contraditórias e sua preparação foi artificial. Setores da Articulação e das bases do PT o viam com desconfiança, enquanto a esquerda petista, inclusive intelectuais independentes das tendências, como tentativa de descaracterizá-lo, despindo-o de seu caráter de classe e socialista.

Daí o afloramento de teses, preconizando claramente sua refundação como partido de interlocução e não dirigente, confundindo a disputa pela hegemonia com a ditadura do proletariado e propondo uma torção que levaria o PT a desistir da disputa pelo poder e mesmo do governo, como a da Democracia Radical com o nome de "Projeto para o Brasil". Como reação extrema surgiram as teses da Convergência Socialista e de O Trabalho, de regresso às origens e em defesa do PT.

Hélio Bicudo, Florestan Fernandes e Fúlvio Abramo — avessos à refundação — lançaram a tese "Socialismo e Liberdade". Duas forças menores, o Movimento Tendência Marxista (MTM) e o Brasil Socialista (ex-PCBR), insistiam nas velhas propostas sobre o caráter semifeudal do país ou na estratégia insurrecional. No final, aprovou-se a tese-guia da Articulação que, na essência, manteve as resoluções sobre socialismo do 5º e do 7º Encontros. Repudiou a ditadura do proletariado, não aceitou emendas como a que pregava a não violência, deixando claro, no entanto, o caráter democrático do partido, sua estratégia e o socialismo petista. Nem social-democracia, nem socialismo real.

No fundamental, o PT com a tese-guia, apesar das emendas, prosseguiu avesso à refundação e às propostas de transformá-lo em um partido

FORA COLLOR!

de interlocução, meio caminho para o abandono da disputa por poder e governo. Mais importante: o congresso reafirmou o caráter de oposição ao governo Collor e ao seu autoritarismo, reforçando o "Fora Collor", que já estava na boca da juventude estudantil.

A Articulação se manteve coerente com o caráter do PT, sua história e suas raízes, evitando a posição leninista e reafirmando-o na condição de partido dirigente aberto à interlocução democrática na sociedade. Mas rejeitando a proposição idealista de partido reduzido à função de disputar projetos na sociedade.

O mal estava feito, já que uma fração da militância e da direção do grupo perdeu a confiança na coordenação da Articulação. Logo, deflagrou um processo de diferenciação e reorganização dentro da Articulação. Era o começo da divisão da corrente majoritária.

Finalizado o congresso, a vida real se impôs e o PT assumiu definitivamente o "Fora Collor", a despeito da oposição de sua direita. Foi às ruas assumindo papel dirigente e determinante na condução do processo, tanto nas mobilizações pela saída de Collor quanto no seu *impeachment*.

Enquanto o governo se debatia, o PSDB voltava a se aproximar dele. O economista Pedro Malan assumiu o cargo de consultor-geral do Ministério da Fazenda, Andrea Calabi trabalhava com Zélia Cardoso no ministério, e recomeçavam as reuniões entre FHC, Tasso Jereissati e Fernando Collor. De novo, Collor oferece os ministérios da Fazenda e de Relações Exteriores. Covas vai à televisão e anuncia sua oposição ao acordo. Ciro Gomes, ao contrário, faz defesa clara e direta apoiando a ida de FHC para o governo.

Por uma série de coincidências, fui arrastado para o centro parlamentar da luta pelo *impeachment*. Estava convencido da luta pelo "Fora Collor", apesar dos cuidados legais ao aprovar, no Diretório Nacional, a resolução apoiando a campanha.

Baseado em minha experiência na oposição ao quercismo, fiscalizando e denunciando o governo, apelando para o TCE, totalmente submisso a Quércia, ao MPE, igualmente controlado por Fleury, seu sucessor, e utilizando meu espaço na fiscalização legislativa, fui procurado e passei a receber denúncias sobre a Legião Brasileira de Assistência, a LBA, e a gestão da primeira-dama, Rosane Collor. Em sequência, chegaram as denúncias sobre Paulo César Farias, o PC Farias, e seu enriquecimento ilícito. Viajei até a cidade de Canapi, em Alagoas, como deputado com mandato para investigar. Na viagem, revi o agreste de Pernambuco e de Alagoas, que tantas lembranças tristes me traziam. Ali a família de Rosane Collor mandava até no dia de chover; vi com meus próprios olhos a miséria ao lado da presença onipresente do clã dos Maltas, o descaso com os serviços públicos e as provas dos desvios até de armações de óculos. Na volta para Maceió, fui procurado por um fiscal aposentado que me relatou exaustivamente a situação fiscal de PC Farias e depois me enviou documentos comprobatórios do que dissera.

De retorno a São Paulo, recebi um telefonema do jornalista Paulo Moreira Leite, então um dos editores da revista *Veja*. Durante a entrevista, ele me propôs repassar, sigilosamente, as declarações de renda de PC Farias. Seria material para uso livre em um possível pedido de Comissão Parlamentar de Inquérito com o qual não me comprometi em um primeiro momento, sem consultar a bancada e o PT.

Paulo Moreira Leite já tornou público esse fato que propiciou segurança, somado à entrevista do irmão de Fernando, Pedro Collor, à *Veja*, para que eu e Eduardo Suplicy propuséssemos a CPI e conseguíssemos as assinaturas para sua instalação.

O que deu certeza do *impeachment* foi, no entanto, um acaso e imprevisto. Suplicy insistiu, persistiu, quase invadiu a suíte de Pedro Collor no Hotel Mofarrej, em São Paulo, até que conseguiu ser recebido pelo irmão do presidente. Eu o acompanhei e, juntos, ouvimos o impublicável. Um relato frio, sincero e impecável sobre a extensão das relações de Collor com seu tesoureiro e do papel de PC Farias no governo. Devemos a essa figura única — Eduardo Suplicy — o início da CPI.

Instalada a CPI e com o aumento das mobilizações de rua, somado à incapacidade de Collor de governar sem apoio no Congresso, o *impeachment* era questão de tempo. Afastado em setembro, Collor renunciaria em dezembro de 1992, às vésperas do *impeachment* e de sua condenação pelo Senado.

Estávamos diante das eleições municipais quando a Câmara afastou o presidente Collor e o PT colheu os frutos de sua oposição ao governo. O resultado que não alcançamos em 1990, na eleição para governador e Parlamento, agora nos premiava. Derrotados em São Paulo, vencemos em Belo Horizonte, Porto Alegre e Vitória e elegíamos prefeitos em mais cinquenta e duas cidades.

Agora, era enfrentar a gestão do governo Itamar. Antes, porém, vale recapitular como aconteceram negociações, entre a oposição e dentro da oposição a Collor. E sobre o *day after*, inclusive sobre a atitude do PT.

FORA COLLOR!

Os fatos se impuseram, de certa forma, ao PT, em que pese ter sido protagonista crucial no processo, não só através de sua bancada, mas também pela imensa mobilização que apoiou e ampliou.

Antes mesmo da queda de Collor, dois temas estavam na pauta do PT, superada a vacilação para alguns, prudência necessária para outros, dada a ameaça da volta do autoritarismo ou mesmo do isolamento ou responsabilização do PT em relação ao "Fora Collor": a posição frente ao provável governo Itamar Franco e o plebiscito marcado para 21 de abril de 1993, sobre a adoção ou não do parlamentarismo.

A questão da mais do que provável cassação de Collor era urgente. Rejeitar que seu vice assumisse o cargo convocando eleições era o saudosismo das Diretas e uma violação aberta da Constituição, posição sempre minoritária. Aceitando-se a posse de Itamar, restavam três alternativas: oposição, independência e participação no governo.

Enquanto no PT debatia-se essas questões, nos bastidores negociava-se com Itamar sua posse, seu governo, sempre com a premissa de um governo de transição até as eleições de 1994, quando o país escolheria um novo caminho.

Conversando comigo no Senado, Fernando Henrique Cardoso deixou clara a posição de neutralidade das forças armadas, obedientes à Constituição e avessas a participar da disputa política. Garantiam que, obedecida a Constituição, a sucessão era natural: com o *impeachment*, assumiria o vice.

20

"LULA, PERDEMOS AQUI AS ELEIÇÕES DE 1994"

Como era admissível o PT, responsável pelo impeachment de Fernando Collor, lavar as mãos?

No meu entendimento — e no de boa parcela da sociedade —, o Partido dos Trabalhadores fora o principal responsável pela cassação de Collor e não podia abster-se na transição. Tinha responsabilidade e principalmente interesse. Lula era o candidato preferencial do eleitorado segundo as pesquisas de opinião.

Itamar não era um desconhecido. Opositor à ditadura, prefeito de Juiz de Fora — que administrou bem —, senador pelo PMDB, tinha perfil nacionalista, era popular em Minas Gerais, a despeito de sua personalidade voluntarista e instável. Não havia nada que o atingisse em sua vida profissional, política e em seus mandatos.

Sinto-me até hoje um participante indireto da política mineira. Sempre a acompanhei por razões óbvias: mineiro, nasci em família udenista, mas cresci sob o carisma e magnetismo de JK. Itamar era, portanto, meu conhecido. Autorizado por Lula e com a ajuda, outra vez, de meu cunhado Flamarion Mossri, iniciei uma série de conversas com o futuro presidente. Criamos uma amizade e uma relação política que persistiu até sua morte.

A posição mais adequada para o PT era fazer oposição. Não participar do governo, mas permanecendo aberto ao diálogo e ao entendimento com a nova gestão. Não prometi nada a Itamar. Conhecendo o PT e sabendo do momento de crise de direção e de rumos que já vivia, assegurei apenas que o partido aceitaria cumprir a Constituição e sua posse como ela manda.

"LULA, PERDEMOS AQUI AS ELEIÇÕES DE 1994"

Enquanto isso, o PSDB descera do muro. Descera para apoiar o impedimento do presidente, após estar prestes a integrar o "gabinete técnico" da administração *collorida*. Aliás, Collor faria o milagre de ressuscitar Jarbas Passarinho, coronel da reserva, senador, signatário do AI-5, cúmplice e depois defensor dos crimes da ditadura militar, que sobreviveu com uma bela aposentadoria do exército e do Senado. Até morrer dava, hipocritamente, lições de democracia e ética ao país. Um retrato da hipocrisia e cinismo de nossas elites, além da mídia que sempre o endeusou.

Lula começava a preparar a candidatura e já buscava o publicitário Duda Mendonça. No Instituto Cidadania, articulava 1994 mantendo conversas e negociações com o PSDB, naquele momento sem um candidato. Covas tinha ido mal em 1989 e em 1990, concorrendo ao governo paulista. Na realidade, sem desconhecer seus méritos e história, elegera-se senador em 1986 — ao lado de FHC —, graças ao Plano Cruzado. Quanto a FHC, havia dúvidas se venceria uma eleição para a Câmara em 1994.

O giro da maioria do PRC e de setores da Articulação para a DR — depois Nova Esquerda — durante o 1º Congresso dividiu a maioria e aumentou a desconfiança de um acordo com o PSDB para 1994, com Lula na presidência e um tucano como vice. A proposta brotara ainda durante o período de Collor e, para agravar o clima interno no PT, vinha acompanhada da defesa conjunta — PT, PSDB, Lula e FHC — do parlamentarismo. A opção parlamentarista era fomentada pela crise do presidencialismo-parlamentar herdado da Constituinte e revelado no exercício do mandato do primeiro presidente eleito após a ditadura.

A Constituinte aprovou e organizou a Câmara e o Senado com poderes — por exemplo, permitiu ao presidente a edição de medidas provisórias — para um sistema parlamentar, mas, ao fim dos trabalhos, o presidencialismo venceu no plenário, tornando-se praticamente impossível governar sem maioria no Congresso. No regime, o presidente não possui poderes para dissolver as Câmaras baixa e alta e convocar novas eleições. É o que hoje chamamos de "presidencialismo de coalizão", de tão trágicas consequências.

Era demais para a unidade partidária. A posição diante da administração Itamar, a relação com o PSDB e a defesa do parlamentarismo implodiram a maioria.

Em sua origem, o PT era parlamentarista. Propugnava o sistema unicameral diretamente proporcional e não um mínimo de oito deputados e um máximo de setenta. No limite, aceitava um Senado da Federação, mas não como atualmente, constituindo-se, na prática, uma Câmara Alta com mais poderes do que a dos deputados que representa a nação. Não esqueçamos que o Senado é composto por três senadores por estado. Desse modo, catorze estados com cerca de 25% do eleitorado elegem quarenta e dois senadores do total de oitenta e um, ou seja, a maioria.

Mas a questão era sobre o poder e a participação da maioria nas decisões do país através da escolha do presidente. A gravidade de nosso erro não tinha limites. A defesa do parlamentarismo era um desastre. Lula, eu mesmo, Genoino e outros perdemos feio na consulta interna do PT. Ainda bem. O equívoco era exacerbado pela possibilidade real de Lula vencer as eleições de 1994.

Abertas as urnas de 25 de abril, venciam a República e o Presidencialismo. Capítulo encerrado, não sem graves consequências: a perda da maioria no PT, que já se manifestara na posição adotada pelo Diretório Nacional, em novembro de 1992, simbolicamente em Belo Horizonte, ao aprovar por um voto (vinte e seis a vinte e cinco) a palavra de ordem absurda "Fora Itamar" e "Itamar é igual a Collor".

"Perdemos aqui, hoje, a eleição de 1994", disse a Lula. Como era admissível o PT, responsável pelo *impeachment*, lavar as mãos? Pior, colocar-se na "ilegalidade". Era um risco se nossos adversários quisessem explorar aquilo. Ademais, a proposta estava absolutamente fora da realidade, como os fatos de 1993 e 1994 cabalmente provariam.

Decidira afastar-me da Articulação e da direção do PT. Não via futuro na proposta de "dissolução das tendências" e de aproximação com a Nova Esquerda. Sentia Lula cada vez mais entrincheirado no Instituto Cidadania, com assessoria própria, estrutura, recursos — poucos, mas suficientes — organizando os seminários e as caravanas. Em que pese a excelente convivência que tínhamos, percebia que não concordávamos sobre sua responsabilidade na disputa interna que, de interna, não tinha nada.

Sem anunciar, candidatei-me a líder da bancada no final de 1992 e comecei a preparar minha candidatura a governador de São Paulo. Na indecisão, na divisão da maioria e nos riscos de uma derrota interna, optei por buscar forças no mandato de deputado e na disputa de um cargo majoritário, que me daria visibilidade para brigar de novo pela direção do partido.

Lula equivocava-se. Sem o PT, não venceria em 1994. Ninguém evidentemente previa o futuro do governo Itamar e o partido caminhava na

"LULA, PERDEMOS AQUI AS ELEIÇÕES DE 1994"

contramão de sua política. Depois da decisão de Belo Horizonte, perdi a liderança para Vladimir Palmeira, meu amigo, irmão e companheiro. Seria uma das muitas contendas difíceis entre nós. Essa, marcada pelo confronto interno. Erroneamente, segmentos à esquerda que, depois, constituiriam a corrente Hora da Verdade que, juntamente com a Articulação de Esquerda, se aliaram com a Democracia Socialista (DS), Força Socialista (FS) e aos parlamentares ligados ao Movimento dos Trabalhadores Rurais Sem Terra (MST), e me derrotaram por um voto.

Em uma disputa única. Vladimir e eu tínhamos todos os títulos para sermos líderes — passado comum, fundadores do PT, deputados experientes, trânsito na bancada e no partido, conduta, competência para o cargo, não tanto pelo conhecimento do regimento interno da Câmara. Para isso, tínhamos excelentes assessores, e sempre José Genoino para nos socorrer e apoiar. Mas a questão não era mais a liderança e sim a maioria, a disputa pelos rumos do PT, e eu representava o *status quo*, a Articulação e suas vacilações e divisões, mas também na política, em geral correta com relação ao caráter do PT e na estratégia. Predominou o presente: o governo Itamar, a relação com o PSDB, o parlamentarismo, a memória fresca do 1º Congresso.

Para os trinta e seis deputados, não era fácil escolher entre mim e Vladimir Palmeira. Mais grave era para nós, amigos e companheiros desde 1966, primeiro no PCB, depois na Dissidência, e ainda no Movimento Estudantil, na prisão, nos exílios, em Cuba, de novo no Brasil, morando em São Paulo, no PT, na Câmara, na vida pessoal e familiar.

Felizmente nada mudou na nossa relação. Perdi, assumi a vice-liderança e apoiei Vladimir durante seu mandato, curto, porque logo ele se concentrou na pré-candidatura a governador do Rio, como eu na de São Paulo. Estávamos convencidos que era hora de consolidar, no Rio e em São Paulo, nossas lideranças para além do interior do PT e de mandatos parlamentares.

A disputa chegara ao absurdo de veto ao meu nome pelas correntes de esquerda que impuseram o "centralismo" a seus deputados. Depois, pelo menos três dos eleitores confessaram que sua opção pessoal indicava o meu nome. Um deles, na pressão, jogou cara e coroa! Uma deputada chorou, mas votou em Vladimir, e um terceiro admitiu que o fez pela amizade! Os três deputados eram: Luci Choinacki, de Santa Catarina, Lourival Freitas, do Amapá, e Waldomiro Fioravante, do Rio Grande do Sul. Valeu tudo, e essa não seria a primeira vez que eu seria atacado fortemente pela esquerda. Era só o começo.

Quando Vladimir se desinteressou pela liderança e se concentrou na sua pré-candidatura, confirmou-se para mim que a demanda não visara à liderança e sim à direção do partido. Impunha-se a minha derrota e também a da Articulação, seu núcleo duro: Gushiken e Mercadante, além da de Genoino e da DR/Nova Esquerda. Com esse revés, mais os insucessos na consulta interna sobre parlamentarismo e na reunião do diretório nacional ao aprovar o "Fora Itamar", estava evidente que caminhávamos para outra derrota no 8º Encontro, marcado para junho de 1993.

Enquanto fervia a crise partidária, Luiza Erundina aceitou o convite de Itamar e assumiu o Ministério da Administração Federal, abrindo outra conflagração no PT, quando começou o debate sobre sua expulsão ou não do partido. No final, não sem grande desgaste, Lula e eu garantimos uma precária maioria e Erundina foi apenas suspensa de sua filiação. Sua passagem pelo governo Itamar foi apagada e um erro, e não seria o primeiro dessa extraordinária liderança popular, pois ela jamais poderia aceitar o convite sem a concordância do PT. Saiu como entrou, sem nenhum ganho, pelo contrário, sua demissão foi triste. Coisas do estilo Itamar.

Lula iniciava sua primeira caravana em 19 de abril de 1993, às vésperas do plebiscito. Partiu de sua terra natal, Garanhuns, na verdade Caetés, Pernambuco, que era um distrito quando Lula e sua família migraram para São Paulo. Nessa primeira caravana, das catorze que realizou por vinte e três estados, percorrendo 80 mil quilômetros, fazendo o mesmo caminho que sua mãe e seus irmãos, no passado, até Vicente de Carvalho, na Baixada Santista. Lula estava, portanto, em campanha. Mal sabia ele a tempestade que se aproximava: o 8º Encontro Nacional, em junho.

Durante a CPI de Collor-PC Farias, eu havia deixado a secretaria-geral, assumida por Gilberto Carvalho, e me dedicado de corpo e alma ao mandato parlamentar, na verdade, à oposição a Collor e seu governo. Prometera, a mim mesmo e a Lula, que a guerra suja que Collor promovera contra ele, sua família, o PT e tudo o que representávamos, não ficaria impune.

Por outro lado, não me sentia apoiado pelas principais lideranças da Articulação, embarcadas na ilusão do fim das tendências. Esse viés anti-tendência era irreal e, no fundo, um pretexto para impor suas posições. Se por um lado tencionavam o partido, por outro as tendências eram a garantia do pluralismo democrático, do debate aberto, da disputa política regrada e legalizada, da busca e construção de maiorias e, às vezes, de consensos. O risco de fracionismo estava superado com as resoluções

"LULA, PERDEMOS AQUI AS ELEIÇÕES DE 1994"

do 1º Congresso e a expulsão da Causa Operária e da Convergência Socialista, que não as aceitaram.

O problema era outro. No afã de construir "uma nova maioria" com a Nova Esquerda, a cúpula da Articulação, na prática, dissolveu nossa maioria, já sob pressão de sua esquerda desde o 1º Congresso. Tudo agravado com o plebiscito e posição à gestão de Itamar. Mas o motivo central era 1994, a política de alianças e a candidatura Lula.

Como era esperado, o 8º Encontro, realizado em Brasília, concretizou a divisão da Articulação com o surgimento da Hora da Verdade, depois Articulação de Esquerda. Que, aliando-se à esquerda petista, DS à frente, obteve maioria e aprovou sua tese.

A Articulação — com a designação de Articulação Unidade na Luta — conseguiu apenas 29,34% dos votos. A aliança organizada pela Hora da Verdade, batizada como Opção de Esquerda, fez 36,48%, a corrente Na Luta PT, 19,11%, e a Democracia Radical, 11,58%.

A tese-guia da nova maioria reivindicava para o PT um papel dirigente e estreitou o arco de alianças dentro da esquerda com o PCdoB, PSB, PCB, PPS, PSTU e PV. Por pressão e demanda da DS gaúcha, só aceitava aliar-se ao PDT no segundo turno, formulação que não encontrava apoio nem em outras correntes à esquerda como a Força Socialista e o MTM.

Constituíram uma maioria partidária unindo-se ao Na Luta PT, deixando a Unidade na Luta em minoria na direção partidária e "obrigada" a aliar-se com a Democracia Radical e a outros novos agrupamentos, casos do Movimento PT e do PTLM (PT de Lutas e de Massas).

A Nova Esquerda assumiu a maioria do partido, mas não sua direção real. Criou-se uma crise de legitimidade na nova direção que, embora majoritária, não tinha nem liderança, nem hegemonia no conjunto do partido, em seus governos municipais e estaduais, junto as suas bancadas e lideranças sindicais e populares.

A vida real do partido implicava dar respostas às demandas populares nas cidades. Nelas, as alianças eram amplas para que se pudesse aprovar projetos nas câmaras, o mesmo acontecia nos governos estaduais.

A eleição de 1994 e a candidatura Lula, na prática, contrapunham-se à nova maioria. Daí a crítica direta aos "notáveis" e aos "centros paralelos", quer dizer, a Lula, aos líderes com voto e mandato e ao Instituto Cidadania, governo paralelo e caravanas, uma regressão no caráter e papel do PT. Uma recaída vanguardista em contraposição a um partido real, cada vez mais parlamentar e de governo. Operava-se um descolamento entre a nova maioria e a própria base social do PT, sindical e popular, majoritariamente alinhada com Lula e a Unidade e Luta. Era uma vanguarda de quadros oriundos da esquerda organizada e da Articulação: Rui Falcão, David Capistrano, Valter Pomar, Cândido Vaccarezza, José Mentor e José Américo. Sob a liderança de Rui Falcão e Valter Pomar que rompeu a aliança que deu origem à Articulação e dirigiu o PT por dez anos: esquerda, sindicalistas e lideranças católicas populares.

Outro problema que se manifestou e só iria se intensificar foi a proporcionalidade na Executiva Nacional. Fez dela não um núcleo de execução das políticas definidas pelo diretório, mas um coletivo de todas tendências, por menores que fossem.

Com Lula presidente e sendo a Unidade e Luta a segunda força com direito a indicar o secretário-geral, a executiva era estranha à nova maioria. Rui Falcão assumiu de direito à vice-presidência e à presidência, na licença de Lula para disputar sua segunda eleição. Mercadante era o segundo vice e Luiz Eduardo Greenhalgh, lulista aliado da nova maioria, o terceiro vice. De fato, eles dirigiriam o PT e seriam os coordenadores da campanha presidencial. A nova maioria assumiu ainda as secretarias de organização, assuntos agrários, formação política e os adjuntos das relações internacionais que continuou sob a coordenação de Marco Aurélio Garcia.

Ao criar os cargos de adjuntos, a nova maioria terminou por dar à executiva e às secretarias o caráter de frente de tendências, reforçando o caráter que "criticavam" na velha maioria, o aparelhismo. Para completar o trabalho, criaram "assentos" na executiva para contemplar as correntes. Não ia funcionar, como não funcionou.

E PT real eram seus governos e mandatos, Lula e suas caravanas e conferências que, em um crescente, incorporava milhares de lideranças ao partido e à campanha, construindo programas a partir da realidade e do acúmulo de associações, sindicatos, universidades e centros de pesquisa sobre os mais importantes desafios do país: Amazônia, Nordeste, pobreza, fome, questão agrária, meio ambiente, além de regiões pobres como o Vale do Ribeira, em São Paulo, e o Vale do Jequitinhonha, em Minas.

O mais grave é que, a despeito da retórica, a nova maioria não conduziria a nenhuma luta social ou mudaria a relação do PT com a CUT, MST, Contag e CMP, muito menos com a sociedade em geral. Não teria facilidades e duas tarefas gigantescas esperavam o PT: o Plano Real e a campanha de Lula.

"LULA, PERDEMOS AQUI AS ELEIÇÕES DE 1994"

Mais tarde, analisarei a evolução política da nova maioria e mesmo do partido. Inclusive minha participação nas mudanças produzidas no PT pela derrotada Articulação em 1993 no 7º Encontro e suas consequências. Por enquanto vamos nos manter na recordação do que aconteceu em 1994.

Note-se que a dissidência dentro da Articulação se voltou, em grande medida, contra meu papel na direção partidária e na Articulação. A pressão para barrar minha eleição como líder da bancada era parte desse movimento. Após a criação do Hora da Verdade e da Nova Esquerda, meus ex-companheiros de décadas, no caso Rui Falcão e mesmo Valter Pomar, praticamente vetaram meu nome e me excluíram, como um "traidor", de toda participação. Com violência verbal e agressividade política, uniram-se ao grupo de David Capistrano — que eu trouxera para a legenda — para me combater pessoalmente. Um grau de sectarismo ainda não presente no PT.

Perda de tempo, pois as questões políticas centrais que o PT enfrentava seriam "resolvidas" agora, segundo a nova orientação e política aprovada pela nova maioria.

Nova maioria sem legitimidade e hegemonia sobre o conjunto do partido. Pior: não possuía unidade. Logo surgiriam à esquerda e à direita descontentes com a partilha do poder ou a frustração de suas políticas.

Fora o ponto principal, haviam derrotado simbolicamente a maior liderança do PT e seu candidato, naquele momento, com chances reais de alcançar a presidência da República. A vitória da esquerda e sua postura diante do governo Itamar só fez crescer em Lula e seu entorno a ideia-força "o PT é caso perdido". E a percepção de que "temos que eleger Lula, apesar da nova direção", tudo acentuado com a crítica equivocada e típica do sectarismo ao Instituto Cidadania, a seminários e caravanas.

Enquanto o PT se debatia, a vida continuava. Em dezembro, ao assumir definitivamente a presidência, Itamar nomeou Fernando Henrique Cardoso para o Itamaraty e Eliseu Resende para a Fazenda. Nesse ministério e no Banco Central, os assessores tucanos ocupam, aos poucos, todos os espaços com Edmar Bacha, Pedro Malan, André Lara Resende, Pérsio Arida, Gustavo Franco, Winston Fritsch e Clóvis Carvalho. Malan estava no Banco Central desde junho de 1993. Lara Resende era o negociador da dívida externa, Pérsio Arida atuava no BNDES. Gustavo Franco saíra da Secretária Executiva da Fazenda para a área externa do BC.

Criadora e herdeira do Cruzado, Edmar Bacha à frente, essa equipe se pôs a construir um novo plano para combater a inflação. Carregava a experiência prática — e já histórica — dos planos Cruzado, Verão I e II e Collor.

Vítima de denúncias — teria favorecido a construtora Odebrecht —, Eliseu Resende deixa o Ministério da Fazenda. FHC assume a pasta, organiza essa equipe e lhe dá carta branca para um plano de estabilização, sem os tabelamentos, congelamentos grosseiros de preços e confiscos abertos e com uma ideia-força: uma nova moeda, ancorada antes em um indexador, a URV, mas, de fato, ancorada no câmbio fixo.

Num curto prazo, as consequências do Plano, depois chamado Real, nome da nova moeda, foram a redução drástica da inflação e a candidatura de FHC à presidência. Portanto, uma reviravolta na campanha de 1994, como a do Cruzado em 1986.

As relações de Lula com o governo Itamar Franco não tinham nada a ver com a posição "oficial" do PT e do Diretório Nacional. Era ouvido, participava e aconselhava o governo. Chegou a propor nomes para o primeiro gabinete, como os de Raymundo Faoro, Almir Pazzianotto e Walter Barelli. Mas Itamar também não ajudava como, por exemplo, convidando Erundina para compor o seu ministério à revelia do PT.

FHC "conspirou", articulou dentro do Senado, nas forças armadas e no empresariado desde o momento em que ficou clara a derrocada de Collor. Vacilou, como bom tucano, mas ambicionava a presidência. Não imaginava que seria tão fácil e rápido. Aspirou ao Itamaraty pela vaidade natural, mas também por seus títulos, cultura e experiência. Foi para a Fazenda pelo acaso e o imprevisível, mas soube como ninguém ocupar todo o espaço político como tal, o que conseguiu com o respaldo dos anti-Lula. Porém, como é inteligente e conhecia Lula e o PT, apresentou-se como o "Lula-Social", assimilando as propostas e programas do candidato petista. Era um Lula sem os riscos do Lula e do PT.

Aquele FHC de ontem, que teria dificuldade para se eleger deputado federal por São Paulo, o mesmo que fazia juras a Itamar em 1993 de que não disputaria a eleição, agora era o candidato natural ao Planalto. Mesmo que, para isso, tivesse que antecipar o lançamento da nova moeda, símbolo da vitória contra a inflação.

O cenário mudara radicalmente, e não seria a primeira vez. De coadjuvante do PT, talvez indicando o vice de Lula, o PSDB se tornava o protagonista da disputa de 1994. E, mais doloroso: seria o fiador da nova virada à direita do país, da aliança com o PFL, oferecendo uma

"LULA, PERDEMOS AQUI AS ELEIÇÕES DE 1994"

nova cara para a transição por cima e conservadora. Recompunha-se uma nova Aliança Democrática, que dera a vitória à chapa Tancredo-Sarney no colégio eleitoral.

A campanha de Lula demonstrou os limites do PT, agravados pelo discurso e prática da nova direção. A própria coordenação da campanha refletia a divisão partidária: Rui Falcão, Aloizio Mercadante e Luiz Eduardo Greenhalgh.

Lula não conseguiu indicar Duda Mendonça como responsável pela propaganda de rádio e televisão e pelo *marketing*, permanecendo responsável Paulo de Tarso Santos. Mais grave, no entanto, foi o descolamento das campanhas estaduais da nacional, consequência da perplexidade e do comportamento errático do PT, de Lula e de todos nós em relação ao Plano Real.

Não sabíamos o que fazer. Nosso discurso oscilou da condenação ao desconhecimento e, depois, ao apoio envergonhado, prova da ausência de um programa de governo mais amplo do que o combate à inflação. Mas que desse uma resposta à inflação, percebida como vista pelo povo como sua vilã.

Resultado: Lula começou a campanha com 42% e terminou com 27%. FHC largou com 21%, caiu para 17% e nos venceu com 54,3%!

A campanha foi patética na TV. O PT enfrentou a crise do vice, substituindo José Paulo Bisol por Mercadante. Bisol fora acusado por Brizola de se beneficiar de supostas e nunca provadas emendas superfaturadas. Cairia também o vice de FHC, Guilherme Palmeira, irmão de Vladimir Palmeira, trocado por Marco Maciel. Era o jogo sujo da campanha, o uso hipócrita de denúncias de corrupção.

Mercadante, deputado federal, vice-presidente do PT, economista, líder sindical na PUC, assessor da CUT e de Lula, ocupou um espaço especial na campanha, como vice e porta-voz de Lula diante do Real. Sem entrarmos, por enquanto, no mérito, foi um desastre político e de comunicação. Não se sustentou e confundiu ainda mais o partido com relação à nova moeda, levando mais balbúrdia do que esclarecimento às campanhas estaduais.

A campanha de FHC contou com o apoio explícito da mídia e do empresariado e não lhe faltaram recursos. É verdade que sua estratégia se apoiava no Real, mas soube disputar com a agenda social, com Lula e o PT, explicando o passado comum na luta contra a ditadura. Como sempre, foi ajudado em muito pela Justiça Eleitoral que proibiu cenas externas na propaganda eleitoral, subtraindo de Lula a força das imagens das caravanas.

Nem a crise de Rubens Ricúpero o afetou. Ministro da Fazenda no lugar de FHC, Ricúpero dera entrevista à TV Globo fazendo piada com a "sinceridade" do governo que, segundo ele, escondia o ruim e faturava em cima do bom. Ignorava que, durante sua "confissão", o microfone permanecera aberto. Uma frase infeliz, mas verdadeira, que lhe custou o cargo, mas não a imagem e a biografia. Em parte, por justiça, mas sobretudo pela cumplicidade da mídia e das elites que o perdoaram e prestigiaram vida afora. Fosse um dos nossos, estaria liquidado para sempre.

Perdemos não só pelo Real e pela força da Aliança PSDB-PFL, pelo apoio do poder econômico, mas por nossos erros e principalmente a incapacidade de ampliar a base de apoio de Lula para os lados a partir do voto popular-operário. Para os excluídos, para o Nordeste, e para o centro, as classes médias. Estávamos fora do prumo e do centro.

Mesmo assim, nas piores condições, fizemos 27% dos votos. Lula, no entanto, não se conformou, não aceitou a crítica e, no seu íntimo, tomara uma decisão: sem mudar o PT, reassumir sua direção, constituir de novo uma maioria, sem alterar o modo de disputar eleições e seu programa e a política de alianças, não haveria como vencer. O PT, avesso às coligações, jamais venceria um pleito presidencial. Já defendia não ser candidato em 1998 e logo deixaria pública essa decisão.

Para mim, a disputa de 1994 para o governo de Estado começou bem antes. Iniciou quando resolvi, em 1991, deixar a secretaria-geral, dedicar-me à CPI de PC Farias, disputar a liderança da bancada e o governo paulista. De novo, não sem antes enfrentar a oposição da Nova Esquerda. Teria que disputar uma prévia.

O PT disputara três eleições para o governo de São Paulo. Primeiro com Lula em 1982, depois Suplicy em 1986 e Plínio em 1990. A primeira era uma eleição do MDB-PMDB. Quem poderia ameaçá-lo era o malufismo, o PDS, a ex-Arena e o janismo. Franco Montoro era o candidato natural, apesar da força de Quércia, que virou seu vice. Era uma chapa fortíssima e venceu. Na estreia, o PT começou bem, embora o resultado aparentasse ter sido pior do que, de fato, foi.

Em 1986, Suplicy não foi bem. Não se sustentou no eleitorado, apesar do excelente resultado de 1985, quando concorreu à prefeitura da capital. Desentendeu-se com a coordenação e com o PT, ficando evidente o

"LULA, PERDEMOS AQUI AS ELEIÇÕES DE 1994"

descompasso entre a eleição da Constituinte nacional e a sua campanha. Não se pode negar, porém, que Quércia era um candidato fortíssimo. Mesmo enfrentando uma oposição duríssima da elite paulistana que apoiava Antônio Ermírio de Moraes, dado como vencedor antes da hora. Era capitaneada pelo *Estadão* e a família Mesquita e sua aversão pelo lado popular de Quércia e a sua aliança com o PCB e MR-8. Apesar do apoio do eleitorado conservador, as elites paulistas foram de novo derrotadas. Perderam em 1974, 1978, 1982 e padeceriam estrondosa derrota em 1986 para o PMDB quercista, que ainda elegeria Fleury em 1990, tendo como vice Aloysio Nunes Ferreira Filho, ex-militante do PCB, Dissidência e ALN. Almino Afonso, ex-líder do PTB e ex-ministro do Trabalho de Jango, era o vice de Quércia.

As três jornadas eleitorais, incluindo-se a de 1985 pela prefeitura da capital, e a quarta pelo governo paulista em 1990, ainda seriam dominadas pelo MDB-PMDB. Que contara com a vantagem da máquina governamental e, em 1986, com os reflexos do Cruzado. Os tucanos lançaram Covas em 1990 e não passaram dos 10%. Plínio, ex-democrata-cristão, agora filiado ao PT, ficou no mesmo patamar de Suplicy. Plínio perdera a eleição em 1982 para a Câmara, elegeu-se em 1986 para a Constituinte com total apoio da Igreja Católica, de suas bases e da hierarquia. Cassado pela ditadura, asilou-se no Chile e nos Estados Unidos, trabalhou na Cepal, Comissão Econômica para a América Latina e o Caribe, e na FAO, Organização das Nações Unidas para a Alimentação e a Agricultura. De família tradicional paulista, sempre se posicionou à "direita" no PT. Depois do episódio do "Mensalão", abandonou o partido e se filiou ao PSOL. Candidatou-se à presidência da República em 2010, obtendo cerca de 700 mil votos.

Ruim de voto e incapaz de se conformar com a derrota de 1982, a duras penas, Plínio se elegeu constituinte, culpando o PT e a campanha de Lula por sua derrota em 1990. Afastou-se do partido aos poucos até a ruptura em 2006. Excelente planejador, culto e austero, Plínio pecava pelo burocratismo e pela ilusão de que se bastava. Ex-promotor, apoiou, juntamente com José Genoino, a formatação do Ministério Público Federal como foi consagrada na Constituinte. Presidiu a Associação Brasileira de Reforma Agrária (Abra), da qual foi um dos fundadores. No fundo, era um aristocrata esclarecido. Em 1989, participou da campanha de Lula e adotou uma postura elitista e superior quando o candidato se saiu mal no segundo mano a mano na TV contra Collor. Usou uma de suas expressões prediletas: "Esse rapaz é uma decepção", a mesma que empregara quando do "Mensalão" para se referir ao PT.

Minha candidatura foi um erro e um fracasso. Não pela candidatura em si, mais pelo cenário e as circunstâncias. Primeiro, disputei uma prévia dura, expressão do confronto entre a Hora da Verdade e a Articulação, mas, especificamente, contra a minha candidatura e liderança no PT. A disputa dividiu a base do partido, mas não as lideranças. Tive o apoio da maioria dos parlamentares e prefeitos e da Articulação. Mas não da Hora da Verdade e da categoria dos bancários, que tinham o maior sindicato depois dos metalúrgicos do ABC e contra quem batalhavam pela liderança da CUT.

Telma de Souza, prefeita de Santos, foi escolhida para disputar comigo a candidatura ao governo. Com excelente imagem de prefeita, carismática, ótima oradora, na base da emoção. Contou com suporte da máquina dos bancários e a vontade política de seu sucessor na prefeitura, David Capistrano, um dos melhores quadros políticos e administrativo do partido. Médico sanitarista, inovador e fundador de hospitais, era um dos líderes da Hora da Verdade. Dissidente no PCB, aliado de Prestes, filiou-se ao PT com seu grupo a partir de discussões e planos concebidos com minha participação.

Melhor nas pesquisas, forte na Baixada Santista e no Vale do Paraíba, onde contava com o apoio da prefeita petista de São José dos Campos, Ângela Guadagnin, Telma quase vence as prévias. David, seguro de que Telma venceria — depois descobri por qual razão —, chegou a me propor um acordo: eu reconheceria a vitória da Telma e eles me apoiariam para deputado, solução típica do PCB e da Hora da Verdade. Recusei, confiante na vitória.

A apuração se prolongou. O Diretório Regional e sua executiva autorizaram prévias em cidades sem diretório, com comissões provisórias, desde que atingido o quórum regimental, mesmo que a cidade não estivesse inscrita nas prévias. Obviamente, não houve campanha e disputa nesses municípios. Telma fez de 95% a 100% dos votos em dezenas de pequenas cidades, tudo organizado pela máquina eleitoral do Sindicato dos Bancários sob a coordenação de Gushiken, um dos mais férreos adversários da minha pré-candidatura. Essa era a razão da certeza de David Capistrano da vitória de Telma.

"LULA, PERDEMOS AQUI AS ELEIÇÕES DE 1994"

Venci devido ao apoio massivo da militância em Osasco, Guarulhos e Diadema e também ao meu trabalho de construção do partido, os mandatos de deputado estadual e federal e a força da Articulação. Mesmo aceitando que, em Diadema, só votassem filiados, sem transporte e participação do prefeito Zé Augusto, no final venci por uma pequena margem.

Era só o começo do meu calvário. Lula e seu entorno — Gushiken, Clara Ant, Vannuchi, Mercadante — viviam de ilusões sobre o PSDB e Covas e, na prática, "apoiaram" Covas, deixando claro que minha candidatura era um estorvo e prejudicava Lula.

Na imprensa e dentro do PT, Genoino, Eduardo Jorge, Tarso Genro, Plínio (então covista) e com o apoio de Roberto Freire, do PPS, defenderam o apoio a Covas e a retirada de minha candidatura. Limitei-me a reafirmar a soberania das prévias, a vontade dos filiados, as decisões dos encontros municipais e estaduais e mesmo do nacional e recoloquei a questão das alianças no seu devido termo.

O PSDB se aliara ao PFL, e o Plano Real era um programa econômico casado com privatizações, desregulamentação, abertura financeira e comercial e austeridade fiscal, que FHC não fez, diga-se de passagem, em seu primeiro governo.

Com câmbio fixo e juros elevadíssimos, aumento de impostos e valorização do real, sua herança mais provável seria o desemprego, a dívida interna em dobro, a desindustrialização e o abandono de um projeto nacional de desenvolvimento. Basta observar os números do PIB, inflação, juros, carga tributária, dívida interna e seu serviço nos oito anos de tucanato no Planalto.

A campanha para o governo estadual estava ferida de morte e eu abandonado à própria sorte, com manifesta e pública oposição da ala do *bunker* de Lula e dele próprio, apesar das aparências. Não seria a primeira vez que Lula, por razões políticas — não se trata de um juízo moral —, me deixaria "falando sozinho".

Sem recursos, isolado, lutei até o fim e consegui terminar a campanha de pé. Fiz o melhor resultado do PT em São Paulo desde 1982. Só não cheguei ao segundo turno por um erro crasso de minha coordenação de campanha, insistindo em polarizar com Mário Covas e não com Francisco Rossi (então no PDT), como eu propunha.

Temeroso de repetir as crises de Suplicy e Plínio com suas coordenações, aceitei tal enfoque até agosto quando, por fim, mudamos de tática e passamos a disputar com Rossi a ida para o segundo turno. Covas disputaria o segundo turno com Rossi e, com nosso apoio, venceria.

A eleição marcou o fim do ciclo do PMDB e do quercismo, não obstante a presença posterior de Alberto Goldman e Aloysio Nunes Ferreira, um escudeiro de Quércia, outro vice de Fleury, respectivamente. Covas seria reeleito em 1998, Alckmim, seu vice em 1994 e 1998, governador em 2002, Serra em 2006, Alckmin, de novo, em 2010 e 2014. Um feito único no país.

Covas, um dos mais lúcidos e didáticos defensores do Real, não vacilou como Serra, só venceu em São Paulo pelo impacto positivo da nova moeda. A conjuntura de liquidez no mercado internacional, permitindo aumento das importações, reduziu os preços e a inflação. Era a realidade contra nossas confusas críticas. Nosso programa de governo era genérico quanto à economia, fonte de nossa incapacidade de enfrentar a questão inflacionária fora de teorias e/ou receitas, mesmo que corretas, como as de matriz keynesiana.

Nem mesmo a apresentação de um conjunto de medidas fiscais, monetárias, cambiais e de rendas deu norte ao nosso discurso. No máximo, repetíamos a proposta de regulação social e das câmaras setoriais já tentadas no período Itamar. Era a tentativa de regular preços, salários e tributos numa cadeia produtiva.

Era possível vencer em 1994? Não! Perdemos por causa do Real? Não! Perdemos antes da eleição, na decisão "Fora Itamar", na divisão interna, na eleição da Nova Maioria, na coordenação tripartite da campanha na TV e no rádio, nas ilusões sobre Covas e o PSDB. Tratava-se da pior derrota e merecia uma resposta à altura da nossa parte.

A eleição de 1994 colocaria para o PT, definitivamente, o tema de governo nas condições dadas da Constituição de 1988, da correlação de forças, com o partido minoritário nos parlamentos. Sobretudo, a realidade econômica, fiscal, administrativa, orçamentária e de serviços públicos *vis-à-vis* ao orçamento, sempre deficitário, e as estruturas tributárias herdadas e possíveis. Isso sem falar nas demandas sociais, na desigualdade, na pobreza, na chamada dívida social.

Pode-se dizer que o Plano Real deu um choque de realidade no PT. Mesmo se considerarmos o papel do câmbio fixo, reconhecido hoje até por Gustavo Franco, da liquidez financeira internacional e das importações, no controle da inflação. Tanto é assim que o primeiro mandato FHC

"LULA, PERDEMOS AQUI AS ELEIÇÕES DE 1994"

não fez superávit fiscal e nem ancorou a estabilidade em um ajuste fiscal. De certa forma, fez isso ancorado nas privatizações e na negociação, por exemplo, da dívida dos estados, para além da âncora cambial.

Lendo os *Diários de FHC* — 1975-76/1997-98, percebem-se as divisões, os vacilos e o oportunismo, sem juízo moral ou político de uso do Real como alavanca para as vitórias em 1994 e 1998.

O PT e seus economistas não estavam errados na crítica à nova moeda, à ausência de política fiscal e de renda, ao câmbio fixo e seus efeitos deletérios para a indústria nacional. A prova do pudim veio em 1998 com a falência do país, a ida ao FMI, a desvalorização cambial. O Brasil pagaria um preço alto —privatizações, corrupção, a "privataria", fortemente comprovada e documentada, o baixo crescimento no quatriênio seguinte, o aumento da carga tributária e da dívida pública — que dobrou entre 1995 e 1999 na relação com o PIB e de seu serviço, os juros da dívida pública. Entre o primeiro e o segundo período de FHC, o crescimento foi 1,4% em 1997; 0,3% em 1998; 0,5% em 1999; 4,4% em 2000; 1,4% em 2001; e 3,1% em 2002. E a inflação de 5,2% em 1997; 1,7% em 1998; 8,9% em 1999; 6% em 2000; 7,7% em 2001; e de 13,5% em 2002.

Como vemos, não foi lá uma bela herança que recebemos em 2003. Além do desemprego, dívida interna dobrada, juros altos, resultando em custo da dívida alta e inflação alta.

Para se ter uma ideia da altitude dos juros, verdadeira âncora do real e do câmbio, no primeiro mandato de FHC foram na média: Selic, 33,1%; e IPCA, 9,4% —, logo juro real de 23,7%. No segundo governo, de 1999 a 2002: Selic, 19,8%; IPCA, 8,8% — juro real de 10,2%. Este é o verdadeiro problema do país: o círculo vicioso da dívida e seus juros, do seu serviço e seu papel no déficit público nominal, na autoalimentação da própria dívida interna, sem desconsiderar os déficits da Previdência — especialmente pública — e, como no primeiro mandato de FHC, do próprio déficit público primário.

Nos primeiros quatro anos de FHC, pagamos 4,3% de PIB com juros da dívida interna; no segundo mandato, até 2000, continuou com os 4,3%. De 2003 a 2005, já com Lula presidente, persistiram os 4,3%. Só conseguimos diminuir entre 2006-09, baixando-o para 3,9%.

Com esse nível de despesas financeiras do Tesouro com a dívida interna, nunca deixaremos de amargar déficits e de aumentar a dívida, mesmo com as contas públicas equilibradas e até com superávit primário. Tanto

267

isso é verdade que, entre 1998 e 2009, o país fez uma média de 3,5% de superávit, esforço gigantesco para um país com tamanha desigualdade social e brutal concentração de renda. Que se dá especialmente através da renda financeira, da estrutura tributária e da partilha das receitas públicas — desviadas em grande parte para pagar a Previdência pública e arcar com os juros da dívida interna.

Lula recebeu o país com uma dívida pública líquida de 60,6% do PIB, sendo 16% externa e 50,8% interna. Em 2010, já recuara para 41%, sendo 50,8% interna e menos 9,8% externa como decorrência das extraordinárias reservas que acumulou, cerca de 375 bilhões de dólares. Isso sem citar que, sob Lula, a dívida pública foi desdolarizada e alongada, dentro das condições brasileiras.

Se conferirmos as estatísticas, vamos comprovar que as despesas com pessoal e mesmo com o INSS não foram os principais responsáveis pelo crescimento da dívida pública e dos déficits entre 2002 e 2010, uma vez que praticamente não cresceram: INSS, 1,15% em 2002 e 1,25% em 2010; pessoal, 4,81% em 2002 e 4,7% em 2010 (necessidade fiscal do setor público), a receita de contribuições do INSS cresceu de 4,81% a 5,90% entre 2002 e 2010, mas os benefícios avançaram de 5,96% para 7,15%.

Comparando com os juros, comprovamos seu peso: 7,63% em 2002 e 5,40% em 2010. Isso para demonstrar o papel crucial dos custos financeiros da dívida interna — pela alta Selic e elevados juros reais — no déficit nominal e na necessidade de superávits fiscais.

A pior herança de FHC foi a dívida pública federal, que de 13,6% do PIB e ficou em 39% do PIB em 2002. A dívida pública geral saltou de 30% em 1994 para 60,6% em 2002.

Reiterando: entre 1994 e 1998, FHC não fez superávit fiscal, pelo contrário, a NFSP (Necessidade de Financiamento do Setor Público) foi em média de 5% (6,55% em 1995; 5,33% em 1996; 5,50% em 1997 e 6,97% em 1998).

Nada isentava o PT de propor alternativas para a disputa eleitoral ou para governar. Seria o principal desafio dos governos petistas a partir de 1988. Principalmente, a partir de 1994 quando vencemos nos estados pela primeira vez: Espírito Santo e Acre, além de Brasília. Governávamos agora estados, um deles vitrine nacional, a capital da República. Uma coisa era governar cidades, ainda que grandes como São Paulo e Porto Alegre ou importantes como Campinas, Santos, Santo André, São José

"LULA, PERDEMOS AQUI AS ELEIÇÕES DE 1994"

dos Campos e São Bernardo, só para citar as do estado de São Paulo. Governar estados falidos e desorganizados como o Espírito Santo e o Acre, este dominado pelo crime organizado, era um senhor desafio e nosso treinamento para governar o Brasil.

E o PT não governaria se mantivesse postura avessa às alianças, à institucionalidade e ao ônus de governar. Impunha-se descer do palanque e expor políticas públicas concretas para educação, saúde, transporte, cultura, agricultura. Saber como financiar o Estado, principalmente como reformar o Estado, suas receitas e gestão, e lidar com a espinhosa relação com os servidores públicos.

Para complicar, urgia estabilizar as relações do PT com seus governadores, prefeitos, secretários, preparar o partido para ser governo. Mas sem pretender substituí-los, sem se confundir com o Estado, sem se submeter ou ser cooptado. Árdua empreitada, historicamente de complicada solução. Sobram exemplos na esquerda e na social-democracia.

PRESIDÊNCIA DO PT

1995

21

LULA TOMA AS RÉDEAS DO PT

*A decisão de enfrentar FHC e os escândalos dos tucanos,
colocados debaixo do tapete, com a ajuda da mídia*

Derrotado dentro do PT, na bancada e nas eleições de 1994, minoritário mesmo na Articulação, resolvi advogar. Encetei um projeto de médio prazo para ser pré-candidato a prefeito, em 1996. Luiza Erundina era a candidata natural, mas havia uma demanda de renovação, sair dos nomes recorrentes como Suplicy, Plínio e Erundina.

Tinha dívidas políticas e financeiras, além de um desgaste pessoal e político, sem assessoria, gabinete e renda, sem contar o ônus do balanço da minha derrota e da de Lula. Felizmente, o PT não se saiu mal na eleição para a Assembleia e a Câmara. Erundina só não emplacou o Senado pela teimosia de não aceitar Marta Suplicy ou Telma de Souza como segunda candidata. Havia duas vagas e Tuma não teria se elegido. Telma, por exemplo, tiraria seus votos na Baixada e no Vale do Paraíba e Marta, em setores da classe média.

Recusei-me a culpar Lula e sua campanha, minha coordenação ou mesmo Cândido Vaccarezza e José Américo, como muitos queriam. Vaccarezza fora o coordenador e Zé Américo respondeu pelos programas de TV, rádio e pela comunicação.

Certo mal-estar e distanciamento cada vez maior instalou-se entre minha campanha e a de Lula. Poderia ter contaminado minha relação com ele e o Instituto Cidadania, sua equipe, seus assessores, todos meus companheiros de quatorze anos de PT, inclusive Clara Ant e Paulo Vannuchi, amigos desde o Movimento Estudantil e dos tempos de ALN. Assumi publicamente a responsabilidade pela derrota e estava resolvido a não retomar o assunto do apoio a Covas, defendido pelos lulistas.

No íntimo, sentia-me deslocado e ocioso após treze anos de PT, oito como deputado e quase dez como secretário-geral do PT paulista e, mais tarde, do nacional.

Logo após as eleições, minhas secretárias do PT e do mandato, que se encerraria apenas em fevereiro de 1995, me informaram que Marcia Ramos ligava insistentemente para falar comigo. Estranhei, já que Marcia, com quem eu havia me encontrado algumas vezes no meu escritório de deputado, atrás da Assembleia e na casa de uma amiga dela durante a campanha de 1989, há tempos não me procurava. Estranhei e levei um susto, já que algumas vezes encontrei Marcia, antes funcionária da liderança do PT na Assembleia e do Diretório do Partido, grávida e não hesitei em lhe perguntar quem era o pai. Indignada e altiva, respondeu-me que não era da minha conta, que ia se casar e me reprovou. Na segunda vez que a encontrei, já com a filha recém-nascida, fiz de novo a pergunta e recebi inclusive uma forte reprimenda. Esqueci o assunto, mas de tempos em tempos, nas madrugadas maldormidas, a lembrança da linda criança me vinha à memória. Minha intuição estava certa.

Marquei com Marcia um encontro, na manhã de um domingo de dezembro, no meu escritório, atrás do apartamento de Maria Rita, um apartamento que cedi para o PT instalar o setor jurídico da campanha, que não me pagava o aluguel e as dívidas do setor. Foi ali que vi minha filha querida, a Camila, que entrava em minha vida para nunca mais sair. Foi um susto e, ao mesmo tempo, uma imensa surpresa. Fiquei preocupado com a reação de Joana, então com seis anos, ao mesmo tempo feliz por saber que era pai daquela linda menina de olhos negros e parecida comigo, nem precisava exame de DNA.

Um sentimento de raiva pela atitude de Marcia e medo da responsabilidade de mais uma filha nas condições financeiras difíceis em que me encontrava, sem emprego e sem um centavo no bolso. Ouvi dela a explicação que o fizera para me proteger. Nunca aceitei, mas o fato é que Marcia, entre 1990 e 1994, casou-se, teve duas filhas — Carol e Catarina —, separou-se e infelizmente faleceu, em 2013, vítima de um câncer de pâncreas que a matou em apenas quatro meses.

No início não foi fácil a relação entre Joana e Camila, menos com meus pais, Clara e Zeca, Maria Rita e Ângela, todos rápida e serenamente festejaram a chegada da Camila. Meus irmãos e irmãs a receberam bem e com naturalidade, em Minas Gerais filhos são uma bênção, recebidos

LULA TOMA AS RÉDEAS DO PT

com festa e alegria, trazem sempre muita felicidade. A vida, mais uma vez, foi generosa comigo. Joana e Camila com o tempo se entenderam e hoje são irmãs e muito amigas. Zeca, Joana e Camila comportaram-se da mesma maneira com a chegada da Maria Antônia, em 2010. A relação entre os irmãos se fortaleceu e, juntos, enfrentaram minha prisão em 2013 e novamente em 2015. Pagaram um alto preço em suas vidas, suas profissões e no meio social, mas não se dobraram ou se acovardaram, ficando solidários e amorosos, como sempre foram.

Mais tarde, Lula me chamou para uma conversa. Pensei que poderia me convidar para trabalhar no Instituto Cidadania, já que havia organizado um seminário sobre Reforma Política e do Estado, corrupção e medidas de controle e fiscalização.

Mas qual não foi minha surpresa ao encontrar um Lula decidido a tomar as rédeas da direção do PT. No primeiro momento, ele começou a se explicar ou mesmo a se "desculpar" sobre a questão Covas e a falta total de apoio à minha campanha, diariamente "sabotada" pela *entourage* lulista. Recusei-me a discutir, dizendo-lhe que aquilo era página virada. Bastavam os problemas a enfrentar depois da derrota, tanto no PT quanto no país.

Susto maior tomei ao ouvir de Lula a proposta de me apoiar em uma candidatura à presidência do partido. Minha avaliação era de que não venceria. O 10º Encontro seria em agosto, o tempo era curto e os desafios enormes: recompor a Articulação, Unidade e Luta e formar um "campo majoritário" por meio da perigosa tentativa de uma aliança com a DR e com setores dissidentes, já, da Opção pela Esquerda. Na prática, deixamos para trás a política de disputar e governar o PT apenas com a Articulação e passávamos a fazer alianças com dissidências de outros campos políticos. Isso resultou na troca de nome para Campo Majoritário, onde seríamos a principal força política.

Vamos recordar que a Articulação caíra de 56%, em 1990, para 29,34%, em 1993, durante o 8º Encontro. A DR obtivera 11,58%; o Na Luta PT, 19,11%; e a Opção de Esquerda, 36,40%, ficando a esquerda trotskista com 3,47%.

Era apostar numa derrota certa, a não ser que, além de compor com o Na Luta PT, fizéssemos uma aliança, depois na presidência, com a DR e os dissidentes da AE, da corrente Velhos Sonhos, Novos Desafios.

O desgaste da Unidade e Luta só não era maior do que o da AE. Carregávamos a imagem do 1º Congresso, da "aliança" com o PSDB, das vacilações, enquanto a AE arcara com o ônus do "Fora Itamar" e, principalmente, da campanha desastrada e desastrosa de 1994. Com a incapacidade de dirigir o PT, avessa às alianças, sem políticas para os governos, cada vez mais voltada para a luta interna e suas dissidências, a AE não era mais uma alternativa. Tivera sua chance e fracassara. Mas não me enganei ao avaliar os obstáculos para articular a mínima unidade entre forças tão díspares como a DR, Na Luta PT e Velhos Sonhos.

Um ponto unia a todos: a falta de legitimidade e capacidade de dirigir da aliança liderada por Rui Falcão, Vaccarezza e Capistrano, apoiada por Vladimir Palmeira, Jaques Wagner, Tilden Santiago e reforçada pela determinação de Valter Pomar, contando também com o respaldo implícito do MST, então discreto, mas presente. Plínio de Arruda Sampaio já se bandeava para as hostes "esquerdistas" e, como "cristão novo", era dos mais sectários e ambiciosos. Sob a capa aristo-crática de intelectual, era o pré-candidato a presidente pela AE. Certo da vitória, chegou a me propor a retirada do meu nome da eleição para que pudesse ser indicado por acordo.

Minha candidatura trazia o respaldo do papel que cumpri na Articulação dos 113, da minha história no Movimento Estudantil, na esquerda ar-mada, no PT paulista, nas Diretas, nos mandatos e na atuação na CPI do PC Farias, mas enfrentava aguerrida oposição. No seu íntimo, Plínio não queria disputar. Em seu orgulho patrício, queria ser ungido. Era "um favor" que prestava ao PT. Situava-se acima de mim, pairando sobre a luta interna e estava à disposição do PT, que precisava dele e não o contrário.

A derrota da AE ocorreria por sua incapacidade de estruturar novas políticas e estratégias para a legenda. Era só uma nova "maioria" sem rumo e sem norte. Estava no embate pela direção e não pela política, apesar das críticas às tentações direitistas da Articulação e da DR. A campanha de Lula desmascarara a AE. Era o colapso de uma ilusão.

Na verdade, era o esgotamento de uma direção esquizofrênica, sem votos, sem representatividade e, com raras exceções, descolada das li-deranças sindicais, populares e parlamentares, incapaz de dialogar com os governos petistas. E ainda se defrontava com um Lula insatisfeito, disposto a não se omitir, a me apoiar e a entrar com tudo na disputa.

A DR também sofrera desfalques com a ida, para o governo FHC, do coordenador do 1º Congresso, Augusto Franco. Nada mais simbólico. Da Articulação, Francisco Weffort e José Álvaro Moisés tomavam o mesmo rumo. O primeiro para o Comunidade Solidária e os dois, para o Ministério da Cultura.

Sempre tive apoio na base, para além de seus "capitães". Secretário-geral paulista e nacional e coordenador de Articulação, mantinha fortes laços com a militância, participando com ela não só de campanhas eleitorais, mas nas greves, ocupações, plebiscitos, passeatas e nos enfrentamentos com a repressão. Foi o diferencial que me assegurou a maioria, ultrapassando aliança da Unidade e Luta com as correntes PT na Luta e Velhos Sonhos.

Vencemos a votação da Tese-Guia por dois votos e me elegi presidente por dezoito votos. Nossa chapa conseguiu 40,34% dos votos ante 46,21% da AE, 7,58% da DR e 5,87% da Velhos Sonhos. Para presidente, obtive 50,2% e Hamilton Pereira (Pedro Tierra), 45,98%. Vitória engrandecida pela figura de Pedro Tierra, militante da luta armada, irmão de Athos Pereira, filhos de Porto Nacional, hoje Tocantins, ligado à Igreja, às lutas agrárias, ao MST e à Pastoral da Terra. Meu amigo e companheiro de construção do partido, foi seu secretário agrário de 1988 a 1993, enquanto eu estava na secretaria-geral. Foi precedido no cargo por Geraldo Pestana, outro gigante da luta agrária, depois seu sucessor quando assumi a presidência, em 1995. Em 1997, Plínio de Arruda Sampaio, durante minha presidência no PT, seria o secretário agrário.

Minhas relações com os Pereira eram antigas. Juntos, percorremos, no início da década de 1980, todo o Norte de Goiás, hoje Tocantins, até Porto Nacional, filiando, criando diretórios, estimulando lutas agrárias e políticas, laços que se aprofundaram na executiva do PT, com Pedro Tierra, e na bancada do PT na Câmara, com Athos, um dos mais brilhantes quadros do PT. Um amigo inseparável de Vladimir Palmeira e meu até hoje, amizades forjadas na luta e no enfrentamento da ditadura, na prisão e na tortura, fiadora da lealdade e solidariedade.

O nível de radicalização no Encontro ficou marcado pela "denúncia", contra mim, de um dos membros da AE. Segundo ele, eu teria recebido doações da Odebrecht, o que era verdade, mas a doação era legal e declarada à Justiça Eleitoral. A acusação era extensiva à Articulação e provocou uma reação espontânea dos delegados, indignados com a má-fé e ausência de caráter. Surtiu efeito contrário. Pedro Tierra e Luiz Eduardo Greenhalgh se desassociaram da acusação — por ser doação legal e declarada — porque sabiam que fora destinada totalmente à campanha presidencial e não para a minha campanha para governador. Acabou consolidando a minha vitória, além de dividir, ainda mais, o campo da AE. Começava aí o malogro em toda a linha da antiga Nova Maioria.

O 10º Encontro, em Guarapari, no Espírito Santo, mudou a história do PT. A maioria dos delegados me elegeu presidente. Não era pouca coisa. Era o primeiro presidente eleito em encontro, depois de Olívio Dutra. Gushiken e Rui Falcão eram vice-presidentes, com apoio total de Lula, que se comportaria com generosidade e jamais se impôs ou se contrapôs à minha atuação. Deixava de atender pedidos e mesmo telefonemas, sempre solicitando que me procurassem e que eu era o presidente. Por inúmeras vezes, indicou-me para representá-lo em atividades públicas, fazendo de tudo para me consolidar e legitimar.

A mudança era profunda. Eu e Lula estávamos em sintonia e empenhados em uma política e estratégia comuns. Acabou o mal-estar entre o Instituto Cidadania, as caravanas, os seminários e o PT e sua direção. Ao contrário, uniram-se para potencializar a ação e a elaboração programática do e no Instituto Cidadania.

Na minha primeira entrevista, ao voltar de Guarapari, deixei clara a nova orientação: transformar e consolidar o PT como instituição. Afirmar a vocação do partido para o poder, abri-lo para as alianças e para poder governar, assumir nossos governos e conquistar, ao governar, a adesão da maioria do eleitorado e da sociedade. Decidira equilibrar o peso do PT na luta social e institucional, retomar as jornadas de luta e as campanhas anuais. A largada do governo FHC, o anúncio das privatizações e a explicitação pela trilha neoliberal e seu intuito de "enterrar a Era Vargas" exigia do PT uma postura de mobilização e a retomada da ação comum com a CUT, Contag, MST, CMP e UNE. Uma aproximação concreta — para, e nas lutas, e não só eleitoral — com o PCdoB, PSB, PDT, enfim, uma agenda comum antineoliberal.

Compusemos uma executiva de primeira qualidade, combinando representatividade sindical-popular-agrária com a institucional, ultrapassando a proporcionalidade das chapas e tendências. Luiz Soares Dulci, ex-presidente da União dos Trabalhadores na Educação (UTE) — mineiro, deputado federal, membro da executiva nacional desde 1981, era o vice-presidente. O apoio de Minas fora essencial para nosso triunfo. Genoino era o segundo vice e Mercadante, o terceiro, formando uma alta representatividade e experiência política. Vaccarezza, militante contra a ditadura, oriundo da Força Socialista, meu amigo pessoal, um dos

LULA TOMA AS RÉDEAS DO PT

fundadores da AE mais próximos de nós na política de alianças e na estratégia para eleger Lula presidente, assumiu a secretaria-geral.

Mais importante para mim foi a indicação de Francisco Rocha da Silva para secretário de organização. Rochinha, como é chamado, começara nos bairros e sindicatos, velho conhecido de Lula, cearense e, como Arraes, pernambucano por adoção. Era o dirigente com mais relações e contatos com todo país e um dos esteios da Articulação. Trabalhávamos juntos desde a fundação do PT. Fizéramos a mudança para a primeira sede paulista, a garagem na rua Santo Amaro. Vivia em Sapopemba com os irmãos e irmãs, um típico migrante nordestino, lulista roxo e freguês dos almoços de minha mulher, Ângela. Começamos no PT como dois mortos de fome e, às vezes, não tínhamos mesmo dinheiro para nada.

Rochinha me impressionava pela vontade férrea de construir, em Sapopemba, uma casa, um lar, para as irmãs. Semanalmente, com o pouco que ganhávamos, ele comprava uma lata de tinta, cimento, ou telhas, azulejos ou peças para o banheiro, janelas ou portais e levava tudo de ônibus. Foi assim que os nordestinos construíram São Paulo e conquistaram o direito de ser cidadãos.

Clara Ant assumiu as finanças. Sindicalista, arquiteta, minha conhecida de 1968, militante da LibeLu e da OSI, foi das primeiras a defender a ida para a Articulação. Até hoje assessora Lula. Tesoureira exemplar, deu as bases para que o PT tivesse, pela primeira vez, uma sede à altura da estatura do partido. Planejou e organizou nossas finanças, criou as condições para a ação política do partido e de suas secretarias agora ocupadas por uma equipe de primeira. Telma de Souza ocupava a Secretaria de Assuntos Institucionais; Marco Aurélio Garcia, as Relações Internacionais; Perseu Abramo, a formação política; Geraldo Pestana, a agrária; Maria de Rosário Caiafa, movimentos populares; Delúbio Soares, a sindical; Marina Silva, a do meio ambiente; Gilberto Carvalho, a de comunicação. Luiza Erundina, Benedita da Silva e Juca Alves eram suplentes. Todos tinham histórico de luta e liderança em suas áreas de atuação. Isso fez a diferença.

Além de mudar de sede, discursos e postura, a nova direção traçou seu trabalho e o de cada secretaria. Com seu plano de ação e orçamento, deu prioridade à luta social, favorecida pela regulamentação da contribuição de parlamentares e assessores. Através do Fundo Partidário recém-criado, pôde viabilizar a locomoção da direção pelo país, o trabalho de cada secretaria, os programas anuais de rádio e televisão, as mobilizações e jornadas de luta.

O PT, sua direção, organização, capacidade de ação e unidade eram o nosso primeiro desafio. O segundo seriam nossos governos e, o terceiro, a luta social contra o governo FHC. Estávamos decididos a enfrentá-los e vencê-los. As relações com as bancadas na Câmara e Senado se estabilizaram. Naqueles dois anos do meu primeiro mandato — seriam quatro — foram líderes Suplicy e José Eduardo Dutra, no Senado, e Jaques Wagner, Sandra Starling e José Machado, na Câmara. Tinha com todos excelente relação. Zé Machado fora dirigente e deputado estadual comigo, Zé Eduardo Dutra e Wagner, Suplicy e Sandra, sempre sintonizados.

Na oposição a FHC e suas privatizações, o PT ganhou unidade. O ano de 1998 estava longe e Lula insistia que não era candidato. Havia paz em nosso campo e no comando. Nosso exército militante se mobilizou e retornou à luta.

Mas antes vamos tratar dos nossos governos e os de FHC.

Nossa vida era cheia de percalços em muitas prefeituras, em que pesem os avanços sociais. O PT era o árbitro e, ao mesmo tempo, o canal. Muitas vezes, dirigia demandas sociais represadas por décadas. Tinha compromissos com os movimentos por terra — ocupação de terrenos sem função social —, por creches, postos de saúde, hospitais, escolas e melhores transportes.

Choques entre a direção do partido, lideranças populares e nossos prefeitos eram constantes. Minoritários nas câmaras, os prefeitos ainda se viam diante de pequenos agrupamentos que defendiam a orientação extrema, sintetizada na palavra de ordem: "Não importa quem governa. Somos oposição".

A defesa da estatização dos transportes coletivos urbanos foi uma das questões, um problema grave, que persiste até hoje, e que mais dividiu o PT e seus governos. As ocupações dos sem-teto, sempre apoiados pelo PT, era outro ponto sensível, ainda atualmente, pelo risco sempre iminente de conflito com mortes na execução de ordens judiciais de reintegração de posse. E a Justiça, com raríssimas exceções, sempre favorável ao direito de propriedade e ao cumprimento da lei, pouco importando a origem dos títulos e o caráter especulativo e antissocial da propriedade.

Acrescente-se, a essa agenda, os orçamentos apertados e a disfunção federativa do sistema tributário, a participação nas receitas arrecadadas

LULA TOMA AS RÉDEAS DO PT

e um nó górdio: o funcionalismo público, naqueles anos com baixos salários, desigual formação profissional, mas bem organizado e combativo.

Comprovou-se a experiência bem-sucedida nas prefeituras com a eleição de dois ex-prefeitos para os governos do Acre e do Espírito Santo, em 1994, além de Cristovam Buarque, em Brasília. Mas as contendas dos governadores não se comparavam às dos prefeitos, exigindo do partido uma tarimba e um acúmulo de políticas públicas muitas vezes inexistentes.

A realidade fiscal e administrativa dos estados era incompatível com nossos compromissos de campanha. A despeito do fim da inflação, que era um ganho real para a renda da maioria dos trabalhadores, mas também o fim do imposto inflacionário, que corroía as contas a pagar do governo e inflava as receitas. Menos despesas reais e mais receitas nominais, um paraíso onde se escondia o inferno.

No Acre, o aparelho estatal estava contaminado, se não dominado pelo crime organizado. Diante disso, a obra de Jorge e Tião Viana e do PT, governadores e senadores, é significativa. Expandiu-se para a economia, o social e o cultural, apesar da precariedade da burocracia, a falta de receita e a fraca atividade econômica. Se levarmos em conta o resgate ambiental e de sustentabilidade realizado, honrando a memória de Wilson Pinheiro e Chico Mendes, o balanço é ultrapositivo. Até hoje governamos o Acre.

No Mato Grosso do Sul a realidade era outra. Estado rico, agroindustrial, extenso, pouco povoado, com uma população mista de sul-mato-grossenses, forte presença indígena, de migrantes gaúchos e paulistas, porém sem nenhuma infraestrutura, política de desenvolvimento e, o mais grave, com máquina pública totalmente sucateada. Era uma mistura explosiva: altos salários na cúpula, privilégios e vantagens indevidas, quando não ilícitas, baixos salários e precariedade na base.

Os oito anos de governo de Zeca do PT, como é chamado o hoje deputado federal, tiveram saldo altamente positivo. Pela reorganização administrativa, reestruturação do funcionalismo, política social, infraestrutura e desenvolvimento regional. No Mato Grosso do Sul, diferentemente do Acre, o funcionalismo reagiu e o enfrentamento político atingiu o partido e sua base. Foram tempos difíceis, e o PT nunca se unificou no estado.

Zeca fora bancário, vereador e deputado. Em 1996, disputou e perdeu — com sinais claros de fraude — a prefeitura de Campo Grande. O PT praticamente não contava com deputados naquele estado e o sucesso nas urnas, em 1998, representou uma resposta do eleitorado de Campo Grande e do estado, farto das oligarquias que dominavam o Mato Grosso do Sul.

Equacionar o saneamento das contas públicas e reformar a máquina administrativa foram uma complicação. Mas, não obstante os conflitos, muitos em função da personalidade impulsiva e voluntariosa do governador, Zeca foi reeleito em 2002.

A experiência em Brasília não foi boa, seja pela figura de Cristovam Buarque, seja pelas características de cidade-estado da capital federal. Passamos quatro anos administrando crises entre o governador, o partido e dentro do seu secretariado, e sempre convivendo com as ameaças de Cristovam de abandonar o PT, constantemente exigindo a presença de Lula e a minha.

Mas mesmo com confrontos, divisões e com a oposição brutal da imprensa brasiliense — toda comprada ou de oposição declarada ao PT — e do poderio do ex-governador Joaquim Roriz, Cristovam e o PT criaram programas sociais únicos, como o Bolsa Escola. Fizemos um governo voltado para o social, o trabalho e a cultura, apoio à agricultura familiar e ao emprego. Seu forte foi a atenção a crianças, creches e educação, saúde pública e cultura popular. Iniciamos um programa de política, então avançadíssimo, de educação no trânsito, "Paz no trânsito e respeito à faixa do cidadão", além das relações sociais e urbanas, à altura da beleza de Brasília e de sua arquitetura. Avançamos pouco ou nada na política de mobilidade urbana. Gastamos os quatro anos envolvidos com conflitos por terra, muitos produzidos pelos adversários políticos e permanentemente lidando com uma oposição majoritária na Câmara Distrital.

Cristovam e o partido, no entanto, deixaram um legado importante, o que resultou na eleição dele duas vezes como senador em 2002 e 2010, sempre apoiado por Lula e o PT. Sem o que não se elegeria, apesar de sua desfiliação, em 2005. Mesmo assim, o PT voltaria ao governo de Brasília em 2010.

Não foi assim no Espírito Santo, onde a crise entre governo-PT-funcionalismo, entre o governador, sua assessoria, a militância e direção do PT manifestou-se de forma pública e permanente. Era o DNA petista de oposição, exacerbado pela péssima situação das contas públicas e a nossa incapacidade de buscar e construir entre a direção do PT, suas correntes e o governo, saídas para a gravíssima crise estadual.

O quadro era dramático: dívida pública alta, arrecadação sem o imposto inflacionário positivo e demandas crescentes dos servidores, tudo

LULA TOMA AS RÉDEAS DO PT

agravado por um erro crasso no início da gestão: o aumento de salários para os servidores, justo, mas irreal e insustentável nas condições do estado. Vitor Buaiz, que fizera uma bela administração em Vitória, com avanços extraordinários na área social e ambiental, na gestão pública transparente e participativa, a exemplo de Zeca e Cristovam, gastou seus quatro anos de mandato às turras com setores do PT, minoritários, mas decisivos nas plenárias petistas. Sem maioria na Assembleia Legislativa, controlada pelo crime organizado, oposição da própria bancada do PT, Vitor chegou inclusive a pensar em renunciar. Isso, sem falar da má vontade da mídia.

Meu primeiro ano como presidente do PT — para além da reorganização interna do partido e uma nova atitude no diálogo com os partidos de oposição a FHC, na mobilização social e sindical contra as privatizações — consumiu-se na mediação e intermediação das crises entre os nossos governos e o PT.

Sempre na busca de soluções e não rupturas, procurei inclusive acordos com o governo FHC, tentando a renegociação das dívidas, a busca de empréstimos externos e de bancos públicos, a negociação dos "esqueletos" previdenciários dos estados, e também de convênios e emendas, repasses e pagamentos de recursos vinculados nas áreas da saúde, educação, saneamento e segurança. Era um leão por dia a matar.

Na falta de recursos, o conflito distributivo entre os servidores, os gastos de custeio e investimento eram cada vez maiores, expressando-se em greves, manifestações e disputas partidárias internas cada vez mais duras. A saída? Concentrar o PT na oposição ao governo FHC, organizar a luta e a mobilização em nível nacional, mais campanhas e jornadas nacionais, tudo sem descuidar de evitar o pior nos governos petistas, e sempre à cata de acordos e consensos. A isso me dediquei nos dois primeiros mandatos de presidente, entre 1995 e 1999.

Nossa orientação era oposição nas ruas, relação estreita e de ajuda mútua com a CUT, MST, Contag, apoio às greves, à ocupação de terras, às marchas e passeatas. Quem organizava nossa agenda era a própria pauta do governo FHC.

Um governo decidido a mudar o rumo do Brasil, retomando as reformas neoliberais iniciadas por Fernando Collor: redefinição do conceito de empresa nacional, fim do monopólio estatal do petróleo, acesso ao capital externo na distribuição de gás natural e da navegação de cabotagem e, por fim, reforma da Previdência. O carro-chefe de todas essas medidas era a abertura comercial e financeira, as privatizações e a desregulamentação da economia do Estado.

E, de pronto, apresenta-se uma emenda permitindo a reeleição do presidente, governadores e prefeitos, algo até então vetado pela Constituição. Com todo o respaldo da mídia e do empresariado e dispondo de maioria no Congresso, FHC se sentiu à vontade para vetar o salário mínimo de 100 reais, na época, 100 dólares, aprovado pelo Legislativo a partir de uma emenda do senador Paulo Paim, do PT, então deputado.

Na compra de votos para a emenda da reeleição, dois deputados, Ronivon Santiago e João Maia, renunciaram. Ganharam, além de dinheiro vivo, concessões de rádio e televisão. Restou a denúncia de que os governadores Orleir Cameli, do Acre, e Amazonino Mendes, do Amazonas, haviam comprado os votos de Ronivon, João Maia, Zila Bezerra e Osmir Lima (os quatro do PFL, hoje DEM), além de Chicão Brigido (PMDB). A apuração não prosperou. Houve apenas uma encenação com a presença de Sérgio Motta, o Serjão, na CCJ da Câmara, um espetáculo teatral.

O ano de 1995 definiu o caráter e a hegemonia do governo FHC, testou sua unidade interna e consolidou sua maioria no Congresso para executar seu programa privatizante.

O primeiro teste foi a crise no México e suas consequências no Brasil, com uma fuga massiva de capitais de quase 10 bilhões de dólares, na verdade, um repique de 1994, quando a equipe econômica desvalorizou o real e adotou a banda cambial.

A crise mexicana desnudava o calcanhar de aquiles do real e trazia luz às divergências dentro do governo, colocando em lados opostos José Serra, Sérgio Motta e Mendonça de Barros *versus* Pedro Malan e Gustavo Franco. Sérgio Motta era seu articulador político, operador financeiro e "batedor", e sua artilharia pesada, não raramente, voltava-se contra o próprio governo e o PSDB. Velho militante da esquerda católica — como Serra, da Ação Popular — e empresário, Serjão, durante a ditadura, ajudou todos que procuraram seus conselhos, recursos, empregos, um pouco de tudo. Foi decisivo no apoio aos jornais alternativos, como o semanário *Movimento*. Generoso, irônico, voluntarioso, explosivo, era um bate-responde, um trator, mas indispensável. Alinhava-se aos desenvolvimentistas como José Serra e os irmãos Mendonça de Barros. Luiz Carlos e José Roberto eram quadros do PSDB. Luiz Carlos, o "Mendonção", como era conhecido, para se diferenciar do irmão e doutor em economia pela Unicamp, em

1967 era analista financeiro do Invest Banco. Em 1972, operava na Bolsa de Valores de São Paulo, por intermédio da Corretora Patente. No final dos anos 1970, fundou, ao lado do futuro ministro das Comunicações, Sérgio Motta, a Difusão S/C Ltda., dando ênfase ao financiamento de espetáculos teatrais. A empresa fecharia as portas ainda no início da década de 1980. Em 1983, fundou o Planibanc, no qual permaneceu como sócio até 1993, ano em que fundou o Banco Matrix, juntamente com André Lara Resende. Deixou o banco em novembro de 1995, para assumir a presidência do BNDES, Banco Nacional de Desenvolvimento Econômico e Social. Em 1998, com a morte de Sérgio Motta, foi nomeado ministro das Comunicações por FHC.

Seu nome ficou em evidência com o escândalo do grampo do BNDES, logo após a reeleição de Fernando Henrique Cardoso, o que lhe custou o cargo de ministro das Comunicações. Respondeu como réu numa ação de improbidade administrativa movida pelo MP. Conversas gravadas na sede do BNDES revelaram um suposto esquema de favorecimento de empresas no leilão de privatização da Telebras, conduzido por Luiz Carlos Mendonça de Barros e André Lara Resende, então presidente do BNDES, relembra o Wikipédia. Além de Mendonça de Barros, o escândalo também derrubou seu irmão, José Roberto Mendonça de Barros, da Câmara de Comércio Exterior, e André Lara Resende da presidência do BNDES. Foi também denunciado pelo Ministério Público em outro processo envolvendo a concessão de empréstimos para a privatização da Eletropaulo, mas continuou a compor a equipe econômica que dava sustentação ao modelo implantado pelo governo tucano durante os oito anos da presidência de FHC.

É lembrado ainda pelas disputas travadas com o grupo de Pedro Malan, à época ministro da Fazenda, sobre os rumos da economia brasileira. Em 2001, criou a MBG Associados, uma empresa que oferece cursos profissionalizantes a distância, em parceria com seu irmão e Lídia Goldeinstein. Ainda em 2001, fundou a Editora Primeira Leitura, chefiando a organização da revista *Primeira Leitura*, em parceria com o jornalista Reinaldo Azevedo. A revista acabou em junho de 2006.

Filiado ao PSDB, Mendonção participou das campanhas de Geraldo Alckmin e José Serra, em 2006. Em 2009, foi absolvido pela Justiça Federal das acusações de improbidade administrativa na condução da privatização das empresas criadas a partir da Telebras feitas pelo Ministério Público, em decisão proferida pelo juiz titular da 17ª Vara Federal de Brasília, Moacir

Ferreira Ramos. Em sua sentença, o magistrado deixou registrado: "Penso ser importante enfatizar que esta ação foi promovida em decorrência de representação feita por alguns políticos que, à época das privatizações do setor de telefonia, ostentavam notória oposição ao governo do Sr. Fernando Henrique Cardoso, que então administrava o país".

O juiz Moacir Ferreira Ramos acrescentou: "Ora, se havia a preocupação com a apuração destes fatos, por que esses nobres políticos não interferiram junto ao governo atual, ao qual têm dado suporte, para que fosse feita, a fundo, a investigação dessas denúncias — sérias, enfatize--se — que apontaram na representação?".

Essa sentença foi confirmada pelo Tribunal Regional Federal de Brasília em julgamento da apelação conduzida pelo Ministério Público Federal. Ou seja, a responsabilidade pela apuração não era da Polícia Federal e Ministério Público e sim do governo Lula, uma prova da parcialidade, se não prevaricação da justiça no caso.

Em 24 de fevereiro de 2011, Luiz Carlos Mendonça de Barros foi novamente absolvido pela Justiça Federal das acusações, feitas pelo mesmo Ministério Público, de improbidade administrativa na condução da privatização das empresas criadas a partir da Telebras. A decisão foi proferida, desta vez, pela juíza titular da 5ª Vara Criminal da Justiça Federal do Rio de Janeiro, Margareth de Cássia Thomaz Rostey. Essa sentença foi mantida pelo Tribunal Regional Federal do Rio de Janeiro, depois de apelação conduzida pelo Ministério Público Federal. Comparando essas decisões judiciais com os dias de hoje, podemos concluir que nem todos são iguais perante a lei.

O real estava totalmente apoiado na âncora cambial, abertura comercial, privatizações, aumento de impostos e juros altos.

Era a âncora cambial — as importações e a abertura comercial — que estabilizava e reduzia a inflação. Daí a recusa de Malan e Franco de novamente desvalorizar o real quando do repique da fuga de capitais, em 1995.

O trio Serra-Serjão-Mendonça acusava a dupla Malan-Franco, apoiada por FHC sempre, de "monetarismo", pela inexistência de um ajuste fiscal. Sabiam que o câmbio valorizado e a abertura comercial inviabilizavam a indústria do país.

Mas Franco e FHC não vacilariam em elevar os juros e dobrar a dívida interna, aumentar os impostos em 5% do PIB, vender o patrimônio público — Vale do Rio Doce e todo o sistema Telebras por míseros 100 bilhões de dólares, focados na "estabilidade" do real. Com efeito, FHC e sua equipe estavam cientes de que a moeda não suportaria outra desvalorização sem um ajuste fiscal. E o que realmente interessava: sabia que jamais seria reeleito em 1998, como não teria sido eleito em 1994, sem o Plano Real.

FHC — basta ler os volumes dos seus *Diários da Presidência* para confirmar — vivera essa dualidade até a crise asiática, a demissão de Gustavo Franco e o fim do câmbio fixo. Sandice mais grave e de consequências mais funestas para o país que os tabelamentos e congelamentos de preços de Sarney-Collor e, no futuro, de Dilma.

A diferença é que o câmbio é, por assim dizer, o preço dos preços. Exige altos juros para garantir sua autossobrevivência. De onde se origina seu caráter tremendamente funesto para as contas públicas devido ao elevado serviço da dívida pública, seu aumento contínuo e a destruição da indústria nacional. Por fim, pela péssima saída tivemos como resultado a crise fiscal, o aumento de tributos e a venda de patrimônio público para abater dívidas.

Assumi a presidência do PT em agosto de 1995 nesse cenário de marcha acelerada da agenda neoliberal e de consolidação da era tucana com a emenda da reeleição ainda a ser votada. Colocamos o partido à frente e/ou ao lado da luta contra as privatizações e pelo aumento do salário-mínimo para o patamar dos 100 dólares. Vencemos e conquistamos o salário mínimo de 100 reais.

Sofremos uma derrota em toda linha na greve dos petroleiros. À semelhança de Margaret Thatcher, com os mineiros, e de Ronald Reagan, com os controladores de voo, FHC impôs repressão feroz à greve, com intervenção nos sindicatos e ocupação — por tropas do exército — das refinarias. Revés transformado em êxito pela resistência, solidariedade e nível de consciência dos trabalhadores, com o ressurgimento da Federação Única dos Petroleiros (FUP) e a consolidação da liderança de Antônio Carlos Spis, seu presidente. Não faltou a solidariedade do PT e da CUT.

O ano de 1995 foi de intensa mobilização em todo país pela reforma agrária, a adoção de uma política de fomento da agricultura familiar e os direitos dos trabalhadores rurais.

Crescente no campo e na cidade, o desemprego engrossava os contingentes de sem terra e de candidatos à reforma agrária, com marchas, ocupações e negociações feitas com a polícia. A pressão da União Democrática Ruralista, a UDR, misto de sindicato e milícia armada, levou FHC a apresentar projeto de lei exigindo a avaliação da terra a ser desapropriada pela Justiça, aumentando a tensão e radicalizando o conflito.

Em outubro, visitei FHC acompanhando os líderes Eduardo Suplicy e Jaques Wagner. Ele se comprometeu a desistir do projeto de lei, visitar um acampamento dos sem terra e receber João Pedro Stédile, da coordenação nacional do MST. Havia uma tensão no ar em todo país e era necessário abrir negociações com o governo. Fazer avançar a reforma agrária, derrotando o projeto de lei e levando FHC a um acampamento para que ele e o país vissem com seus próprios olhos a situação dos sem terra.

Estávamos indignados com as notícias tentando misturar o MST com o Sendero Luminoso, grupo guerrilheiro peruano. FHC negou e atribuiu toda a responsabilidade à revista *IstoÉ,* que publicara a reportagem. Os números de assentados do governo não batiam com o do MST, que afirmava serem somente 20 mil. O governo negava, mas não dava os dados. Falou em mexer na legislação e, na conversa, o presidente deixou claro que os procuradores iriam "apertar" o MST, confirmando nosso temor de uma criminalização do movimento. Fui franco com o presidente e disse que a reforma agrária era um problema político e só soluções políticas poderiam evitar uma maior radicalização.

Enquanto isso, uma consequência subterrânea do real veio à tona: a situação pré-falimentar dos bancos Nacional e Econômico, além de bancos estaduais e outras instituições menores. Foi o que bastou para interesses escusos e de grupos se aproveitarem e proporem a saída: um plano de salvação com a venda dos bancos ao Bank of Boston, Citibank, BBA, HSBC e outros gigantes financeiros do exterior, consolidando, por outro lado, o monopólio bancário nacional, hoje representado pela dupla Itaú-Unibanco e Bradesco.

Em novembro, com a quebra do Banco Nacional, o Proer, Programa de Estímulo à Reestruturação e ao Fortalecimento do Sistema Financeiro Nacional, salva a banca de uma crise sistêmica. Transcorridos vinte anos, nada aconteceu com os responsáveis pelos crimes fiscais, financeiros, formação de quadrilha e lavagem de dinheiro que levaram à debacle bancária. Nem mesmo a venda ilegal de patrimônio dos bancos e a remessa ilegal de recursos para o estrangeiro foram investigadas e punidas.

Era o início de uma sistemática da era tucana: a impunidade sempre contando com a cumplicidade da Polícia Federal e do Ministério Público Federal, na época comandado por Geraldo Brindeiro, famoso pelo apelido de "Engavetador-geral da República".

LULA TOMA AS RÉDEAS DO PT

Na investigação sobre o Banco Econômico, foi localizada uma "Pasta Cor-de-Rosa", discriminando as doações ilegais para candidatos e partidos, principalmente da Aliança Democrática, integrada por PFL, PSDB e PMDB. Nem o Banco Central, nem a Fazenda tomaram alguma providência. Então diretor do BC, Cláudio Mauch prevarica e não remete a documentação para a Polícia Federal nem para o MPF. Como na denúncia de compra de votos para a reeleição de FHC e o caso Sivam, Sistema de Vigilância da Amazônia, nada acontece. O procurador-geral da República, a PF, o Ministério da Fazenda, o Banco Central, todos hoje estariam presos por obstrução de Justiça e prevaricação. Com exceção da *Folha de S.Paulo*, toda a mídia foi conivente. Malan, Gustavo Loyola e Mauch negaram a existência da pasta e ficou por isso mesmo.

FHC não travou a CPI do Sivam, um projeto elaborado pelos órgãos de Defesa do Brasil, com a finalidade de assegurar o espaço aéreo da Amazônia. Conta com uma parte aérea, o Sistema de Proteção da Amazônia (Sipam), mas o relatório não deu em nada. Nem mesmo com o diplomata flagrado em gravação, ilegal, feita dentro do governo e por seus integrantes, com indícios de tráfico de influência favorecendo a empresa vencedora da licitação — a norte-americana Raytheon — foi bastante para levar o episódio à Justiça. Membros do governo foram afastados e ficou por isso mesmo. Hoje sabemos, por documentos oficiais do governo norte-americano, que Bill Clinton atuou a favor da Raytheon junto a FHC e que a CIA esteve ativa em todo o processo.

A quantidade das denúncias nos três casos era farta e os indícios de irregularidades graves, mais do que suficientes para a ação da PF, do MPF e do próprio Congresso. E com agravantes no caso da "Pasta Cor-de-Rosa": nela repousava uma listagem não apenas das doações ilegais do Banco Econômico, mas também da Federação Brasileira de Bancos, a Febraban.

Em 1997, irrompeu o caso Cpem, a denúncia contra uma empresa prestadora de serviços às prefeituras — de todos os partidos — para aumentar a arrecadação do ICMS, cuja cota-parte destinada aos municípios é de 25%, beneficiando assim a administração municipal com maior cota de ICMS. A Cpem, sigla da Consultoria para Empresas e Municípios, não era a única prestadora desse serviço, aceito e homologado pelo TCE e pela própria Receita em todo o estado de São Paulo, como ficou comprovado.

Paulo de Tarso Venceslau, filiado ao PT, ex-militante do Movimento Estudantil de 1968, importante quadro da ALN, preso, torturado, meu

287

amigo desde 1965, fez a denúncia. Enviou pedidos de investigação à direção do PT e a parlamentares. A acusação, logo assumida, como comprovada pela mídia, era de que a Cpem repassava para o PT parte dos recursos recebidos pelo serviço prestado às prefeituras, logo um repasse ilegal ao partido.

O irmão de Roberto Teixeira, advogado e amigo de Lula e meu, era advogado da Cpem. Com isso, tentaram envolver Lula, qualificando o relacionamento da Cpem com prefeituras do PT como corrupção e doações indiretas para campanha. Os contratos eram por especialização e, portanto, sem licitação. Segundo denúncia feita por Paulo de Tarso Venceslau, o advogado Roberto Teixeira, compadre do ex-presidente Lula, e seu irmão, Dirceu Teixeira, usavam o bom trânsito no PT para recomendar a prefeitos do partido a contratação da Cpem, empresa que prometia aumentar a arrecadação municipal mediante pagamento de honorários.

O problema era real, mas geral, legalizado pelo TCE e sob o conhecimento do Fisco estadual. Prefeituras do PMDB e mesmo do PSDB também se utilizavam desse mecanismo. Hoje seria uma espécie de PPP, Parceria Público-Privada, ou Oscip, Organização da Sociedade Civil de Interesse Público.

Como presidente do PT, constituí uma comissão especial para analisar as denúncias, formada por Hélio Bicudo, José Eduardo Martins Cardozo e Firmino Fechio, que fora secretário municipal de Finanças. O diretório nacional do PT aprovou o relatório da comissão e submeteu Paulo de Tarso e Roberto Teixeira a uma comissão de ética. A conclusão foi de que Lula não tivera nenhuma participação na relação da Cpem com as prefeituras. Que, aliás, cancelaram os contratos. A imprensa reservou ao episódio — menor — cobertura bem mais ampla do que aquela dada à compra de votos para a reeleição, ao caso do Sivam, à "Pasta Cor-de-Rosa" ou ao Proer. Valeu-se do assunto para desviar a atenção da opinião pública dos escândalos do governo tucano e, principalmente, para abafar e enfraquecer o pedido de CPI para apurar a compra de votos.

Paulo de Tarso fez o seu papel. Os antecedentes atestaram seu comportamento típico, ressentido, pelas demissões sofridas em Campinas e São José dos Campos, onde exercera o cargo de secretário da Fazenda dos municípios. Ambas, por motivações políticas, que jamais aceitou, respondendo à derrota com a denúncia, direito dele, legítimo, mas orientado pela vingança.

Convidado pela Rede Globo para o programa *Bom Dia São Paulo*, sou surpreendido com a participação de Paulo de Tarso — indicação minha à prefeitura de São José dos Campos. Ele me trata como inimigo e responsável pelos fatos. Ali terminou um relacionamento de trinta anos.

Paguei caro dentro do PT pela constituição da comissão e por seu relatório. Nunca me arrependi. Era preciso provar para a mídia — quando se trata do PT, o ônus da prova é sempre do acusado — que Lula nada tinha a ver com os contratos da Cpem com as prefeituras, como ficou demonstrado.

Um episódio triste em minha vida. Malgrado certo distanciamento e da rarefação do convívio após os primeiros anos da década de 1980, Paulo e eu éramos realmente "irmãos". Ainda me recordo quanto me era dolorido nos anos 1970, enquanto ele estava preso, imaginá-lo na prisão.

Para minha surpresa, nenhum dos nossos amigos, mesmo fora do PT, inclusive sua ex-mulher e mãe de seu único filho, o apoiou ou deixou de considerar-me amigo e companheiro. Todos foram solidários comigo, sem que isso significasse uma condenação a "PT Venceslau", como era chamado.

O ano de 1996 seria de eleições municipais. E de transição para 1997, o ano da crise, a segunda externa do real, simbólica e representativa de como o tucanato resolvia suas provações, sempre à custa do trabalhador e adiando a desvalorização da moeda como modo de faturar as eleições de 1998, com o respaldo de Washington e do FMI.

A segunda crise do real — reflexo, mas não única causa — vem junto com a derrocada das moedas asiáticas, além da resistência burra — não há outro termo — de Malan, para tomar qualquer medida, como em 1995, a não ser aumentar juros e privatizar. Para ele, o Brasil apresentava-se forte, com déficit pequeno (!) e com o colchão das privatizações.

Era a velha tática tucana — amplamente benéfica aos rentistas e ao capital externo — de juros altos, câmbio valorizado, inflação baixa, déficit público. Privatizações, importações, abertura comercial e financeira. Crescimento medíocre e aumento do desemprego.

Acontece que a dupla Serjão-Serra se insurgiu publicamente contra a dupla Franco-Malan e a âncora cambial. Abriu-se crise gravíssima no governo e na coalizão. Líder do governo, Luís Eduardo Magalhães ameaçou renunciar e FHC, como sempre, apoiou Malan, calou Serjão e autorizou não apenas aumentar os juros de 20,7% para 43,4% como nomear Gustavo Franco para o BC.

Era o paraíso dos rentistas. Mas ainda não ficaria só na pancada dos juros. A maioria da população, como sempre, pagaria a conta com um ajuste fiscal, um pacotaço de dezessete medidas provisórias, atos de governo, decretos e exposições de motivos, fora do alcance imediato do Congresso, para onde foram apenas um projeto de lei complementar e outro ordinário. FHC-Malan apresentam a conta: aumento de impostos, corte de gastos, desinvestimento, tudo para fazer superávit e pagar os juros da dívida interna que, até o fim de sua gestão, dobraria de valor.

O pacote foi rejeitado nas pesquisas. Lula subiu e começou a sucessão presidencial. Em julho, a reeleição estava aprovada e escandalosamente FHC dela poderia se beneficiar. Aliás, foi feita de encomenda. Sem FHC concorrendo, Lula seria eleito em 1998.

Em 1997, as peças do xadrez da sucessão começaram a se mover: a emenda da reeleição, o pacote fiscal e a consolidação de Malan-Franco, o que significava manter o câmbio "fixo", a âncora cambial e explorar o real como âncora eleitoral em 1998. FHC fez mais. Aproximou-se de Maluf e negociou sua adesão, em 1998, à custa da neutralidade na eleição paulista. Nela, Maluf seria candidato contra Mário Covas. Não contavam com a surpresa que foi Marta Suplicy, então deputada federal pelo PT de São Paulo.

No nosso campo, só problemas. Tudo bem nas ruas, nas mobilizações, na frente parlamentar e nas nossas administrações, nas quais, aos poucos, íamos superando as dificuldades. Mas, no interior do partido, havia tensão no momento de definir políticas e alianças.

Lula persistia em não se colocar como candidato. Enquanto isso, Ciro crescia nas pesquisas como resposta de uma parcela do eleitorado ao pacote fiscal. Filiara-se ao PSB e se fortalecera como candidato. Em dezembro, Lula decidiu-se e lançamos sua candidatura, apoiada num forte sentimento popular de rejeição às políticas de FHC, principalmente diante do desemprego crescente e do agravamento da crise social. Era possível vencer, mas o PT estaria preparado?

Para responder à pergunta vamos repassar a luta do partido entre 1995 e 1999, meu papel, as mudanças internas e no país. A consolidação e a decadência da era FHC e da ideologia neoliberal. As lutas sociais e parlamentares, as alianças do PT, suas vitórias e derrotas.

O período foi marcado pela ascensão dos protestos contra as privatizações, o desemprego e em favor da reforma agrária, mas, também, pelo descenso das greves e a queda da votação do PT. Nosso espaço principal foi a luta extraparlamentar e o apoio às manifestações de repúdio às privatizações.

22

TEMPOS DIFÍCEIS

*Aliança com Brizola afasta o companheiro Vladimir
Palmeira, enquanto o governo FHC começa a derreter*

A partir de 1995, a nova direção, com um coletivo dirigente e com
recursos do Fundo Partidário, priorizou a reorganização interna, da
direção executiva, dos diretórios e também as mobilizações, inclusive
direcionando seus programas de rádio e televisão para o apoio às lutas
do MST e da CUT.

A "privataria" foi e é o maior escândalo da história do país. Os grampos
do BNDES dizem tudo. Foi dirigida, financiada com recursos públicos e
uso de moedas podres. As estatais acabaram entregues por preços abaixo
do valor real, principalmente no setor de telecomunicações. Não era a
única opção de reorganização do setor público, do Estado, nas áreas de
telecomunicação, siderurgia, petroquímica e transportes. Fundos públicos,
o próprio BNDES e a União poderiam ter construído um modelo público-
-privado democrático, via ações e fundos de investimentos. Porém, a escolha
do tucanato foi — como era natural — financeira. Vender para abater a
dívida que os próprios tucanos haviam criado com suas taxas estratosfé-
ricas de juros. Só para refrescar a memória: mesmo com provas e indícios
concretos, materiais — as gravações — todos os ministros de Fernando
Henrique Cardoso envolvidos na privataria foram absolvidos pelo Superior
Tribunal de Justiça (STJ), décadas depois dos acontecimentos, como foi o
caso de Luiz Carlos Mendonça de Barros e de André Lara Resende, com
gravações que envolviam o próprio presidente da República.

O desemprego não parava de subir e o crescimento econômico,
medíocre, só piorava a situação social, com a queda da renda e a
desvalorização do salário mínimo.

ZÉ DIRCEU

Em 2003, quando assumiríamos o governo, o país era outro. Com a desindustrialização, entre 1981 e 1990, o Brasil perdeu 43% dos empregos industriais e, de novo, entre 1990 e 1997 perdeu 39,7% dos postos de trabalho. A repressão à greve dos petroleiros, o apoio da mídia e a maioria no Congresso propiciaram a FHC uma hegemonia. Criaram uma cortina de fogo e fumaça, desmobilizando a classe operária industrial, vanguarda da luta contra a ditadura, e mesmo contra o governo Sarney na década de 1980 e início do ano de 1990.

As greves arrefeceram e a luta passou a ser pela preservação de direitos ameaçados pelo desemprego e a reforma da Previdência. Ontem, como hoje.

Para se ter uma ideia das mudanças ocorridas no país, hoje — segundo dados do Ipea, Instituto de Pesquisa Econômica Aplicada, fundação ligada ao Ministério do Planejamento — 11 milhões de empregados estão na indústria (12,2%); 7,4 milhões na construção civil (8,2%); 9,4 milhões na agricultura (10,4%); 15,7 milhões na administração pública, educação e seguridade social (17,4%); 4,5 milhões nos transportes (5%); 17,4 milhões no comércio (19,3%) e 24,6 milhões nos serviços, informática, comunicações, financeiro, alojamento e alimentação (27,3%). Ou seja, 52% estão nos setores de comércio, serviços e transporte, 1/3 de todos os ocupados é de trabalhadores por conta própria ou domésticas, auxiliares familiares, um contingente de 31 milhões de pessoas.

Os sindicatos e as centrais sindicais representam 45,546 milhões de trabalhadores formais e com carteira assinada. Desses, 16,450 milhões estão sindicalizados, segundo a PNAD, Pesquisa Nacional por Amostra de Domicílio, do IBGE (2009).

Na conjuntura dos anos 1995-1999, nosso objetivo era acumular forças para 1998 e questionar o caráter do mandato FHC.

Em abril de 1996, uma chacina choca o país. No dia 17 daquele mês, acontece o Massacre de Carajás, no Pará, vitimando dezenove trabalhadores sem terra e revelando ao Brasil uma tragédia anunciada: a Justiça e as polícias militares a serviço do latifúndio, grileiros e madeireiros ilegais, sob o olhar passivo e cúmplice do governo estadual do PSDB. Uma matança deliberada e planejada para amedrontar os sem terra. A repercussão foi inesperada, uma comoção nacional e uma onda de solidariedade pela reforma agrária, além da repercussão internacional, que também foi enorme.

Estive pessoalmente em Carajás, como em 1995 em Curumbiara, em Rondônia, para apoiar os sem terra, em nome de Lula e do Partido dos

TEMPOS DIFÍCEIS

Trabalhadores, e para denunciar o ato criminoso e a cumplicidade do governo tucano. O Brasil e o mundo viram as fotografias dos cadáveres lado a lado e as famílias chorando seus mortos. As evidências eram de um crime inominável.

FHC enviou ao Pará o seu chefe do Gabinete Institucional, general Alberto Mendes Cardoso. Juntos, percorremos a área em busca de corpos e avaliamos a situação. Vicente Paulo da Silva, o Vicentinho, presidente da CUT, e eu acompanhamos o velório e o enterro das vítimas. Carajás marca uma inflexão na luta pela partilha da terra, agora apoiada e crescente. A reação histérica da UDR e de certa parte da mídia não se fez por esperar, deflagrando a campanha para criminalizar a Reforma Agrária.

FHC e seu ministro da Reforma Agrária, Raul Jungmann ficaram na defensiva e iniciaram um tímido programa, quase obrigado, de desapropriações e assentamentos. A Reforma Agrária e a Agricultura Familiar teriam que esperar a chegada de Lula à presidência.

Minha relação com o MST iniciou-se ainda na rua Santo Amaro, no Diretório Regional do PT, no princípio da década de 1980. Vi o Movimento dos Trabalhadores Rurais Sem Terra, extraordinária e mística organização de camponeses nascer e crescer. Ainda me lembro dos primeiros números do jornal do MST. Durante esses vinte e cinco anos, lutei lado a lado com o Movimento na secretaria regional, na nacional e na presidência do PT. Compareci a plenárias, protestos, ocupações e debates. Acompanhei o fortalecimento do MST, a conquista do apoio da maioria da sociedade, o assentamento de centenas de milhares de sem terra e a construção de cooperativas agroindustriais.

Testemunhei o prestígio internacional do MST, seu papel na constituição da Via Campesina, da Consulta Popular, das emendas populares à Constituinte, de seu empenho para eleger Lula presidente. Converteu-se em força indispensável na resistência conjunta dos partidos, organizações sindicais e sociais que conformaram, no passado, as alianças para eleger Lula. Assim como é hoje imprescindível para confrontar o golpe e a restauração pós-neoliberal. A luta pela Reforma Agrária e pela defesa da Agricultura Familiar sempre foi um elemento fundamental no projeto de desenvolvimento nacional do PT.

Na frente eleitoral e no transcorrer do primeiro período de FHC no Planalto, sofremos nítido retrocesso em termos de votos para os governos municipais. Contrariamente ao voto proporcional para a Câmara e o

Senado, onde não paramos de crescer entre 1982 e 2002. Mesmo descontando a votação, em São Paulo, menor do que a de 1988, em 1996 governávamos 7,9 milhões de cidadãos. Em 1992, eram 8,3 milhões e, em 1988, atingimos 14,9 milhões. No mínimo, estagnamos. Se bem que avançávamos em número de prefeituras. Evoluímos de 38 municípios em 1988 para 116 em 1996 e daí a 187 no ano 2000. Também crescíamos na soma de vereadores. Aumentava a capilaridade do PT, uma das chaves do sucesso eleitoral do PMDB.

Insistíamos na presença nas ruas, buscando sintonia com o crescente sentimento de oposição a FHC e consolidando a identificação dessa oposição com Lula e o PT. Organizamos, durante meses, a vitoriosa Marcha a Brasília em abril de 1997 contra as privatizações, o desemprego e denunciando o Massacre de Carajás no ano anterior.

No PT, realizamos o 11º Congresso no Hotel Glória, no Rio de Janeiro, em agosto daquele ano. Um ensaio de 1998 e consolidação da minha presidência, com o começo do fim da Articulação de Esquerda, já diluída em uma frente de esquerda. Fui reeleito presidente do partido com 52,59% dos votos. Meu adversário foi o deputado Milton Temer, professor de Literatura, ex-oficial da marinha cassado pela ditadura, deputado estadual e federal pelo PT, com quem tinha uma excelente relação política e pessoal. Lula e o PT preparavam-se para a terceira corrida à presidência e já encontravam, à "esquerda" e na oposição, a candidatura de Ciro Gomes, do PSB, desfazendo-se assim aquela frente de 1989 e 1994.

Começara uma tentativa — bem-sucedida — de aliança com o PDT e Leonel Brizola, uma heresia para grande parte dos petistas, principalmente do Rio de Janeiro e do Rio Grande do Sul. Nos dois estados, o PDT fora governo e era expressivo, apesar da força do PT gaúcho, então governando Porto Alegre pela terceira vez e com chances concretas de vencer a disputa pelo Palácio Piratini, como realmente aconteceria.

No PT do Rio, havia massiva oposição a Brizola e seu populismo, desorganizador, segundo essa posição, da luta popular e sindical, não obstante a contradição aparente: Brizola fora eleito contra tudo e contra todos pelo voto popular dos morros e favelas, em 1982, e reeleito em 1990, ano em que o PT carioca se recusou a apoiá-lo, apesar e a despeito da sua presença no palanque de Lula no segundo turno, contra Collor, em 1989.

TEMPOS DIFÍCEIS

Tive papel fundamental em todo esse processo e, de novo, com alto custo pessoal e afetivo pelo envolvimento de Vladimir Palmeira, um dos principais líderes, ideólogo mesmo, do antibrizolismo.

Tamanha força tinha nossa relação que não vacilei em apoiá-lo em 1994, quando teve sua candidatura preterida — sem base legal — pela de Jorge Bittar, importante liderança do PT, depois deputado federal por vários mandatos e secretário da cidade e do governo estadual.

No entanto, em 1998, estávamos em campos opostos. Vladimir era pré-candidato a governador e eu defensor da aliança com Brizola, como vice na chapa de Lula, e com o PT apoiando o candidato brizolista ao governo carioca, Anthony Garotinho, tendo a senadora petista Benedita da Silva como vice.

Com a minha condição de presidente e o relacionamento com Brizola, eu era peça-chave nas relações com o líder pedetista. Uma relação consolidada durante o segundo mandato de Brizola quando, logo após ter deixado o governo, em 1995, participei do esforço para impedir seu indiciamento por denúncias de corrupção na Secretaria de Saúde do Rio de Janeiro, em CPI aberta no legislativo estadual. Não havia o menor indício ou evidência da responsabilidade do governador. Em 1990, já defendera o apoio a Brizola, com a chapa Darcy Ribeiro — ou Nilo Batista —, para o governo e com o PT indicando o senador, que seria eleito. Brizola sonhava com Lula senador pelo Rio, lógico que sem nosso apoio, que preferíamos Jorge Bittar, já que Vladimir Palmeira não aceitaria em hipótese alguma.

Ainda me lembro da viagem ao sítio do prefeito pedetista, Noel de Carvalho, em Resende, no estado do Rio de Janeiro, onde o próprio Brizola nos ofereceu um churrasco, sem falar nas promessas de aliança para governar o Brasil.

Vale relembrar que o petismo-lulismo não era herdeiro da herança varguista-janguista, trabalhista. De maneira oposta, éramos duros críticos do getulismo e do peleguismo que confundíamos, erroneamente, com a CLT e o Estado Novo. Mas Getúlio era maior e mais amplo do que o interregno ditatorial.

Pela minha formação política, cultural e origem familiar, tinha tudo para ser antigetulista, mas não era e não sou, apesar do Estado Novo. Sem Getúlio não haveria o Brasil de hoje e seu "segundo" mandato popular e constitucional o regenerara para a minha geração. Era o Getúlio nacionalista e popular, idolatrado pelo povo, que foi às ruas chorar sua morte e fazer justiça com as próprias mãos, invadindo e destruindo sedes de partidos e jornais como *O Globo*, caçando seus carrascos da UDN, da Embaixada dos Estados Unidos, da direita militar, além do maior dos algozes, Carlos Lacerda, que o único jornal getulista, o *Última Hora*, apelidara de "Corvo". Lacerda acabou refugiando-se na Cuba de Batista.

Não se tratava de discordar da crítica ao brizolismo, tampouco de ser brizolista ou pedetista. Significava aliar-se a Brizola em busca do objetivo maior, a presidência da República, evitando nova vitória fernandista, e no primeiro turno.

Mal passara 1989, Brizola me chamou para acompanhá-lo ao Congresso da Internacional Socialista na condição de convidado e não observador. Para tanto, eu não tinha mandato do Diretório Nacional, avesso a qualquer aproximação com a Internacional social-democrata, razão do convite e da viagem.

O comandante pedetista ocupava uma das vice-presidências da Internacional Socialista, que dera a ele amparo e solidariedade no exílio, além da proteção contra os assassinos de aluguel da Operação Condor, hoje desmascarados. O distanciamento representava uma contradição, uma vez que nossos sindicatos e o PT, Lula à frente, mantinham excelentes relações com os governos e partidos socialistas da Europa. Vários ex-dirigentes sindicais eram então ministros e parlamentares em seus países e membros dos partidos socialistas.

Brizola, que viajava por cortesia na primeira classe da Varig — coisas do Brasil de então —, além de patrocinar meu convite, dividiu a passagem comigo, trocando-a por duas na classe executiva. E lá fomos nós para Genebra, na Suíça. Na longa viagem, aprendi a admirar Brizola, um estadista, ao seu modo e tempo, mas com o pé no Brasil da década de 1990 e no mundo de então. Com todo o direito aspirava à presidência da República. Audacioso, não descartava nunca a resistência legítima à tirania, o que me aproximava dele e ele soube explorar essa relação.

Eu me encantava com seu método de análise e de decisão. Primeiro, a experiência histórica, os fatos, os personagens, o roteiro, as cenas e o desenlace. As forças sociais e políticas, os interesses, o "Império", o Brasil, o interesse nacional, o povo, o Rio. Ou melhor, os Rios. Brizola era gaúcho e trazia um estado de espírito nacionalista e uma tradição de rebeldia.

"Como Getúlio reagiu", "Como ele fez, como Jango não fez", "Como a UDN agiu, como o PTB e o PCB atuaram." Uma aula de Brasil. Esse

TEMPOS DIFÍCEIS

era o Brizola, para além de sua imagem histriônica e, às vezes, radicaloide. Simples, de lealdades à moda antiga e com ilusões, como todos nós.

Desiludido com a sujeira da eleição de 1989 e com os rumos de Fernando Collor, desconfiado de cassações e golpes — mas pronto para tomar o poder, resistir como em 1961, seu momento de glória —, Brizola me "assunta" sobre o "caminho militar", sobre o que pensam e querem os militares, espantado e temeroso com as privatizações e o desmonte do Estado.

Com seu sorriso maroto, Brizola ou me testava — não era nada ingênuo — ou me provocava para conhecer de fato a real estratégia de poder do PT. Teria sido um orgulho servir sob suas ordens na triunfante resistência ao golpe de 1961. Que foi frustrado pela sua ação, liderança e vontade política, tão carente, às vezes, na esquerda. Decisiva, férrea e inabalável vontade política de líderes como Brizola. É disso que a esquerda precisa.

Voltando ao Rio de Janeiro e às eleições de 1998. Vladimir, apoiado por uma provável maioria, optou por ser indicado candidato e não apoiar Garotinho, apesar dos apelos de Lula e dos meus. Fiquei convencido — a despeito da legitimidade da sua candidatura — de que uma derrota na aliança no Rio, além de enfraquecer Lula, seria meio caminho para perdermos a maioria no PT.

Também estava convencido de que, uma vez fracassada no Rio, a política de alianças em nível nacional estaria fadada também ao desastre. Era tudo ou nada. Deixei isso claro para Vladimir: o diretório decidiria, nacionalmente, em encontro se necessário, a política de alianças do Rio.

Vladimir venceu o encontro estadual e seria referendado pela convenção oficial. Fiquei obrigado a fazer o que advertira: convocar um encontro extraordinário e aprovar a coligação, indicando Benedita como vice de Anthony Garotinho. Era guerra! E assim foi. Novamente, sem vacilar, tive que intervir no Diretório Regional do Rio.

Era a prova de fogo de minha presidência, pois a minha liderança e autoridade estavam em risco e expostas em uma provação dura e polêmica, envolvendo tema pouco amadurecido e, verdade seja dita, contrário ao DNA petista: alianças e Brizola.

Havia atenuantes. A união era justificável pelo programa comum antineoliberal e de oposição a FHC. Mas não era assim tão simples.

Convocamos um Encontro Nacional Extraordinário para maio de 1998, em São Paulo, na quadra dos bancários. Homologamos a chapa Lula-Brizola e tivemos que votar o recurso da maioria do Diretório Regional carioca contra a chapa Garotinho-Benedita. Vencemos por 310 a 201.

Na chegada ao encontro, como sempre sozinho, sem seguranças ou coisa do gênero, apenas acompanhado por delegados e dirigentes, deparo com um corredor polonês. É formado por delegados do Rio, ameaçadores, agressivos, revoltados mesmo. Atravessei o corredor e segui para a quadra. Era isso ou a desmoralização de minha presidência. Se recuasse, estaria registrado meu temor e, mesmo, medo da militância que não me perdoaria nunca, mas reconhecia minha liderança.

Hoje avalio que o preço político que pagamos pelo respaldo a Garotinho não compensou a aliança com Brizola. Isso, porém, é agora. Em 1998, eu não só estava convencido, mas também decidido. Sem minha posição firme e clara não haveria aliança. Fiz por Lula e pelo PT.

O ano de 1998 começara de forma trágica para FHC. Em abril, morria Sérgio Motta e, no mês seguinte, Luís Eduardo Magalhães. Perdia talvez o seu melhor amigo, parceiro e cúmplice. Filho de Antônio Carlos Magalhães, Luís Eduardo, líder do governo e depois presidente da Câmara, fiador e condutor das reformas de FHC, morreu prematuramente, aos quarenta e três anos, às vésperas de disputar o governo da Bahia, em 1998. Os planos para ele incluíam concorrer à presidência em 2002 pelo PFL. Seu lugar seria ocupado por Roseana Sarney. Sem Serjão e Luís Eduardo, FHC estava só.

Depois disso, nunca mais o governo FHC foi o mesmo. Na prática, perdeu o dinamismo e a eficiência na gestão e na articulação política. Algo grave em ano eleitoral, onde havia sinais claros de esgotamento do modelo e da matriz econômica apoiada no câmbio valorizado, déficit público, aumento de impostos, endividamento público e privatizações, cuja fase mais visível era o desemprego, o baixo crescimento e a desindustrialização.

Mas a inflação "baixa" e o real, apesar do desemprego, ainda contavam. FHC dispunha de blindagem integral da mídia, obcecada em barrar Lula e o Partido dos Trabalhadores. Eram os nossos obstáculos, para além de nossas debilidades e fraquezas.

Eu avaliava as votações nos encontros de 1995, 1997 e, agora, de 1998, como de alto risco por conta da frágil maioria da Articulação. Era hora de me dedicar a ampliar essa maioria e sua forma, superar a tradicional Articulação e aliados por uma "nova maioria". A disputa eleitoral e a oposição ao governo, minha própria candidatura a deputado federal, a de

TEMPOS DIFÍCEIS

Marta Suplicy ao governo de São Paulo — com chances reais de ir para o segundo turno, pelo baixo desempenho de Covas — exigiam minha participação prioritária na campanha de Lula, na aliança e na minha própria.

FHC venceria no primeiro turno com 35 milhões de votos ante 21 milhões de Lula e 7 milhões de Ciro. Venceu escondendo do país a gravidade da crise cambial e seu esgotamento. A corrida presidencial transcorreu durante a privatização da Telebras — com manifestações, choques com a polícia, encobertas pelo quarto aniversário do Plano Real. Mais uma vez explorou o fantasma da inflação, justamente FHC que, em 2002, nos deixaria a herança de uma inflação de 12,5% e o dólar roçando nos quatro reais.

A crise econômica batia às portas do Brasil, e o PT, como Lula, não tinham alternativa. Era o momento de uma nova política econômica, mesmo sob o risco do eleitorado, por receio da mudança, optar pela segurança com FHC.

Estávamos plantando para 2002.

Com muito dinheiro, maior estrutura, apoios partidários e tempo na televisão e no rádio, FHC percebeu o desgaste e o crescimento do sentimento oposicionista. Prometeu, comovido, atacar o desemprego.

Com a crise presente, na bolsa e no ataque ao Real, o PT e nosso programa — e mesmo Lula — não foram capazes de explicar o quadro e conquistar o eleitor popular e desempregado. Nem mesmo o pacote de setembro, com juros de 49,75%, aumento de impostos, corte de gastos, ocultando e evitando o principal, a desvalorização do real, conseguiu abalar a maioria favorável a FHC.

O país caminhava para quebrar. FHC negociava um acordo com o Fundo Monetário Internacional e Bill Clinton deu ordens de salvar não o real que, após a eleição, fora desvalorizado, mas a reeleição do presidente, "dando" 40 bilhões de dólares ao Brasil.

Perdemos as eleições, mas não a dignidade. Lula, Márcio Thomaz Bastos e eu nos recusamos a veicular o chamado "Dossiê Cayman", um conjunto de documento comprovadamente falsos criado com o objetivo de atribuir crimes inexistentes a políticos e candidatos do PSDB, nas eleições brasileiras de 1998. O dossiê atribuía a prática de elisão fiscal aos tucanos Fernando Henrique Cardoso, Mário Covas, José Serra e Sérgio Motta. O dossiê continha informações de que esses candidatos teriam milhões de dólares depositados em paraísos fiscais do Caribe. Investigações posteriores provaram que esse dossiê tinha sido forjado, produzido por pessoas interessadas em ganhos com a venda dele a adversários políticos dos tucanos acusados. Cópias foram espalhadas e vendidas a candidatos da oposição durante as eleições de 1998. Entre eles, estaria Paulo Maluf, o ex-pastor Caio Fábio, o ex-presidente Fernando Collor de Mello e seu irmão Leopoldo, que foram acusados de comprar o dossiê por 2,2 milhões de dólares. Era uma negociata e uma jogada que caiu no descrédito público.

Mas a vida de FHC não seria nunca mais a mesma, pois logo eclodiria o escândalo dos grampos do BNDES. Vencedor em Minas, Itamar Franco tomaria posse declarando moratória por noventa dias. No período, suspenderia o pagamento da dívida com a União. Era a gota-d'água que faltava para desencadear a crise que a trinca FHC-Malan-Gustavo Franco omitiam do país.

Em dezembro, Lula visitou o vitorioso FHC. Acompanhado de Cristovam Buarque, os dois discutiram a crise e seus riscos. Lula sinalizava que não seria mais candidato, despertando a natural e legítima aspiração de outras lideranças do PT, especialmente de Tarso Genro e Eduardo Suplicy, candidato assumido. Tarso e Cristovam desconversavam, mas eram candidatíssimos. Cristovam não escondeu, durante a campanha de reeleição ao governo do Distrito Federal, que considerava ganha, ser candidato à sucessão de FHC. Tarso acabou voltando à prefeitura de Porto Alegre. Em 2002, concorreu ao governo estadual, sendo derrotado. Elegeu-se em 2010.

Lula era candidatíssimo desde que nas condições dele: com Duda Mendonça, com alianças, com recursos, com o PT sob sua ou nossa direção. Quem não entendeu se fez de rogado ou se deixou levar pela ambição, no bom sentido, sem juízo moral. Eu entendi perfeitamente e me dispus, porque construíra essa política, a deflagrar nova fase de discussão, convencimento, debates, ampliando nossa maioria para levar Lula ao governo em 2002.

Eleito deputado federal, apoiado institucionalmente pelo PT e por Lula, recebi 113 mil votos. Retornei à Câmara, o que me facilitava a tarefa de presidente e a relação com aliados. Durante a campanha, me aproximei dos dissidentes do PMDB, casos de Orestes Quércia, Roberto Requião e Paes de Andrade. Com Itamar, mantive o diálogo. Seu amigo, visitava-o com frequência, rumo a 2002.

Nunca tive ilusões com 1998. O ciclo de FHC não acabara e a hegemonia política e cultural das ideias neoliberais persistia. Após as derrotas de 1989, 1994 e agora de 1998, era o PT que precisava mudar.

TEMPOS DIFÍCEIS

A correlação de forças mudava a cada ano. Em que pese o refluxo das greves, construímos, entre 1989 e 1998, ampla base social e eleitoral, bancadas parlamentares em milhares de municípios e nos estados. Ganhávamos experiência de governo, formávamos gestores, aprendíamos a disputar eleições. Não nos distanciamos de nossas bases e Lula era o maior líder popular do país.

Mesmo em São Paulo, tínhamos grandes avanços. Além de governar suas principais cidades, elegemos Suplicy senador por duas vezes, em 1990 e em 1998. Marta Suplicy chegara muito perto do segundo turno, com quase 1/4 dos votos. Só perdera o segundo lugar para Covas e a chance de cotejar com Maluf pela manipulação — novamente, da TV Globo — da pesquisa do Ibope às vésperas da eleição e, ainda, pela suspeita apuração — manual, não eletrônica — nas cidades com menos de 20 mil eleitores.

Em 1999, Lula articularia minha saída da presidência do PT. À esquerda, com o apoio de Tarso Genro e Ricardo Berzoini, entre outros, surgia a proposta do "Fora FHC", a ser decidida no 2º Congresso, em Belo Horizonte.

Mal começara o ano e a casa caiu. O real seria desvalorizado e a crise econômica se mesclaria com a de governo. O caminho para 2002 estava aberto. Lula, no entanto, propôs meu afastamento da presidência do PT. Exatamente quando era a ocasião de robustecer a nova maioria e propor mudanças drásticas para mudar as relações internas no partido, preparando-o para a disputa de 2002.

Lula nunca me disse o motivo de sua decisão, mas avalio que foi em função do fracasso da aliança com o PDT e da campanha. Acatei e me preparei para exercer plenamente meu mandato de deputado e de dirigente, mas eis que a vida e a realidade se impuseram. Primeiro, a crise econômica, segundo, o "Fora FHC" e o 2º Congresso, depois a crise da candidatura Tarso Genro à presidência do PT.

No Planalto, FHC demite André Lara Resende, Ricardo Sérgio de Oliveira, os irmãos Mendonça de Barros e Pio Corrêa. Radical mudança na qualidade e na orientação do núcleo duro da administração. Para pior, para o monetarismo e o rentismo. Foram tempos difíceis.

Sem mais controle da situação, FHC também demite Gustavo Franco, que será substituído por Francisco Lopes para ainda tentar controlar a desvalorização do real, com a adoção de uma "banda diagonal endógena", proposta pelo novo presidente do Banco Central. Porém, em três dias, o país perde três bilhões de dólares e o dólar, cotado a 1,98, beira o patamar dos dois reais. Sem reservas suficientes, o Banco Central não vende dólares. Incapaz de desafiar a "banca especulativa", rende-se ao mercado. Chico Lopes cai e Armínio Fraga — sócio e funcionário de George Soros — assume. É o triunfo de Malan e a prova do pudim, desvelando de qual lado FHC sempre estivera.

Com a moeda norte-americana atingindo 2,17 reais, o governo eleva os juros para 45%. Os derivados do petróleo sobem 11,5%. É tudo ou nada, que venham os dólares para ganhar com juros reais de mais de 25%, o que nos custou o dobrar a dívida interna.

A queda de Chico Lopes, que teve sua prisão decretada numa audiência da CPI dos Bancos, está ligada ao vazamento de informações sobre o câmbio que beneficiou dois bancos: Marka e FonteCindam. Ambos lucraram a bagatela de 1,6 bilhão de dólares.

Como em toda denúncia envolvendo o governo FHC, a Procuradoria--Geral da República somente em 2004 pediria a condenação de Chico Lopes e mais dez réus, seis anos após os fatos. Julgamento mesmo somente em 2016, quando os crimes já estavam prescritos. De todos os acusados, apenas Salvatore Cacciola cumpriu pena. Salvatore Alberto Cacciola é um banqueiro ítalo-brasileiro, proprietário do falido Banco Marka, o único condenado em primeira instância no Brasil por crimes contra o sistema financeiro, juntamente com diretores e funcionários do Banco Central do Brasil, após seu banco ter sido socorrido em 1999, então governo de FHC, por ocasião da flutuação cambial. Um dos mais emblemáticos escândalos do governo FHC, que custou aos brasileiros R$ 1,5 bilhão à época.

Salvatore Cacciola cumpriu pena depois de ter ficado foragido por seis anos na Itália, país que negou o pedido de extradição do governo brasileiro. Ele foi extraditado ao Brasil em julho de 2008 e recolhido ao presídio Bangu 8, no Rio, em regime de prisão preventiva, onde ficou preso por cerca de três anos. Em agosto de 2011 foi beneficiado pela revogação da prisão preventiva e passou a responder aos processos em liberdade. Em 16 de abril de 2012, a juíza Roberta Barrouin Carvalho de Souza, da Vara de Execuções Penais (VEP) do Rio de Janeiro — Comarca da Capital, decidiu conceder-lhe um indulto com base no artigo 1º, inciso III do Decreto 7.648/2011, expedido pelo presidente da República em 21 de dezembro de 2011. Considerando o disposto no inciso II do artigo 107 do Código Penal, teve a sua punibilidade extinta em decorrência dessa decisão, que não mais admite qualquer recurso. Chico Lopes,

TEMPOS DIFÍCEIS

Cláudio Mauch e Demóstenes Madureira, ex-diretores do BC, embora condenados, também foram favorecidos pela extinção da punibilidade.

Nesse cenário, sob pressão de Itamar Franco, em pé de guerra contra as privatizações e declarando moratória da dívida de Minas com a União, explodiu mais um escândalo, dessa vez envolvendo dois ministros: Martus Tavares, do Planejamento, e Eduardo Jorge Caldas, da Secretaria-Geral da Presidência, fiel escudeiro de FHC. A questão era, agora, a controversa construção do prédio do Tribunal Regional do Trabalho (TRT) de São Paulo.

Vêm a público as conversas de Eduardo Jorge com o presidente do TRT, Nicolau dos Santos Neto, sobre indicações e nomeações de juízes classistas em troca da liberação de recursos para a continuidade da obra, mesmo contra parecer do TCU, com o agravante do endosso de FHC e o empenho de Martus Tavares.

Enquanto isso, Chico Lopes confessara seu feito, utilizando-se do mesmo argumento usado para explicar as intervenções do Proer: ajudara os bancos Marka e FonteCindam, visando a impedir suas falências. Como as investigações, inquéritos e processos não deram em nada, aumentaram os protestos, a indignação e as propostas de renúncia de FHC e, a seguir, o "Fora FHC".

Os escândalos dos grampos do BNDES, a venda da *holding* Telebras pela bagatela de 22 bilhões de reais e as provas materiais da interferência aberta do governo em prol do Banco Opportunity, via Pérsio Arida — como a favor do Banco Votorantim, derrotado por Benjamin Steinbruch, do Grupo Vicunha, na vergonhosa venda da Vale do Rio Doce — potencializavam a corrente favorável ao *impeachment*.

A venda da Vale é um capítulo à parte na vilania das privatizações da era FHC. Foi vendida a preço de banana literalmente sem nenhuma consideração por suas fantásticas e inesgotáveis reservas e seu real valor, um caso típico de lesa-pátria, de alta traição.

Tamanha foi a pressão que FHC tentou um diálogo com Lula e o PT, propondo um entendimento para superar a crise. Lula se opôs e retornou às propostas de campanha: centralização do câmbio, redução dos juros e política de emprego, investimentos e controle das importações.

Os tucanos haviam hipotecado o país no FMI para vencer as eleições e, agora, aplicariam seu plano preconizado pelo fundo internacional, de ajuste fiscal e estabilização. No mesmo momento em que a Argentina quebrava, comprovando a falácia da conversibilidade — câmbio fixo — e dos planos do FMI.

23

O PT REJEITA O "FORA FHC"

*O caminho começa a se abrir para
Lula tornar-se presidente da República*

Presidindo o partido, eu enfrentava múltiplas tarefas: a marcha a Brasília, o abaixo-assinado contra a privatização da Telebras com um pedido de CPI e o plebiscito sobre a dívida externa, promovido pela CNBB e entidades como o MST, CUT, UNE e Contag.

Agosto e setembro de 1999 foram meses de ascensão dos movimentos sociais e da oposição política ao poder de Brasília. No dia 26 de agosto, as entidades promotoras do pedido de CPI da Telebras, com minha participação e presença representando o PT, entregaram ao presidente da Câmara, Michel Temer, um abaixo-assinado com quase 1,3 milhão de assinaturas. Com o documento popular, chegou a maior manifestação até então feita em Brasília, a Marcha dos 100 mil, realizada pelas mesmas entidades e partidos — PT, PCdoB e PDT — reunidos na Esplanada dos Ministérios, diante do Congresso, simbolicamente a caminho do Palácio do Planalto.

No 7 de setembro, o Grito dos Excluídos, outra prioridade petista, articulado e dirigido pela CNBB, CUT, CMP e MST irrompe em todo o Brasil, com centenas de milhares de participantes. Evidenciava-se a retomada do fio da história das lutas contra a ditadura, das Diretas e do *impeachment*.

Com o abaixo-assinado pela CPI, a Marcha dos 100 mil e o Plebiscito da Dívida Externa que culminou com o Grito dos Excluídos, tínhamos conseguido três grandes vitórias. Lula sinalizava em direção a 2002, retomava seminários e caravanas, mas, no *front* interno, o PT se complicava.

Mais de 5 milhões de cidadãos participaram do Plebiscito Nacional da Dívida Externa. Foi uma iniciativa única em nossa história: um plebiscito de comparecimento não obrigatório, organizado pela sociedade, realizado

O PT REJEITA O "FORA FHC"

com lisura e transparência em todas as unidades da Federação, envolvendo cerca de 100 mil voluntários ligados a Igrejas, movimentos sociais, partidos políticos, entidades de representação profissional e poderes públicos.

A exemplo da campanha do "Petróleo é nosso", nos anos 1950, pelas Reformas de Base, nos anos 1960, na campanha da Anistia, nos anos 1970, na campanha das Diretas, nos anos 1980, na campanha pelo impedimento do ex-presidente Collor, nos anos 1990, a mobilização popular foi imensa.

O Plebiscito Nacional da Dívida Externa colheu a opinião popular sobre três questões:

> *1 - O governo brasileiro deve manter o atual acordo com o Fundo Monetário Internacional?*
>
> *2 - O Brasil deve continuar pagando a dívida externa, sem realizar uma auditoria pública desta dívida, como previsto na Constituição de 1988?*
>
> *3 - Os governos federal, estaduais e municipais devem continuar usando grande parte do orçamento público para pagar a dívida interna aos especuladores?*

Mais de 90% dos votantes responderam "não" a cada uma dessas questões. O sucesso do Plebiscito transcende, portanto, o expressivo número de votantes. Alcançamos quatro grandes objetivos, o tema das dívidas, que estava encoberto, voltou a fazer parte do debate nacional, realizamos um importante trabalho de educação política, milhões de pessoas se manifestaram sobre algumas das causas da grave crise econômica e social que afetava o país: a política de endividamento e o acordo com o FMI, contribuímos para a campanha mundial de questionamento dos mecanismos e organismos do sistema financeiro internacional e de solidariedade aos países pobres altamente endividados.

O Plebiscito atingiu seus objetivos, apesar da postura de grande parte da mídia que, ao invés de informar a população, optou por combater o Plebiscito e deformar seus objetivos, negando espaço para os seus organizadores.

O governo FHC difundiu ataques grosseiros à iniciativa, pressionou as entidades patrocinadoras e chantageou a sociedade com informações incorretas, alimentadas por um preconceito obscurantista contra quaisquer ideias que destoem do ideário oficial.

Escaldado com o episódio do "Fora Itamar" e "Itamar igual a Collor", de 1993, declarei que me oporia e batalharia pela derrota de tal proposta no 2º Congresso marcado para novembro em Belo Horizonte. Não seria simples desafiar o "Fora FHC".

Lula fizera um movimento arriscado ao sugerir o nome de Tarso Genro para presidir a legenda. De fato, um terceiro mandato para mim seria inusitado e, nossa cultura indicava, nada recomendável. De outra parte, não era essa a percepção da maioria do partido, especialmente da Articulação. Parecia algo inesperado e contraditório a substituição naquele momento de ascensão da oposição e robustecimento da minha liderança.

Eu tinha a convicção que só alcançaria outro mandato com eleição direta, legitimando e cimentando uma maioria partidária. Seria importante superar as amarras da disputa e das eleições restritas, cada vez mais, às tendências, inclusive à Articulação.

Persuadido do erro do 1º Congresso, com suas teses de partidos de interlocução, e da necessidade de criar um "campo majoritário" claramente sob nossa liderança, radicalizei: além de me opor ao "Fora FHC", propus a eleição direta e a formação da nova aliança que, de certa forma, "distendia" a Articulação.

A Articulação dos 133 exercera a maioria até então, mas estava evidente que sem uma aliança com outras forças, sozinhos, não venceríamos, daí a ideia da criação do "campo majoritário" com outras tendências à esquerda e mesmo ao centro do espectro ideológico e programático do PT.

Tarso assumiu a candidatura como um corpo estranho — sem prejuízo da sua liderança, capacidade, competência e cultura, reconhecida e pública — para a maioria das lideranças e à militância. Aos poucos, isso foi ficando claro e os incidentes foram aumentando à medida que ele dava declarações e se articulava.

Ocorreu uma rebelião espontânea e depois articulada em favor da minha permanência. Algo revelador da artificialidade da pré-candidatura de Tarso e do despropósito de me substituir. Sem que isso signifique que Tarso não tivesse legitimidade ou o direito de pleiteá-la, mas não com o apoio da Articulação.

Vencida essa etapa, a segunda era decisiva. De novo, a questão do caminho para se chegar ao governo naquela conjuntura: a disputa eleitoral em 2002 ou a derrubada do governo FHC, via renúncia, antecipação das eleições ou impedimento do presidente.

O PT REJEITA O "FORA FHC"

Brizola aceitou a proposta. Tarso escreveu um artigo na *Folha de S.Paulo*, e lideranças importantes, como Ricardo Berzoini, a apoiavam. O "Campo Majoritário" isolou-se no combate à ideia. O Movimento PT de Lutas e de Massas, liderado por Jilmar Tatto, importante liderança da zona Sul de São Paulo, bairro de Socorro, onde ele e seus irmãos iniciaram a vida política nas comunidades de base. Foi deputado estadual e secretário de Transportes no governo de Marta Suplicy e decidiria a querela caso a Articulação, além da Democracia Radical, liderada por José Genoino, não conseguissem a maioria.

Tínhamos legitimidade para pleitear e disputar novamente a direção. O resultado da votação do 2º Congresso nos três termos principais, o "Fora FHC", a eleição direta e a presidência do PT, só comprovaram esse fato. O "Fora FHC" foi derrotado, o processo de eleição direta aprovado e eu eleito pela terceira vez. A Articulação totalizou 43,64% dos votos e a Democracia Radical atingiu 8%, uma maioria absoluta, portanto.

Enfraquecida, a Articulação de Esquerda obteve 20,85% e a Democracia Socialista, 9,86%. Era a retomada da hegemonia da Articulação, que ainda dialogava e se aliava em questões centrais com o Movimento PT (12,7%) e PTLM (2,85%).

Estava consolidada a estratégia para 2002.

A derrota do "Fora FHC" não foi fácil. Cobrei de Lula e de todas lideranças uma posição contra, pública, clara e afirmei que não aceitaria a presidência se aprovado o "Fora FHC". Salientei que não cometeria de novo o erro de 1993, quando propus a Lula que ambos fôssemos para a oposição, e ele não aceitou, a direção do partido que aprovara no Diretório Nacional o "Itamar igual a Collor" e o "Fora Itamar".

Foi essencial sua posição e a de lideranças da CUT e dos principais sindicatos, que enfrentaram o sentimento de revolta e indignação das ruas e a posição forte pelo "Fora FHC" de importantes entidades como a UNE, CUT e MST.

Mas era crível imaginar que a renúncia de FHC fosse viável? Ou que seu afastamento mudaria o país com Marco Maciel, o vice do PFL, assumindo? Ou que conseguiríamos aprovar uma CPI e um relatório pedindo o indiciamento do presidente por crime de responsabilidade? Obviamente, não. Nem a CPI conseguiríamos, a despeito da pressão popular.

Restava, então, a agenda oculta: derrubar o governo FHC nas ruas. Mas essa tática nunca foi colocada e, além de inviável, seria uma irresponsabilidade e uma aventura que poderia custar ao PT e ao país uma ou duas décadas de retrocesso democrático. Mas era viável a nossa tática de preparar o partido para vencer em 2002 fazendo oposição nas ruas e no parlamento?

Esse era meu desafio, como quando assumi meu terceiro mandato de presidente do PT em Belo Horizonte, convicto de que o Processo de Eleições Diretas, o PED, poderia arejar o partido. Antes, teríamos o ano de 2000 e grandes avanços na luta contra o projeto neoliberal.

Terminávamos 1999 e a década com a hegemonia liberal em retrocesso no Brasil, com o PT e Lula alinhados, com uma direção legitimada e um programa e agenda política em direção a 2002.

Passei a virada do século confiante no futuro e esperançoso com o presente. Mas angustiado com o país e sua situação social. Havia alto desemprego e baixo crescimento, retornava a inflação e aumentava a dívida interna indexada ao dólar. As estatais eram repassadas a preços vis, com compradores financiados pelo BNDES, usando moedas podres e beneficiando-se com restituições dos ágios através do Imposto de Renda. Sem citar o direcionamento e favorecimento dos leilões para determinados amigos do rei, como ficaria mais do que comprovado nos casos da Telebras e da Vale, ainda que malsucedidos.

A taxa Selic média no segundo governo FHC seria de 19,8% para um IPCA de 8,8%, quer dizer, 10,2% reais. A dívida interna dobraria entre 1995 e 2002, passando para 60,6% do PIB, sendo 16% dívida externa, o que desmentia a retórica de privatizar para pagar a dívida interna ou reduzir o déficit público. Vale recordar que a Selic nominal no primeiro mandato de FHC alcançou 33,1% e a real, 21%. Assim se formaram fortunas no país, concentrando-se como nunca a riqueza e a renda. O déficit público, a NFSP (Necessidade de Financiamento do Setor Público), era de 4,42% do PIB em 2002. Os juros da dívida pública atingiram 7,63% do PIB em 2002 e o superávit foi de 3,21%. O país economizava não para investir ou abater a dívida, mas para pagar juros aos rentistas.

E para refrescar a memória dos que mencionam os déficits de 2014, 2015 e 2016 no governo Dilma Rousseff com razões até para o *impeachment*: nos quatro primeiros anos (1994-1998) da gestão do PSDB, o déficit nominal médio foi de 5%, chegando a 6,97% em 1998. Nesse período, não se fez superávit fiscal primário. O crescimento médio no primeiro governo foi de 2,5% do PIB.

O PT REJEITA O "FORA FHC"

A despeito de todo alarido da mídia e da maioria situacionista no Congresso, o governo FHC nunca hegemonizou — com sua doutrina da globalização dependente, versão tupiniquim para o neoliberalismo — a maioria da sociedade, cuja memória histórica é amplamente democrática, nacionalista e por um estado de bem-estar social. Os resultados do pleito de 2000 acabariam apontando na direção de Lula como provável presidente em 2002.

Em 2000, demos um extraordinário salto eleitoral, elegendo 187 prefeitos. Crescemos principalmente nos grandes estados — São Paulo, Minas Gerais, Rio Grande do Sul, Paraná e Santa Catarina — e nas grandes cidades. Elegemos 2.482 vereadores. A vitória em São Paulo, Belo Horizonte e Porto Alegre, na região do ABCD, e também Campinas, Guarulhos, Ribeirão Preto e tantas outras cidades era um sinal.

Mas o ano também foi de protestos e manifestações. Foram duas grandes mobilizações: os 500 anos da Conquista — Descobrimento do Brasil — comemorado pelo governo federal em Porto Seguro, na Bahia, onde fizemos uma contramanifestação em defesa dos índios, negros e camponeses sem terra, denunciando a dívida externa por meio de um plebiscito em que votaram mais de 10 milhões de cidadãos.

Ao lado das entidades promotoras do evento — CUT, MST, UNE, CNBB-CIMI, o Conselho Indigenista Missionário, Contag — participei em nome do PT. Desde o início ficou evidente a decisão do governo federal de reprimir nosso protesto democrático e pacífico, já que estava cercado de denúncias de corrupção na organização dos festejos oficiais e ridicularizado pelo naufrágio da cópia de uma das caravelas de Pedro Álvares Cabral.

Primeiro queriam que mudássemos o local do ato e, depois, simplesmente tentaram inviabilizá-lo, bloqueando as estradas com barreiras e impedindo as delegações de todo o país de ingressarem em Porto Seguro ou mesmo na Bahia.

A Bahia era governada pela camarilha de Antônio Carlos Magalhães, o ACM, acostumada a reprimir protestos, viciada no período ditatorial. O governador César Borges determinou e o comandante da PM, que granjeara fama pela violência contra os movimentos sociais, não vacilou, reprimiu a ferro e fogo. Jogou a cavalaria contra os manifestantes — jovens, mulheres, crianças, idosos, camponeses, índios, estudantes, parlamentares —, usando cassetetes e bombas de efeito moral e gás lacrimogêneo. Eu havia feito de tudo para chegar a um acordo. Recorri a

Marcelo Cordeiro, ex-deputado pela Bahia e assessor de Aloysio Nunes Ferreira, então ministro da Justiça e meu amigo do Movimento Estudantil dos tempos de combate à ditadura.

De nada adiantou. O choque avançou, encurralou-nos contra uma cerca de arame farpado e espancou, agrediu, feriu, como quis, covardemente, os manifestantes. Experiente com bombas de efeito moral, só barulho ensurdecedor, e de gás — é só devolver —, procurei evitar o pânico e a correria e os feridos que o arame farpado produziria. Não recuamos e realizamos todos os atos programados, inclusive a conferência indígena.

Como lembrança, levei para minha mesa de ministro, em 2003, os fragmentos de uma das bombas. Na memória, ficou o pedido de desculpas de FHC, embora tenha sido explícito o respaldo do general Cardoso, seu chefe do Gabinete Institucional, à atuação policial.

O plebiscito da dívida externa seria um sucesso. Por intermédio de Pedro Malan, o governo desqualificava nossa participação e a questão da dívida. Insistia que não era uma iniciativa do PT e que era matéria vencida, sem importância para o país, como se o próprio governo não tivesse acabado de sofrer um ataque especulativo ao real. Seria socorrido por Clinton e o FMI com o aporte de 40 bilhões de dólares. Evitaria, assim, o *default* do país e a derrota eleitoral em 1998.

Picado pela mosca azul de uma eventual candidatura presidencial em 2002, Malan "exigia" que copiássemos a Social Democracia europeia, chilena, o Partido Revolucionário Institucional (PRI) mexicano e concordássemos com a Lei de Responsabilidade Fiscal e o famoso tripé ortodoxo. Não olhava para o próprio rabo e falava como se seu governo fosse um sucesso em termos de contas públicas, dívida interna, crescimento e inflação. Mas, obviamente, sabia que a mídia apoiaria sua versão da história.

Prova da incúria federal foi o apagão, que nos custou 2,5% do PIB, mais desemprego e pobreza e que parou o país. Não fosse o povo economizar energia elétrica, teríamos vivido um desastre econômico e social. Falta de planejamento e investimento, e ganância desastrada para privatizar a transmissão, a distribuição e geração de energia causaram o apagão, agravado pela prolongada estiagem. Foram nove meses de suspense e crise, desmentido cabal das excelências da privatização e da competência e eficiência tucano-pefelista, já que a área de energia era um feudo de ACM e companhia.

O PT REJEITA O "FORA FHC"

Se compararmos as crises de 1998-1999 e de 2001-2002 sob FHC, seus números e índices, veremos que foram tão graves, mas não como as crises de 2008-2009, infinitamente e de uma dimensão mundial, enfrentada e superada por Lula, sem desemprego nem crise social, e as de 2014-2015, que serviram de pretexto para o golpe contra Dilma.

O esgotamento do modelo tucano e do neoliberalismo era patente. Nunca estive tão seguro da vitória de Lula em 2002 como naquele momento. Era a hora de proporcionar a Lula as condições de disputar e vencer.

Desde 1988, meu sonho era eleger Lula presidente e fazer do PT um partido nacional, de trabalhadores e excluídos, alternativa de governo, aberto às alianças e com um programa de ruptura com o neoliberalismo. Além de democrático-popular, capaz de pagar a dívida social histórica e abrir caminho para reformas estruturais, a razão de ser e de luta da minha geração.

Havia uma vontade latente de mudar no país e Lula representava essa vontade, com credibilidade, identidade, história e coerência para tanto. O PT acumulara experiência administrando capitais, grandes cidades e estados, e dispunha de suficiente base social e eleitoral. Afora sua extraordinária militância, adquirira capilaridade não só traduzida pelo número de vereadores e de diretórios, mas embasada na adesão sindical e popular.

O desafio era ampliar a base social e eleitoral do PT, contornando a classe média conservadora, preconceituosa, receosa de perder o que não tinha: o *status* material e cultural das elites ricas.

Em Brasília, o governo FHC rompera com o PFL, atritara-se fortemente com o PMDB, enquanto o PSDB experimentava divisões. Aécio Neves se impunha como presidente da Câmara, ACM rompia com FHC, denunciando a aliança PSDB-PMDB e rejeitando a condução de Jader Barbalho, do PMDB, à presidência do Senado. Era o pontapé inicial para o abandono de FHC e a candidatura própria, de Roseana Sarney, à presidência. Jorge Bornhausen assumia o comando da sigla a lançava candidata a Roseana, filha de José Sarney.

Mas a "vida é dura e o destino traiçoeiro". O ano de 2001 ganharia tons de tragédia para o Partido dos Trabalhadores: o prefeito de Campinas, Antônio da Costa Santos, o Toninho do PT, foi assassinado em setembro de 2001, quando fazia compras em um supermercado.

Toninho fora vice de Jacó Bittar, de quem divergia. Amargou a saída do fundador do PT da legenda e persistiu na militância social. Parecia frágil, com algo de aristocrata, mas era carismático e popular. Amassava barro na periferia, organizava trabalhadores e donas de casa nos bairros. Fizera uma campanha franciscana, apesar de sua origem de uma das famílias mais ricas da cidade, usando ônibus, pela base e com propostas sobretudo para as áreas mais carentes.

Prefeito, bateu de frente com as máfias: as do lixo, do transporte urbano e do controle do tráfico de drogas. Descuidado com a segurança, inimigo dos protocolos cerimoniais e etiquetas, foi executado por motivos políticos claros.

Em janeiro de 2002, outro evento trágico: o bárbaro assassinato de Celso Daniel, prefeito de Santo André. Muita coincidência, quase inverossímil que, em quatro meses, dois dos principais prefeitos do PT tenham sido mortos. E que, apesar de todas as evidências, indícios, provas, inquéritos, processos, os inimigos do partido continuem tentando incriminar o PT no caso de Celso Daniel e que, até hoje, não tenha sido esclarecido o crime que vitimou Toninho.

É a persistência da guerra sem tréguas, leis ou convenções contra Lula e o PT. Sempre com o objetivo de vincular a imagem do partido ao crime e à violência, de assustar a classe média e de instilar no PT a desconfiança, a intriga e o medo.

Mas a vida continuava. Sem candidato natural para suceder a FHC, José Serra se impôs a Tasso Jereissati, com apoio de Aécio. O nome ideal e provavelmente majoritário teria sido o de Mário Covas, morto vítima de um câncer, em março de 2001, deixando o tucanato órfão de seu mais importante governador e líder, depois de FHC.

Com o crescimento da candidatura de Roseana e a divisão do PMDB, abriu-se para o PT um vasto campo para ampliar as alianças. O primeiro alvo eram as dissidências do PMDB, agravadas com a escolha da deputada Rita Camata para vice na chapa de José Serra. A chave da vitória estava em Minas. Tornava-se crucial conseguir o apoio de Itamar Franco e de José Alencar. A presença desse industrial como vice de Lula só seria possível com sua desfiliação do PMDB e sua filiação a outra legenda — no caso, a escolhida por ele foi o PL.

Desde 1998, Itamar colocava-se na oposição a FHC. Governando Minas, marcara posição com a moratória da dívida interna, a oposição à privatização da Vale e a retomada do controle da Cemig, a estatal de energia do estado.

Dediquei-me às relações com Itamar e Zé Alencar e fui a campo para conquistar a aprovação dos líderes regionais do PMDB. Era um imperativo para superar a perda do suporte do PSB e do PDT, ambos com candidatos,

O PT REJEITA O "FORA FHC"

Garotinho e Ciro Gomes, esse pelo PPS e contando com o engajamento ainda do PTB e de boa parte do PFL, depois da desistência de Roseana Sarney. O próprio PL de José Alencar iria rachado para a disputa eleitoral em virtude de Garotinho ter obtido apoio da ala evangélica do partido, ligada à Igreja Universal do Reino de Deus, do bispo Edir Macedo.

O cenário exigia alargar os apoios e brigar pelas bases e lideranças do PSB e do PMDB e assim fiz. Assegurei a adesão — ou a neutralidade — de José Sarney, Itamar Franco, Roberto Requião, Pedro Simon, Germano Rigotto, Luiz Henrique de Oliveira, Orestes Quércia, Maguito Vilela, Íris Rezende, Eduardo Braga, Paes de Andrade, Jader Barbalho, José Maranhão e de outros nomes peemedebistas. Quando não obtinha o apoio, abria caminho para que tal ocorresse no segundo turno.

A eleição não estava ganha e pela experiência de 1989, 1994 e 1998 prometia muitas batalhas e uma campanha longa.

Serra não era o melhor candidato tucano, mas tinha um currículo, uma história, experiência de governo e parlamentar, além do crédito da gestão na Saúde, a afeição irrefutável da mídia. E nosso campo perdera aliados históricos. Contávamos com a companhia do PCdoB de João Amazonas, que sempre acreditou na vitória de Lula.

Mas 2001 ainda não acabara. Tínhamos uma eleição direta para presidente no PT e o 12º Encontro Nacional, em Recife, para definir o programa de governo e a tática eleitoral para 2002, dois senhores desafios.

No Planalto, FHC e Malan, certos da derrota, ensaiavam aprovar a independência do Banco Central. Incapazes de resolver a contradição juros-câmbio e um crescimento econômico com estabilidade, de fazer uma reforma tributária, optaram primeiramente por aumentar impostos — via CPMF, Cofins, PIS e, depois, um forte ajuste fiscal. Era uma opção a favor do rentismo e do capital financeiro. Configurava-se como o caminho mais fácil para eles e para o capital financeiro-rentista na crise: elevar os juros, valorizar o câmbio, segurar a inflação via importações. FHC sempre se gabou desse populismo cambial.

Antes de ir para casa — na verdade, para outra casa, o Banco Itaú —, Malan queria tirar da atribuição presidencial, do poder político executivo, a decisão sobre juros, câmbio e inflação. Sobre, portanto, a renda, a riqueza e sua distribuição. Queria entregá-la ao Banco Central, ou seja, para o mercado, os bancos e os rentistas. E também para as finanças internacionais, que já possuíam e possuem um poder considerável, pelo fato de serem detentoras da dívida federal, do crédito, um duopólio bancário, só não total pela existência dos bancos públicos no Brasil.

Mais do que cobrar dos candidatos um compromisso com sua política econômica, tais senhores exigiam a não revisão dos acordos com o FMI. Na manga, escondiam um coringa: o medo, quase pânico diante da iminência da vitória de Lula, que não vacilaram em usar comparando o Brasil com a Argentina, então em crise e *default*. No limite, sonhavam com a candidatura de Pedro Malan — inviável eleitoralmente, mas FHC também o era antes do Plano Real.

Quase enlouquecido, mas acostumado à tensão, percorri o país para disputar pela primeira vez a presidência do PT em eleições diretas. Debates, plenárias, assembleias, entrevistas, fiz um pouco de tudo. Cheguei inclusive a defender que simpatizantes do PT votassem, um exagero só como força de expressão. Foi uma vitória em toda linha: 221.956 petistas votaram em 2.824 diretórios, abrangendo 72% dos municípios do país. Ganhei com 55% dos votos no primeiro turno. Pela Democracia Socialista, Raul Pont, deputado estadual, federal, ex-prefeito de Porto Alegre, obteve 17,23%; pela Articulação de Esquerda, Júlio Quadros, outro gaúcho, obteve 15,17% e as candidaturas independentes de Tilden Santiago, deputado federal por Minas, 7,6%; Berzoini, futuro presidente do PT, 2,82% e Markus Sokol de O Trabalho, 1,63%.

Era uma reviravolta na dinâmica das tendências e no debate petista, criticado por coincidir o debate das teses com a eleição direta e de levar--nos a copiar o sufrágio universal. O PED, processo de eleição direta, não só democratizou a disputa como também deu voz ao filiado sem tendência. Os vícios apontados no PED, deficiência no debate e abuso do poder, seja dos mandatos, seja do aparelho partidário, seja financeiro, já existiam e poderiam acontecer tanto na eleição direta como na indireta, assim como a deficiência ou ausência de debate, vícios a serem combatidos independentemente da forma de eleição do presidente. A verdade nua e crua residia no seguinte: as tendências se opunham e se opõem à eleição direta porque perderam o poder de restringir o PT a um partido exclusivo de militantes, congelando e ossificando a vida partidária. Era a concepção, sempre presente, de partido de vanguarda.

O segundo desafio também vencemos, então em Recife, no 12º Encontro. Com maioria segura, aprovamos uma resolução no limite do momento político e histórico. Com o título "Um outro Brasil é possível",

O PT REJEITA O "FORA FHC"

na esteira do Fórum Social Mundial e das lutas antineoliberais, a resolução apontava para uma ruptura necessária com o neoliberalismo, o modelo concentrador de renda, a submissão ao FMI, a dolarização da dívida interna, a desregulamentação financeira, a abertura de mercados. Defendia o controle de capitais externos, o reinvestimento no país, a taxação das remessas e dividendos. Mas não aprovamos duas posições: a suspensão do pagamento da dívida externa e a reestatização das empresas privatizadas.

O que fizemos, avaliando a correlação de forças e a crise do país, principalmente a crescente deterioração dos indicadores econômicos e o risco do terrorismo econômico promovido pelos tucanos, ávidos pelo apoio externo, via bloqueio de investimentos, crédito e mercados, numa tentativa desesperada de agravar a situação econômica para inviabilizar nossa vitória.

No 12º Encontro, o PT começou a tomar consciência que governaríamos o país e que era preciso escolher caminhos, aliados e políticas dentro das condições históricas do Brasil, da América Latina e do mundo. Como reformar e avançar nas transformações sociais, econômicas, políticas, culturais, ideológicas dentro do capitalismo.

24

A QUEDA DE ROSEANA SARNEY

*A Operação Lunus derruba a candidata do PFL e, no cenário
petista, surge um bom candidato para ser o vice de Lula*

Com Lula candidato, boas chances de José Alencar ser o vice e com Duda
Mendonça na campanha, o PT saía unido de 2001, sem alianças com o
PSB e o PDT-PPS. O PMDB e seus líderes regionais não perfilavam com
Serra, a despeito do apoio oficial, do tempo de TV e rádio, da vice Rita
Camata e de "oficialmente" apoiarem o tucano. Gilberto Gil e Fernando
Gabeira apoiariam Lula.

O verdadeiro perigo para o tucanato era Roseana Sarney e, para
nós, a tentativa de criminalizar o PT. Ambos, Roseana e Lula, seriam
vítimas dos métodos de José Serra que, aliás, contaria com a cumplicidade do Palácio do Planalto.

Propus a Lula e fomos conversar com FHC. Alertá-lo para a ameaça consubstanciada no crime organizado e para o risco de, ao invés
de combatê-lo, usar os acontecimentos trágicos como os assassinatos
de Celso Daniel e Toninho do PT, na luta político-eleitoral. De nada
adiantou. Até hoje, o uso daqueles tristes episódios serve para atacar o
PT. O crime organizado não só cresceu como é hoje senhor dos presídios
e dispõe de alto poder de fogo, áreas controladas, recursos, "soldados",
armas e logística maior que a própria polícia. Alguns governadores e
seus secretários — Alckmin deu o mau exemplo — até "negociando" e
acordando com seus chefes.

Era uma preocupação que levei para o governo e, infelizmente, não
fui ouvido, nem mesmo no nosso e a esse assunto voltarei mais tarde.

Roseana Sarney foi abatida por uma operação política, organizada e dirigida pela ala tucana na Polícia Federal. Até a Operação Lunus, antecessora
e laboratório da atual Lava-Jato, Roseana só subia nas pesquisas eleitorais,

embalada pela propaganda do publicitário Nizan Guanaes, que coincidia com tema de novela da Globo, na qual os lençóis maranhenses eram destaque.

No dia 1º de março, a empresa Lunus, de propriedade de Jorge Murad, marido de Roseana, foi alvo de uma operação de busca e apreensão pela Polícia Federal. A suspeita envolvia supostas fraudes contra a Superintendência de Desenvolvimento da Amazônia (Sudam). Na sede da empresa, policiais apreenderam muito dinheiro vivo. Colocada sobre uma mesa, a dinheirama foi filmada e fotografada e, naquela mesma noite, estava em todos os canais de televisão do país. Tudo com indícios claros da participação e/ou conhecimento prévio de Fernando Henrique Cardoso.

O ministro da Saúde, José Serra, candidato do governo, havia montado um "esquema de moer inimigos" a partir de um núcleo de inteligência instalado dentro da Central de Medicamentos (Ceme) do Ministério, sob o comando do delegado da Polícia Federal Marcelo Itagiba, segundo reportagem de denúncia publicada no *Jornal do Brasil* pelo jornalista Leandro Fortes. Itagiba seria o ponto de contato entre Serra e a direção-geral da Polícia Federal, então sob o comando do delegado tucano Agílio Monteiro Filho. Agílio foi, em 2002, candidato a deputado federal pelo PSDB, depois serviu ao governo de Aécio Neves em Minas Gerais; Marcelo Itagiba foi eleito deputado pelo PMDB e depois, em 2009, filiou-se ao PSDB.

A operação foi conduzida pelo delegado Paulo Tarso de Oliveira Gomes. Ao final dela, naquela mesma noite, esse delegado usou um aparelho de fax dentro da própria Lunus para comunicar o "sucesso" da operação ao presidente Fernando Henrique Cardoso, que, "ansioso e de pijamas", segundo Leandro Fortes, aguardava pela notícia, no Palácio da Alvorada. Os dois números de fax ficaram registrados na companhia telefônica maranhense e foram descobertos pela imprensa. Outro fax com a mesma informação foi enviado para o gabinete do ministro da Justiça, Aloysio Nunes Ferreira.

Em 2006, o PT seria vítima de operação similar, que ficaria conhecida como "Aloprados". Foi a expressão empregada por Lula para designar os supostos responsáveis pela suposta compra de dossiê contra José Serra, então candidato ao governo de São Paulo.

Roseana renunciou e Serra perdeu todo o PFL que a apoiava. De certa forma, o tucanato e seu aparelho policial-judicial fizeram haraquiri, pois a Operação Lunus voltou-se contra Serra.

Não satisfeitos, os tucanos usaram um velho aliado deles, o deputado pelo Rio, Miro Teixeira, nominalmente de oposição, para, em nome do PDT, bater às portas do TSE tentando alterar as regras do jogo. Pretendia obrigar as coligações e seus candidatos a se repetirem em todos os estados. Significava uma violação do poder de legislar do Congresso e medida tão absurda contra a soberania dos partidos que, logo depois, o TSE a "consertou", autorizando "que os partidos sem candidato a presidente pudessem se coligar, desde que não apoiassem nenhum presidente, com outros partidos no estado". O pior que o STF decidiu, em abril, que essa resolução do TSE era uma interpretação da lei e não uma lei. Era — hoje já é rotina — uma usurpação clara do poder exclusivo e soberano do Parlamento de legislar.

Para vencer era preciso um vice de Minas e fora de nosso campo de esquerda. Senador pelo PMDB, José Alencar já concorrera ao governo de Minas. Empresário nacionalista, autodidata, de origem social não burguesa, ex-presidente da Federação da Indústria de Minas Gerais, costumava criticar as privatizações e a política econômica de FHC.

Fomos convidados para seu aniversário e para uma homenagem da Federação da Indústria a Alencar. Lula resistia, não gostava de misturar eventos do gênero com a questão eleitoral. Como não conhecia Zé Alencar, temia que parecesse oportunismo. Insisti e confirmei nossa presença. Estava certo.

A origem de Zé Alencar era mesmo humilde e pobre, ele tinha sido engraxate de sapatos na infância, havia lutado e sobrevivido com imensas dificuldades, muitas vezes sem lugar para dormir, e obrigado a trocar favores para conseguir um leito. Era boa a biografia.

Alencar foi uma surpresa. Afora sua fantástica história de vida, seu discurso foi perfeito. Revelou o Zé Alencar político, excelente orador, carismático, articulado e com propostas claras para o país. Era música para os nossos ouvidos. O carinho de todos com o homenageado impressionou Lula. Eu exultava. Minha intuição estava certa de que era o vice de que Lula precisava. O operário e o empresário, aliados, não iguais, não com o mesmo programa, mas unidos contra FHC, o neoliberalismo, em defesa do Brasil, do setor produtivo, da distribuição de renda, do mercado interno, sem falsidades e mentiras. Uma aliança com compromissos, mas sem ignorar as diferenças.

Depois da cerimônia, arrastei Lula — literalmente — para abraçarmos Zé Alencar e iniciarmos o "namoro". Antes enfrentei o público presente. Lula me obrigou a falar em seu nome e do PT. Fiquei apreensivo.

Defendi-me com um discurso sobre nossa Minas e o Brasil, sobre José Alencar e Lula. Deu para o gasto, era sincero e o homenageado merecia. Como o tempo provaria, nenhum dos elogios foi em vão.

Zé Alencar levou-nos para conhecer sua vida, família e empresas, sua origem humilde, seus passos e sua capacidade empresarial. Viajamos para Montes Claros, Campina Grande, João Pessoa e Mossoró.

Tão importante quanto as visitas foram as conversas no avião dele, nos hotéis onde nos hospedávamos, nos debates sobre as propostas para a agricultura, a indústria e o país. Nasceu grande camaradagem e confiança entre Lula e Zé Alencar, que duraria até a sua morte em 2011. Havia ainda um último passo para ele ser o nosso vice: o Encontro do PT em junho no Anhembi, em São Paulo. Até lá enfrentaríamos novos desafios.

Em março de 2002, o MST ocupou a Fazenda Córrego da Ponte, propriedade produtiva de Serjão e FHC, situada no município de Buritis, em Goiás. Montou-se o cenário ideal para os tucanos, especialmente José Serra, fazer do episódio um tema eleitoral responsabilizando o PT e Lula. Aloysio Nunes Ferreira acusa diretamente o PT, afirmando que o MST era uma "correia de transmissão" do PT, algo assim entre estúpido e ridículo. A autonomia do MST era por demais reconhecida e seria uma demasiada burrice nossa "mandar" ocupar a fazenda de FHC.

Itamar recusou-se enviar a Polícia Militar e o governo federal não vacilou: a pretexto de cuidar da segurança pessoal e familiar do presidente — que passava finais de semana e feriados na propriedade — enviou 300 soldados do exército a Buritis. Como se fosse pouco, aviões da Força Aérea Brasileira sobrevoaram a fazenda.

Pelo *Jornal Nacional,* a TV Globo, como sempre, dramatizou e ampliou ao máximo o incidente, ávida por atingir Lula e o PT. Nos bastidores, o general Alberto Cardoso e o ministro Raul Jungmann, da Reforma Agrária, negociavam com os líderes do MST. O acordo selado após as negociações prometia ao MST uma área quatro vezes maior do que a fazenda de FHC. Os sem terra concordaram e deixaram a propriedade. Antes, porém, com exceção das mulheres e crianças, os sem terra foram humilhados, algemados, deitados no chão, um espetáculo que jogou fora algum ganho eleitoral para José Serra e o PSDB.

Aos poucos, ficamos sabendo dos bastidores da trama. O governo soubera antes dos planos de ocupação da Córrego da Ponte, informado pela Agência Brasileira de Inteligência (Abin). O caso ganhava ares de provocação e tentativa do PSDB e de José Serra de politizar e explorar eleitoralmente a questão. O ministro Marco Aurélio de Mello, do STF, bateu duro no uso indevido dos forças armadas e até ruralistas reclamaram.

Ao contrário do governo, Lula e eu desconhecíamos a ocupação, pois não fomos informados e nem havia razão para tal. Redigi uma nota e Lula fez declarações na mesma linha. Depois passou à ofensiva, afirmando na TV que aquilo era uma tentativa de criar "outro caso Lunus". Um factoide policial e publicitário, buscando ganhar o pleito em um golpe de mão, na linha dos casos "Abílio Diniz" e "Aloprados".

Desde 1991, quando assumi o mandato de deputado federal pela primeira vez, mantive convivência de respeito com Roseana Sarney, aproximando-me também de seu pai. No *impeachment* de Collor, trabalhamos juntos na busca de votos na Câmara. Trocávamos ideias e avaliações sobre o executivo, o legislativo e o país. Minha posição sobre Sarney era clara: apesar do passado na Arena e na UDN, como presidente foi democrático, garantindo a transição e a Constituinte. Defendeu o presidencialismo e seu mandato de cinco anos — sem nosso apoio —, legalizou os partidos comunistas, legitimou as centrais sindicais, manteve os militares nos quartéis, no profissionalismo e na obediência à hierarquia. Sarney reatou as relações diplomáticas, comerciais e políticas com Cuba, rompidas desde o golpe militar de 1964.

Era complicado sustentar tal atitude no PT e eu não me arrependo, o tempo me deu razão. Sarney não faltou com Lula e seus governos. Sem ele, jamais teríamos maioria no Senado. Adiante, falarei mais sobre essas relações e seu papel no futuro.

Para reforçar nossa coordenação de campanha, Lula escolheu Antônio Palocci para o lugar de Celso Daniel. Porém, sentia falta da inteligência, tarimba e amizade sincera de Luiz Gushiken.

O "japonês" era especial. Um dos poucos quadros do PT a zombar, ralhar e dar broncas homéricas em Lula, capaz de discutir qualquer tema, como se estivesse no sindicato. Líder de greves, duro nas negociações com o patronato, enfrentando choques com a polícia, foi preso quatro vezes durante a ditadura. Administrador especializado em Previdência e Fundos de Pensão, Gushiken viera da LibeLu, juntamente com Palocci, Glauco Arbix, Clara Ant e tantos outros. Figura querida, ex-presidente do partido e um dos cabeças da Articulação, ex-trotskista, sua filosofia de vida era um misto de zen-budismo, estoicismo e marxismo.

A QUEDA DE ROSEANA SARNEY

Um pouco "à direita" para o meu gosto, muito na linha Palocci, às vezes conspirando com os ex-LibeLu, mas sempre franco, debatendo às claras. Gushiken foi meu principal adversário na indicação para o governo de São Paulo, em 1994. Jogou bruto, mas sem misturar a disputa e a amizade. "Zé, bota para fora seus demônios", dizia sempre, quando me julgava estar montando alguma "conspirata" política, nas lutas internas do PT ou do governo. Jamais me abandonou. Acusado injustamente na AP 470, foi inocentado pelo STF. Foi presidente do Sindicato dos Bancários de São Paulo, do PT e da CUT, um deputado exemplar que, infelizmente, acabou afastado da vida pública por um câncer, em 2013.

Lula era vidrado em Gushiken. Temeroso de minha reação, fez uma das suas: pediu-me que fosse a Indaiatuba, na região de Campinas, convidar Gushiken para integrar a coordenação da campanha. Era uma gentileza. Lula já o convidara, talvez Gushiken tivesse colocado meu assentimento como condição, ainda que dispensável. Com a chegada do "Japonês", eu tinha a certeza que nosso time estava agora completo. Tínhamos vinte e dois anos de ação comum e estrada rodada. Éramos experientes, mas estaríamos à altura do desafio?

Gushiken era um estrategista, desenhava cenários. Atento à realidade, planejou a campanha por cidades, regiões, estados, priorizando os grandes colégios eleitorais; estudava o adversário e nossas respostas, adorava uma ação de rua, uma agitação.

Na metade do ano, enfrentamos nosso Dia D: o Encontro de junho, no Anhembi, era tudo ou nada. A militância estava inquieta e toda a chamada "esquerda" do PT unida na certeza de nos derrotar.

O acordo com o Partido Liberal, de Alencar, foi árduo. A Igreja Universal do Reino de Deus e seus bispos deputados não queriam. Aliados a FHC, propunham o apoio da Igreja a Serra. Lula me chamou e disse: "Prepara o Patrus para ser o meu vice. Tem que ser de Minas e tem que ter voto". Bom orador, católico, apoiado pelo eleitorado popular, excelente prefeito de Belo Horizonte, Patrus Ananias fizera seu sucessor. Mais tarde, seria ministro de Lula e Dilma e deputado federal.

Fiquei em pânico. A despeito de minha admiração por Patrus, não estava disposto a abrir mão da candidatura de Zé Alencar. Não pelas razões mais evidentes — aliança de um operário com um empresário, com o capital produtivo, industrial ou com um setor de burguesia industrial —, mas sim pelo impacto dessa união. Conhecendo as posições de Zé Alencar, seu exemplo, o efeito de suas palavras sobre os pequenos e microempresários, comerciantes e empreendedores, eu confiava no taco do caipira e seus "uais". Era o meu lado mineiro me alertando e me convocando.

Estava certo. No encontro com os militantes do PT, Zé Alencar fez um discurso à altura do momento histórico, demonstrando seu sentido da responsabilidade e de oportunidade. Começou devagar, como que tateando o sentir da militância, desconfiada e arisca, na retranca. Narrou a história de sua vida e, em um crescendo, demonstrou o escândalo dos altos juros e da especulação, exibindo seu conhecimento de economia e sua atitude de oposição ao governo FHC e ao neoliberalismo. Deu um *show* e conquistou a militância.

Vencemos, mas foi apertado, um aviso dos problemas e da oposição interna que enfrentaríamos na campanha, e depois, no governo. Era só o começo.

A parceria entre Lula e Zé Alencar foi um caso único na história do presidencialismo brasileiro. Para crédito dos dois, que souberam conviver na diversidade, na divergência e, muitas vezes, em posições opostas.

O caminho do Planalto estava aberto com a cancela de Minas levantada. A aliança com o PL era importante mais pela vice-presidência, com Zé Alencar, do que pela sigla e seu tempo na televisão. Sem subestimar esse fator e o respaldo de lideranças que fui buscar, convencer e atrair para a aliança Alfredo Nascimento, prefeito eleito de Manaus, popular e articulado em todo o Norte do país, Rondônia, Acre, Amapá e Pará. Ele e Valdemar da Costa Neto foram decisivos no PL na hora de aprovar a coligação. Sempre correto, Valdemar jamais fez jogo duplo ou nos pressionou. Expôs com clareza as dificuldades do PL. O partido fora proibido de coligar nos estados — obra da nova legislação — devido à aliança com Lula e, portanto, dependente de nosso apoio, político de Lula e financeiro do PT.

Por intermédio de procuradores e delegados, na verdade promotores, o PSDB montou mais uma Operação Lunus. Representou contra mim junto ao procurador-geral da República, Geraldo Brindeiro, ele mesmo, o engavetador, por um suposto recebimento de recursos eleitorais, via caixa dois, que seriam originários de desvios da prefeitura de Santo André.

Era, o que hoje é comum, uma denúncia vazia. O irmão de Celso Daniel teria ouvido de Gilberto Carvalho e Miriam Belchior, então secretários da prefeitura, que os recursos supostamente desviados eram entregues para mim na presidência do PT. Acontece que Gilberto e Miriam desmentiram o "delator" Francisco Daniel que depois, processado por mim, retratou-se em juízo na mesma comarca de Santo André.

A denúncia da PGR foi encaminhada para o ministro Nelson Jobim, do STF, que a arquivou. Por incrível que pareça, no final de 2016, outro ministro, Luiz Fux, autorizou essa investigação alegando que a Corte Suprema mudara de entendimento, autorizando o MP a investigar. Na verdade, concedeu ao MP o poder de polícia judiciária, algo que, segundo estabelece a Constituição, é exclusividade das polícias Civil e Federal, quando o mérito não era esse, e sim a falta de justa causa para me investigar, já que as supostas testemunhas do delator o desmentiram.

Saí do Encontro do Anhembi com a alma lavada. Recebi um desagravo unânime e Lula pôs o dedo na ferida, perguntando: por que não aprovam o financiamento público e acabam com o caixa dois? Era uma premonição.

Com seu candidato encalacrado, Ciro Gomes crescendo, Lula sólido no primeiro lugar, Garotinho ameaçando ultrapassá-lo, o governo e o PSDB retomaram o discurso "terrorista". Chantagem pura e simples.

Malan, de novo com aquele ar professoral, agora escudado por Armínio Fraga, aposta na degringolagem da economia via desvalorização artificial, especulativa, do real. No lugar de denunciar e combater os ataques à moeda, exigem dos candidatos que se ajoelhem e rezem pela cartilha tucana. Que se curvem à política do governo. Tudo travestido de "interesse comum" e "interesse nacional" da racionalidade econômica e "do tripé".

No fundo, nem Serra concordava com Malan, evidenciando que a estabilidade era tema do passado. Prometia, agora, cuidar da desigualdade. Demonstrava que não era o candidato do continuísmo. Acalentava a ideia de aplicar um cavalo de pau nos juros e na reforma tributária, verdadeiro horror para os nordestinos e nortistas vacinados pelo pendor hegemônico paulista de Serra, já exercitado na Constituinte.

Os índices de 2002 eram a prova da necessidade de mudar logo a política econômica. Quanto pior, mais difícil seria para nós implantarmos nossa política de inversão de prioridades: crédito e investimento, redução dos juros, distribuição de renda, fortalecimento do mercado interno e da indústria nacional, alicerçados em um novo papel dos bancos públicos e no aumento do salário mínimo, dos gastos sociais e previdenciários.

Pessoalmente, sempre me irritei com essas chantagens de Malan. Era como se dissesse: de nada adiantam eleições, a vontade soberana da maioria; a manutenção da política econômica está acima de partidos, classes, países, épocas. Era um dogma, ortodoxia pura. No entanto, olhando para o ocaso de seu mandato de oito anos na Fazenda, todos os índices o reprovavam: emprego, inflação, déficit, câmbio, crescimento, dívida. Era uma enganação só. Agastado, respondi a Malan: "Se é assim, para que eleições? Basta nomear a trinca BC-Fazenda-FMI para governar o Brasil".

Ciente da derrota futura de Serra, com ojeriza por Ciro Gomes e com o Brasil à deriva, FHC não escondia seu cansaço e tédio, bem ao seu estilo e personalidade. Ficava mais no Alvorada, enquanto o governo era gerido pelo duo Malan-Parente, esse último dono do Planalto, onde tocava de ouvido a Casa Civil, após gerenciar o apagão, e preparando a transição. Pedro Parente iniciou sua carreira de tecnocrata bem-sucedido quando foi levado do Banco Central para o Ministério do Planejamento por Andrea Calabi, então secretário executivo do ministro João Sayad, para ajudar a criar a Secretaria do Tesouro Nacional, em 1986, durante a presidência de José Sarney. No governo FHC, Pedro Parente foi chefe da Casa Civil da Presidência da República, ministro do Planejamento, Orçamento e Gestão, secretário executivo do Ministério da Fazenda e ministro de Minas e Energia. Em 2002, durante o governo do presidente Fernando Henrique Cardoso, ficou conhecido como "ministro do apagão", por coordenar a equipe durante a crise no abastecimento de energia elétrica do país.

25

A CARTA AO POVO BRASILEIRO

*A convicção de que Lula venceria as
eleições presidenciais de 2002, mesmo sem ela*

À medida que se agravava a situação econômica e com o real em queda livre, a confiança e a credibilidade do país despencavam. A retórica terrorista sobre as consequências da vitória de Lula e o exemplo da Argentina significavam uma ameaça real à nossa vitória. Então, começaram as pressões internas para Lula assumir compromissos públicos que "acalmassem" os mercados, os investidores, bancos, consumidores, trabalhadores e empresários.

Plantou-se a ideia de uma Carta de Lula, um compromisso escrito com a estabilidade. Palocci e Gushiken foram seus maiores defensores e Mercadante se apressou em apoiar a ideia. Lula e eu ficamos com um pé atrás. Focávamos nosso público popular e de classe média, ainda incrédulo com o PT e Lula, ansiosos por uma palavra de segurança referente à inflação, já que sobre emprego e serviços sociais o governo tucano fracassara. Era a memória do desastre inflacionário dos anos 1980 alertando nosso provável eleitor, assombrado, dia e noite, pela mídia e pelos tucanos.

Com contatos no setor empresarial e bancário, Palocci e Gushiken sentiam e sofriam mais essa pressão do chamado "mercado". Para eles, a crise era alimentada pelo processo eleitoral e o terrorismo tucano e agravada pelas debilidades da economia. Queriam urgência. Eu não. Sabia da resistência do partido e do risco de um tremendo mal-entendido que poderia desanimar a militância.

Lula teria que avaliar e decidir. Ele temia que contatos com Pedro Malan e Armínio Fraga contaminassem a confiança da nossa base. No fundo, éramos levados — o que me desesperava — pelo medo do agravamento da crise a nos aproximar desses personagens, movimento que se transformaria, depois da vitória, em propostas de manutenção de Armínio na Fazenda. Mas a máquina já estava andando e a primeira versão de Palocci e Mercadante ficou pronta. Li e não gostei, deixando claro os riscos. Não me opunha à carta, mas a temia.

Lula tinha seu "escrevinhador". Era Luiz Dulci, mineiro, professor, filólogo, ativista sindical e integrante da Direção Nacional do PT. Vinha da esquerda marxista e liderara a maior greve da história do movimento sindical mineiro. Parou 200 mil professores em 400 cidades, em 1979. É sensível, firme e corajoso.

Foi a ele que Lula confiou a versão final sem o economês exagerado, muitos números, termos técnicos e longas e cansativas frases. Lula, como eu, tinha outro público.

Verdade seja dita: a Carta ao Povo Brasileiro era o anúncio dos graves problemas que herdaríamos e das imensas dificuldades que o país e nós teríamos para superá-los. Criticava a herança do tucanato e prometia mudanças. Porém — e esse era o problema — com estabilidade, respeito aos contratos, equilíbrio fiscal para superar a crise externa e reduzir os juros. Apontava para políticas, e Lula fazia questão de repeti-las à exaustão, entre elas a melhor distribuição de renda e o incentivo à agricultura familiar.

Sinceramente, até hoje não dou à carta a importância que muita gente atribui. Lula venceu com ela, mas venceria sem ela. Não houve nenhuma virada nas pesquisas de opinião por causa da mensagem e nem cessaram a especulação e as pressões dos mercados. Era mais uma carta de intenções para início de governo. Não poderia esgotar o que eram e seriam nosso governo e seu programa.

Era um freio a muitas políticas viáveis no primeiro momento e um passe livre para a estabilidade, a qualquer preço, e para a garantia de prioridade ao equilíbrio fiscal com superávit.

Eu preferia o anúncio de uma nova política de desenvolvimento. E Lula iniciaria o governo, percebendo a armadilha do ajuste fiscal a seco, priorizando a luta contra a pobreza, o Fome Zero, a valorização do salário mínimo e da Previdência.

Nosso problema não era o "mercado", mas Ciro Gomes, Anthony Garotinho, José Serra e a campanha. No fundo, subestimávamos o cansaço do PSDB e do seu discurso. Serra não era FHC e nem tinha o real, o PFL, o PMDB e o PTB. Lula e o PT eram uma força nova em crescimento, sintonizada com a memória histórica e com a vontade

A CARTA AO POVO BRASILEIRO

da maioria dos trabalhadores. De toda forma, a carta desempenhou seu papel e tirou o discurso do adversário.

Uma questão me angustiava, seguro que estava da vitória: as relações com os Estados Unidos, mais especificamente com os republicanos e George W. Bush. Se não estabelecêssemos uma relação direta com o presidente Bush, teríamos mais dificuldades para governar.

Na manhã de 11 de setembro de 2001, eu me dirigia ao Instituto Cidadania para uma reunião com Lula quando, de repente, ouço no rádio do carro a notícia singela de que um pequeno avião se chocara com o World Trade Center, em Nova York. Não dei muita importância à notícia. Ao chegar ao IC, encontro Lula estupefato e apreensivo. Ainda tive tempo de ver o segundo Boeing espatifando-se contra as torres gêmeas. O resto é história conhecida. Ainda impactado pela notícia do assassinato, na noite do dia 10, do Toninho, nosso prefeito de Campinas, acompanhava o noticiário sobre o crime. Mas o que vimos no dia seguinte, na primeira página de todos os jornais e nos noticiários das rádios e canais de televisão, era o atentado às torres gêmeas do World Trade Center.

Tudo indicava que Bush se reelegeria em 2004 e, portanto, Lula, se reeleito, governaria parte do seu mandato com Bush na presidência imperial. Mas o PT só tinha relações com a ala liberal (esquerda) do Partido Democrata, com sindicatos e fundos de pensão ligados aos democratas. Nas universidades, centro de pesquisas, mídia e cultura, a mesma coisa. Já nos bancos, agências de risco, Bird, FMI, BID, éramos desconhecidos, sem contar o fato das relações do tucanato com Clinton e o Partido Democrata, com o mercado e as agências internacionais, onde vários deles haviam servido por anos.

Decidi expor a Lula minha avaliação e preocupação e propus uma viagem minha aos Estados Unidos. Para minha surpresa, Lula concordou. Autorizado, iniciei a montagem de um programa para a viagem, ajudado pelo relacionamento do ex-presidente José Sarney e dos empresários e executivos Alain Belda e Mário Garnero com os democratas e os republicanos, respectivamente.

A ajuda de cada um foi crucial para o sucesso de minha viagem. Sarney abriu as portas do segundo maior escritório de advocacia de Washington, do ex-embaixador no Brasil Anthony Harrington e de Alain Belda, que presidia no Brasil a Alcoa, fábrica de alumínio sediada no Maranhão e que mantinha sólidas relações com instituições financeiras e multinacionais. Mário Garnero presidira o Centro Acadêmico 22 de Agosto, da Faculdade

327

de Direito da PUC — do qual eu fora também presidente nos anos 1960 — e a Associação Nacional dos Fabricantes de Veículos Automotores (Anfavea), quando Lula estava à frente do Sindicato dos Metalúrgicos no ABC paulista. Garnero me conduziu ao círculo restrito da família de George W. Bush — de quem é amigo — e do Partido Republicano.

Era um tanto estranho para mim, ex-guerrilheiro, de esquerda, trocado pelo embaixador americano, com laços com Havana e o Partido Comunista Cubano, com Fidel e Raúl Castro, desembarcar em Washington com uma agenda de reuniões com o governo e o empresariado. Mas era necessário. Meu visto saiu sem problemas. O critério do Departamento de Estado norte-americano era simples: só quem participara do sequestro estava impedido de receber visto, não os presos trocados pelo embaixador...

Chegando lá, naquele julho de 2002, fiquei abismado com o desconhecimento generalizado sobre Lula, o PT e, pior, sobre o Brasil. Nesse ambiente foi fácil convencê-los que éramos um partido e não uma candidatura, explicar-lhes quem era Lula, discorrer sobre o Brasil e nossa visão do país, além de descrever nossas propostas para além dos compromissos da Carta ao Povo Brasileiro. Fiz questão de repelir qualquer ideia de continuísmo e de permanência de Armínio Fraga ou da aprovação de um BC independente.

O economista Marcos Troyjo me acompanhou — a pedido de Mário Garnero — e me assessorou, além de fazer, às vezes, uma gentileza impagável de tradutor, já que não falo inglês. Sou da geração em que o francês era a língua universal e aprendi o espanhol em Cuba. Conversei no Departamento de Estado com o assessor econômico de Bush, Lawrence Lindsey. O embaixador brasileiro em Washington, Rubens Barbosa que, acredito, foi orientado por Brasília, proporcionou o seu apoio, atuando como um diplomata do Estado brasileiro.

Minha viagem durou apenas quatro dias — mas foram quatro dias de surpreendente sucesso, como recorda o professor e historiador Matias Spektor em seu livro *18 Dias — Quando Lula e FHC se uniram para conquistar o apoio de Bush.* Tudo fluiu muito bem nos encontros com bancos, empresas, agências de *rating,* pessoas do governo e da sociedade. Em Nova York, conversei com dirigentes da Alcoa e com representantes das principais instituições financeiras norte-americanas, JP Morgan, Citigroup, Morgan Stanley, Lehman Brothers, ABN Amro, Bear Stearns e Moody's. Em Washington, visitei a AFL-CIO, a maior central sindical dos Estados Unidos e Canadá, o Banco Interamericano de Desenvolvimento

A CARTA AO POVO BRASILEIRO

— BID, o Departamento de Estado, o Tesouro, o Conselho Econômico Nacional e o Conselho de Segurança Nacional da Casa Branca. Eu era "o primeiro cacique petista na história do partido a abrir caminho nos Estados Unidos", escreveu Matias Spektor.

Os norte-americanos me receberam como o homem autorizado por Lula a falar por ele. Anos depois eu soube que um funcionário do setor de inteligência havia feito um relatório no qual dizia que na esquerda brasileira havia "gente jogando a bola na direção correta". Estava se referindo a mim. Os americanos ficaram realmente perplexos. Não esperavam ouvir o que um ex-guerrilheiro de esquerda estava falando. O embaixador Rubens Barbosa, orientado diretamente pelo presidente Fernando Henrique Cardoso, passou a alertar a elite econômica que quem apostasse contra a estabilidade econômica do Brasil num governo do PT iria perder dinheiro.

Naqueles quatro dias fomos, pouco a pouco, desarmando o centro de uma possível resistência a um governo do PT. Com a ajuda de Bill (William James) Perry, um republicano da velha guarda que tinha sido secretário de Defesa de Bill Clinton, fomos quebrando as resistências dos conservadores que acreditavam ser Lula "puro veneno". Eu lhes dizia francamente que Lula iria ganhar as eleições e que o PT não era um grupo de lunáticos como pintavam setores norte-americanos que eu chamava de "facção fascista antibrasileira", muitos deles hispano-americanos, principalmente exilados cubanos, ligados à máfia.

Foi fundamental, da mesma forma, o papel da embaixadora Donna Hrinak, que conhecia profundamente o Brasil e, em várias conversas preliminares comigo, deixou claro que concordava com a aproximação que eu estava disposto a fazer. Ela enfrentava resistência de seus superiores, mas, extremamente hábil, corajosa mesmo, conseguiu vencer essas resistências e ganhar a adesão deles ao processo.

Tudo isso resultou no fato — igualmente surpreendente, inédito — de que Bush receberia Lula antes de sua posse, o que jamais havia acontecido com qualquer líder estrangeiro eleito. Houve uma imediata empatia entre os dois. Infelizmente, ao longo dos anos, essa relação esfriou, piorando bastante no governo da presidenta Dilma Rousseff. Esse esfriamento é narrado por Matias Spektor no livro dele, mas ao mesmo tempo ele reconhece que o período de bonança entre os dois líderes — Bush e Lula — foi muito importante para a diplomacia e o restabelecimento da estabilidade econômica do Brasil.

Eu haveria de voltar aos Estados Unidos, a Washington e a Nova York, anos depois, em fevereiro de 2005, poucos meses antes de minha saída do governo. Sérgio Ferreira, assessor especial do presidente Lula, acompanhou-me nesta viagem, como intérprete.

Quem ajudou a organizar parte da agenda foi o então embaixador brasileiro nos EUA, Roberto Abdenur, que agendou uma visita minha à Casa Branca, onde tive uma reunião com Condoleezza Rice, se minha memória não me trai.

Em Nova York, a proprietária do jornal *Washington Post*, Lally Weymouth, organizou um jantar do qual participou também um representante da revista *Newsweek*. Eu já a conhecera quando de minha primeira viagem e sugeri que ela fosse convidada para um encontro nesse meu retorno.

Lally escolheu um restaurante italiano tradicional, fora da área turística. O sótão do restaurante foi reservado para nós, nesse jantar do qual participaram poucas pessoas escolhidas a dedo. Quando todos estavam sentados, ela me apresentou ao pequeno grupo: havia entre eles um bilionário, um deputado republicano e o jornalista Charlie Rose, famosíssimo apresentador de um *talk show* na TV pública norte-americana, a Public Broadcasting Service — PBS. O programa dele era exibido também no canal Bloomberg.

Lally começou minha apresentação dizendo que minha história merecia um filme ou no mínimo um livro, cheio de aventuras. Ela revelou, tranquilamente, que eu tinha estado preso e tinha ido para o exílio em Cuba trocado pelo embaixador norte-americano Charles Burke Elbrick, que tinha sido sequestrado. Sérgio Ferreira, o intérprete, gelou e sussurrou para mim: "Isso agora vai ser um desastre". Mas ela insistia em alongar a história e seguiu em frente, contando que em Cuba eu havia feito uma cirurgia plástica para voltar ao Brasil como clandestino, sem ser reconhecido.

Quando terminou, o silêncio foi quebrado pelo deputado republicano, que perguntou: "Mas ficou mais bonito depois da plástica, ou não?". Todos riram muito e o jantar transcorreu tranquilamente. Fiz uma exposição sobre o Brasil e o nosso governo, um relato que afinal receberam muito bem.

Uma segunda reunião aconteceu no luxuoso apartamento de uma senhora, dona de uma grande empresa de cosméticos, em frente ao Metropolitan Museum. Não me lembro do nome dela, apenas que essa reunião foi organizada por Mário Garnero. Participaram desse encontro um seleto grupo de empresários com influência política, parte da elite

A CARTA AO POVO BRASILEIRO

norte-americana. Eles ouviram atentamente minha exposição sobre a conjuntura política e econômica no Brasil e na América Latina.

Foi uma agenda apertada. No final, para surpresa de Sérgio Ferreira, disse a ele que desejava comemorar o sucesso dos encontros indo comer um cachorro-quente, que havia me surpreendido com seu sabor, numa discreta esquina de Nova York.

Mas, voltando à minha primeira viagem, aquela de julho de 2002, o fato é que retornei ao Brasil convencido da necessidade de incrementar as viagens e os laços com esses atores, mas também com o mundo sindical — aqui por intermédio da CUT —, cultural, político e universitário norte-americano, e de que o Partido Republicano e o próprio Bush não poderiam ficar fora de nosso radar.

No Brasil, encontrei, de novo, a lenga-lenga de Armínio Fraga no Banco Central, que Lula rechaçou prontamente. A Bolsa continuava nervosa e o governo progredia no acordo com o FMI. Visitei FHC, preocupado com os riscos de uma moratória. Concluí que era mais um boato para nos assustar. Ciro continuava no páreo mas, por erros grosseiros dele mesmo e a antipatia da mídia, além do jogo pesado de José Serra, caía nas pesquisas. Nossa tática foi de evitar polarizar com qualquer um dos adversários. Eles que disputassem a vaga para ir ao segundo turno. Deu certo.

Minhas reuniões com FHC, antes e depois das eleições, serviram para me dar segurança da vitória e a garantia de uma transição correta e tranquila. FHC cumpriria o prometido. Mantivemos o sigilo das conversações, não porque fossem impublicáveis, mas por razões políticas óbvias.

Realizado, já vivendo o *day after*, FHC conhecia as limitações de seu candidato e da probabilidade da vitória de Lula, a quem preferia na comparação com Ciro e Garotinho. Sereno quanto ao seu legado e conformado diante dos limites de seu governo dentro de sua visão de globalização inevitável, que chamo de "dependente". Mostrava-se extremamente confiante quanto a Malan e sua gestão, apesar das crises de consciência relacionadas ao dilema juros-câmbio. O presidente estava também seguro da gestão do dia a dia de Pedro Parente. Orgulhoso — esse é o termo — de passar a faixa para Lula. Daí seu empenho numa transição modelar e democrática.

Respeitoso comigo, quase carinhoso, atencioso e educado, firme nas convicções, consciente de minhas opções e de nossas diferenças, mas sem arrogância. Sou grato a ele pelo respeito, que era recíproco. A luta política depois nos colocaria em extremos, mas a história ainda não está concluída.

Ciro despencou nas pesquisas em trinta dias: declarações desastradas, agressivas, disparates o rebaixam de 28% para 15% nas intenções de voto. Para tanto, igualmente colabora a mídia, que não poupa nenhum deslize do nosso campo, ocultando aqueles de seu candidato preferido, como foram os casos de Collor e FHC, e agora José Serra. Conhecemos o escorpião. Não há alegria entre nós pela tragédia, é disso que se trata, de Ciro. Lula e eu o respeitamos, não obstante seus tiroteios contra o PT e o próprio Lula, muitos deles grosseiros.

Antes do primeiro turno, mais uma pequena infâmia, a mais dolorosa para mim, porque partiu de Mário Covas, esse galego irascível e de personalidade forte, FHC que o diga, com quem eu mantinha laços de amizade construída nos anos 1960, quando, certa vez, procurou me convencer a abandonar a luta armada e apoiar a Frente Ampla. Além de dar ao Movimento Contra a Ditadura (MCD) um caráter pacífico, ainda que de resistência à opressão. Nos anos 1990, durante a CPI de PC Farias, quem "acalmava" Covas éramos eu e Genoino, já que o espanhol era duro na queda e no acordo. O bom convívio prosseguiu com ele como senador eleito, em 1986, e não se abalou quando disputamos o governo paulista em 1994.

Cortamos, então, para 2002. O PSDB exibe um filmete na TV, feito pelo P2 da Polícia Militar, contendo um discurso meu diante do Palácio dos Bandeirantes, durante uma manifestação massiva de professores. Na fala, afirmei: "Vamos... os tucanos vão apanhar nas urnas e nas ruas". Ninguém deu a mínima importância. Nem os tucanos, nem o governo, nem Covas e nem a imprensa. O termo correspondente era perder, no sentido de ser derrotado. Perder nas ruas e nas urnas.

Meses depois, Covas se enfurece com a ocupação, por sindicalistas dissidentes da CUT, adversários do PT, da sede da Secretaria de Educação do Estado na Praça da República, onde antes funcionava o famoso e histórico Colégio Caetano de Campos. Resolve entrar na escola, choca-se com os manifestantes e é agredido. Chovem paus, pedras e cartazes, uma confusão e um risco enorme para Covas. Mais grave ainda, o risco de se ter vítimas fatais, dada a possibilidade de uma reação de sua segurança ou da PM. Covas estava com o cabelo cortado, tipo escovinha, fruto da quimioterapia que fazia para combater um câncer na bexiga, que o vitimaria. A agressão transformou-se numa covardia única. Mas a imagem buscada num eleitoralismo cínico foi a de que "ordenei" a agressão a Covas, vitimado por um câncer.

A CARTA AO POVO BRASILEIRO

A P2 da PM e assessores do governador, não sei se com sua anuência, montam um circo no Palácio dos Bandeirantes. Em coletiva, divulgam "a prova" do mandante da agressão a Covas: José Dirceu, presidente do PT. De uma grosseria única, mas, no Brasil e com nossa mídia, tudo é possível. Então, ressuscita-se o incidente como elemento de propaganda no desespero da derrota — o que de nada adiantou, já que nem cócegas fez na votação de Lula. Mas ficou a mágoa pela manipulação de um episódio que não teve rigorosamente nada a ver com a agressão sofrida pelo governador.

Era mais um motivo para policiarmos nossas atitudes e falas. Era visível a superioridade da campanha petista, do programa de TV e rádio, das mobilizações e comícios. Lula se impôs nos dois debates do primeiro turno e, nas urnas, obteve 39.443.765 votos, ou seja, 46,44% dos válidos. Começava a segunda volta, agora contra José Serra.

Há datas simbólicas, entre o fetiche e a realidade, a vida e a ficção. Lula nasceu e foi registrado em duas datas. A primeira delas, dia 6, coincidiu com o primeiro turno. A segunda, 27 de outubro, com o segundo turno. Nove anos depois, em 2011, Lula descobriria que estava com um câncer, logo após seu aniversário no dia 27.

O segundo turno teve a velocidade de um cometa, com comícios e festas todos os dias. O nosso programa de TV foi certeiro e arrebatador. O centro da questão era simples: Serra e sua campanha apelaram para o medo. Era a assombração da crise argentina, o caos, o fracasso. Sobrou para nós o caminho de dar a cada brasileiro a esperança de dias melhores, sem medo de um futuro seguro e digno. Demos e ganhamos.

É incrível como o PSDB insistiu nessa tecla desde Malan, em todas as crises, ao invés de reconhecer que a trilha era equivocada, a picada dos juros altos e do câmbio valorizado, apesar do discurso das reformas, que não fizera. Exigia que adotássemos suas políticas como uma crença infalível, que ilude o Brasil até hoje e serviu de novo como pretexto para o golpe de 2016.

No lugar de reformas para resolver os problemas, usam meios como fins: juros, ajustes fiscais, câmbio e impostos. Exigem corte de gasto — sempre sociais — na Saúde, na Educação, na Assistência Social, nos salários, na Seguridade e Previdência. Nunca nas propriedades, patrimônio, heranças, fortunas, nunca na renda, nos lucros, dividendos, aluguéis e *royalties*. Reduzem o consumo dos pobres, cortam os gastos dos pobres na educação, saúde, transportes, justiça e segurança. Como os ricos usam serviços privados e o consumo ocupa uma parte irrisória de suas rendas, são intocáveis.

O escândalo maior são os impostos. Só perdem para os juros: os que ganham menos pagam, proporcionalmente à renda, mais impostos do que os que ganham mais. Os pobres, que vivem do seu trabalho, arcam com juros absurdos, impensáveis no mundo: 150%, 350%, 400%. No mínimo, 32% de juros reais, que é o *spread* médio do sistema bancário. Enquanto os rentistas são remunerados com juros (reais/garantidos) acima de 5% ou mesmo 10%, dependendo do período — na era Gustavo Franco receberam até 25% ao ano de juros reais. Não há roubo maior e mais infame do que os juros. Milhares de fortunas e patrimônios foram construídos, nos últimos 25 anos, com base nas privatizações, juros da dívida interna, ganhos no sistema bancário e financeiro, na Bolsa de Valores e nas aplicações financeiras. É a corrupção legalizada, oculta, sem citarmos a sonegação fiscal e o desvio de recursos públicos.

Esse desafio estava colocado na Carta ao Povo Brasileiro. De algum modo, a chantagem e o terror funcionaram contra nós. Frente ao terrorismo midiático e financeiro, reagimos com a aplicação de uma vacina, que foi, justamente, a "carta compromisso", quando nosso comprometimento era com a reforma social e econômica.

A questão era: vamos dar um passo atrás? Ou seja, a Carta ao Povo Brasileiro, o ajuste fiscal, os juros altos e o superávit, até lograrmos as condições para as reformas estruturais? Vamos trilhar o mesmo caminho que FHC e Malan? Essa será a linha divisória entre nós no primeiro governo Lula, ainda que o tema das reformas e do caminho não dependesse só da nossa decisão política. Dependia também da nossa capacidade de superar o primeiro momento, da casa em desordem, e mobilizar nossa base social e a maioria do país para as reformas, sabendo que enfrentariam oposição majoritária no Congresso, nas elites e na mídia. E, ainda, lidando com o risco de termos contra nós as classes médias e o "mercado", particularmente o externo e o capital financeiro internacional. Essa era e é a questão central do Brasil.

Como Lula reagiria a esse dilema? E nós que éramos o núcleo do governo, a coordenação política, a maioria do PT? Seríamos capazes de assobiar e chupar cana ao mesmo tempo? Contávamos com forças na classe trabalhadora, na nossa base social e no país para vencer as várias batalhas?

Será a história a ser contada, a partir de agora. Por se tratar de minhas memórias, tratarei obviamente da minha participação e minha vida nesses longos anos, da posse de Lula, em 2003, até os dias de hoje.

26

A FORMAÇÃO DO GOVERNO LULA

*Quem era quem no novo governo e a história
do dia em que dormi com o acordo fechado
e acordei com Lula me desautorizando*

A vitória de Lula foi um fato de importância extraordinária. Assim foi vista e recebida pelo mundo e registrada pelo presidente sociólogo Fernando Henrique Cardoso. Um operário na presidência, um partido socialista no governo, de novo o fio da história interrompido em 1937 e em 1964, a classe trabalhadora de novo como sujeito, autora da história.

Para mim era a realização de um sonho de trinta e cinco anos, da minha geração, a de 1968. E Lula me fez justiça com sua generosidade e afeto, ao me abraçar no Hotel Gran Meliá, em São Paulo, e me dizer: "É a vitória de sua geração e para ela". Sentia-me realizado.

Fiquei emocionado, mas meu lado guerrilheiro me disse: agora é que começa a batalha de sua vida, a de governar o Brasil com Lula. Assim que Lula me abraçou, senti o carinho e a gratidão, mas também a responsabilidade. Ao ser cumprimentado por Duda Mendonça, o publicitário da campanha, não resisti e lhe disse: "Agora é que começa, meu caro, a guerra de verdade!". Era uma outra premonição que não tomei ao pé da letra e que me custaria caro, quase a vida, no sentido do prazer, felicidade, realização social e humana.

Lula começa bem, falando com o povo. Será sua marca e sua força. Diz logo de início sua frase-guia: "No final de meu governo todo brasileiro fará três refeições ao dia". Falou tudo ou tinha consciência de nossas limitações ou esse era o seu universo. Na bancada do *Jornal Nacional*, Lula responde, responde e no final dá o bote e pergunta: "Nada sobre o desemprego, a miséria, a desigualdade?" Era a Globo e Lula se apresentando para o Brasil.

A FORMAÇÃO DO GOVERNO LULA

Lula nomeou Palocci para dirigir a transição, Gushiken para diagnóstico dos cargos, as nomeações e o estudo da administração pública, e me atribuiu a transição e a composição política do governo. Era um sinal que infelizmente não entendi. Como trabalhávamos em equipe, me senti confortável e atendido com a divisão. Confiava em Lula, Palocci e Gushiken, e considerei que as tarefas estavam de acordo com o perfil de cada um.

Fiquei com as alianças, a base parlamentar, a relação política com FHC e Parente; Palocci com a Fazenda, o Banco Central e o Planejamento, e Gushiken com a Administração Pública — indiretamente com Palocci na relação com bancos e fundos —, pela sua experiência e liderança com os bancários. Dos banqueiros, cuidaria Palocci.

A máquina pública, o Estado e o Congresso eram feudos históricos da elite do país, do PFL, do PMDB e agora do PSDB, que incorporara parte do pefelismo, malufismo, quercismo e outros ismos. Compor o Ministério assessorando Lula e articulando os aliados, negociando com eles os ministérios, começando pelo PCdoB, PV, PSB, PDT e PL, nossos aliados no primeiro e segundo turnos, os setores que apoiaram Lula no PMDB, além do PP e PTB, era difícil, mas não impossível.

Dialogando com FHC, registrei que cumpriríamos o acordo com o FMI que ele assinara, isso era fato consumado. O que não significava aplicar as orientações do FMI ao país e não renegociar seus termos como o fizemos, no final do enredo desse filme. Lula quitaria toda a dívida e o Brasil — no papel, no contrato — não deveria mais satisfação ao FMI.

Com Pedro Parente tive abertura e acesso a todos os dados da Casa Civil e da Secretaria-Geral da Presidência, dos Ministérios, do Gabinete de Segurança Institucional, dos palácios do Planalto e da Alvorada. Foi cortês e correto.

FHC não pediu nada a Lula. Ele me confidenciou, Lula confirmou, e orientou-me para atendê-lo. Sugeriu que, se possível, permanecessem no cargo de embaixadores José Gregori — então seu amigo, ele e Maria Helena, parceiros meus da luta contra a ditadura, em favor da anistia, dos direitos humanos e da Diretas — e Rubens Barbosa. Um em Portugal e outro nos Estados Unidos. Lula concordou e Rubens Barbosa foi correto, pelo menos na relação com a Casa Civil. Certamente, não possuía a orientação diplomática externa de Celso Amorim e nem concordava com nossa política externa, mas foi um funcionário público impecável comigo.

FHC fala o que quer e quando quer e, aos poucos, foi me dizendo o que pensava de nós. "Isso é coisa de Geisel", dizia. Para mim, mineiro, elogiava JK, mas criticava seu desenvolvimentismo. Pior para ele era o nacionalismo, resistente e, qual fênix renascendo, oscilante entre Vargas, Geisel e JK. Por isso mesmo, fez questão de afirmar seu desejo de "enterrar a Era Vargas".

Com seu modernismo privatizante — para ele, éramos conservadores e o PSDB progressista — algo que o PSDB abandonou há tempos para se tornar um partido de centro-direita. Tanto é verdade que, no século XXI, o PSDB continua repisando o mantra de FHC, agora na figura de Michel Temer, o impostor.

Mas FHC desprezava sua base de apoio. Realista, sabia com quem lidava. Dizia abertamente que o Congresso não votava nada por princípio ou programa e nem por adesão ou pressão do Planalto ou da "opinião pública", leia-se mídia!

A degradação final do PSDB foi o apoio imperdoável ao golpe parlamentar, em 2016, rasgando o pacto constitucional de 1988 e o pacto social firmado na Constituinte, abrindo caminho para a retomada da agenda derrotada em 2002, 2006, 2010 e 2014. Quanto à operação Lava-Jato, o PSDB ficaria primeiramente calado para depois ser cúmplice de todas as violações de direitos e de garantias individuais — como as da presunção da inocência e do devido processo legal. Até o dia em que seu presidente e ex-candidato a presidente da República foi flagrado por solicitar e receber R$ 2 milhões do empresário Joesley Batista, do Grupo JBS. A gravação da conversa de Aécio com o dono da JBS o desmoralizaria, praticamente liquidando qualquer pretensão de candidatura dele e do PSDB, com chances em 2018.

Lula sempre foi cuidadoso e jamais anunciou ministro antes de ser eleito. Nenhum sinal, nem para nós.

Mas sem querer, ou querendo, acabou vazando que a senadora do PT do Acre, Marina Silva, seria a ministra do Meio Ambiente e Palocci comandaria a Fazenda. Depois apanhamos e muito para encontrar um presidente do Banco Central. Totalmente envolvido com as negociações com os partidos, inclusive o PT, e também com senadores, deputados, governadores, prefeitos de capital, lideranças, ex-presidentes — caso de Sarney e Itamar — além de Miguel Arraes, Leonel Brizola, João Amazonas, Roberto Freire, Ciro Gomes e Anthony Garotinho, não acompanhei em detalhes as indicações, mas tudo indicava que achar um nome para o BC seria uma pedreira. Para mim, o que não dava era Armínio continuar. Seria péssima sinalização para o PT e para a esquerda.

Estávamos comprometidos com as alianças. Só dispúnhamos de noventa e dois deputados em 513. Dificilmente teríamos maioria no Senado ou na Câmara. Unidos, PT-PDT-PSB e PCdoB somavam, no máximo, 150 deputados. Havia um arco por demais amplo de alianças para concretizar, incluindo PL-PMDB-PTB e PP. Mas Armínio Fraga era algo demasiado, entornaria o caldo.

A escolha recaiu sobre Henrique Meirelles e Lula anunciou seu nome juntamente com o meu para a Casa Civil, em 13 de dezembro, data histórica para mim, da edição do AI-5, em 1968, que me mantivera preso, apesar do *habeas corpus* que conseguira.

Lula sabia que a dose era cavalar: Henrique Meirelles, deputado do PSDB, banqueiro do Bank Boston. Então me indicou no mesmo dia. Havia um simbolismo na nomeação. Situava o partido no centro do governo ao lado do presidente. Representava, de certa forma, a militância petista, a esquerda, os movimentos sociais. Afirmava o comprometimento com o partido e com minha história e com a luta pré-PT e de uma herança de luta pelo socialismo. Pelo menos era o que se esperava de mim.

Traçando uma trajetória da minha escolha, é preciso reparar que, logo após a vitória e ainda antes da transição, Palocci, Berzoini, Gushiken, Dulci, Gilberto Carvalho e eu nos reunimos para discutir uma pauta com vários temas. De súbito, Palocci e Berzoini me perguntaram se eu queria ser ministro da Fazenda, o que respondi de pronto que não. Para mim não havia dúvida: Lula queria Palocci. Fiquei intrigado, mas me esqueci do incidente.

Dias antes, voltando de viagem para discutir a participação no governo com Arraes, encontrei Lula. Ele, de supetão, afirmou que não estava aborrecido com a capa da revista *Veja* que, mesclando intriga e provocação, descrevia José Dirceu como o segundo homem da República. Meia verdade, pior do que a mentira. Certamente eu tinha força e representatividade, nascidas do PT e de sua construção, e também da participação, com Lula, da definição da estratégia partidária que o levou à vitória. Era o segundo deputado mais votado do país, com 513 mil votos, o interlocutor de Lula e do PT, e reconhecido pelas demais forças políticas e partidárias.

Mas eu sabia o meu lugar e meus limites. Não gostei e somaria esse fato a outro mais grave. Nunca disputei com ninguém a relação com Lula, sempre me colocando como seu liderado. Era grato a ele por me ter prestigiado e apoiado na presidência do PT. Não entendi — e errei ao não tirar as conclusões necessárias — sua decisão inesperada de pedir que José Genoino, e não eu, fizesse o discurso da vitória em nome do PT, na avenida Paulista, no dia 27 de outubro.

Mais grave foram as circunstâncias. Lula não falou comigo e não me comunicou nada, mas o natural seria eu falar, não só como presidente do PT, mas também como coordenador de sua campanha vitoriosa, fora o fato de que estávamos em São Paulo, onde eu militava, fora dirigente do PT, deputado estadual, federal, candidato a governador e agora o deputado mais votado do partido, e segundo do país. Quem me comunicou o fato de que não discursaria, naquele emocionante momento da vitória, no palanque da avenida Paulista, foi Luis Favre, militante da LibeLu, então marido de Marta Suplicy. Apesar de seu papel e relação conosco, não ocupava nenhum cargo no PT ou na campanha de Lula. Fui simplesmente excluído e comunicado disso por um mero assessor. Era algo grave demais para eu deixar passar. Meu primeiro impulso foi de me retirar, mas me controlei, errei, e me custaria caríssimo ter subestimado o que se passou naquela noite que deveria ser de comemoração, mas se transformou para mim na primeira grande decepção com Lula. Foi duro, mas aceitei. No seu íntimo, Lula já decidira que Genoino seria meu substituto na presidência, outro erro que nos custaria caro. Não que Genoino carecesse de legitimidade, mas a incumbência não tinha o seu perfil. O tempo me deu razão. Genoino era, antes de mais nada, um parlamentar, e nisso era o melhor. Teria sido presidente da Câmara se não fosse candidato ao governo paulista em 2002.

Tudo se complicou. E teve consequências, geradas a partir da atitude de Lula comigo e de suas decisões sobre o PT e o núcleo do governo, a saber: Casa Civil, Secretaria-Geral, Secretaria de Comunicação (Secom) e Gabinete Presidencial.

O tempo passava e Lula não falava comigo sobre meu lugar na futura gestão. A expectativa da militância e da esquerda era que eu fosse para a Casa Civil, simbolismo e poder para o PT e a esquerda em um governo de amplas alianças.

Após quase quarenta dias, um Lula visivelmente incomodado me perguntava, em reunião a dois, que função e responsabilidade eu desejava. Deveria ter devolvido a pergunta: "Qual função você quer que eu assuma?". Não o fiz e optei pela Casa Civil. Grave erro, como o futuro dirá.

A FORMAÇÃO DO GOVERNO LULA

Era só o começo. De um lado, eu trabalhava na montagem do Ministério, dialogando com as diversas siglas e personagens para formar e alargar a base de apoio ao governo, arbitrando as divergências entre os partidos e no PT. De outro, nos bastidores da direção e do CCBB, o Centro Cultural do Banco do Brasil, engendrava-se outra solução para a composição do núcleo que comandaria o país.

Em reunião-jantar na Granja do Torto, onde Lula provisoriamente morava, passamos a noite e a madrugada discutindo. Ele, como sempre — haja paciência — escuta para depois decidir. A proposta final era consensual e ideal para o governo e o PT: Zé Dirceu na Casa Civil, Genoino na Secretaria-Geral, responsável pela articulação política com o Congresso, partidos, governadores e prefeitos, Palocci na Fazenda, Berzoini na Previdência, Gilberto no Gabinete da Presidência, Dulci, assessor especial — redação dos discursos, preparação de viagens presidenciais, assessoramento pessoal —, Marco Aurélio Garcia, assessor internacional. Perceba-se que não há um assessor econômico e, mais do que isso, Palocci designaria o ministro do Planejamento e daria a última palavra, com exceção do BNDES, sobre os presidentes do Banco do Brasil, Caixa Econômica Federal, BNB (Banco do Nordeste) e Receita Federal.

Gushiken ficaria na Secom, ampliada com a publicidade de toda a administração direta, além das estatais. Ricardo Kotscho seria o assessor de imprensa e André Singer, o porta-voz. Todos de acordo, fui para casa descansar algumas horas.

Problemas não faltavam, mas Lula montara um senhor Ministério. Conseguira combinar, atendendo aos partidos, nomes com reconhecida competência, grande visibilidade e com mais amplitude do que o quadro partidário. Os exemplos eram excepcionais, Luiz Fernando Furlan no Desenvolvimento, Indústria e Comércio Exterior; Márcio Thomaz Bastos na Justiça; Roberto Rodrigues na Agricultura; Walfrido Mares Guia no Turismo; Celso Amorim no Itamaraty; Gilberto Gil na Cultura; Marina Silva no Meio Ambiente; Olívio Dutra nas Cidades; Cristovam Buarque na Educação; e Henrique Meirelles no Banco Central. Era, evidentemente, um ministério para além dos partidos.

O PT tinha presença forte. No entorno da presidência, éramos todos petistas, com exceção do ministro general Jorge Armando Felix, do GSI, Gabinete de Segurança Institucional. O partido ainda teve pastas comandadas por Dilma Rousseff (Minas e Energia), Miguel Rossetto

(Desenvolvimento Agrário e Agricultura Familiar), Tarso Genro (Secretaria do Desenvolvimento Econômico e Social), Emília Fernandes (Política para as Mulheres), Benedita da Silva (Assistência e Promoção Social), José Graziano (Fome Zero), Nilmário Miranda (Direitos Humanos), Humberto Costa (Saúde), Matilde Ribeiro (Promoção da Igualdade Racial), Ricardo Berzoini (Previdência) e Jaques Wagner (Trabalho).

Para minha surpresa e decepção, no dia seguinte soube que Lula decidira, depois que eu deixara a reunião, atender a pedido de Dulci, legítimo, para ser ministro da Secretaria-Geral. Mas, pasmem, sem as funções da Secretaria — articulação política e de governo — e sim como assessor especial para discursos, agenda, viagens — a parte política e social, e não a segurança e logística de responsabilidade do GSI e da assessoria pessoal de Lula. E mais: a articulação política ficaria comigo, que acumularia a Casa Civil e a função de articulador político do governo. Um erro, a indicação de Genoino para a presidência do PT e não para a articulação política, o que era mais do que natural, agravado por outro, a concentração das duas secretarias sob minha direção.

Era demasiado e Gushiken, com sua franqueza, me alertou, entre irritado e indignado. Supôs que fosse uma operação minha para acumular poder.

Foi um dos muitos erros que cometi. Deveria ter recusado, não pela demanda do Dulci. Minas estava sub-representada no governo ou, pelo menos, o PT mineiro. Zé Alencar e Anderson Adauto pertenciam ao PL, enquanto Mares Guia era do PTB. Dulci tinha todos os predicados para ser ministro até da Casa Civil ou da Cultura. Mas a saída era esdrúxula, sem sentido político ou administrativo. E sem Genoino, ficamos enfraquecidos no Congresso e na articulação política. As demandas de governo e o início do trabalho me levaram à aceitação. Porém, plantara-se a semente de futuras crises.

Dulci era meu sucessor natural na presidência do PT. Fora secretário--geral do PT, era membro da executiva nacional desde 1982, contava com a confiança de Lula e representava Minas e a segunda força política no PT no campo da Articulação.

Genoino aceitou a mudança, eu me calei e fui trabalhar. Dulci e Minas comemoraram, mas não era o lugar certo para Genoino. Era respeitado, mas, na minha opinião, foi posto no lugar errado e na hora errada. Nunca foi presidente orgânico e sim representou o PT e bem. Institucionalmente, continuou sendo um "parlamentar" sem mandato com o título de presidente do partido.

A FORMAÇÃO DO GOVERNO LULA

Nada existe de pessoal na minha avaliação. Genoino e eu somos amigos, nos conhecemos desde 1965 e lutamos juntos contra a ditadura. No partido, embora em campos opostos, sempre nos respeitamos e continuaremos amigos fraternos. O problema era político. A decisão desamparou o núcleo do governo e não amparou o PT, o que foi ruim para todos. Hoje, tenho consciência de que Lula não aceitava outro a não ser eu para fazer a ponte entre o governo e os partidos, o Congresso, os parlamentares, os líderes, os prefeitos e os governadores. Na prática, a Casa Civil assumiria a articulação política até o final de 2003, quando pedi para Lula separar as duas funções e indicar outro ministro para tratar do assunto.

A questão de fundo era: por que Lula me pediu para ser chefe da Casa Civil e não secretário-geral da Presidência?

Mas os problemas continuavam impondo que me concentrasse no governo e ainda cumprisse as tarefas de articulação. Não era impossível. Durante a transição, fui eu quem, em nome de Lula, assentei os entendimentos com Arraes e o PSB para a indicação de Roberto Amaral para a Ciência e Tecnologia. Lula fez comigo, e me informando e consultando, o entendimento com Ciro Gomes, que assumiu a Integração, ampliando ainda mais o perfil da pasta. Garotinho recusou ser ministro. Elegera a esposa, Rosinha, governadora do Rio e seria seu secretário no Governo, para não dizer "governador" adjunto, pois faziam uma dupla perfeita.

Com Brizola deu tudo errado. Miro Teixeira acabou assumindo as Comunicações, para alegria da Rede Globo, e o desagrado, quando não oposição aberta, de Brizola. Ficamos mal na foto. Não houve acordo com Brizola, que reivindicava a Agricultura, apesar dos esforços de Maneco Dias e Carlos Lupi, ambos mais tarde ministros de Dilma, para chegarmos a um entendimento.

Lula era devedor perante o PCdoB e Miguel Arraes. Respeitava João Amazonas e tinha afeto por Arraes, a quem via como um dos seus, do mesmo sangue, um sertanejo. Excedia a questão do compromisso com o Nordeste. "O que Arraes propor será", disse claramente para mim. Poderia ter sido o Desenvolvimento Agrário, a Ciência e Tecnologia e mesmo a Integração Nacional. Contudo, o PSB cultivava relacionamento profundo com a área de ciência e tecnologia, que integrava sua concepção de desenvolvimento nacional. Para comprovar essa afirmação, basta dizer que, desde 1989, foram os quadros do PSB, ao lado dos petistas, que definiram e conceberam os programas nessas áreas para Lula. Entre eles, os físicos Sérgio Rezende e Luiz Pinguelli Rosa, o economista Luciano Coutinho, entre outros. O nome de Roberto Amaral, militante socialista histórico, intelectual e importante dirigente do partido, foi uma surpresa para nós. Seguindo orientação de Lula, bati o martelo com Arraes: Amaral assumiria a pasta de Ciência e Tecnologia. Era mais um nome que ampliava a visibilidade do governo.

O PCdoB indicou Aldo Rebelo e depois Agnelo Queiroz para os Esportes. Aldo ficaria na Câmara e, mais tarde, seria meu sucessor no recém-criado Ministério da Articulação Institucional, englobando as funções da antiga Secretaria-Geral. Depois, ainda assumiria a presidência da Câmara e as pastas dos Esportes e da Defesa. Ele tem capacidade única para a articulação, o que explica que Lula o tenha escolhido para disputar a presidência da Câmara, após o desastre da divisão da bancada do PT e da eleição e cassação de Severino Cavalcanti. As relações com o PCdoB, com João Amazonas, Aldo e Renato Rabelo e outros dirigentes foram das melhores. Sempre me senti em casa no PCdoB.

Ao tratar das forças armadas, Lula foi tradicional e conservador. Não mexeu no que estava no lugar: profissionalismo, respeito à hierarquia, submissão ao poder civil. Indicou os três mais antigos chefes das três armas, general, brigadeiro e almirante. Para o GSI, o Gabinete de Segurança Institucional, escolheu o general Jorge Armando Félix, afável, austero e discreto. Era sua segurança e a dos palácios. Para a Abin (Agência Brasileira de Inteligência), indicou uma funcionária de carreira, Marisa de Almeida Del'Isola Diniz.

A Abin era um elefante branco, a ser remodelada e modernizada. Tornava-se até um tanto bizarro ler os seus informes. Solicitei-lhe para não ter acesso aos relatórios e assuntos referentes a Abin. Estava cansado de ser acusado de querer controlar "os serviços secretos", como se existissem. Os únicos realmente existentes estavam fora de nosso alcance: Ciex, Cisa, Cenimar, os centros de Inteligência do Exército, da Aeronáutica e da Marinha, respectivamente, como as siglas indicam. Essa era e é a verdade, fruto de uma redemocratização inconclusa. Basta constatar a lenta implantação do Ministério da Defesa. Com o orçamento, promoções, serviços de informação, escolas e projetos militares sob o controle das forças armadas. Seria esse o preço a pagar para ter forças armadas profissionais?

O último capítulo da novela de montagem do ministério foi o PMDB. Antes, Lula escolheria Celso Amorim, diplomata, já fora ministro das

A FORMAÇÃO DO GOVERNO LULA

Relações Exteriores, progressista, filiado ao PMDB, para o Itamaraty, mas alinhado com o pensamento de Lula sobre política externa. Haveria uma associação perfeita entre os dois. Tocaram de ouvido durante oito anos nossa bem-sucedida política externa. O preferido para o Itamaraty, petista de coração, José Viegas, ex-embaixador em Cuba, Peru e Rússia, foi indicado para a Defesa. Lula ligava corretamente a política de Defesa às relações com o exterior, inovação histórica.

Minha maior dor de cabeça se chamou PMDB. Minha aproximação não acontecia por gosto, mas por necessidade. A intuição e a experiência dos governos Sarney, Collor, Itamar e FHC me aconselhavam a não abrir muito o leque de alianças e não avançar o limite que eram o PTB-PP. Diante disso, era indispensável chegar a um acordo com o PMDB.

Disso eu entendia, já que o acompanhava desde 1974-78, passando por 1978-82, 1983-85, 1986-90, na clandestinidade, na "distensão" de Geisel, nas Diretas, nas gestões Sarney e Quércia, este em São Paulo. De fato, desde 1966-68, o MDB paulista era um pouco o PCB.

A maioria dos caciques regionais apoiou Lula. Serra ficou com Michel Temer e Geddel Vieira Lima — que aderira ao carlismo para escapar da CPI do Orçamento —, Eliseu Padilha, Moreira Franco e outros, os mesmos de 2017. O cartório, ou seja, a presidência do PMDB, pertencia à ala tucana da sigla e era com ela que eu necessitava dialogar. Com Michel Temer. Mesmo que tratasse, na prática, com Sarney, José Maranhão, Maguito Vilela, Iris Rezende, Roberto Requião, Luiz Henrique, Germano Rigotto, Orestes Quércia. Meu objetivo era emplacar nos ministérios nomes dessa ala ou nomes como o de Pedro Simon, num determinado momento lembrado para ministro da Agricultura.

Eu defendia priorizar o PMDB, que propiciaria maioria e estabilidade à base aliada, mesmo sem o apoio da ala tucana. Seriam 250 votos que somariam o PT, seus aliados à esquerda e a maioria do PMDB.

Lula me autorizou a firmar um acordo com Michel Temer, envolvendo alguns ministérios. A maior dificuldade era que Agricultura, Minas e Energia, Saúde e Integração estavam reservados, resolvidos na cabeça de Lula ou já acordados com outras legendas. Eram cota de Lula, caso de Dilma em Minas e Energia, Roberto Rodrigues na Agricultura e Ciro Gomes na Integração.

Era um xadrez difícil, as pedras não cabiam nos quadrados do tabuleiro. Insisti e cheguei a um pacto com o PMDB. Incluí a Saúde e a Comunicação no compromisso. Não era impossível fazer o PMDB quase todo apoiar o governo. Abri espaço para a Previdência. Era pegar ou largar. Havia pressão total da ala tucana para barrar o entendimento, largando o governo nas mãos da direita e de pequenos partidos.

Dormi com o acordo fechado e acordei com Lula me desautorizando. Melhor dizendo, rejeitando o acordado, dado que eu era simplesmente seu delegado e não decidia. Fiquei desapontado e furioso. Mesmo sem a Agricultura, Transportes (o passado com Padilha no DNER impedia), Agricultura, Integração ou Minas e Energia, eu havia convencido o PMDB a apoiar o governo e fazer o acordo.

Anos depois, o PMDB veio para o governo com os ministérios da Saúde, Previdência e Comunicações em diferentes momentos, mas já havíamos pago um preço — e que preço — com a farsa do Mensalão que, na minha avaliação, teria sido evitada com a aliança prioritária com o PMDB e não com o PTB e o PP, este ainda que por vias indiretas.

Não deu outra. Ficamos nas mãos do PTB, PP e de outros pequenos partidos e o resultado foi pior do que se poderia imaginar. Quem pagaria o preço? Eu.

Durante esse processo aconteceu um episódio que demonstra o alto grau de dificuldade para montar uma equipe coesa e eficaz. Indicado o Ministério, saltava à vista a quantidade de gaúchos: cinco ministros. O que agravava a situação do PT mineiro, sem nenhuma pasta, não bastasse o número excessivo, também, de paulistas no Ministério. Tarso Genro criou uma pequena "crise", exigindo ser ministro. Repeliu o título de "secretário" do Conselho de Desenvolvimento Econômico e Social, como eram os de Mulheres, Promoção da Igualdade Racial, Direitos Humanos e GSI, que não tinha *status* de Ministério, mas de secretarias de outros ministérios como o da Agricultura, no caso da Pesca, Justiça no caso dos Direitos Humanos. Lula não teve alternativa. Aproveitou a deixa e deu *status* de ministério a todas as secretarias, o que era mais do que justo, apesar da pouca grandeza da causa inicial da decisão.

Veio o 1º de janeiro e Lula tomou posse em um cenário de ampla, emotiva e festiva participação popular. Brasília assistia à posse do primeiro presidente operário e, também, do primeiro partido de esquerda e socialista, que a imprensa mundial registrou como um acontecimento extraordinário.

Subi a rampa atrás de Lula e José Alencar, ao lado do general Armando Félix, do GSI, como determinou o protocolo. Senti a emoção de representar, afora o partido, a minha geração. Comigo subiam a rampa setenta anos de luta pelo socialismo e a memória dos meus companheiros e companheiras que haviam dado a vida pela liberdade e por aquele momento. Éramos os vencedores.

À noite, Lula e Marisa foram prestigiar José Alencar e Mariza, em uma demonstração de carinho que marcaria seu mandato. Depois seguiram ao nosso encontro em um hotel onde Aloizio Mercadante, Gilberto Gil, Gushiken, Furlan, Roberto Teixeira e eu os esperávamos.

Tinha consciência de que uma duríssima missão nos aguardava. Vinha à lembrança o Chile de Allende e a tragédia do 11 de Setembro de 1973. Governar o Brasil, com Lula e o PT era o desafio.

Nenhum de nós podia esconder-se na inocência ou na ignorância. Éramos muito experientes para ignorarmos que atuaríamos sempre no limite. Pelas lições da vida e da história, sabíamos dos riscos. Era assustador. Teríamos que governar sem maioria na Câmara e no Senado, com uma mídia monopolizada e visceralmente antipetista, dona de prontuário nefasto de apoio à repressão, à tortura e ao regime de 1964.

Não obstante os oito anos de FHC, os dois de Collor, a decepção do período Sarney e da transição Itamar, o refluxo de movimento que levou às Diretas e à eleição de Tancredo, tínhamos um acúmulo de forças sindicais, populares, profissionais, das camadas médias e de trabalhadores para nos respaldar. Não éramos maioria, mas dispúnhamos das condições básicas de governabilidade e de legitimidade pela espetacular vitória eleitoral e a expectativa criada com um operário na presidência.

Íamos governar dentro da Constituição de 1988 e recebíamos o Brasil com baixo crescimento e alto desemprego, além de uma inflação de 12,5%. A dívida pública dobrara nos oito anos de FHC. Subordinado ao FMI, o país estava sem reservas e com uma carga tributária em crescimento. Exatamente assim, apesar das privatizações supostamente realizadas em nome da diminuição do Estado, da dívida e da carga tributária.

A despeito da transição acordada e da ausência de qualquer devassa na gestão do PSDB, não me contive quando os tucanos começaram a nos cobrar e nos culpar pelos juros elevados. Lembrei-os da herança maldita de FHC. Na verdade, o Brasil quebrara duas vezes entre 1975 e 2003, perdera reservas e, com o câmbio fixo e juros estratosféricos, viu sua indústria perder mercado e competitividade e o desemprego disparar.

Recuperado do susto de ser ministro da Casa Civil e da Articulação Política, tratei de organizar meu gabinete. Busquei, para a secretaria-executiva da Casa Civil, o ex-secretário de governo de Cristovam Buarque, meu ex-chefe de gabinete na presidência do PT e ex-assessor especial de meu segundo mandato como deputado federal, Swedenberger Barbosa. Quadro político experiente, com inserção sindical e política no PT de Brasília e nacional, Berger continuaria com Lula após minha saída do governo. Em 2010, retornaria à Secretaria de Governo do Distrito Federal na gestão Agnelo Queiroz.

Para a chefia do gabinete, escolhi Marcelo Sereno e, depois, Daisy Barreta, ambos militantes do PT, com experiência profissional e formação técnica para os cargos. Economista, Marcelo vinha do movimento sindical e da Vale. Daisy, de minha absoluta confiança, permaneceria na presidência até o final do mandato de Dilma.

Órgão essencial da presidência, a Casa Civil tem como área de competência os seguintes assuntos: assistência e assessoramento direto e imediato ao presidente no desempenho de suas atribuições, em especial nos assuntos relacionados com a coordenação e integração das ações governamentais; verificação prévia da constitucionalidade e legalidade dos atos presidenciais; avaliação e monitoramento da ação governamental e dos órgãos e entidades da administração, especialmente das metas e programas prioritários; analisar mérito, oportunidade e compatibilidade das propostas, inclusive das matérias em tramitação no Parlamento, com as diretrizes governamentais; publicação e preservação dos atos oficiais; supervisão e execução das atividades administrativas da presidência e, supletivamente, da vice-presidência; avaliação da ação governamental e do resultado da gestão dos administradores, no âmbito dos órgãos integrantes da presidência e vice-presidência, além de outros determinados em legislação específica, por intermédio da fiscalização contábil, financeira, orçamentária, operacional e patrimonial; execução das atividades de apoio necessárias ao exercício da competência do Conselho Superior de Cinema (Concine) e do Conselho Deliberativo do Sistema de Proteção da Amazônia (Consipam); operacionalização do Sistema de Proteção da Amazônia (Sipam); e execução das políticas de certificados e normas técnicas e operacionais, aprovados pelo Comitê Gestor da Infraestrutura de Chaves Públicas Brasileira e coordenação e secretariado do funcionamento do Conselho de Desenvolvimento Econômico e Social.

A Casa Civil tinha três subsecretarias: Jurídica, de Políticas de Governo e Administrativa. A ex-Secretaria-Geral, agora da Articulação Política, tinha duas, a subsecretaria parlamentar e a subsecretaria da Federação. Indiquei José Antonio Dias Toffoli para a de Assuntos Jurídicos. Com longa atuação no partido, em sindicatos e bancadas, como assessor jurídico, Toffoli contava com sólida formação como advogado, assessor e consultor jurídico, além de uma vasta experiência junto ao PT, nossos governos, suas bancadas e no Parlamento. Exercera o magistério e fora assessor no governo de Erundina, na Assembleia paulista e na Câmara dos Deputados. Para a Secretaria de Governo indiquei Luiz Alberto Santos, funcionário de carreira, professor, gestor e conhecedor da administração pública. Santos e Toffoli foram assessores da bancada e da liderança do PT. Um com grande conhecimento jurídico e outro sobre administração e políticas públicas. Não poderia ter feito escolhas melhores. Nunca me faltaram e, nos trinta meses em que exercemos a função, foram de uma competência e capacidade de trabalho únicos, o que me permitiu exercer as duas funções e ministérios.

Para a Secretaria Administrativa, responsável não só pela Casa Civil, mas pelos palácios do Planalto e Alvorada, afora as secretarias vinculadas à presidência, foi o general da reserva Romeu Costa Ribeiro Bastos. Ele e Berger garantiram não só o funcionamento administrativo como a mais absoluta lisura em todas as ações da Casa Civil. Para a subsecretaria Parlamentar, indiquei Waldomiro Diniz que, funcionário de carreira da Caixa Econômica Federal, assessorara a CPI do Orçamento e, depois, a CPI de PC Farias. Não era filiado ao PT, mas seu eleitor. Foi chefe da Assessoria Parlamentar de Cristovam Buarque na administração do Distrito Federal de 1994 a 1998 e chefe de escritório do governo do Rio em Brasília de 1999 a 2001 e, depois, diretor da Loteria do Estado do Rio de Janeiro (Loterj), na gestão Anthony Garotinho. Waldomiro seria alvo do primeiro escândalo do nosso governo e também da primeira tentativa de me tirar do poder.

Vicente Trevas seguiu para a chefia da Secretaria da Federação, responsável pela relação com prefeitos e governadores. Tive a sorte de contar com ele, profundo conhecedor das questões municipais, da gestão pública e amplamente relacionado com os prefeitos e governadores do partido. Trabalhara ainda em nossos governos e na secretaria de assuntos institucionais do PT Nacional.

Para minha assessoria pessoal indiquei Rogério Sottili, gaúcho, militante do PT, com amplo conhecimento do partido, da questão agrária e de direitos humanos e ambientais. Seria secretário municipal em São Paulo na gestão de Fernando Haddad e titular da Secretaria Especial de Direitos Humanos no governo Dilma. Telma Feher, radialista, jornalista que me acompanhava desde meu mandato de deputado, de presidente do PT e em minhas campanhas, assumiu a relação com a mídia. Filiada e militante do PT, nunca me faltou. Permaneceria no governo até o golpe que derrubou Dilma.

Para a Assessoria Internacional, de comum acordo entre os ministérios, o ministro Celso Amorim designou Américo Fontenelle, cujo pai, que conheci, o famoso coronel Fontenelle, secretário dos Transportes do Rio e de São Paulo, era o terror dos motoristas infratores. Ainda jovem oficial foi um dos mais ativos membros da República do Galeão e, juntamente com o então major Délio Jardim de Matos, depois ministro da Aeronáutica de Figueiredo, um dos responsáveis pela captura de Climério Eurides de Almeida, mandante do atentado contra Carlos Lacerda, na madrugada de 5 de agosto de 1954. Américo e eu nos entendemos rapidamente e minhas relações com o Itamaraty e com a questão externa, tão importante para nós e decisiva para Lula, foram excelentes nos meus trinta meses de Casa Civil.

Na presidência do PT, havíamos desenvolvido, sob a coordenação de Marco Aurélio Garcia, amplas relações externas com partidos, governos e lideranças. As relações internacionais foram ponto forte de Lula e do PT, seja pelo lado sindical, seja pelo lado da esquerda. Ensejaram ao PT a sua inserção internacional e a Lula colocar o Brasil com voz altiva e ativa no mundo, graças a esse acervo e à escolha acertadíssima de Lula ao indicar Celso Amorim como chanceler.

Para minha assessoria econômica — na realidade, para dirigir a sala de investimentos —, convidei Walter Cover, economista, meu companheiro de lutas estudantis, preso em 1968 conosco, depois diretor da Vale, da Votorantim e do Sindicato da Indústria de Materiais da Construção Civil. Falarei mais tarde sobre seu papel e aquele que teve na constituição da Câmara de Política Industrial e Desenvolvimento, na formatação de projetos e na busca de investimentos. Com seu apoio organizamos a Câmara de Infraestrutura, reunindo os ministérios da área e o Conselho de Desenvolvimento.

Fiz outras nomeações para órgãos então vinculados à Casa Civil, como Imprensa Oficial, Arquivo Nacional, Conselho Nacional de Cinema, Consipam, órgão civil do Projeto Sivam, Instituto Nacional de Tecnologia da Informação. Para o Ciset, órgão de controle interno da Casa Civil, o indicado foi José Aparecido Pires. Auditor do TCU, o Tribunal de Contas da União, Pires realizou trabalho excepcional. Nunca tivemos problemas nas licitações, pregões e cartas convites da Casa Civil. Pires e o general

A FORMAÇÃO DO GOVERNO LULA

Romeu, sob a direção de Berger, garantiram a licitude e o controle de todos os processos internos.

Tanto é verdade que, após a minha saída, se faria uma devassa na Casa Civil. TCU, MPF e a própria ministra que me substituiu nada de ilícito ou irregular constataram, apesar das fofocas, intrigas e boatos vazados por sabe-se lá quem. Criou-se desnecessariamente um clima de caça às bruxas, como se a Casa Civil fosse um espaço de ilegalidades, dando crédito à onda de acusações na esteira do chamado Mensalão. No final da devassa, nada de ilegal foi verificado durante minha passagem pela Casa Civil do governo Lula. Eu, escaldado e experiente na vida, não me abalei e sequer guardei ressentimentos desses fatos.

Minha função de articulador político do governo era uma continuidade de meu papel histórico no partido e desdobramento dos encargos na candidatura de Lula, na procura e definição de seu vice, nas alianças e na montagem do governo. Nada mais natural do que eu ser, então, o encarregado da articulação.

O problema era a sobrecarga de tarefas e o acúmulo de funções com a Casa Civil. De outra parte, isso me dava condições de decidir, após consulta ao presidente, o acordado com os partidos e representantes da sociedade. Juntava a força política dos dois cargos, mas com a responsabilidade de governo e de chefe da Casa Civil, o que impunha limites à minha própria atuação: a garantia de não ultrapassar os limites do governo, dos interesses de toda a administração e principalmente do presidente.

É preciso relembrar que a presidência e os principais ministérios eram ocupados por dirigentes do PT com longa vivência e experiência política comum. Junto à presidência estavam Gilberto Carvalho, Luiz Gushiken, Luiz Dulci e eu próprio. Na assessoria, Clara Ant, Ricardo Kotscho, André Singer, e os assessores especiais Marco Aurélio Garcia e Bernardo Kucinski. Mesmo Frei Betto e Oded Grajew, conselheiros e assessores para o Fome Zero, havia muitas décadas eram relacionados conosco e com Lula.

Bernardo Kucinski deixou sua marca no governo Lula. Físico, professor, jornalista, cientista político, militante político contra a ditadura quando foi preso e exilado, contribuiu com suas "Cartas Ácidas", relatórios diários com uma leitura crítica da mídia, na prática editadas com espírito crítico sobre o próprio governo e o momento político. Sem poupar nada e ninguém, nos chamava a atenção diariamente e fazia parte do café da manhã com o presidente, o chamado *briefing*, ao lado de Gushiken, André

Singer, Ricardo Kotscho e outros. Sua irmã Ana Kucinski foi assassinada pela ditadura e até hoje é considerada desaparecida.

No Ministério, éramos um time de companheiros de trinta anos: Antônio Palocci, Guido Mantega, economista, professor, assessor de Lula durante anos no Instituto Cidadania, Jaques Wagner, Ricardo Berzoini, Humberto Costa, Benedita da Silva, Zé Graziano, Cristovam Buarque, Márcio Thomaz Bastos, meu amigo e ligado a mim por nossos pais. "Doutor Bastinho", seu pai, foi padrinho de casamento dos meus pais e médico familiar de meus avós. Fronteiriços, ele era de Cruzeiro e eu de Passa Quatro. Nilmário Miranda vinha da esquerda, do Movimento Estudantil e da oposição armada à ditadura. Apenas não conhecia Luiz Fernando Furlan, Roberto Rodrigues, Mares Guia e Celso Amorim. Ciro Gomes e Roberto Amaral eram aliados. Com Ciro, minha relação era pontual, mas com Amaral fraterna e ideológica. Dilma, eu a conhecia pouco pessoalmente, mais pela militância comum contra a ditadura e depois, ela no PDT eu no PT, não me era desconhecida. Olívio Dutra, apesar da distância — os gaúchos se recusam a sair da República do Rio Grande, herança da fronteira, das guerras e dos Farrapos — era fundador do PT com Lula e Jacó Bittar — para mim, uma lenda. Rossetto, como nós, era militante, deputado e dirigente do PT.

Com alguns que eu não conhecia a empatia foi imediata. Com Celso Amorim pelo passado, cultura, franqueza e a estupenda experiência e sentido do serviço público. Roberto Rodrigues, apesar das divergências e campos opostos, foi uma grata surpresa. Negociador, aberto a críticas, capaz de entender a reforma agrária e a agricultura familiar e, com certeza, o mais bem preparado líder do agronegócio brasileiro. Furlan cumpriu as missões que Lula lhe delegou no ministério, na Câmara do Comércio Exterior, a Camex. Mares Guia é um capítulo à parte. Mineiro como eu, parlamentar, empresário, assumiu pasta fora de sua área — Biotecnologia, Inovação e Educação. Não só deu conta do recado como criou um ministério do zero. Fomos parceiros nessa tarefa que mudou a história do turismo na administração federal. Depois foi ministro da Articulação Política e decisivo na construção das alianças e na campanha de 2006.

Na Casa Civil, minha primeira tarefa era reorganizar um organograma e reestabelecer seu papel de coordenação do governo e da articulação política. O que me guiava eram as prioridades do presidente e de cada pasta estabelecidas por ele e o ministro com minha presença.

A FORMAÇÃO DO GOVERNO LULA

O papel da Casa Civil é duplo. Juntamente como Secretaria Executiva da Presidência, realiza a coordenação do governo e, como foi no meu caso, também a articulação política. Por determinação legal, nada vai para a mesa do presidente sem passar pela Casa Civil. Lá confere-se a legalidade do ato, a compatibilidade com o orçamento, o programa de governo, o plano de ação, as prioridades do ministério e, por fim, com as consequências e limites políticos, no Congresso e na sociedade.

Para cumprir tais tarefas — para além de estrutura de Estado já existente, a Secretaria de Assuntos Jurídicos e a de Governo — criamos uma Secretaria de Articulação e Monitoramento. Surgiu como assessoria da presidência e, depois, dada a dimensão que adquiriu, foi transferida para a Casa Civil, sob a responsabilidade de Miriam Belchior e Tereza Campello. As duas revolucionaram a coordenação do governo, com um mapa *online* de todos os programas e obras. A começar pelo mapa do Bolsa Família. Sem Tereza e Miriam, o Bolsa Família não teria saído do papel como programa universal. Seria a semente do PAC. Mais tarde, Miriam seria ministra das Cidades e presidente da Caixa Econômica Federal, e Tereza, ministra do Desenvolvimento Social.

Essa mudança foi precedida e acompanhada pela recriação e a reorganização dos conselhos e câmaras, existentes na lei e no organograma da Casa Civil, mas desativados durante o governo FHC.

Assim, criamos os conselhos de Infraestrutura, de Defesa Nacional e Segurança Pública, da Amazônia e Meio Ambiente, do Desenvolvimento Social, do Bolsa Família, do Desmatamento Zero, uns permanentes e outros para implantar e implementar políticas e ações decididas pelo governo. Fiz de tudo, mas não consegui criar a Câmara da Educação, Ciência e Tecnologia, Cultura e Comunicações, tão necessária quanto a de Infraestrutura ou, talvez, ainda mais importante.

Para dar um exemplo concreto: a crise sobre os arquivos da ditadura e os desaparecidos políticos foi abordada na Câmara com a participação da Casa Civil, Justiça, Itamaraty, Defesa, Direitos Humanos e a Advocacia-Geral da União (AGU). Nos casos da Amazônia e do Desmatamento Zero, treze ministérios estiveram envolvidos, mesmo caso da implantação do cadastro único do Bolsa Família.

A questão econômica era a mais difícil, dada a resistência — em parte aceitável — de Palocci, preocupado com vazamentos e disputas em torno dos juros e do câmbio. Franco, paciente, excelente gestor, Palocci é, antes de mais nada, um político. Médico, tornou-se, pela exigência do cargo, um economista autodidata. E dos bons, bem assessorado, com uma equipe de primeira, e evidentemente com suas ideias das quais eu geralmente divergia e buscava tensionar sem passar a fronteira da "ordem presidencial".

A saída foi criar o Conselho Nacional da Política Industrial e Desenvolvimento — que não se deve confundir com o Conselho de Desenvolvimento Econômico e Social, dirigido em um primeiro momento por Tarso Genro — e depois a Junta Orçamentária, constituída por Casa Civil, Fazenda, Secretaria Nacional do Tesouro e Planejamento, através da Secretaria de Orçamento.

Sempre avaliei como contraditórias e confusas as atribuições da Fazenda e do Planejamento, essa falseta de o orçamento ficar no Planejamento e o "cofre" na Fazenda, na Secretaria Nacional do Tesouro. Dirão que não entendo de finanças e orçamento.

Minha tarefa me levava a propor mudanças, ainda que sabendo da sua difícil execução. Deveriam propiciar funcionalidade e eficiência à definição e execução das políticas públicas e programas de governo. E isso, sem falar das obras de infraestrutura, verdadeiro cipoal de ciladas, obstáculos e abismos.

Propus a criação de uma Secretaria de Gestão e Recursos Humanos, na época vinculada ao Planejamento, de uma Secretaria Nacional de Segurança, na época e até há pouco tempo subordinada à Justiça. Ou a implantação de um Ministério do Interior, dispondo de uma autoridade nacional de combate ao narcotráfico, esta ligada ao gabinete presidencial. Sempre avaliei como um erro a ausência de um assessor econômico da presidência. Minhas propostas não foram aceitas e as pastas de Planejamento e Justiça continuaram inchadas e muitas vezes sem funcionalidade.

Mas o governo conseguiu reativar os conselhos nacionais de Energia, Meio Ambiente, Ciência e Tecnologia, Cinema e Artes Visuais, e instituiu-se — afora o debate envolvendo entidades, cientistas, artistas, intelectuais, profissionais, organizações não governamentais (ONGs) e ambientalistas — um espaço para definir políticas, planejar e controlar a execução dessas políticas.

Lula era o Senhor Presidente. Soube como ninguém, presidir, coordenar, liderar seu gabinete e os ministros do Palácio, a coordenação de governo e o conselho político. Sabia ouvir, buscar consensos progressivos e quando não era possível, decidia!

Tínhamos absoluta confiança em seu dom de ouvir e aprender, desde temas corriqueiros até os mais complexos. Uma vez informado, conhecedor dos problemas regionais e nacionais e de cada setor da economia, Lula decidia com serenidade. Nunca rejeitava trabalho e seu tempo parecia infinito.

Nunca duvidei de uma decisão sua, mesmo quando não concordava com a solução e me custava caro executar, porque sabia — eram vinte anos de convivência — que ele estava convencido de que era o melhor que podíamos fazer.

O conselho político era o espaço para buscar saídas e propor soluções para o presidente. Dele, participavam Zé Alencar, eu, Gilberto Carvalho, Gushiken, Dulci e Genoino em um primeiro momento. E, quando necessário, os líderes do PT ou do governo, além dos ministros relacionados ao assunto em pauta, o que explicava a presença constante de Palocci e Guido Mantega. Avaliava-se e discutia-se o momento e temas específicos que poderiam compreender um determinado ministério, um programa, uma reforma ou uma obra importante.

Eventualmente, Lula convocava a coordenação de governo, que abarcava os líderes do governo e, às vezes, as lideranças dos partidos da base. Genoino e Mercadante — líder no Senado — podiam participar do Conselho e/ou da Coordenação, assim como Palocci e, em casos excepcionais, os presidentes dos partidos da base e/ou aliados.

Conforme o tema e a demanda, o presidente chamava os ministros, presidentes de bancos e/ou de estatais para o conselho político. O mais comum era a convocação dos titulares das pastas da área econômica. Assuntos e programas dos ministérios eram tratados entre Lula e o ministro, ou ministros, com a presença sempre da Casa Civil. Quando Lula ou eu propúnhamos, decidíamos com a presença de Gilberto Carvalho e, às vezes, de Gushiken e/ou Palocci.

Nos primeiros meses de 2003, a Casa Civil buscou articular e orientar o governo. Promoveu reuniões regulares das secretarias executivas de todos as pastas, visitas periódicas aos ministérios para fazer um balanço com os ministros e suas equipes do andamento da gestão, de programas e de obras e, quando era o caso, para resolver entraves e levantar recursos.

Minha atribuição era não só de coordenador do governo e de articulador político, mas de porta-voz do presidente. Todos me viam como o representante do PT na administração por conta da longa trajetória de dirigente partidário. Esperavam de mim uma palavra sobre os desafios, os impasses, os rumos e a estratégia do governo e eu não os desapontava. Abria minhas exposições com este objetivo: dar um norte, mobilizar o primeiro escalão para fazer realidade as nossas políticas e prioridades.

A sobrecarga era grande, mas a vontade era maior. Queria proporcionar ao presidente uma coordenação de governo que o liberasse para as grandes reformas, viajar e mobilizar, fazer política externa e recolocar o Brasil no mundo.

Na articulação política, meu trabalho foi facilitado pela experiência. Waldomiro deu conta da relação com a Câmara. Do Senado cuidava eu. Deputado do PMDB paulista, egresso do Movimento Estudantil, quercista e do MR-8, Marcelo Barbieri assumiu, por minha escolha, a responsabilidade pelas emendas parlamentares. Vicente Trevas, com paciência e eficácia, incumbia-se de tratar com governadores e prefeitos.

27

QUEDA DE BRAÇO

No meio de uma reunião convocada pelo presidente Lula, uma briga: José Dirceu versus *Antônio Palocci*

Lula praticamente delegou a mim o tratamento com os partidos, líderes, parlamentares e governadores. Mas sempre, quando necessário, ele os atendia. Jamais subestimou essa questão e sempre era atencioso. Tocávamos de ouvido, eu e ele, essa articulação e nunca teve que me cobrar. Era a missão para a qual me preparara nas últimas décadas: governar o Brasil com Lula.

Sua obsessão apontava para o social: a fome, o salário mínimo, a saúde, a educação, a reforma agrária e a agricultura familiar. O que nos guiava era o crescimento com distribuição de renda para criar um mercado interno capaz de sustentar tal evolução.

O aumento real do salário mínimo e dos benefícios da Previdência, o Bolsa Família, o crédito para o agricultor familiar, para o aposentado, para o funcionário público, para o trabalhador assalariado — o empréstimo consignado com desconto na folha de pagamento, a juros menores — os gastos sociais e os investimentos públicos eram o caminho naquela conjuntura de baixo crescimento, alta inflação e desemprego, com juros nas alturas.

Obrigávamos a explorar o orçamento no seu limite. Como a margem de manobra era pequena, restava-nos a audácia de inovar, apostando na capacidade de nossa economia de crescer para dentro e, ao mesmo tempo, de exportar.

Era preciso combater a inflação, mas não havia acordo sobre o modo mais correto de fazê-lo. Palocci e sua equipe se impuseram e o caminho foi o tradicional: aumento de juros, portanto, freio à expansão econômica e ao crédito, além do aumento do custo do serviço da dívida interna.

A inflação não foi a única herança maldita. O setor elétrico estava mergulhado na crise, as rodovias abandonadas, os estados devolvendo

ZÉ DIRCEU

estradas federais, o DNER fora fechado no governo FHC por denúncias de corrupção, que nem a Polícia Federal e nem o Ministério Público Federal investigaram para valer, deixando a maioria dos contratos de construção, restauração e manutenção das rodovias suspensos ou *sub judice*.

Pairava um mal-estar na sociedade quanto à elevação dos juros como instrumento de combate à inflação. Havia um sentimento, explicitado na oposição generalizada a cada novo aumento de juros e do superávit. Avançava no país a percepção de que o caminho mais adequado seria o inverso: crescer, criar empregos, renda, produzir, algo que remontava às eras Vargas e JK, de desenvolvimento, mas com distribuição de renda.

No pano de fundo, o choque entre o capital produtivo e o financeiro, a luta pela renda nacional entre o trabalho e o capital, o interesse nacional *versus* o interesse externo, principalmente, até hoje, do capital financeiro e da hegemonia norte-americana.

A maioria não acreditava que a inflação era de demanda e, sim, de custos e, portanto, fora do alcance da alta dos juros. Até a meta de inflação era contestada. Zé Alencar era o principal porta-voz dessa corrente, no Conselho de Desenvolvimento Econômico e Social (CDES). Somente cinco dos seus cinquenta e seis membros eram favoráveis ao aumento de juros. Vínhamos de uma taxa Selic média no segundo mandato de FHC de 19,8% para um Índice Nacional de Preços ao Consumidor (IPCA) médio de 8,8%. Logo, um juro real de 10,2%. Só mesmo os analistas dos bancos e, obviamente, jornalistas como Miriam Leitão, no jornal *O Globo*, defendiam o arrocho, mais juros e mais superávit.

Mas Meirelles, e imaginem quem, Ilan Goldfajn, já davam o tom. Manter o choque recessivo para reestabelecer a confiança dada à alta dívida interna e ao déficit nominal. Daí o aumento do superávit, maior que o estabelecido no acordo com o FMI.

Vale recordar que, quando assumimos, a inflação era de 12,3%, enquanto os juros escalavam os 26,5%. Isto é, 14,5% de ganhos reais. Um quadro realmente espantoso, que os tucanos hoje escondem do país.

A divergência sobre juros retratava uma luta política entre nós e na sociedade, sobre como sair da crise herdada da era FHC. Seria imperioso chegar a um acordo ou haveria uma divisão e os perdedores sairiam do governo.

O "Custo Brasil" dependia de uma reforma tributária federativa, de fatores externos, do dólar, do preço dos combustíveis, da nossa logística em frangalhos e do alto custo financeiro para as empresas e consumidores *vis-à-vis* o mundo. Era assustador. Por baixo, 32% de *spread* bancário na média e juros reais para a dívida interna de 8% a 12%. Impraticáveis para qualquer país, sendo o serviço de dívida a principal despesa do governo, fora seu papel concentrador de renda.

Como fazer uma reforma tributária, federativa, bancária e financeira com um Congresso conservador, dominado e controlado exatamente pelas forças econômicas e sociais beneficiados exatamente por aquele *status quo*?

Nem os argumentos óbvios apresentados por economistas da oposição, como Bresser Pereira, Mendonça de Barros e Yoshiaki Nakano, demonstrando que a inflação era um *mix* de preços administrados, aumento dos alimentos e fatores externos, convenceram Palocci, Meirelles e suas equipes. Guido era uma voz solitária e Zé Alencar um trombone estridente a reverberar a opinião do empresariado.

Eu acompanhava tudo, preocupado com o PT, a esquerda, nossa base eleitoral e social, nossos compromissos de campanha. Temia o círculo vicioso: mais juros — crescimento — arrecadação + dívida interna — confiança. E o pior, menos investimento e gasto social. Não conseguia dormir e, dia após dia, ficava mais irritado. Ao ponto de Lula me chamar a atenção — daquele jeito dele, brincalhão, mas mordaz — pela minha chegada, às reuniões matinais do conselho político, impaciente e mal-humorado.

Estava no meu limite, pressionado e sob grande tensão, quando Palocci e Meirelles iniciaram um movimento. Propuseram a autonomia do Banco Central e falaram em fuga de capitais, risco real, segundo eles, caso não prosseguíssemos na política de mais juros e mais superávit. Para completar, Palocci faz um movimento junto a Lula pelo secretismo, sigilo, confidencialidade das decisões sobre juros.

Assoberbado pelas tarefas na Casa Civil e avalista da política do governo junto ao PT, eu me defrontava com um dilema. Concordaria com a política de Palocci com o aval de Lula, mesmo sob o risco de ruptura com nossa base política e social e com a maioria do PT? Era preciso chegar a um compromisso, algo que somente o presidente poderia garantir.

Para Lula não dava mais. Eu ultrapassara a linha e, ao contrário de Zé Alencar, representava, mais para Palocci e seu grupo político no PT, uma real ameaça. Ou, na melhor das hipóteses, um risco de crise interna no governo com efeitos imediatos no PT, no Parlamento e em nossa base social.

Lula convocou uma reunião fora no Palácio da Alvorada e o pau comeu. Fomos para a piscina do Alvorada, numa linda noite, tudo para ser uma reunião agradável e amigável. Havia petiscos e bebida. Mas acabou por ser uma dura discussão com queixas e acusações mútuas. Palocci, magoado comigo, alegando que eu usara "argumentos sigilosos, em discussão pública". No fundo, acusava-me de "desonestidade intelectual", um nome educado, como ele, para "traição" ou "sabotagem". No fundo era sua insistência no sigilo e sua obsessão por decisões monocráticas tomadas por ele e sua equipe, como se fossem os únicos qualificados para tanto. Do outro lado, o velho método de discutir a forma e não o conteúdo da questão e da divergência, que terminava abafado pelo modo que a discussão se dera, pública e envolvendo temas em tese sigilosos, na verdade nem sempre.

Lula me chamou no seu gabinete. "Chega, basta", disse. Avisou que não queria mais "ouvir você e o Palocci falando em pedir demissão". Eu, na verdade, nunca usara esse recurso, não combinava comigo, mas Palocci sim. De outro lado, minha relação com Lula, apesar da amizade e do carinho que ele sempre me reservava, era formal e institucional. Eu o tratava de Senhor e de Presidente sempre, e mais ainda quando estávamos no Palácio ou na presença de terceiros. Sempre optei por colocar minhas opiniões nas instâncias do governo, conselhos de governo e político ou pessoalmente ao presidente. Palocci tinha uma relação mais pessoal, acompanhava Lula em caminhadas matinais e cuidava sempre de o aconselhar em questões pessoais.

Mas o presidente estava no seu limite. Não queria mais disputa em torno da política econômica. "O espaço para discussão é o conselho político. Vamos buscar saídas dentro dessa engenharia monetária e fiscal decidida", acrescentou.

Entendi e fui para o campo de batalha. De fato, Lula já tinha desenhado sua alternativa dentro dos estreitos limites da política de ajuste fiscal decidida.

Resolvi agir a partir da Casa Civil apoiando todos os projetos, planos, programas e obras que estimulassem a oferta e a demanda na economia desde a Sala de Investimentos, o Conselho Nacional de Política Industrial e Desenvolvimento, a Câmara de Comércio Exterior (Camex), a Junta Orçamentária e as Câmaras Setoriais. Priorizando atividades afins como o Bolsa Família, o aumento real do salário mínimo e dos benefícios da Previdência, o crédito consignado, os subsídios para saneamento e habitação. O que fiz, inclusive, a partir de iniciativas da própria Fazenda, como reformas no mercado de crédito, seguros, concorrência, normas contábeis, lei de recuperação judicial das empresas, com atenção especial para viabilizar o crédito consignado, as mudanças no setor da habitação e a construção civil.

Na função de coordenador do governo, passei a apoiar os principais ministérios em investimentos e prestação de serviços, saúde, educação, social, reforma agrária, agricultura familiar, transportes e cidades. As estatais ainda estavam prisioneiras das normas do FMI que, efetivamente, inviabilizavam seus investimentos considerados, contabilmente, dívida (*sic*), portanto vedados. Por certo, uma vereda aberta para a privatização.

Assim, Humberto Costa recebeu de Lula a tarefa de impulsionar o Samu, as Farmácias Populares, o Médico de Família, as futuras UPAS (Unidades de Pronto Atendimento), programas com alto impacto social e econômico, considerados os gastos e investimentos.

No Ministério das Cidades, Lula, Olívio Dutra e Ermínia Maricato faziam de tudo para convencer a Fazenda a subsidiar e liberar crédito para financiamento habitacional, saneamento e mobilidade urbana. Luta inglória. Discutia-se sobre algumas dezenas ou centenas de milhões de reais, quando pagávamos 70 bilhões de juros da dívida interna. Mas eu os apoiava e forçava no limite, na Junta Orçamentária, a obtenção de recursos para a pasta. Investir em moradia e saneamento é emprego, produção, bem-estar social e menores gastos com saúde. Eu percebia a impotência e o desespero do ministro e de sua principal auxiliar, Ermínia Maricato, me sentindo em parte responsável.

O poder da Fazenda era total e Palocci o exercia com maestria, controlando de fato o Orçamento, o Tesouro, a política monetária e fiscal. Na prática, conduzia o rumo do governo ao determinar o ritmo e a direção dos investimentos. Consciente desse papel, eu procurava apoiar as iniciativas que destravassem investimentos para pelo menos tentar minorar os efeitos da política de juros e superávits altos.

Nos Transportes e na Educação, não andamos além do básico em 2003. Anderson Adauto, deputado do PL, ex-presidente da Assembleia de Minas Gerais e aliado de Zé Alencar, encontrou uma terra arrasada nos Transportes, um Departamento Nacional de Infraestrutura de Transportes (DNIT) ainda imaturo, uma herança de contratos e licitações questionadas pelo TCU, MPF e pela Justiça. Situação de emergência e crise nos setores rodoviário, portuário e ferroviário. Nas ferrovias, uma privatização malfeita simplesmente desmontara o setor, que se transformou em simples ativo para transportar minérios e cimento.

Acabei por me desentender com Adauto e Cristovam. O primeiro, na prática, levou os contratos à anulação. Não quis ou não conseguiu concretizar os Termos de Ajuste de Conduta (TACs) com o Tribunal de Contas da União e o Ministério Público Federal. Perderam-se 2003 e talvez 2004.

Cristovam era um caso à parte. Nosso ex-governador do Distrito Federal, professor e intelectual, não dispunha de nenhum pendor para a gestão. Seus projetos, alguns apresentados ao presidente, não tinham base real no orçamento e nas prioridades do Ministério da Educação, prioridades, não de objetivos, mas das necessidades e demandas da Educação. Isso sem citar o fato de que a educação fundamental e média é de responsabilidade dos municípios e dos estados, cabendo à União apenas o ensino de 3º grau.

No governo do Distrito Federal, Cristovam já mostrara essa limitação gestora e administrativa e sua imensa capacidade de lançar ideias inovadoras. Foi um bom governador e Brasília um exemplo em muitos setores como trânsito, educação e combate à pobreza. Porém, na condição de ministro deixava a desejar e nada aconteceu.

Lula se impacientava, mas calava. Não me autorizava a encaminhar as propostas de Cristovam, vetadas pela Fazenda, Planejamento e Junta Orçamentária, por absoluta falta de coerência e concordância com o orçamento e metas do governo e do próprio Ministério. Cristovam se irritava, dando sinais públicos de insatisfação. Propôs transferir as universidades para o Ministério de Ciência e Tecnologia, ideia aceitável, mas politicamente inconveniente para a comunidade científica e para o PSB, que dirigia o ministério. Mais um problema para mim e para Lula.

Cristovam, assim mesmo, iniciou algumas de suas propostas como a Escola Ideal. Na ausência de recursos, o programa, embora meritório, era quase simbólico. Atingia vinte e nove municípios de sete estados e beneficiaria 88.568 alunos de 598 escolas. O investimento seria, naquele ano, de R$ 91,9 milhões. Era nada, num universo de 180 mil escolas, como de certa forma foi a Bolsa Escola no Governo do Distrito Federal, não universal.

Duas prioridades logo se destacavam na Casa Civil: o Bolsa Família e o Desmatamento Zero. No caso do Bolsa Família, Miriam Belchior e Tereza Campello, com a equipe do Desenvolvimento Social, constituíam a metodologia e reuniam os ministérios, Caixa Econômica Federal e o Serviço Federal de Processamento de Dados (Serpro), para reorganizar o cadastro único a partir dos projetos Vale-Gás, Vale-Alimentação e Bolsa

QUEDA DE BRAÇO

Escola, na direção de sua universalização, aumento de valor, contrapartidas na frequência escolar e saúde familiar. Nascia o Bolsa Família, hoje reconhecido em todo o planeta.

Aos poucos, Lula encontrava espaços para diminuir os efeitos da política monetária e fiscal recessivas e construir as condições para o crescimento, uma vez debelada a inflação e garantido o superávit fiscal, inibidor do crescimento da dívida interna. Política que FHC não fez em seu primeiro mandato, com o agravante do câmbio fixo e dos déficits comerciais e nas contas externas, garantidores da inflação, que não foi tão baixa assim.

Duas linhas e tarefas: impulsionar a agricultura empresarial para o país ter alimentos suficientes, evitando surtos sazonais inflacionários, e excedentes para exportação e, simultaneamente, priorizar a agricultura familiar. Foi o que o governo fez. No caso dos pequenos agricultores, o Programa Nacional de Fortalecimento da Agricultura Familiar (Pronaf) — cresceria dez vezes em seus mandatos. Afora o crédito barato, o agricultor familiar conseguiu vender sua produção com o programa de aquisição de alimentos para a merenda escolar. Haveria, ainda, apoio à incorporação de tecnologia para a pequena propriedade e aos assentamentos da Reforma Agrária. O objetivo era uma agricultura familiar forte e sustentável.

A segunda linha foi o comércio exterior como alavancador do crescimento e do equilíbrio das contas externas com superávits comerciais e abertura de novos mercados, política que resultaria na superação dos déficits comerciais e da conta corrente, e no aumento dos investimentos diretos externos. E também na geração das reservas que até hoje garantem o crédito do país, protegendo-o de ataques especulativos.

Trabalhamos em sintonia com o ministro Luiz Fernando Furlan na modernização do Ministério de Desenvolvimento, Indústria e Comércio Exterior, da Camex e do Instituto Nacional de Propriedade Industrial (INPI). Também na reforma tributária e na articulação com o Itamaraty, Fazenda, bancos públicos, particularmente o BNDES, para que o comércio exterior fosse a prioridade e o sucesso que foi.

Lula foi tecendo um caminho do meio para evitar o custo social do ajuste e engendrar uma política anticíclica de novo tipo, criando demanda via Bolsa Família, crédito consignado, salário mínimo e benefícios da assistência social e previdência. Quer dizer, induzindo na prática a retomada do investimento, apesar dos altos juros e do baixo investimento público. Era o início do mercado interno de massas que defendíamos na campanha.

ZÉ DIRCEU

Para completar sua política de estímulo ao crescimento, Lula fez porque fez até que os bancos públicos se adaptassem a essa nova fase: atender o pequeno, o pobre, o excluído, o trabalhador. E batendo pesado na burocracia e corporativismo do BB, CEF, BNB e BNDES, impelindo-os a uma mudança de filosofia, métodos de trabalho e objetivos. Iniciou-se um lento, seguro e gradual processo de expansão do crédito para a base da pirâmide social e de *bancarização* de dezenas de milhões de brasileiros.

Palocci e a equipe econômica propuseram duas grandes reformas: Previdenciária e Tributária. Depois se fez uma reforma do Judiciário, pouco lembrada.

Emblematicamente, Lula iniciaria o governo sob o signo do Fome Zero e do combate à pobreza, do Bolsa Família e da valorização do salário-mínimo, da prioridade para o social. Um contraponto à imagem do ajuste fiscal e monetário, aos contingenciamentos, juros altos, superávit e altos gastos com a dívida interna.

Em um segundo momento, Lula nos convocaria, então, para duas reformas, a da Previdenciária e a Tributária, dois pontos cruciais que mexem com a participação na renda nacional de todas as classes sociais. Abarcavam a Federação, os estados, os municípios. Era nitroglicerina pura!

Investi nas duas pontas: a reforma em si e a articulação política na Câmara, no Senado, com os governadores e os prefeitos. Estamos falando de 1/3 do PIB e do interesse de vinte e sete estados e 5.561 municípios.

O risco de uma reforma tributária é real, pelo impacto na receita, nos custos e competitividade das empresas, na renda do trabalhador, no preço dos produtos e serviços e no equilíbrio e estabilidade da Federação. Sempre tive presente a importância das reformas, mesmo as chamadas microeconômicas. Dediquei-me pessoalmente às negociações da Lei 10.931/2004 e da redução do IPI e do IR sobre transações imobiliárias, permitindo o fim de dez anos de estagnação da construção civil, fator determinante para a geração de novos postos de trabalho e o crescimento econômico.

Por isso mesmo me enfurecia com a paralisia na área da infraestrutura, rodovias e ferrovias. Apoiei com força o esforço da Infraero, sob a direção de Carlos Wilson, para modernizar os aeroportos em uma primeira fase, ainda em 2004-2005.

Da mesma forma, juntamente com Palocci e Furlan, sob orientação de Zé Alencar, trabalhamos duro para erigir uma nova política industrial e tecnológica, reunindo o Ministério do Desenvolvimento, Indústria

QUEDA DE BRAÇO

e Comércio — MDIC, Ministério da Ciência e Tecnologia — MCT, Câmara do Comércio e Ministério da Fazenda, comandando o Conselho Nacional de Política Industrial e aprovando as diretrizes da política industrial e de comércio exterior, com participação integral do BNDES e Banco do Brasil. Na era FHC, o termo "política industrial" era tão maldito quanto foi a expressão "reforma agrária" sob a ditadura militar.

A reforma tributária era vetor essencial para o crescimento e seria mais ampla se contássemos com maioria parlamentar para reverter o sentido regressivo de nosso sistema. Algo que se expressava, sobretudo, no Imposto de Renda, na inexistência do Imposto Sobre Grandes Fortunas. Isso, sem citarmos as alíquotas irrisórias dos tributos sobre doações e heranças, e do Imposto Territorial Rural (ITR). Uma reforma mais aprofundada revogaria benefícios fiscais que permitem redução de despesas financeiras da base de cálculo tributário das empresas por conta de créditos apontados pelos próprios acionistas. Também tributaria os juros sobre capitais próprios, lucros, dividendos, além da isenção do IR de pessoa física e jurídica na declaração de benefícios por sua participação acionária e cobraria o Imposto sobre a Propriedade de Veículos e Automotores (IPVA), de barcos e aviões.

Por fim, a revisão da tabela do IR sobre pessoa física e ampliando do peso da isenção, por exemplo, igual ao teto do INSS, e estabelecendo o aumento progressivo das faixas de contribuição, para fazer valer o princípio de quem ganha mais paga mais.

Sem justiça tributária, dificultam-se a redistribuição da renda e a redução das desigualdades. Ao lado da educação e saúde públicas e gratuitas, é a base da igualdade de oportunidades. Sua ausência representa o agravamento da injustiça social.

Com esse espírito e sob a mesma conjuntura e correlação de forças, fomos à luta. Recebemos respaldo massivo de governadores e prefeitos. Palocci, eu e nossos líderes na Câmara conseguimos o apoio desses governantes que acompanharam Lula na entrega da proposta de reforma tributária ao Congresso. Uma cena e um dia inesquecíveis.

28
DO BRASIL PARA O MUNDO

*Contra a vontade da Globo e da oposição, o
Bolsa Família é um sucesso e vira notícia mundial*

Foram dois anos de batalha. Começamos com uma pequena, mas simbólica crise sobre a Zona Franca de Manaus. Na verdade, uma falsa crise — estava assegurada a prorrogação por dez anos dos benefícios fiscais e do regime especial para a região — mas, escaldados pela persistente oposição do PSDB, com Serra à frente, e de São Paulo, o governador Eduardo Braga, suas bancadas e o povo do Amazonas não descansaram enquanto Lula, Palocci e eu não demos nossa palavra que a Zona Franca seria mantida.

Após longas noites de votações, negociações, mediações e acordos, aprovamos a primeira fase da reforma tributária com os seguintes avanços: 29% da Cide, a Contribuição de Intervenção no Domínio Econômico, para os estados; ITR, o Imposto Territorial Rural, para os municípios; desoneração dos investimentos e exportações com alíquota zero para bens de capital no IPI, o Imposto sobre Produtos Industrializados; devolução da Cofins, a Contribuição para o Financiamento da Seguridade Social, para bens de capital em dois anos — eram dez; eliminação ou redução da alíquota incidente sobre a cesta básica, material de construção, livros e produtos de informática. Infelizmente, na prática sem efeitos na redução dos preços para o consumidor e o cidadão.

Como estava proposto, aprovamos o Estatuto de Micro e Pequena Empresa, que seria sancionado por Lula em 2006 e reduziria a carga tributária. Depois, instituiríamos o Super Simples, estendendo essa redução para outros setores e unificando o sistema no país.

Empacamos na reforma do ICMS, o Imposto sobre Circulação de Mercadorias e Serviços, tão necessária embora até hoje não aprovada.

DO BRASIL PARA O MUNDO

Difícil por envolver a guerra fiscal entre unidades da federação, a arrecadação básica dos estados, os municípios que recebem 25% do arrecadado, o interesse dos governadores que se acomodaram com altas alíquotas e a cobrança altamente concentrada somente nas áreas de transportes, telefonia e energia.

A legislação é velha, confusa, com um número excessivo de alíquotas, leis e normas. De alto custo e injusta contra o consumidor de baixa e média renda — regressivo, portanto —, agravando o caráter injusto de nosso sistema tributário.

Nossa proposta simplificava e reduzia o número de alíquotas, de leis e normas. Unificava o PIS, o Programa de Integração Social, a Cofins e o IPI com a criação do IVA, o Imposto sobre Valor Agregado, e sua divisão automática entre estados e municípios. Poderia incluir até o ISS, o Imposto sobre Serviços de Qualquer Natureza. Punha fim à guerra fiscal.

Eram três medidas básicas: simplificar, informatizar via nota fiscal eletrônica e unificar tributos com a mesma base tributária. E, após simplificar o ICMS, criar o IVA. Evoluir para a cobrança do imposto no destino.

As divergências e os interesses dos governadores — viciados nas isenções e benefícios fiscais para atrair empresas — não permitiram a aprovação imediata da parte principal da reforma relativa ao ICMS. Hoje, o país sabe que uma das causas da crise fiscal dos estados é a política irresponsável e sem limites de isenções fiscais concedidas às empresas. Basta ver hoje — 2017 — o Rio de Janeiro e Goiás, apenas para mencionar dois casos. No Rio, a situação é ainda pior devido à crise da indústria de petróleo — óleo e gás —, da construção naval e pela recessão econômica de 2015-16, mas não há dúvidas de que as isenções, para além de aumentos salariais e o gasto com inativos, são uma das causas do desequilíbrio ou mesmo a principal.

A crise política de 2005 travou de vez a reforma. E, no segundo mandato, a crise de 2008-09 em nível internacional terminou por inviabilizá-la.

Na virada de 2017 para 2018, o Brasil enfrenta o mesmo desafio. Sem uma reforma tributária não há saída, a não ser o triste espetáculo a que assistimos: o desmonte do Estado de bem-estar social como solução para a crise fiscal e da dívida interna, produto dos juros elevados e do peso do serviço da dívida interna. Que bateu nos R$ 397 bilhões em 2015. Antes, alcançara R$ 251 bilhões em 2014; R$ 186 bilhões em 2013; R$ 147 bilhões em 2012; R$ 181 bilhões em 2011; e R$ 125 bilhões em 2010.

Como vemos, o déficit da Previdência, exacerbado por dois anos de recessão, não é a causa da explosão da dívida interna e sim os juros — lembrando que Lula assumiu em 2003 com uma taxa Selic de 24,5%!

Apesar desse fato incontestе, decidimos propor a reforma da Previdência, partindo da base já construída: a garantia e a defesa do valor dos benefícios agora vinculados ao salário mínimo com crescimentos reais ano a ano. Dessa maneira, protegeríamos a imensa maioria dos aposentados do INSS e das áreas rurais, estendendo à assistência social, idosos e pessoas com necessidades especiais os mesmos benefícios e garantias.

Nosso foco era a aposentadoria dos servidores públicos. Sua média era absurdamente superior à da iniciativa privada. Existia um abismo entre uma aposentadoria do INSS, em média de 1,5 salário mínimo, e a média das aposentadorias do Executivo, que atingia 10,2 mínimos. Pior ainda acontecia no Legislativo, com média de 37,7 mínimos, e no Judiciário, com 30,8. O descompasso também se manifestava entre os militares, que auferiam aposentadorias em média de 13,6 mínimos. Uma injustiça flagrante. Mais chocante se considerarmos que, para embolsar tais valores, a contribuição previdenciária ou fora irrisória ou simplesmente não existira durante décadas. Em 2009, por exemplo, as despesas com o pagamento de benefícios aos aposentados do serviço público representaram 2,0 % do PIB e a receita apenas 0,3%! No INSS, os percentuais estavam bem mais próximos: 7,2% em despesa contra 5,9% da receita. Salta à vista a iniquidade, afora o fato de que, no INSS, são 22 milhões de beneficiados enquanto no serviço público não alcançam 2 milhões.

A Constituição de 1988 cometeu um crime ao efetivar todos os servidores públicos federais e permitir a aposentadoria com salário integral, sem contribuição — tanto do governo quanto do servidor. E sem a exigência de um tempo razoável — quinze anos — no serviço público para alcançar o direito de aposentadoria.

Em 1999, pressionado pela crise cambial e de "confiança" e receoso de uma maxidesvalorização, FHC apresentou ao mercado dois fatos políticos, duas garantias: superávit fiscal — no seu primeiro mandato só fizera déficit — e a reforma da Previdência para diminuir o déficit público.

Adotou a tática de não enfrentar o funcionalismo público propondo medidas de longo alcance — idade mínima de sessenta anos para homens e de cinquenta e cinco para mulheres e pedágio de 20% de acréscimo no tempo de contribuição para as aposentadorias por tempo de contribuição.

DO BRASIL PARA O MUNDO

Entre 1995 e 1996, o então presidente enviou propostas ao Congresso nessa linha, buscando a desconstitucionalização da regra de cálculo da aposentadoria privada do INSS.

Em 1999, avançou e propôs o fator previdenciário. Na realidade, forçou o trabalhador a adiar sua aposentadoria trabalhando mais anos para não perder o valor de seu benefício: o fator incide sobre a média de 80% dos maiores salários e é tanto menor quanto maior for a idade de aposentadoria e o número de anos de contribuição!

Limites superiores de idade em uma sociedade desigual como a nossa, com brutais diferenças de renda, regime de trabalho, idade de entrada no mercado de trabalho, diferença de salário, de condições de trabalho, de regiões e culturas, sempre são de alto risco. No serviço público, com carreiras, plano de cargos e salários, estabilidade, concurso público, é aceitável.

Mas o fator previdenciário era uma injustiça, principalmente levando--se em consideração que nossa estrutura tributária é injusta e regressiva, e a sociedade, heterogênea.

Reduzir o déficit público e a dívida pública como objetivo central da política econômica de per si pode ser um suicídio político e social. Pode levar à perda do sentido social e humano da criação de riqueza, do desenvolvimento e, o mais grave, pode servir apenas aos interesses da propriedade e do capital.

É possível uma previdência sem déficit em um país como o Brasil, com as injustiças, com os privilégios — como os dos servidores públicos — com a necessidade de fazer justiça ao trabalhador rural e ao idoso, ao necessitado por razões especiais, aos pobres?

Claro que não! Um INSS, puro, só com carteira assinada, equilibrada, é possível. Mas um sistema de seguridade social como organizamos na Constituinte, não. Excetuado o fato de que o funcionário público não contribui, o aposentado rural e o aposentado por idade não o fizeram por absoluta impossibilidade. Por isso, a aposentadoria por idade, desde o período do Funrural, o Fundo de Assistência ao Trabalhador Rural, criado na década de 1970.

Esta é a questão principal: antes de diminuir o déficit da Previdência, reduzir o déficit no próprio Orçamento Geral da União. Eliminar privilégios, reduzir os gastos com os juros da dívida interna e fazer uma reforma tributária.

Mesmo assim, a Constituinte foi previdente. Construiu uma saída para uma longa transição até um país desenvolvido e de renda média. Instituiu o sistema de seguridade social reunindo Previdência, Assistência Social e Saúde Pública, com recursos próprios para além da contribuição previdenciária, PIS-Cofins, CSLL, a Contribuição Sobre o Lucro Líquido, e a Contribuição Provisória sobre Movimentação Financeira. Esta última, a CPMF, revogada pelo PSDB exclusivamente com o propósito de prejudicar o governo Lula.

Assim temos o Orçamento da Seguridade Social que teve subtraídos volumosos recursos com a DRU, a Desvinculação de Receitas da União, um contingenciamento disfarçado, com renúncias fiscais e absurdas isenções dos chamados filantrópicos. Sem mencionar a dívida ativa da Previdência e a sonegação fiscal.

Nosso país não pode ter déficits ou fazer política anticíclica por causa dos juros altos, únicos no mundo, que tornam a administração da dívida interna impossível. Somos obrigados a pagar juros exorbitantes e a produzir superávits para evitar a explosão da dívida e seu calote. Coagidos pelos agentes financeiros e pelo rentismo, vício que contaminou nossas elites e todo o nosso sistema financeiro e produtivo.

Pedir para a Previdência Social no Brasil não ter déficit é como propor que a saúde pública e a educação sejam privadas.

Faço essa observação para me posicionar perante a reforma da Previdência do governo Lula, que encontrou forte resistência no partido, nas bancadas, na esquerda, nos sindicatos, nas universidades e no serviço público.

Pagar aposentadoria integral pública em um país como o Brasil e tolerar aposentadoria sem um tempo mínimo no serviço público foi regalia insustentável se comparada com o tratamento dado aos trabalhadores em geral. Mas o outro lado é mais grave: pretender retirar direitos do trabalhador rural, dos idosos, dos necessitados, dos trabalhadores com carteira de trabalho é um crime.

Dessa maneira, nosso sistema de previdência privada foi articulado com a assistência social para, contando com os impostos — além das contribuições —, buscar o equilíbrio fiscal, só não alcançado pelas razões expostas. E repita-se: a causa principal do déficit não é o INSS e sim o "regime especial" dos servidores públicos e o rural, esse totalmente justificado.

Nossa proposta de reforma era dirigida ao serviço público: antecipação da vigência do limite de idade de sessenta e cinquenta e cinco,

DO BRASIL PARA O MUNDO

válida imediatamente para todos os servidores e não só para os novos entrantes; taxação de 11% como contribuição para todos os funcionários públicos e acima do teto do INSS; aumento de 30% no valor do teto de contribuição do INSS, então de R$ 2.400,00; exigência de quinze anos de contribuição para aposentadoria integral do funcionalismo público. Era a proposta, sem nenhuma consequência para o trabalhador da iniciativa privada e para os rurais.

Mesmo essa reforma reduziria o déficit da previdência pública em apenas 0,5%. Vale citar que os benefícios aos servidores públicos custavam 2% e sua contribuição era de 0,3%. Um déficit, portanto, de 1,7% do PIB, segundo os dados de 2009.

Logo de cara, o ponto mais combatido foi a contribuição dos inativos — acima do teto do INSS. Outro foi o teto do INSS para os novos servidores públicos que, de acordo com os críticos, desestimularia a carreira e, pasmem, a pesquisa científica. Uma bobagem, já que a maioria de nossos estudantes e cientistas é bolsista do CNPq, o Conselho Nacional de Desenvolvimento Científico e Tecnológico...

Outra guerra aberta envolveu o teto e subteto para o Judiciário. Apesar da adesão dos governadores, que exigiam um subteto para a Justiça estadual, o Supremo Tribunal Federal, por puro corporativismo, eliminou-o em 2007, declarando-o inconstitucional.

Enquanto isso, a CUT e o PT pressionavam por regras de transição nas pensões, no subteto de inativos e nos fundos de pensão.

O quadro era complexo. Por um lado, a minoria da bancada e do PT pressionava o governo. Contrária à reforma, apoiava-se nos sindicatos de servidores públicos, no corporativismo do Judiciário, o poder mais bem pago e com mais privilégios, com ares de casta.

Por outro lado, a direita, apesar de exigir a reforma que Temer quis hoje, apoiava-nos. No PCdoB, PDT, PSB e PT, a dissidência era grande. No fundo, a direita se aproveitava para, ao apoiar Lula, aparecer como fiadora do governo, inclusive o PTB e o PP.

O governo ganhara a maioria do PT, da Câmara e Senado, apoio dos governadores e prefeitos e da maioria da sociedade. Propus e foi aceito estender os 11% de contribuição aos estados, o que, juntamente com os ganhos da reforma tributária, garantia o apoio dos governadores.

Assessores, técnicos e ideólogos ligados ao tucanato, nos estados, em fundações, universidades e na imprensa, pregavam o fim da vinculação dos benefícios com o salário mínimo, sugeriam idade mínima de sessenta e cinco anos e 25 anos de contribuição mínima, aumento em cinco anos, para aposentadoria rural e redução dos valores das pensões.

Lula fez a reforma na medida exata. Como pode um servidor público se aposentar e deixar de pagar a contribuição recebendo salário integral? A equiparação do funcionário público ao INSS representou um avanço e o fim de um privilégio. E sem injustiça porque fora criado o Fundo Complementar de Previdência para o Servidor Público, do qual, infelizmente, a magistratura ficou fora. De novo, a casta, a corporação legislando em causa própria.

Gushiken na Secom, Berzoini na Previdência, deputado do PT pelo Ceará, José Pimentel, na relatoria da reforma jogaram um papel importante no esclarecimento da sociedade e do próprio PT. Nosso verdadeiro objetivo a longo prazo era a unificação total da previdência e seu financiamento por um imposto social nacional com base na experiência da seguridade social financiada pelo PIS-Cofins, CSLL e CPMF.

Durante esses embates — com forte oposição interna e com seu uso para a luta interna e na sociedade contra nós, a maioria que conduzira e elegera Lula —, fiquei convencido da necessidade de elaborarmos uma narrativa para nosso governo e levá-la ao PT, a sua militância, ao primeiro e segundo escalões do governo, à sociedade. Impunha-se um projeto de desenvolvimento nacional e capaz de retomar o crescimento, mas com distribuição de renda.

Para isso, o salário mínimo era fundamental, a demanda, e os investimentos, a inovação e a tecnologia. Sem grande fôlego para investir desde os orçamentos, o caminho era o crédito, os bancos públicos, os fundos de pensão e as estatais. Crédito para baixo, consignado e bancarização; para cima no BNDES, BB, CEF e BNB, financiando a infraestrutura, a construção civil, a indústria e a exportação, agora não só de alimentos, matérias-primas e manufaturados, mas também capitais, serviços e tecnologia.

Daí a importância da reforma tributária, das microrreformas, do papel dos bancos públicos, da política externa e comercial. Precisávamos articular essa ação e, com base nela, nosso discurso e nosso ponto de unidade.

Lula, Celso Amorim e Furlan davam conta da política externa e de comércio. Minha tarefa era de apoio e subsídio a partir de minhas relações políticas históricas na América Latina, e mesmo as recém-construídas nos Estados Unidos.

DO BRASIL PARA O MUNDO

Dentro do PT, do governo, da esquerda, com os aliados e na disputa na sociedade, assumi o papel de traduzir esse projeto e defendê-lo — e que faço até hoje — contestando duas versões: 1) éramos uma continuidade de FHC mais o social; 2) ou a visão interna, segundo a qual nossa política e objetivos estavam hegemonizados pela burguesia, sua ideologia e interesses. Era a percepção da esquerda do partido e, depois, a do PSOL e do PSTU. Vamos aos fatos:

A valorização do salário mínimo, combinada com sua vinculação aos benefícios da Previdência e sociais, os BPC (Benefícios da Prestação Continuada), com o Bolsa Família e o crédito consignado, a reforma agrária e a agricultura familiar, a educação, o Prouni, o Programa Universidade para Todos, a expansão nas vagas das universidades públicas e dos institutos técnicos, não eram medidas apenas de cunho social, mas de estímulo ao crescimento e ao emprego, à distribuição de renda.

Nossa meta era dobrar o salário mínimo em quatro anos. O mínimo subira 25% no período FHC, porém seu poder de compra era um terço daquele da Era Vargas. Aquela época da história brasileira que o príncipe dos sociólogos ansiava por enterrar...

A batalha do salário mínimo começou dentro do governo já em 2003--2004 com nossa administração defendendo o valor de R$ 300,00. Palocci e equipe discordavam. No final das contas, chegou-se aos R$ 260,00, produto de acordo entre Lula e Palocci.

Os argumentos contrários — que hoje voltam, envergonhados mas voltam — eram os reflexos do novo patamar sobre a folha de pagamento das prefeituras e os benefícios-despesas da Previdência.

A justificativa corrente reside no teto fixado pela Lei de Responsabilidade Fiscal para gastos com pessoal. O pressuposto é refutado pelo Ipea, o Instituto de Pesquisa Econômica Aplicada, com dados concretos: o salário de R$ 300,00 caracterizava um impacto de 1,86% sobre uma folha de R$ 47,4 bilhões. Cifra à qual se podem somar R$ 800 milhões se formos incluir os estados. Isto é, 2%. Na Previdência, algo como 8% ou 8,75%. Como os gastos com a Previdência correspondem a 6,5% do Produto Interno Bruto, a revisão do salário mínimo aumentaria essa despesa em 0,5% do PIB.

Como o próprio Ipea demonstrava, ao defender o salário mínimo de R$ 280,00, a majoração do mínimo seria traduzida em aumento de renda e do consumo — portanto, da arrecadação — e menores gastos com saúde e segurança. Sendo contínuo e sustentável, reduz os gastos com assistência e seguro desemprego, como a prática comprovou nos oito anos da era Lula.

Como sempre, *O Globo* e seus jornalistas, Miriam Leitão e Carlos Alberto Sardenberg à frente, se opuseram. Afirmavam que o país corria o risco de perder credibilidade e o controle das contas públicas! A realidade provou o contrário: o novo salário mínimo ampliou o consumo e a arrecadação, promoveu o crescimento econômico e aumentou a participação do trabalho na renda nacional, base e causa da consolidação de um mercado interno sustentável.

Os economistas Paul Singer e Dércio Garcia Munhoz argumentaram que o salário mínimo originava uma nova situação, constituindo-se em elemento para impulsionar o crescimento. José Serra e Fabio Giambiagi — hoje "capitão" da reforma de Temer na Previdência! — remavam na contramão. Para ambos, o reajuste do salário ameaçava as contas públicas com custo de 12,1% do PIB. Quer dizer, R$ 250 bilhões para um PIB de R$ 2,2 trilhões então.

Seguindo o discurso tucano, ao qual se incorporou o governador paulista, Geraldo Alckmin, que seria candidato em 2006, a equipe econômica voltou a defender a tese do BC autônomo e dos efeitos "nefastos" do salário mínimo.

Foi uma batalha que vencemos no governo e na sociedade. Deixaria de ser uma blasfêmia defender o aumento regular e sustentável do salário mínimo que, de 2003 a 2010, cresceria 75% com um impacto socioeconômico positivo em todos os sentidos. O que não impedia a oposição, desfrutando do apoio entusiasta das Organizações Globo, de se opor não só à revisão periódica do mínimo nos nossos termos, como ao Bolsa Família, alinhada com a política do BC e dos rentistas.

Passados os primeiros 100 dias, consolidado o ministério e o núcleo do governo, a maioria nas duas casas legislativas, e diante da ofensiva de Lula com o Bolsa Família e o Fome Zero, a oposição não conseguia ocultar sua surpresa e desapontamento com a estabilidade do governo, a sua unidade e principalmente a crescente liderança de Lula e sua aprovação popular. Seu primeiro alvo foi o Bolsa Família.

Aproveitou-se de uma fala do ministro José Graziano sobre o perigo do aumento da violência nas cidades, a necessidade de blindar carros e os riscos da migração do Nordeste para o Sul. Não precisou de mais nada

DO BRASIL PARA O MUNDO

para o *Jornal Nacional*, o fatídico, desfechar uma guerra contra o Bolsa Família. E não se constrangeu ao esconder o apoio público do papa João Paulo II ao Fome Zero mundial, proposto por Lula!

O *JN* e a Globo chegaram a negar a própria existência do Fome Zero.

Lula me convocou e determinou toda a ajuda ao programa e a sua maior expressão, o Bolsa Família. Com a liderança de Miriam Belchior e Tereza Campello, a Casa Civil convocou todos as pastas envolvidas e a CEF-Serpro para organizarem o cadastro único e universalizar o BF a partir de uma base de 1,8 milhão de famílias de beneficiados do governo FHC — cadastro feito às pressas e mal-executado, com 20% dos cadastrados sem endereço... Nosso objetivo eram esses 40 milhões de beneficiados em condições de receber o BF e cumprir suas contrapartidas.

Era preciso reunir e corrigir os cadastros do Bolsa Escola, Alimentação e Vale-Gás! Implantar seu conselho gestor, integrar a CEF e o Serpro. Também reorganizar o cadastro, atualizá-lo, excluir quem não atendesse aos critérios, incluir os milhões ainda não atendidos e, principalmente, tornar realidade o recebimento pontual pelas famílias e a presença na escola das crianças na idade mínima escolar.

Reagindo contrariamente às propostas de criação do Conselho Nacional de Justiça (CNJ), do Conselho Federal de Jornalismo e da Ancinav, a Agência Nacional do Cinema e do Audiovisual, tema ao qual voltaremos, a TV Globo não descansava. Aproveitando-se de falhas e desencontros no governo, intensificava seus ataques, com matérias grandes e violentas. Contestou até a existência da fome no Brasil — na extensão revelada pelo governo — ou apontando problemas na nutrição da população e na utilização dos alimentos, como se a fome não fosse uma realidade!

Foi mais uma vitória nossa. O Bolsa Família se impôs no Brasil e no mundo. As metas de Lula, 3,6 milhões de cadastrados em 2003 e 11,2 milhões em 2006, foram atingidas.

Com um custo então de R$ 5 bilhões — R$ 6,7 bilhões em 2004 —, o impacto do Bolsa Família foi fantástico não apenas no combate à fome e no incentivo à presença da criança na escola. Refletiu-se na própria economia municipal e regional porque veio acompanhado do aumento do salário mínimo e dos benefícios previdenciários e sociais, com o crescimento do emprego, da agricultura familiar, das economias locais. O Bolsa Família foi responsável por 1/4 da redução da desigualdade social entre 2001 e 2004, segundo o Ipea, e promoveu avanço de 12% na educação.

Para acelerar o ritmo de queda da desigualdade, Lula planejava aumentar o valor do Bolsa Família, o que concretizou em seu segundo mandato, e Dilma consolidou em seu primeiro.

Se o Bolsa Família foi um sucesso e uma vitória nossa, no saneamento básico e na habitação, a despeito das medidas legais e tributárias aprovadas, continuavam as restrições do FMI e da Fazenda! Havia outros problemas na área de água e saneamento. Os municípios detêm as concessões, os estados possuem companhias estatais — Sabesp, Sanepar, Cedae, Copasa, entre outras — com os direitos concedidos pela maioria das prefeituras para explorar o abastecimento de água e o tratamento de esgotos.

A linha herdada do período Fernando Henrique, via FMI-Bird, era a privatização. Havia proibição na prática de subsídios, exigência de tarifas e contratos reversíveis em papéis, garantias, como debêntures e recebíveis, adimplência dos municípios e estados, sem atrasos, com a União. Tudo isso mais a burocracia do CMN, a chamada "fila burra", nos pedidos de financiamento através do FGTS e do BNDES, onde era longa a espera para a aprovação de pequenas, médias e grandes operações, algo bem kafkiano.

Prevalecia desconfiança e mal-estar entre a Casa Civil, o Ministério das Cidades, governadores, prefeitos, a Fazenda e o CMN. Seria o fantasma da privatização a causa de toda essa parafernália burocrática?

Sem recursos, como avançar nas metas? Em 2003-06, as verbas cresceram 80% na comparação com 1998-2001. FHC havia alocado apenas R$ 200 milhões. Em 2003, Lula resolveu retomar os recursos para contratação tanto do orçamento quanto do FGTS. Impunha-se um esforço conjunto entre a Casa Civil, Ministério das Cidades, CEF e Conselho Curador do FGTS para romper a inércia.

Para além de superar e afastar as exigências da Fazenda e da Secretaria Nacional do Tesouro, os investimentos em saneamento exigem desapropriações, projetos, tecnologia, licenças ambientais, envolvem estados, empresas públicas e a União. Assim, de 2003, até novembro de 2005, foram contratados R$ 3,57 bilhões e desembolsados apenas R$ 829,8 milhões de recursos do FGTS!

Como é fácil observar, a despeito do investimento recorde, a "fila burra" paralisou a ação governamental. Impossibilitou o país de cumprir a meta do milênio acordada com o PNUD, o Programa das Nações Unidas para o Desenvolvimento, e a ONU, o que exigiria R$ 6 bilhões de investimentos ao ano. Simplesmente, R$ 4 bilhões permaneciam na

DO BRASIL PARA O MUNDO

"fila burra". Recursos existiam. Somados aqueles do BNDES e os do Orçamento Geral da União, eram R$ 7,23 bilhões, mas o desembolso resumiu-se a R$ 2,71 bilhões.

Dado o impacto na saúde pública, a demanda real — 8% das casas não dispõem de água encanada e 52% de esgoto —, o estímulo ao emprego, a alavancagem da economia, as inovações tecnológicas e a redução de custos, com o surgimento de novas e modernas empresas no setor, o saldo, embora os avanços, apresentava-se desanimador. Os estrangulamentos burocráticos, a "fila burra", as restrições do CMN, só seriam superados e resolvidos no segundo governo Lula.

Na Casa Civil, na relação com o Ministério das Cidades, na Junta Orçamentária e no Conselho Político, travávamos uma batalha dura e, não raro, no limite para desbloquear e liberar recursos para o saneamento. Tínhamos que achar saídas para exigências inacreditáveis como as que excluíam as favelas — ou 30% da demanda — dos projetos financiáveis. Progredimos em 2003-04, mas em 2005 o recuo foi grande.

Deixei o governo com o gosto amargo dessa realidade.

29

É GUERRA!

*Os tucanos iniciam uma caminhada
para desestabilizar o Governo Lula*

Minha angústia crescia em 2004. Os rigores do ajuste, do contingenciamento, explodiam em crises aqui e ali. Eram oportunidades perdidas, e o escasso tempo político conspirava contra nós. Após dezoito meses, era imprescindível destravar a economia, o crédito, e reduzir os juros. Preocupava-se com a política, essa senhora do destino. Expressei isso numa cerimônia, abandonando o discurso por escrito. O que fiz com boa intenção e um pouco para mobilizar meus apoios e meu público. Impunha-se externar a vontade política de implementar nosso projeto, governo é projeto de nação e Lula, mais do que ninguém, sabia disso.

E a crise política chegou. A oposição iniciou sua caminhada em busca da desestabilização do governo e, se calhasse, de sua derrubada, via *impeachment*. O pretexto dos tucanos para radicalizar foi a CPI do Banestado, presidida pelo senador Antero Paes de Barros (PSDB), ex--petista, declarado publicamente meu "inimigo".

Investigações da Polícia Federal e do Ministério Público Federal descobriram um dos maiores escândalos do país: remessas ilegais de dinheiro sujo, via contas CC5, autorizadas durante a gestão de FHC por Gustavo Franco, então presidente do Banco Central, originariamente para não residentes — técnicos, executivos, estudantes etc. — enviarem recursos ao exterior. Envolviam 50 mil pessoas, praticamente toda a elite do país. Os números eram tão altos que falavam por si mesmos.

Até 1995, as remessas atingem 5 bilhões de dólares; em 1996, avançam para 13 bilhões; em 1997 para 24 bilhões, e, no ano seguinte, 1998, sobem a 24,8 bilhões. O Ministério Público Federal citava uma "conta Tucano", que teria recebido recursos ilegais, utilizando as CC5. Os recursos dessa

É GUERRA!

conta eram atribuídos ao PSDB. Uma infinidade de políticos, artistas, esportistas, jornalistas, empresários, banqueiros, personalidades, empresas de comunicação usavam as contas.

O ridículo era que o governo não pressionou e nem exigiu a CPI. O Banco Central e a Fazenda temiam uma crise bancária ou o aumento do Risco Brasil. A mídia também partiu para o ataque e até o presidente da Federação Nacional dos Policiais Federais criticou o governo.

Os tucanos faziam o seu jogo. Para se blindarem e desviarem a atenção da opinião pública, acusavam o governo — no caso, a Casa Civil — de chantagear a oposição a partir da posse de um disquete com a lista de todos os usuários da via ilegal de remessa de capitais, via CC5, para o estrangeiro.

Nas remessas para o exterior, eram utilizados laranjas, comerciantes, casas de câmbio, doleiros, carros fortes e contas de bancos correspondentes do Paraguai (dependendo da operação). Grande parte das vezes era identificado somente o banco depositante no Brasil, correspondente do Paraguai, sem o nome do real interessado. As contas no exterior eram identificadas com nomes fictícios, fantasia, muitas *off shores* inoperantes e coisas do gênero. Para se chegar aos verdadeiros interessados, seria necessário ter acesso às segundas, terceiras e até quartas camadas de movimentação bancária.

A CPI do Banestado mudou de nome, passou a se chamar CPI da Evasão de Divisas. Tornou-se mais ampla. Juntou bases sigilosas do exterior de agências do Banestado, Beacon Hill, MTB Bank, Safra, Lespan e Merchants Bank, perfazendo, aproximadamente, 1,6 milhões de operações de cerca de 500 mil pessoas físicas e jurídicas.

Das 412 mil remessas de dinheiro pela CC5 através do Banestado, 94,6% não traziam a identificação dos bancos nem da conta beneficiada, o que comprovava a responsabilidade do Banco Central. Em Foz do Iguaçu foram concedidas cinco autorizações especiais pelo BC para cinco bancos fazerem remessas sem identificação, ou seja, tiveram reduzidas as exigências da Resolução 2277/96 para remessas superiores a R$ 10.000,00, o que facilitou a evasão de divisas. Esses bancos foram o Banestado, o Araucária — bancos liquidados —, Bemge, Real — vendidos ao Itaú — e Banco do Brasil. Os valores poderiam chegar a 54 bilhões de dólares.

Enquanto isso, o senador tucano Tasso Jereissati assumiu publicamente a campanha contra o governo, acusando-me de chantagem política e pessoal. Os bancos receavam a CPI e suas consequências, dada a gravidade dos crimes praticados.

Os favorecidos eram os bancos e a elite do dinheiro do Brasil, famílias com grande poder econômico e político. O senador Antero Paes de Barros pediu ao Congresso — e conseguiu — que os documentos da CPI tratando de quebra de sigilo fossem lacrados.

De nada adiantou. Tucanos e pefelistas, Tasso e o senador Jorge Bornhausen gritavam "Pega ladrão!", acusando o governo de "montar um banco de dados para uso político em 2006". A imprensa logo entendeu o perigo político do envolvimento dos muito ricos do país, dos bancos e do tucanato na farra das CC5. Então, acusou-me — começando pelo *Estadão* — de manipular o relator da CPI, deputado José Mentor, meu companheiro de Movimento Estudantil e amigo. Safo, o deputado pefelista Agripino Maia, propagou que foram quebrados sigilos de expoentes da mídia nacional.

O relator José Mentor pediu o indiciamento de noventa e uma pessoas, entre políticos, pessoas comuns, autoridades e banqueiros, Foram quebrados mais de 2 mil sigilos. Não houve formação ilegal de banco de dados, muito menos devassa ilegal no sigilo de pessoas físicas se jurídicas. A demonstração inequívoca desse fato foi que, em entrevista coletiva pública, com dezenas de jornalistas, o relator José Mentor pediu que fosse indicado pelo menos um nome entre todos os que poderiam ter tido os sigilos quebrados, indevidamente ou não, que ele explicaria os motivos da quebra. Deu um tempo e repetiu a pergunta. Não apareceu um só jornalista que levantasse qualquer nome para saber os motivos da investigação do possível nome. Mentor tinha procedido assim em reunião reservada da CPI, com senadores e deputados, e também lá nenhum parlamentar apresentara um nome para ouvir as suspeitas existentes a respeito. Existiam expoentes da sociedade de vários ramos de atividades, todos fundamentados na investigação.

Como acontecerá depois — e aconteceu antes —, a CPI contra a elite tucano-pefelista não termina ou termina em pizza, basta ver como acabaram as CPIs do Orçamento e tantas outras, sem falar nas operações policiais — anuladas — como a Castelo de Areia e a Satiagraha.

Quando a CPI do Banestado chama Fernando Henrique Cardoso, José Serra e Ricardo Sérgio de Oliveira — ex-tesoureiro das campanhas de ambos e de intensa atuação na privataria —, a tucanagem recua. Muda de tática, prepara um relatório paralelo e articula não aprovar nenhum relatório.

O Presidente da CPI marcou votação do relatório para o dia 27/12/2004, entre Natal e 1º do ano, exatamente para não ter número para apreciar

É GUERRA!

qualquer relatório, último dia que ele considerou de validade da CPI. Na verdade seu prazo final, oficial, foi 27/02/2005 (sessenta dias depois).

Com a cumplicidade da PF, MPF, BC, do Conselho de Controle de Atividades Financeiras do Ministério da Fazenda (Coaf), Receita Federal e tudo o mais, a CPI não deu em nada. Houve ainda uma disputa política interna que durou vinte meses, até se encerrar, no dia 27 de fevereiro de 2005. Mas ela encaminhou todos os sigilos obtidos, durante as investigações, para MPF, PF, RF e outros órgãos. Esses órgãos tiveram até hoje — catorze anos depois — todo esse tempo para completar as investigações.

Não completaram. E as CC5 ficaram para as calendas da Justiça do Paraná, para o juiz Sérgio Moro e sua jurisdição, para não alcançar a elite do país. Só bagrinhos seriam processados e condenados...

Mas a memória da CPI existe, inclusive a relação de todos os implicados entre 1996 e 2002, as operações da mesa de câmbio do BC e de todos os saques superiores a R$ 50 mil nas agências bancárias de Foz de Iguaçu. A própria *Folha de S.Paulo* chegou a anunciar que vinte e nove banqueiros enviaram R$ 1,7 bilhão ao exterior naquele período por intermédio das CC5. O mesmo jornal destacava a operação de 840 milhões de dólares, autorizada por Gustavo Franco, para a compra do Banco Excel pelo banco espanhol Bilbao Viscaya. Era e foi um megaescândalo. Como destacou o jornal *O Globo*, envolvera altos funcionários públicos da era FHC, lembrando até da ligação das CC5 com os quarenta doleiros presos na Operação Farol da Colina. Outra empreitada da PF que só levou à prisão os peixes pequenos e nunca os peixes grandes, que o procurador-geral de FHC anunciava que iria "pegar", segundo o mesmo jornal.

Com ameaças de cassação do mandato de José Mentor e acusações de que eu estava por trás de tudo, a aliança tucana-PGR-elite-política econômica abafou a CPI. E nada aconteceu — quem diria — sob a jurisdição do juiz Sérgio Moro e seus procuradores.

A partir desse pretexto, o tucanato escalou-me como alvo, objetivo, caça, visando ao meu afastamento do governo, se possível através da cassação, já que fora eleito deputado federal por São Paulo com 513 mil votos.

Em outubro de 2003, concluí que era impraticável continuar acumulando a Casa Civil e a Articulação Política, o maior erro que cometi nos trinta meses de governo.

Foi um erro, mas, de fato, o acúmulo das duas funções, como alertara Gushiken, impedia-me de me concentrar no que eu considerava o principal, a coordenação do governo a partir da Casa Civil. Subestimei a importância da articulação política, principalmente a relação com os partidos, líderes, e com os deputados e senadores, e as consequências seriam gravíssimas como veremos. No fundo, o que me movia era a angústia de ver a consolidação de uma política conservadora na Fazenda e o rumo geral do governo e da relação com o PT.

O caso Banestado devia ter me ensinado que **eu** era o alvo da oposição, mesmo sem ter tido acesso aos dados da quebra do sigilo e não tendo participação direta na CPI. Ainda mais porque não tínhamos maioria, nem na CPI, nem na Câmara. Era uma ilusão acharmos que o estamento político e a elite econômica permitiriam uma devassa desse porte. Mais cedo do que avaliávamos, a própria mídia os apoiaria e nos apresentaria como movidos pela ambição ditatorial e ávidos de poder para anular toda e qualquer oposição.

Decidi deixar a articulação política para me dedicar à coordenação do governo. Nem por isso a oposição arredou a mira de seu objetivo: afastar-me do governo.

Lula, pelo que avalio hoje e por fatos que narrarei, estava também impaciente com o ritmo da gestão e com a paralisia ou indecisão em alguns ministérios. Sabia que era preciso avançar dentro da realidade estreita do orçamento e dos investimentos, e que boa governança, execução, controle, criatividade e audácia eram imprescindíveis.

Meu foco estava nas questões estratégicas do governo, na coordenação, na execução, na disputa político-ideológica, na mobilização do primeiro e segundo escalões, na ruptura de entraves burocráticos, na relação entre a Casa Civil e a Fazenda, entre o Planejamento e os ministérios, entre as diferentes ações e programas.

Considerava estabilizada nossa maioria na Câmara e no Senado, a bancada do PT pacificada e unida, apesar das tensões da reforma da Previdência, um erro grave e mortal.

Confiava na liderança e competência de João Paulo, então presidente da Câmara, de Genoino, presidindo o PT, e na minha própria liderança no partido e nas bancadas. No Senado, onde cometi erro crasso de avaliação, considerava a maioria — instável — mas maioria, assegurada graças ao apoio de José Sarney, Siqueira Campos e, pasmem, Antônio Carlos Magalhães. Todos os três atraídos a partir de demandas de seus estados, com zero de nomeações ou emendas parlamentares e, sim, programas e

É GUERRA!

litígios — como no caso da Bahia, a reversão da fracassada privatização da Banasa, empresa estadual de água e saneamento. Logo que deixei a articulação política, acabou nossa maioria no Senado. Só para ficar, por enquanto, nesse exemplo.

Antes, porém, o caso Waldomiro Diniz. Apesar de acontecido em fevereiro de 2004, portanto depois que deixei a Articulação Política, já dirigida por Aldo Rebelo, começou a ser gestado por causa da CPI do Banestado e nos gabinetes do PSDB, de Tasso Jereissati, Artur Virgílio e Antero de Barros, senadores tucanos, já assessorados por procuradores como José Roberto Santoro.

O procurador vaza a notícia para os tucanos, e eles para a revista *IstoÉ*, que publicou a conversa de uma presumida vinculação de Waldomiro Diniz com o bicheiro Carlos Cachoeira. Sem citações, planta-se a informação da existência de um vídeo comprometedor para Waldomiro.

De boa-fé, chamei Waldomiro Diniz para uma conversa. Ele não era meu braço direito, respondia pelo relacionamento com os deputados. Do Senado, cuidava eu. Waldomiro nem sequer respondia pelas emendas parlamentares, a cargo de Marcelo Barbieri, deputado do PMDB de São Paulo, ligado a Quércia. Ele se afirma inocente, oferece o cargo, o sigilo bancário e fiscal, envia ofícios ao TCU e ao MPF, colocando-se à disposição para esclarecimentos. O assunto esfria, mantenho Waldomiro, enquanto a revista não apresenta o vídeo.

Erro fatal não ter ido até à *IstoÉ* e solicitado acesso ao vídeo ou, pelo menos, a confirmação de sua existência. Erro maior não ter aceito o pedido de demissão de Waldomiro Diniz, que o fez perguntando se ia "demiti-lo". Jamais ele perguntaria por isso se não houvesse chance de existir mesmo o vídeo.

Waldomiro Diniz tinha títulos e experiência. Na função, jamais cometeu qualquer ilícito ou se beneficiou do cargo. Todos os deputados atestaram, mesmo depois de sua demissão, sua competência e lisura. Nada foi comprovado contra ele na passagem pela Casa Civil, na assessoria parlamentar de Cristovam Buarque no governo do Distrito Federal, na coordenação do Escritório do Governo do Rio de Janeiro na gestão Garotinho, e nem na Caixa Econômica Federal, onde ele foi funcionário. Nada em sua vida profissional ou pessoal.

Foi "condenado" e linchado pelo vídeo gravado por Cachoeira e divulgado pelo tucanato através do procurador José Roberto Santoro.

Como veremos, no futuro, tudo ficará esclarecido. E não é impossível que Waldomiro Diniz tenha sido vítima de um flagrante forjado, que tenha sido induzido por Cachoeira, que gravou a conversa com ele enquanto diretor da Loterj, em 2001, no governo Garotinho.

O absurdo é que fui implicado em um "superescândalo", acontecido antes da eleição de Lula e no governo do Rio de Janeiro. A rigor, eu não tinha nada a ver com a denúncia, como aliás aconteceu. Jamais fui citado, nem como testemunha, em todas investigações, inquéritos e processos sobre os fatos narrados aqui!

Mas, na prática, toda a imprensa, a oposição e mesmo o governo trataram o episódio como um escândalo do governo Lula, "o primeiro", envolvendo o chefe da Casa Civil. Até meu afastamento foi pedido, e considerado, até CPI, depoimento, tudo me foi atribuído e exigido.

Parece incongruente, mas essa foi a realidade que enfrentei no dia 10 de fevereiro de 2003, quando estava em Santa Rita do Sapucaí, Minas Gerais, visitando o campus do Instituto Nacional de Telecomunicações (Inatel), em viagem para o Rio, onde o PT comemoraria seus vinte e quatro anos. A data foi escolhida a dedo na articulação tucanato-PGR–mídia, mirando em José Dirceu. Era o ensaio final para a arrancada tucana em busca da minha saída do governo.

Foi um Deus nos acuda, como dizem; parecia que o mundo ia acabar. O PT e o governo entraram em choque e eu me preparei para o pior: usaria as armas do inimigo porque era a guerra. O que realmente aconteceria desde a gravação até sua divulgação?

No governo, algumas vozes, sempre no entorno de Lula, mas se mantendo em sigilo, sugeriam que eu deveria me demitir; outras, que deveria comparecer à CPI ou às comissões da Câmara e/ou do Senado. E Lula firme. Pelo menos, na minha presença, afastou de pronto qualquer ideia de demissão. Eu me recusei a prestar depoimento de fatos que desconhecia. Primeiro, quem era Carlos Cachoeira? A quem estava ligado? Ao tucanato, a Marconi Perillo, a Demóstenes Torres. E o procurador, idem, ao tucanato, a Antero de Barros.

Os jornalistas compraram tudo como veio da fábrica tucana, do Senado. Passaram a repercutir na linha do maior escândalo e me responsabilizando.

Como era possível tamanha mentira? Hoje sabemos de tudo. Como eram produzidos os "escândalos", a relação da revista *Veja* com Carlos Cachoeira, as gravações ilegais, os arapongas de aluguel a serviço da

É GUERRA!

publicação da Editora Abril e do contraventor, a troca de informações por notícias, matérias, manchetes, capas.

Todos esses fatos viriam à tona dez anos depois nas investigações sobre Demóstenes Torres e Carlos Cachoeira e, logicamente, não deram em nada. Demóstenes foi cassado, mas o processo a que respondia, primeiro foi trancado e depois anulado pelo STF. Retomou seu cargo, também via judiciário, e exerce seu cargo de promotor em Goiás, por uma liminar do STF, concedida por Gilmar Mendes. Cachoeira, preso duas vezes, condenado, está em prisão domiciliar. Obteve dois *habeas corpus*. Como não foi condenado, lhe foram restituídos os direitos políticos, a elegibilidade, podendo se candidatar nas eleições de outubro.

A pergunta que não quer calar é: quem tem medo de Carlos Cachoeira? E outra: como é possível, com todas as evidências e provas da participação do jornalista Policarpo Junior — em nome da revista *Veja* — nas atividades criminosas de Cachoeira, que prevaleça a impunidade, que nem ele e nem a revista jamais tenham respondido por suas atividades criminosas? Algo que só veio a público por causa dos depoimentos de Cachoeira e seus cúmplices, como o araponga "Dadá". Eles confessaram que as gravações que originaram a CPMI dos Correios e a subtração das imagens do Hotel Naoum, de Brasília, em agosto de 2011, para tentar me acusar de atuar em um "governo paralelo", foram planejadas e realizadas com os mesmos propósitos. Era o submundo do crime, da concorrência desleal, das escutas ilegais, da "venda" de matérias, do uso da notícia para falsos flagrantes, de *Veja* em conluio com Carlos Cachoeira.

O roubo das imagens do circuito interno de segurança do Hotel Naoum é um caso emblemático de como a impunidade é total quando se trata da mídia, no caso, a revista *Veja*. Carlos Cachoeira confessou que as imagens foram roubadas, com ou sem permissão da direção do hotel ou de parentes dos proprietários, num conluio entre a revista, com conhecimento de sua direção, o jornalista Policarpo Junior e os arapongas que serviam às atividades criminosas da publicação.

Não bastasse a gravidade dos fatos e as provas materiais e de seus réus confessos, como Carlos Cachoeira, não deu em nada. Apesar de nosso empenho em esclarecer os fatos, o inquérito policial não chegou a lugar nenhum e, como vimos, a CPI foi abortada em nome da liberdade de imprensa.

O que aconteceu é que invadiram o circuito interno do hotel, roubaram as imagens e a revista fez delas o uso que bem entendeu. Nunca tivemos acesso a elas, escondendo visitas que recebi que depunham contra a pasta da matéria, governo paralelo, e destacando visitas como a do meu amigo José Sergio Gabrielli, então presidente da Petrobras, mas deixando de publicar outras imagens que desmentiam a tese da revista de que eu comandava um governo paralelo e conspirava para a queda de Palocci. Na época publiquei a seguinte nota:

> *Foi concluída a investigação policial sobre a tentativa de invasão da suíte que ocupo no Naoum Hotel, em Brasília, ao final de agosto, pelo repórter Gustavo Ribeiro, da revista Veja. E os fatos falam por si. Na apuração realizada na 5ª Delegacia de Polícia Civil do Distrito Federal, fica claro que o jornalista de fato tentou violar o meu apartamento.*
>
> *O jornalista admitiu que tentou entrar em um ambiente privado. A investigação — que colheu vários depoimentos e também se apoiou em imagens do circuito interno do hotel — será encaminhada para o Juizado Especial Criminal de Brasília.*
>
> *O depoimento do jornalista Gustavo Nogueira Ribeiro foi dado no dia 6 de setembro. Diante de fotografias suas tiradas do circuito interno do hotel, o repórter de Veja reconheceu as imagens como sendo suas. Admitiu que esteve no hotel com a finalidade de apurar informações a meu respeito. Mais ainda: confessou que acessou o andar privativo onde se situa meu quarto, via escada, pois por meio do elevador, apenas pessoas que possuem um cartão de acesso ali chegam. Por fim, confessou que pediu a uma camareira do hotel que lhe abrisse a porta do meu quarto.*
>
> *Gustavo alegou que "sabia que a camareira não iria abrir a porta solicitada". "Mas que a informação por ela prestada seria válida para seu intento de confirmação" da minha presença no hotel.*
>
> *O intuito de invasão da minha privacidade ficou comprovado, ainda, por outros fatos tão graves quanto os anteriores. Confrontado pelas evidências de registros do hotel, o jornalista de Veja admitiu ter, no dia 24 de agosto, se hospedado no quarto em frente ao meu — acompanhado de um fotógrafo.*
>
> *Na versão do repórter, o fotógrafo registrou imagens do corredor de acesso aos apartamentos, na mesma tomada fotográfica captada pelo circuito interno de filmagem do hotel.*
>
> *Por fim, Gustavo lançou mão do seu suposto direito de preservar a fonte pela qual conseguiu as imagens usadas na reportagem de Veja da*

edição de 31 de agosto — as quais expõem várias pessoas que estiveram no hotel. Mas, alegou que não mandou instalar qualquer tipo de dispositivo eletrônico no corredor do Naoum.

Outra versão, bem mais contundente

O depoimento da camareira do hotel revelou um pouco mais das cores do que realmente se passou nos corredores do Naoum. Ela contou que Gustavo Ribeiro lhe pediu que abrisse os dois quartos conjugados, por mim ocupados. Segundo a funcionária, o repórter "reiterou o pedido, insistindo para que abrisse o apartamento". A camareira ressaltou que foram necessárias sucessivas negativas para que ele desistisse de seu intento.

Mas não é só. A investigação também apurou que as imagens do circuito interno do hotel apresentam divergências com as retratadas e estampadas na matéria de Veja. Os horários, supostamente apurados pela revista, simplesmente não batem com os registrados pelo hotel. Elas apresentariam uma qualidade inferior tanto no que se refere à nitidez, quanto à resolução.

Segunda tentativa de invasão

O mesmo repórter tentou uma segunda vez entrar no meu quarto, passando-se por um assessor da prefeitura da cidade de Varginha, Minas Gerais. A esse respeito, Gustavo também admitiu ter telefonado para o meu quarto, quando foi atendido por um assessor. Tampouco conseguiu o seu intento nesta segunda tentativa.

Com essas e com outras, algumas coisas ficaram claras diante da conclusão da investigação policial. Gustavo Nogueira Ribeiro é réu confesso da tentativa de invasão da minha privacidade. Sabedor da grave situação em que se encontra, diante do crime cometido e admitido, apresentou-se acompanhado — não de um, mas de três advogados. A atitude comprova seu temor com a gravidade da situação em que se encontra.

Grave, no entanto, é outro fato que se esclarece com a investigação policial: o velho e bom jornalismo investigativo foi afrontado. Como comprovado agora, o repórter e a revista *Veja*, para a qual trabalha, extrapolaram todos os limites éticos para publicar uma matéria de capa acusando-me de, juntamente com deputados, senadores, governadores e ministros, conspirar contra a presidenta Dilma Rousseff. Seria apenas mais uma matéria sem amparo na realidade, não fossem as práticas ilícitas utilizadas pela revista.

A espionagem que *Veja* acobertou é flagrante violação ao princípio constitucional do direito à intimidade e à privacidade — minha, das pessoas com quem me reuni e dos demais hóspedes — e infringe o Código Penal. Não difere das práticas do finado jornal britânico *News of the World*.

A matéria publicada por *Veja* em 28 de agosto de 2011, a partir de suas "investigações", assim como a que se seguiu logo depois — sem mencionar as inúmeras citações à minha pessoa por parte de seus colunistas —, tem o intuito de pressionar a Justiça e pré-condenar-me. O que a revista conseguiu, no entanto, foi macular sua própria imagem.

Prova mais contundente são as gravações nas quais Carlos Cachoeira, seus arapongas e Demóstenes Torres comentam as tratativas com a revista *Veja* e o jornalista Policarpo Junior e confessam seus objetivos políticos: jogar-me contra o governo e Palocci e alavancar uma CPI contra o PT.

2 DE AGOSTO DE 2011

Araponga Jairo (Martins de Souza) diz a Cachoeira que vai almoçar com "Caneta" (Policarpo Junior). Depois do almoço, relata que Policarpo quer as imagens gravadas no Hotel Naoum.

DIÁLOGO 1

JAIRO: Deixa eu te falar. Tem uns quinze minutinhos, o Caneta me ligou aqui, tá? pra *mim* almoçar com ele quinze pra uma. A respeito daquela... daquela matéria lá, tá? Que tá pronta. Quer só falar comigo.

CARLINHOS: Ah... excelente! Ai *cê* me posiciona aí. *Brigado*, Jairo!

DIÁLOGO 2

"Caneta" quer usar as imagens das pessoas do hotel.
JD recebendo o pessoal e comemorando a queda do outro. Todo mundo vem pedir a bênção dele.

É GUERRA!

CARLINHOS: E aí, Jairo, o que que ele queria?

JAIRO: Como sempre, queriam fuder a gente, né? É, diz que tem uma puta de uma matéria, né? Pra daqui a duas semanas, que naquele período que ele me pediu. O cara recebeu vinte e cinco pessoas lá, sendo que cinco pessoas assim... importantíssimas. Mas, pra sustentar a matéria dele, ele tem que usar as imagens, entendeu? Que o combinado era não usar, né?

CARLINHOS: As imagens lá do hotel?

JAIRO: É, as imagens das pessoas, entendeu?

CARLINHOS: É, se ele combinou tem que cumprir, né?

(...)

JAIRO: Aí ele quer que eu tente convencer o amigo lá, a deixar usar, usar de uma maneira que não complique, né?

CARLINHOS: É mas aí, pra tentar convencer o amigo, você tem que falar, aí é o meu caso, entendeu? Ó, você tem que conversar com ele, porque ele pelo menos é o dono lá, do pessoal de lá.

JAIRO: Ah, fechou, fechou, fechou então.

CARLINHOS: Põe ele pra pedir pra mim, tá?

JAIRO: Tá, eu vou pedir ele pra pedir pra você.

(...)

CARLINHOS: E o que que é, basicamente? É o JD recebendo o pessoal lá e comemorando a queda do outro?

JAIRO: É, a importância, a influência dele nos momentos de crise (...) todo mundo vem pedir a bênção dele.

(...)

ZÉ DIRCEU

11 DE AGOSTO DE 2011

Cachoeira conta a Demóstenes que Policarpo pediu autorização para divulgar as fitas do Hotel Naoum. Demóstenes fala que o primeiro assunto está com o estrangeiro e o segundo já tem reunião. Carlinhos diz que o assunto do Zé vai estremecer o partido.

DIÁLOGO 3

CARLINHOS: Fala, doutor!

DEMÓSTENES: E aí, professor? Já *tô* aqui ... aquele assunto ... o primeiro já tá sendo tratado pelo Estrangeiro, certo? E o segundo já tem uma reunião marcada aqui.

CARLINHOS: Excelente. Amanhã *cê tá* vindo à tarde?

DEMÓSTENES: Vou à tarde aí. Na hora que chegar, nos falamos. Tem alguma novidade aí?

CARLINHOS: Tem nada. Nada de nada. Tive com o Policarpo ontem, não sabe nada, nem (ininteligível) assunto morto pra ele. Foi pedir permissão para o trem lá do Zé... é feio, viu, aquele que eu te contei. Aquilo lá vai dar uma estremecida, viu? É uma bomba dentro do partido.

11 DE AGOSTO DE 2011

Carlinhos diz que viu cenas e Demóstenes diz que é bom, pois eles podem fazer a CPI do PT.

DIÁLOGO 4

CARLINHOS: Eu vi, eu vi as cenas lá, viu?

DEMÓSTENES: Isso é bom, hein. Isso é bom que dá um tiro direto neles aí né, e a gente faz a CPI do PT.

É GUERRA!

CARLINHOS: Exatamente.

DEMOSTENES: Falou, mestre! Um abraço.

CARLINHOS: Outro, Doutor. Tchau!

15 DE AGOSTO DE 2011

Cachoeira autoriza Jairo a negociar entrega das fitas a Policarpo.

DIÁLOGO 5

JAIRO: Oi.

CARLINHOS: Jairo, nós temos que matar a conversa com o Policarpo...
cê sempre deixa pra mim decidir, tá? Quem vai ter a decisão mesmo é
ele. Não fala que *cê* já falou com o cara, que já tá tudo liberado, não,
tá bom? Que nós temos que pedir aquele assunto pra ele.

JAIRO: Tá beleza, beleza. Devo falar com ele logo mais, aí eu te falo,
te chamo.

21 DE AGOSTO DE 2011

Cachoeira antecipa a Demóstenes todo o conteúdo da matéria que a
revista *Veja* publicará, com base nas fitas do Naoum.

DIÁLOGO 6

CARLINHOS: Ó, doutor!

DEMÓSTENES: Fala, professor! E aí, tranquilo?

CARLINHOS: Beleza. Novidade aí?

ZÉ DIRCEU

DEMÓSTENES: Uai, nada. Liguei, fiquei o dia inteiro fora do ar. Sabe se tem alguma coisa?

CARLINHOS: Não, só o Policarpo que vai estourar aí, o Jairo arrumou uma fita pra ele lá do hotel lá, onde o Dirceu... o Dirceu... é, recebia o pessoal na época do tombo do Palocci... aí aí ele vai demonstrar, mas não vai ser esse final de semana não, tá? Vai ser umas duas vezes aí pra frente, que ele planejou a queda do Palocci também, recebia só gente graúda lá, tá? Isso quer dizer que os momentos importantes da República, o DIRCEU que comanda.

DEMÓSTENES: Exatamente, aí é bom demais, uai, o que que é isso?

CARLINHOS: É vai sair aí, já falou com o Jairo, hoje almoçou com o Jairo, e perguntou com o Jairo se podia, quando for estourar. Pôr, pôr a fita na *Veja online* e o Jairo veio perguntar pra mim. Aí eu falei pra ele: "Não, deixa não. Manda ele pedir pra mim".

DEMÓSTENES: Exatamente, é claro, ué! Aí, não, né? Aí, ninguém *guenta*, né?

CARLINHOS: É, mas aí vai mostrar muita coisa, viu? Aí vai pôr fogo, aí na República, porque vai jogar o Palocci contra ele, porque aí *vai* vir cenas, né?... dos *nego* procurando o Dirceu no hotel.

DEMÓSTENES: Exatamente, aí é ótimo, fantástico!

Quando pega em flagrante, a revista *Veja* foi salva em nome da liberdade de imprensa, pelo corporativismo, pelo medo da maioria dos deputados ligados à mídia. São os intocáveis, estão acima da lei. O presidente do Grupo Abril, publicador da revista, Roberto Civita, não poderia depor na CPI.

O caso Waldomiro Diniz encerra situações fantásticas. Carlos Cachoeira foi levado, ilegalmente e de madrugada, à sede nacional do MPF, à Procuradoria-Geral da República, em Brasília, por José Roberto Santoro. Ali gravou, ironia da história, o interrogatório ilegal a que foi submetido pelo procurador, expondo a chantagem, a pressão e a finalidade de me afastar do governo. Gravou as ofensas ao procurador-geral, Cláudio

É GUERRA!

Fonteles, proferidas por Santoro. Esse, sim, era o maior escândalo do MPF, mas tudo ficou por isso mesmo. Trechos da gravação foram ao ar no *Jornal Nacional* e Santoro perdeu o cargo. E só.

Até hoje, a mídia e alguns petistas incluídos tratam do caso Waldomiro Diniz como se fosse comigo ou como se tivesse ocorrido no governo Lula.

Ainda está para ser pesquisada e contada a história dos processos sobre o Banestado. Como foi possível terminar em nada, a CPI e os processos na Justiça, sob a jurisdição de Sérgio Moro? E como foi possível que Alberto Youssef — delator das CC5 — tenha feito um acordo de delação com o Ministério Público Federal e com juiz Moro, continuando a atuar como doleiro e operador? Também nunca foi investigada a denúncia da revista *IstoÉ*, edição de 3 de setembro de 2003, acusando o procurador Carlos Fernando dos Santos Lima, o mesmo da Lava-Jato, de tentar barrar a quebra do sigilo das contas suspeitas e o repasse do dossiê dos correntistas das CC5. O que teria feito para proteger sua esposa, Vera Lúcia dos Santos Lima, funcionária do departamento de abertura de contas agência do Banestado, em Foz de Iguaçu? A *IstoÉ* afirma que o procurador recebeu e engavetou o dossiê com a lista dos infratores que figuravam na queixa-crime por remessa ilegal de agência do banco em Nova York.

O caso Waldomiro Diniz ainda teria desdobramentos por conta da MP dos Bingos, a proibição desses jogos.

O governo decidira proibir os bingos após a exploração da mídia em torno de uma referência na mensagem presidencial em favor da legalização do jogo, o que provocou de imediato a oposição de quem? Dos procuradores! Imediatamente, a mídia iniciou uma escalada de denúncias, colocando sob suspeita toda e qualquer ação governamental, até as mais necessárias: governo eletrônico, fim do monopólio da Microsoft pela adoção do sistema Linux e o contrato da empresa Gtech com a CEF.

A vida de Waldomiro Diniz e as ações do governo foram devassadas. Nada foi encontrado de ilícito na implantação do governo eletrônico e/ou da adoção do Linux. Acabou com o monopólio da Microsoft, que deveria ser um objetivo de qualquer administração.

Quanto à Gtech, pode ter havido interferência de Carlos Cachoeira. A verdade, porém, é que foi a nossa gestão na CEF que abriu auditoria interna para investigar os contratos Gtech-CEF, feitos no período FHC.

De novo, o objetivo era eu, José Dirceu, via Waldomiro. Fui a campo para apurar o que era a Gtech e como chegara ao governo FHC. Fora sucessora da Racimac, empresa criada para disputar e ganhar a licitação na CEF. O presidente do Conselho de Administração dessa empresa era nada menos que José Richa, senador e governador do MDB e depois do PSDB. Vencida a licitação, a Gtech assumiu o lugar da Racimac e permaneceu por toda a era tucana como senhora do contrato.

A Gtech foi fundada em 1976 nos Estados Unidos e logo dominou o mercado de loterias no país e no mundo, chegando a controlar 70% desse mercado. Sua receita chegou a 1,5 bilhão de dólares, sendo 15% proveniente do Brasil. Ficou famosa pelos escândalos de suborno e corrupção de políticos. Seu fundador, Guy Snowden, foi afastado depois que a Justiça britânica o condenou por tentativa de suborno do dono da Virgin, o bilionário Richard Branson, seu diretor de vendas nos Estados Unidos, também condenado em 1996 pelo Tribunal Federal de Newark, New Jersey, por ter montado um esquema de propinas e superfaturamento de consultorias. Essa foi a empresa que os tucanos trouxeram para o Brasil e entregaram de mão beijada a loterias da CEF.

Ao assumirmos o governo, nos demos conta de que a Gtech — com bases em liminares, as famosas, aquelas que os tribunais dão, na verdade, "vendem" — mantinha o contrato, apesar da decisão da CEF de relicitá-lo. Não tínhamos o que temer, da minha parte, da Casa Civil e da CEF.

Quem devia explicações eram Fernando Henrique Cardoso e o tucanato. Detrás da conspiração aparecia de novo José Roberto Santoro e, agora, Marcelo Serra Azul, que o acompanhara no "interrogatório" de Cachoeira. Ambos cuidavam do inquérito da CEF.

Como todos os jornais repercutem as gravações que Cachoeira fez de José Roberto Santoro, fica claro o conluio procuradores-tucanato com certa imprensa. Tanto o episódio Gtech, quanto o de Waldomiro foram manipulados para atingir o governo Lula, a mim na Casa Civil, Palocci na Fazenda e Jorge Mattoso na CEF.

O pai da criança Gtech é o tucanato. Nossa gestão na CEF fez de tudo, até mesmo na Justiça, para pôr fim ao contrato e relicitá-lo, como, de fato, o fez. Se algum funcionário participou de qualquer trato com Cachoeira, o que não ficou provado, agiu assim às escondidas e sem qualquer autorização ou mesmo missão nossa. Santoro e Serra Azul haviam atuado na operação Lunus, aquela que vitimou a candidatura de Roseana. Desmascarados no caso Waldomiro, ali estavam de novo, agora atuando nos temas Gtech e bingos.

A questão dos bingos é controversa, mas defender a legalização do jogo não é flertar com a lavagem de dinheiro. O jogo — proibido no Brasil

É GUERRA!

desde o governo Dutra — é livre nos principais países democráticos do mundo. Quem mais defendia a legalização dos bingos era a Força Sindical, alegando o desemprego que sua probição provocaria, sem desconhecer que o *lobby* do jogo e do bingo sempre fora forte no Congresso.

No final, a oposição derrotou no Senado a medida provisória do governo proibindo os bingos. Foram assim os votos do PSDB, do PFL (hoje DEM) e do PDT. Assim caminhava o Brasil em meados de 2004. Quatro meses de disputa em torno dos assuntos Waldomiro Diniz, bingos, Gtech e jogos. Tanto tempo perdido, por nada.

Bingos, jogos, cassinos, caça-níqueis e jogo *online* são hoje pauta de novo do Congresso. A mídia noticia positivamente a sua legalização, como se não tivesse se posicionando contrária à época do primeiro governo Lula. Fazendo eco ao MPF, traduzia sua legalização como conluio com a corrupção e a lavagem de dinheiro.

Mas o problema era maior. Revelava uma mudança na tática da oposição e expunha nossas debilidades em responder a seus ataques, à ofensiva da mídia e dos procuradores. Qualquer denúncia ganhava ares de grande crise e a paralisação do governo, e do próprio PT, era um risco real. Havia sinais de crise no ar.

E ela veio com força, exatamente logo após a minha saída da Articulação Política e o grave equívoco de delegá-la a outro partido, mesmo aliado. Perdeu-se a confiança e abriu-se espaço para crise no parlamento.

Aldo Rebelo assumiu e não se interessou em partilhar a gestão da articulação com a Casa Civil. Fez mais. Deixou sua assessoria estimular disputas, intrigas e fofocas contra mim. Abriu o andar do seu ministério à imprensa, como se na minha gestão houvesse o que esconder e como se a imprensa fosse aliada ou neutra.

Assoberbado com a Casa Civil, não me interessei e não disputei a direção de fato da Articulação Política. Confiava em Aldo e no PCdoB e, além do mais, eu o tinha indicado a Lula, conhecedor de sua competência, de sua história e de seu papel na Câmara.

Mas, para agravar a situação, Lula, o PT, os partidos aliados, as lideranças na Câmara e no Senado continuavam a me procurar. O próprio Lula me "convocava", sem desculpas para não ir ou recusar, às reuniões e tarefas ligadas à articulação política. Aldo não tinha culpa, nem eu. Os fatos se impunham e agravavam nosso convívio, que piorava, insuflado pela disputa por baixo de assessores e a instigação da mídia.

30

O RACHA

*Dividido, o Partido dos Trabalhadores
perde a presidência da Câmara*

A terra movia-se sob nossos pés e não percebíamos. Fui passar o começo do ano na Serra Fluminense com Maria Rita, minha mulher, com quem vivi felizes quinze anos. Lá, eu me "desliguei". Aliás, meu celular não captava nenhum sinal e não me interessei por jornais.

Aqui, um parêntese para falar de Maria Rita Garcia Andrade, que conheci ainda na década de 1980, nas reuniões dos diretórios do PT. MA, como eu a chamaria por toda a vida, era formada em Ciências Sociais pela USP e, desde 1976, trabalhava na Fundação Faria Lima, Cepam, responsável pela política do governo estadual junto aos municípios, planejamento, orçamento, planos diretores, urbanismo, impostos, assessorando os prefeitos com orientação jurídica e orçamentária. Sempre conversávamos, depois das reuniões, sem nos dar conta da atração mútua. MA já era mulher viajada, culta e elegante. De origem goiana, seus pais, seu Aloísio e dona Luzia, eram de Jataí, terra de Maguito Vilela. Mantive com ambos uma relação afetuosa. Progressistas, eram eleitores de Luiz Gushiken, ele fiscal da Receita e ela bancária, ambos aposentados; viviam perto de nós, no bairro de Moema, na capital paulistana.

Luzia e Aloísio e também seu cunhado, Marcone, eram companhias extraordinárias quase todos os domingos, no almoço familiar, em que os principais assuntos eram a vida, a política e a cultura. Luzia, pintora abstrata de primeira qualidade — seus quadros sempre me acompanharam —, proporcionou-me anos de felicidade. Eu via, nos pais de MA, uma segunda família.

Maria Rita crescera no bairro da Vila Clementino, onde vivemos de 1991 a 2006. Com ela, tive uma vida tranquila. Não tivemos filhos, mas foi MA quem cuidou de Joana e Camila durante aqueles longos anos. Adorava cinema, viajar e ler. Ensinou-me a conhecer vinhos e partilhou comigo, sempre me apoiando, apesar das longas ausências, seja na presidência do PT ou nos mandatos de deputado; enfim, todos os meus momentos de derrotas e vitórias.

Foi minha fortaleza em todas as crises desse período. Na realidade, foi quem me impediu de renunciar ao mandato de deputado quando do processo de minha cassação pela Câmara. Hoje é psicanalista e temos uma relação de carinho, distante, mas nem por isso menor. Ela fez falta em minha vida.

Quando fui surpreendido pela notícia, dada por minha filha Joana, de que Luiz Eduardo Greenhalgh era o candidato da bancada do PT à presidência da Câmara, espantado, cheguei a dizer que se enganara, mas, de pronto, ela respondeu: "Está na primeira página dos jornais". Receoso e dividido, novamente me bateu o arrependimento. Não deveria ter deixado a Articulação Política e, também, tampouco ter me afastado das questões da bancada afetas a Genoino e à direção do partido. Antes, estavam sob minha responsabilidade, partilhada com Genoino e os líderes da Câmara e do Senado.

Minha perplexidade só não foi maior porque acompanhava as idas de Greenhalgh e Virgílio Guimarães ao gabinete de Lula, os dois disputando a indicação da bancada ao comando da Câmara. Segundo o regimento interno da casa, a tradição e o acordo entre os partidos, cabia a nós a presidência pela condição de maior bancada e, no caso do PT, por ser o partido mais votado.

Lula, na sua tradição, e por experiência, não vetava nenhum dos dois, era amigo pessoal de Greenhalgh e companheiro de Constituinte de Virgílio, a quem admirava. Sabia da gravidade do problema, mas também das suscetibilidades da bancada ciosa de sua autonomia para decidir essas questões. Pelo que conheço, ficou neutro, um grave erro, e deu no que deu. Eu fiz pior, não participei e não me interessei, avaliando que jamais a bancada se dividiria numa disputa de vida ou morte para o governo, erro de avaliação que apontava para a mais grave divisão da bancada na crise do Mensalão.

A posição da maioria da bancada — à qual pertencíamos — foi pela indicação de Luiz Eduardo Greenhalgh. Virgílio Guimarães não aceitou a decisão e se lançou como candidato independente. Dessa maneira, abria espaço para sua vitória se fosse ao segundo turno ou ao triunfo da oposição se, ao não ir à segunda rodada, deixasse de apoiar Greenhalgh.

Meu susto não se deu pela disputa. Era normal no PT, e nem nas piores hipóteses imaginava Virgílio disputando a sucessão de João Paulo Cunha como candidato independente. De fato, significava uma ruptura com o PT e mesmo com o governo. Também havia risco na candidatura Greenhalgh. Advogado de presos políticos sob a ditadura, batalhador pela Anistia, vice-prefeito de Luiza Erundina em São Paulo, assumira como deputado eleito em 2002, após ter ocupado, por duas vezes, a suplência. Era um dos membros do famoso grupo do "Mé" — da palavra mel —, grupo este constituído por companheiros do sindicato, amigos e confidentes de Lula, que se reuniam de forma informal e esporadicamente com Lula para com ele avaliar e pensar o momento político e tomar decisões, no início da luta sindical e do PT. O nome "Mé" vem da cachaça que tomavam como aperitivo antes dos almoços ou jantares.

O problema era que o perfil de Greenhalgh não era apropriado para disputar a presidência. Pior ainda com a bancada dividida e Virgílio candidato. Greenhalgh não era um deputado "popular", tampouco de articulações e de relacionamento com os partidos aliados. Seus mandatos haviam sido intercalados e curtos. Não fora líder do PT e não era dado às relações públicas, muito menos aquelas com o chamado baixo clero, os parlamentares menos expressivos. Ao contrário de Virgílio, parlamentar intimamente ligado ao baixo clero, articulado, presente nos bastidores e nas articulações. Integrante influente da Comissão Mista de Orçamento, bom de papo, querido na bancada mineira, estava sempre disposto a brigar pelos interesses das bancadas e regiões. Tentara ser prefeito e senador, derrotado uma vez e "roubado" — literalmente — para o Senado.

Sempre fui amigo do LEG, como chamávamos Greenhalgh, até pelo seu casamento com Cida Horta, companheira de Molipo, Cuba e de lutas. Ele era um dos fundadores do Comitê de Anistia, tinha escritório junto com Airton Soares — também advogado de presos políticos — filiado ao MDB, em 1974 fora eleito, em plena ditadura, deputado federal. Reeleito em 1978, entrou para o PT em 1979; foi um de seus fundadores. Seu escritório era como se fosse nossa casa, dos que voltavam ou saíam das prisões, depois como se fosse a primeira "sede" do PT nacional e do Comitê Brasileiro da Anistia (CBA). LEG era um advogado militante, presente nas lutas e greves, excelente orador, muito ligado à Igreja e ao MST. Para mim, era um exemplo.

O RACHA

Admirava Virgílio, mas o considerava demasiado individualista, um tanto arrivista, mas excelente economista e brilhante deputado. Só menor por seus próprios defeitos e erros nas disputas em Minas.

Virgílio seria derrotado, mas se transformaria no instrumento para a pior derrota do governo e do PT e responsável pelos acontecimentos futuros, todos produtos de um fator decisivo, a divisão da bancada petista, mortal para ele mesmo e para o partido.

Perdeu para LEG na bancada, perdeu na Câmara, não foi para o segundo turno e perdemos a presidência para Severino Cavalcanti, um obscuro deputado do PP, do Nordeste e do baixo clero, instrumento do PSDB, PFL, PPS e PV, entre outras siglas para derrotar, além do PT e aliados, Lula e o governo! A candidatura vitoriosa de Severino Cavalcanti somente ocorreu com a ajuda de figuras como Fernando Gabeira e Roberto Freire, que a mídia expôs como avalistas de Severino. No segundo turno, a oposição, PSDB à frente, despejaria seus votos no deputado do PP.

A mesma oposição que, mais tarde, trucidaria seu candidato, então presidente, expondo seu verdadeiro retrato, secundada com imensa alegria pela mesma mídia que festejara o baque sofrido pelo governo. Todos estavam fartos de saber quem era o verdadeiro Severino: um deputado de pequenos negócios e desvio de recursos. Triste espetáculo para todos, mas os primeiros a posar de justiceiros foram os mesmos Gabeiras da vida!

Envolvido em denúncias, Severino foi obrigado a deixar a presidência da Câmara. Para tristeza e ódio da oposição, o PT e o governo se recompuseram e, apesar de custar ao PT a presidência da Câmara, elegemos Aldo Rebelo, do PCdoB, derrotando Thomaz Nonô do PFL, o candidato da oposição. Retomando o comando da Câmara, pareceu que tínhamos aprendido a lição, mas o pior estava para acontecer.

Incapaz de dobrar o governo na luta política e junto ao povo, desesperada pela consolidação dos programas sociais, com a retomada do emprego e do crescimento em 2004, com a queda da inflação, com o desempenho de Lula no exterior, onde se tornava a cada dia mais popular e influente, e seu crescimento nas pesquisas, a oposição optou pelo denuncismo. Buscava uma bandeira, uma causa que lhe permitisse não vencer as eleições, mas pelo menos derrubar o governo.

Eu já vinha me sentindo mal e minha intuição me dizia para sair. Aproveitar o final de ano de 2004, tirar férias e não voltar. Vários acontecimentos me estimulavam a tomar esse rumo. Havia claros sinais de que a oposição e a mídia procuravam me estigmatizar, supervalorizando meu papel no governo, seja como vacina e pressão, seja para criar um clima contra mim.

Alguns episódios me deixaram com o pé atrás, além do caso Waldomiro Diniz. Entre eles, a polêmica em relação aos arquivos da ditadura, que deixaram a mim e a Genoino em situação insustentável, e a política econômica e sua centralidade exclusiva no ajuste, juros e superávits. Tive a sensação que seria melhor seguir para a Câmara, continuar a luta fora do governo, mas em apoio ao governo. Não conseguia explicar racionalmente, mas meu sentimento, para além das razões objetivas, me empurrava para fora.

Eu fazia um balanço positivo dos dois primeiros anos de governo, mas me preocupava e, às vezes, um pouco estabanado e irritado, expressava a Lula, logo de manhã, as minhas preocupações. Ele me olhava, estranhando a minha forma de expressar, um tanto ríspida, não deseducada, mas no limite, sobre a política econômica e a falta total de previsibilidade de investimento público. O que se devia ao arrocho fiscal e ao fato de todo e qualquer investimento das estatais ser considerado dívida pública. Coisas do FMI.

Dizia para Lula: "Vamos acabar o governo sem nenhuma obra de infraestrutura!". Estava ciente de que o Bolsa Família e a Previdência Social eram avanços extraordinários, mas eu pensava em um plano de investimentos para o Brasil dar um salto tecnológico, educacional, industrial, projetando-se no mundo.

Claro que havia indícios, projetos, decisões importantes, como a transposição do rio São Francisco. Na verdade, a integração das bacias setentrionais do Nordeste brasileiro, uma obra estruturante, da qual participei e, sob a coordenação do ministro Ciro Gomes, se concretizaria. Também, além da competência de Ciro, graças à articulação de vários ministérios e a vontade política de Lula.

Não foi fácil. Mas, a despeito das críticas dos ambientalistas e de organismos internacionais, era uma obra necessária. Todo o nosso esforço com o Bolsa Família, a construção de cisternas, o apoio e o crédito à agricultura familiar, política de compra de água, não resolvia. Era preciso levar água ao sertão. Papel decisivo jogou Jerson Kelmann, presidente da Agência Nacional de Águas (ANA), com a coordenação da Casa Civil, em diálogo permanente com Marina Silva e Ciro Gomes.

Com as audiências públicas, o EIA (Estudo de Impacto Ambiental) do Ibama e a ação do Ministério da Integração Nacional progredimos na construção dessa obra histórica, superando as resistências na mídia

O RACHA

— de má vontade, incrédula —, buscando um termo de ajustamento de conduta com o Comitê da Bacia do São Francisco, hoje uma realidade.

Tropeçamos e, só com muito esforço, avançamos em duas áreas difíceis: os arquivos da ditadura e o Plano Nacional de Segurança Pública. Ficaríamos devendo — para avançar no segundo mandato de Lula — uma política de Defesa Nacional, articulada com a política externa, com o comércio exterior, com a projeção do Brasil.

Os arquivos da ditadura eram um estigma e uma infâmia. Por um lado, os militares afirmavam que os arquivos haviam sido destruídos — o que por si só seria crime, e grave — e, por outro, exigiam manutenção do sigilo por, no mínimo, vinte e cinco anos. De fato, sigilo eterno quando as revelações pusessem em risco a política externa, a segurança nacional, os interesses do país como, por exemplo, a demarcação de fronteiras com o Peru, Bolívia e Paraguai.

O que estava atrás do sigilo e dos arquivos eram os mortos e desaparecidos, a tortura, o assassinato político, os falsos atestados de óbito, os "suicídios", as casas do terror, os centros de tortura. E a participação institucional das forças armadas, dos ministros, de toda cadeia de comando das três armas nos DOI-Codi, sigla do Destacamento de Operações de Informação-Centro de Operações de Defesa Interna, máquina de repressão subordinada ao exército, e nas operações militares no Araguaia, na Operação Condor e na participação do Brasil nos golpes e na repressão na Argentina, Uruguai e Chile.

Era duro para mim e para Genoino participar de decisões incompatíveis com nossa história de vida e de compromisso com a memória de antigos companheiros. Não era aceitável, nem para o Brasil nem para a democracia, que a verdade não prevalecesse.

Impunha-se abrir todos os arquivos existentes, exigir das forças armadas a entrega dos "sigilosos", além de informações e ajuda na busca dos mortos e desaparecidos.

Desde meados de 2003, surgiam na imprensa matérias e reportagens com provas cabais dos crimes praticados pela ditadura. Evidenciava-se o descontentamento militar e suas contradições sobre o que fazer. Na minha opinião, só havia uma saída para o governo: não recuar e exigir simplesmente a abertura dos arquivos e a busca dos corpos.

Os "fatos eram fotos", comprovadas, com vítimas e verdugos, militares vivos e dando entrevistas sobre a guerrilha do Araguaia. Um escárnio.

Infelizmente aconteceu o pior. Uma nota do exército, já em outubro de 2004, com uma atitude inacreditável, justificava o golpe em nome da defesa da democracia, falseando a história, como se a ditadura tivesse sido reação a um levante armado comunista. Era a volta da doutrina da segurança nacional, do inimigo interno a serviço do movimento comunista internacional, pretexto para a tortura, crimes e violação dos direitos humanos.

Com uma crise militar desenhada no horizonte, e por ter apoiado o golpe e a repressão, a imprensa se calou. Fez pior: começou a vazar que havia "preocupação" pelo "aparelhismo" do governo e pela minha participação na resistência armada à ditadura.

Não dava para aceitar a explicação pueril sobre a nota. Seria um equívoco do setor de Comunicação Social do Exército.

Para nós, era responsabilidade do general Francisco Ribeiro de Albuquerque, comandante do exército. No nosso entendimento, os arquivos e a busca dos mortos e desaparecidos eram uma só operação e deveria contar com apoio das três armas.

A divulgação desses arquivos havia sido proibida ainda no governo de FHC. Em 2004, nem o afastamento do chefe da Comunicação Social do Exército acontecia. Eu era totalmente favorável à sua demissão imediata. Era o mínimo a fazer. Em público, expressava com cautela minha posição por lealdade a Lula e por meu cargo e responsabilidade, mas não dormia em paz. Genoino sofria, estávamos no nosso pior momento.

Minha relação com os ministros da Justiça, Márcio Thomaz Bastos, da Defesa, José Viegas, e dos Direitos Humanos, Nilmário Miranda, era franca, leal e de cumplicidade. Com o ministro das Relações Exteriores, Celso Amorim, também; minhas relações com o Itamaraty eram de colaboração, até porque Lula me dava tarefas em nível internacional, e o embaixador Fontenelle era minha ligação direta com o ministro Celso Amorim. Éramos responsáveis, ao lado de Álvaro Ribeiro, da Advocacia Geral da União — AGU, do general Jorge Armando Félix, ministro do Gabinete de Segurança Institucional, e do comandante do exército, general Francisco Ribeiro de Albuquerque, por encontrar uma saída para o impasse. Não era fácil e Lula se impacientava.

Na sociedade, o apoio crescia: CNBB, OAB, sindicatos, o grupo Tortura Nunca Mais, Comissão de Mortos e Desaparecidos. Nas forças armadas, silêncio e perigo de crise se o governo vacilasse. Esse era o nosso diagnóstico, e era preciso avançar.

O RACHA

O prazo indefinido para o sigilo de documentos ultrassecretos mostrava-se inaceitável, especialmente porque os militares — comandantes — tinham o poder, concedido por FHC, de classificá-los como ultrassecretos, superando até a Lei do Arquivo — DL 8.159 de 91 — que fixava o prazo máximo de sessenta anos.

Embora a Lei 9.140, de 1995, assinada por FHC, reconhecesse a responsabilidade da União nos crimes da ditadura, a anistia se estendeu aos crimes cometidos pelo regime militar. Até hoje, os arquivos não foram abertos e os últimos dias, semanas ou meses dos mortos e desaparecidos continuam nas sombras. Torturadores e assassinos, apesar das provas apresentadas, continuam impunes.

A divulgação de uma nota inadequada pelo exército levou o presidente Lula a "enquadrar" a Força e seu comandante, reconhecendo expressamente o que manda a Constituição de 1988 e o fato histórico da ruptura democrática de 1964. Mas a chaga dos arquivos e dos desaparecidos não se fechou.

A solução encontrada — o Decreto-Lei 4.850, de 10/2003, que criou a comissão interministerial para localização dos mortos e desaparecidos — foi muito mal recebida. Dela participei como chefe da Casa Civil, juntamente com Márcio Thomaz Bastos, José Antônio Dias Toffoli, Celso Amorim, José Viegas e os generais Jorge Félix e Francisco Ribeiro de Albuquerque. Não obstante a boa-fé e o apoio logístico do exército e do chamado oficial das forças armadas para a colaboração de oficiais e suboficiais da ativa e da reserva, nada de relevante veio à tona.

Continuamos dependendo das famílias dos mortos e desaparecidos, das entidades de defesa dos Direitos Humanos, da OAB, da CNBB, dos esforços do ministro Nilmário Miranda, de jornalistas e do acaso: acervos de ex-oficiais achados pelas famílias ou depoimentos espontâneos de ex-torturadores e militares. Triste realidade, agravada com a decisão do STF, entendendo a Lei de Anistia como extensiva aos crimes da ditadura que persiste até hoje, apesar de decisões corajosas de juízes, procuradores que, aqui e ali, de tempos em tempos, condenam torturadores para ver depois as decisões revogadas.

Mais de três décadas após a redemocratização, as forças armadas ainda não estão totalmente submetidas ao poder civil. Orçamentos, currículos e métodos pedagógicos, aposentadorias, promoções e ascensos são basicamente decididos entre e pelos militares.

Lutávamos para prevalecer o caráter democrático e profissional das forças armadas. Devem obediência à Constituição, embora permaneçam impunes os crimes do regime autoritário. E deveriam estar compromissadas com a necessidade estratégica de estabelecer uma doutrina de defesa nacional compatível com o poder nacional e os objetivos do Brasil, só possível com um projeto autônomo e soberano de desenvolvimento nacional, inclusive da Indústria de Defesa Nacional.

Ironicamente, depois que deixei o governo, em novembro de 2005, Lula assinou o Decreto 5.584, que tornou públicos os documentos da ditadura em poder da Agência Brasileira de Inteligência, remetidos depois para o Arquivo Nacional. Apesar de persistir a restrição dos documentos sob sigilo, entre eles os do Araguaia, pelo menos foi um primeiro passo na direção da abertura total.

Por enquanto, porém, continuamos na contramão da história. Em novembro de 2005, o Comitê de Direitos Humanos da ONU fez um "juízo" em relatório sobre o Brasil. Destacou a ausência de investigação oficial e de responsabilização direta dos agentes da ditadura pelos seus crimes. Exigiu a punição dos responsáveis, a publicidade dos documentos e o fim do Decreto 4.553, de 27 de dezembro de 2002, sobre a salvaguarda de dados, informações, documentos e materiais sigilosos de interesse da segurança da sociedade e do Estado, no âmbito da Administração Pública Federal. Uma vergonha para o Brasil.

Nos trinta meses em que permaneci no governo, sempre me coloquei na posição de petista. Sabia da expectativa e da minha responsabilidade com os petistas e, mais do que com eles, com os eleitores do PT e de Lula. Colocava-me também na condição de militante da esquerda socialista, internacionalista e revolucionária, e de sobrevivente da luta armada de resistência à tirania e herdeiro dos sonhos dos que haviam caído em combate. De minha formação política e cultural, de nossa história de nação e povo, trazia o sentimento e o compromisso com os explorados, os deserdados e com os trabalhadores.

31

"NÃO SABIA QUE TINHA TE NOMEADO MINISTRO DA DEFESA"

O dia em que ouvi essa frase do presidente
Luiz Inácio Lula da Silva, depois de uma palestra

A questão nacional e nossa soberania sempre estiveram no centro de minhas ações e no radar da Casa Civil, embora sendo atribuição dos ministérios da Defesa, das Relações Exteriores e da Justiça. Eu era chamado e demandado a falar e agir pelo papel da Casa Civil, por minha história, em muitas dessas questões, fosse de relações exteriores ou de segurança pública e nacional.

Desde que chegara à Casa Civil eu apoquentava Lula com duas questões: o narcotráfico e a reforma do Estado. Propus até a criação da Autoridade Nacional contra o Narcotráfico e da Secretaria de Gestão de Recursos Humanos (ligada ao Ministério do Planejamento, Gestão e Orçamento) na Presidência da República. Ou mesmo da Secretaria Nacional de Segurança Pública, e ainda a criação do Ministério do Interior e Segurança Pública.

Sempre interpretei a questão do narcotráfico como relacionada à segurança e à soberania nacional e não somente à segurança pública. Alertei para os riscos do crime organizado, do controle das penitenciárias pelos delinquentes e do tráfico de drogas e de armas em nível internacional nas fronteiras e na Amazônia. Daí minha posição sobre o papel das forças armadas e meu repúdio à participação norte-americana — via o Departamento de Narcóticos, DEA — no combate ao narcotráfico na América do Sul.

No final de 2003, Lula me escalou para representá-lo no 4º Foro Ibero-Americano, em Campos do Jordão, em São Paulo. Esse evento reuniu empresários, intelectuais, acadêmicos e representantes de países da América Latina, de Portugal e da Espanha.

O Foro contou com a presença de intelectuais como o escritor mexicano Carlos Fuentes, e empresários estrangeiros como Carlos Slim,

ZÉ DIRCEU

Ricardo Salinas e Gustavo Cisneros, mais Roberto Civita, do Grupo Abril, além de membros das famílias Mesquita (*Estadão*), Marinho (*Globo*) e Frias (*Folha de S.Paulo*), e de personalidades de toda a Ibero-América. Informado do caráter confidencial do encontro, até sem anotações pelos participantes, falei e respondi às perguntas abertamente.

Qual não foi a minha surpresa, pela manhã, quando Lula me repreendeu, em tom de galhofa, mas apreensivo: "Não sabia que tinha te nomeado ministro da Defesa e das Relações Exteriores". Fiquei perplexo e ele me mostrou os dois jornais: rompendo o protocolo, *O Globo* e o *Estadão* haviam dado destaque à minha fala. Depois que expliquei a ele as circunstâncias da palestra, conformou-se.

No jornal da família Marinho, a matéria ganhou a capa com direito a manchete. No encontro, expusera a minha avaliação sobre o narcotráfico, as forças armadas e a política externa brasileira. Alertava para a gravidade da infiltração do crime nas instituições, seu poder sobre o social, o controle dos presídios, a infiltração nas polícias, no Legislativo e Judiciário, os riscos para a Amazônia com a intervenção norte-americana na Colômbia, as rebeliões camponesas contra os planos do DEA, (a agência antidrogas norte-americana, *Drug Enforcement Administration*, na sigla original), de erradicação da coca na Bolívia, Peru e Colômbia.

Para mim, a América do Sul e, posteriormente, a América Latina deveriam seguir o exemplo da União Europeia e adotar parlamento e moeda comuns. Minha fala foi clara e direta. "Nós temos de pensar numa América do Sul para além do Mercosul e numa América Latina para além da América do Sul. Nós temos de pensar para além da integração econômica. É integração social, cultural e política. Temos de pensar num parlamento, em políticas macroeconômicas, pensar em uma moeda única. Temos de pensar grande, como a União Europeia. E o Brasil e a Argentina jogam um papel importantíssimo nisso", afirmei.

Perguntado sobre o papel dos militares, respondi que era favorável a uma ação combinada das Forças Armadas da América do Sul, sem os Estados Unidos. E que, em futuro próximo, teríamos uma aliança sul-americana para a defesa do continente inserida em um pacto econômico, político e comercial.

Como o jornal *O Globo* deu a entender que eu defendera o envio de tropas para a Colômbia, fiz questão de dizer que uma coisa é defender uma maior integração dos países do continente, e outra é misturar

406

"NÃO SABIA QUE TINHA TE NOMEADO MINISTRO DA DEFESA"

esse assunto com uma suposta defesa feita em favor do envio de tropas federais à Colômbia.

Defendi a integração militar dos países da América do Sul, apesar de a ideia ainda ser uma "heresia" na região e reafirmei temer a presença dos Estados Unidos na Colômbia a pretexto de combater o narcotráfico. Depois, esclarecendo a repercussão que teve na mídia, afirmei: "Esse assunto (envio de tropas para a Colômbia e a integração militar dos países) não está na agenda do governo. Eu fiz uma palestra acadêmica, fiz uma reflexão. Eu tratei desses assuntos de maneira separada. Quero deixar bem claro que eu não falei dos dois assuntos ao mesmo tempo".

Expus e defendi nossa política de governo e um projeto de desenvolvimento nacional, com distribuição de renda e com o Brasil assumindo seu papel no mundo, como exportador de capital, serviços e tecnologia para integrar nossa região a partir do Mercosul. Para assumir esse papel, deixei clara a importância de forças armadas fortes. Citei países como a Índia, a China e a Rússia, que cuidam do poderio bélico como condição indispensável de soberania no mundo moderno.

Apoiei as iniciativas de Márcio Thomaz Bastos e seu papel no governo, na reestruturação da Polícia Federal, na criação da Força Nacional, do plano de construção de penitenciárias federais de segurança máxima, da integração das inteligências estaduais, da formatação do Estatuto do Desarmamento e da campanha de entrega voluntária de armas. Juntos enfrentamos as crises de Minas, a greve das polícias cariocas, a rebelião nos presídios, os ataques do Primeiro Comando da Capital (PCC), em São Paulo, e do crime organizado no Rio de Janeiro.

As forças armadas foram empregadas pela primeira vez em Minas Gerais. E com êxito, até pela experiência do envio de tropas ao Haiti, onde o problema fundamental era, inclusive, de segurança pública.

Tínhamos consciência da magnitude do assunto do narcotráfico e preparamos o país, incorporando as forças armadas na coordenação conjunta com os governos estaduais, desenvolvendo a Inteligência e assumindo, apesar do estabelecido na Constituição, responsabilidade no combate à violência e ao crime organizado.

Márcio era conselheiro político e amigo de Lula e, para mim, um irmão mais velho. Propôs e realizou, com o nosso respaldo, a partir de uma equipe de jovens advogados, uma importante reforma no Judiciário, a primeira ampla, à espera da segunda, com a extinção dos tribunais de alçada, a criação do Conselho Nacional de Justiça, órgão de controle externo do Judiciário, com a aprovação da súmula vinculante e da repercussão geral, institutos limitadores do amplo e irrestrito acesso recursal ao Supremo Tribunal Federal.

Embora o Conselho Nacional de Justiça (CNJ) tenha sido capturado pelo corporativismo de cúpula e ser controversa instituição da súmula vinculante, foi na gestão de Márcio Thomaz Bastos que o Judiciário e a Polícia Federal ganharam, para o bem e para o mal, o *status* de servidores públicos com planos de cargo e carreira. Sob Lula, a Constituição de 1988 foi efetivada não só para o Judiciário, mas para todas as carreiras típicas do Estado. Na sua gestão, o MPF, o TCU, a AGU, a CGU, a Defensoria Pública, a PF, a Receita Federal e todas as carreiras tiveram reconhecidos seus direitos inscritos na Carta de 1988.

Lula sempre manteve comigo uma relação política. Nós nos reconhecíamos como "animais políticos" e ele me surpreendia com missões aparentemente fora da minha alçada na Casa Civil. Geralmente, estavam vinculadas ao meu convívio, com importantes personagens da cena política: Brizola, Itamar, Arraes, ACM, Sarney, Aécio, Germano Rigotto — vereador em Caxias do Sul, deputado estadual e federal do PMDB por vários mandatos e governador do Rio Grande do Sul —, Luiz Henrique da Silveira — deputado, líder e presidente do PMDB e escudeiro de Ulysses Guimarães, foi prefeito de Joinville e governador de Santa Catarina – ; José Maranhão — governador da Paraíba, foi deputado estadual ainda pelo PTB, federal pelo MDB e importante liderança nordestina do PMDB, foi cassado em 69 pela ditadura —, Vilma Farias, educadora, foi vereadora, deputada federal e prefeita de Natal, governadora pelo PSB do Rio Grande do Norte —, Paulo Hartung — foi presidente do DCE da UFES, um dos dirigentes da refundação da UNE em 1979, filiou se ao PMDB foi deputado estadual e federal, prefeito de Vitória, diretor do BNDES, senador e governador do Espírito Santo filiado ao PSDB —, Roberto Requião — deputado estadual, prefeito de Curitiba, governador do Paraná, senador, importante liderança autêntica e nacionalista do PMDB —, Orestes Quércia e tantos outros, mesmo depois que deixei a articulação política.

No exterior, Lula me demandava e eu sempre me articulava com o Itamaraty, que de ingênuo não tem nada. Daí a presença de um assessor internacional na Casa Civil, seja com relação a Cuba e Venezuela, natural pela minha história, seja pelo relacionamento com os Estados Unidos, Argentina e Colômbia.

"NÃO SABIA QUE TINHA TE NOMEADO MINISTRO DA DEFESA"

Lula e eu tocávamos de ouvido, quando era necessário o contato pessoal, a confiança, a segurança, o compromisso com o interlocutor. E tocávamos a mesma música em se tratando dos interesses do governo e do Brasil. Não precisávamos de contatos frequentes. Sabíamos o que queríamos e o que não queríamos ou não podíamos querer.

A política internacional, a solidariedade, os sentimentos de humanidade estavam no nascedouro do PT, herdeiro das lutas anarquistas-socialistas da imigração operária do final do século XIX, das correntes marxistas, dos embates sindicais internacionais, do enfrentamento com ditaduras, do exílio, da clandestinidade, do internacionalismo.

Lula e os sindicalistas da década de 1970, a resistência armada, as correntes trotskistas e socialistas que formaram o PT, tinham profundos laços na Europa e na América Latina. Cultivavam fortes vínculos com entidades de defesa dos Direitos Humanos, sindicatos, partidos, universidades, fundações, ONGs, personalidades e organismos internacionais das Nações Unidas. Da minha parte, mantinha elos com lideranças de toda a América Latina, do exílio, das lutas comuns também do Caribe, África e Europa. Os partidos comunistas, as organizações armadas dos anos 1970 e o Movimento Estudantil haviam me permitido esse leque de relacionamentos.

Para o PT, a política internacional estava no seu DNA. E cedo se manifestou, por exemplo, no apoio à revolução sandinista e ao sindicato Solidariedade, na Polônia. Sem aderir à Internacional Socialista, sem nenhum realinhamento com os partidos comunistas, solidário com Cuba frente à ameaça e ao bloqueio norte-americano, com relações sindicais e partidárias com a Europa, o partido soube desde sempre de seu comprometimento com seu *habitat* histórico, cultural e geopolítico: a América Latina e, mais especificamente, a América do Sul.

Dez anos após sua fundação, o PT articulou e promoveu o Foro de São Paulo, extraordinária engenharia capaz de manter unidas, até hoje, forças políticas e partidárias tão amplas e diversas. Mas unidas por objetivos comuns e compromissos históricos, seja de solidariedade e apoio mútuo, seja de troca de experiências, seja de confrontação com o neoliberalismo, a ALCA, as ditaduras e os golpes, a pobreza e a desigualdade, em favor do socialismo, da luta contra o império e sua política de agressão à Cuba e em defesa das revoluções salvadorenha e sandinista e, agora, da Venezuela.

A Secretaria de Relações Internacionais do PT sempre foi das mais essenciais. Lula, antes de ser presidente, já era reconhecido como liderança mundial. Muito cedo, desde sua fundação, o Partido dos Trabalhadores já estava ao lado de Nelson Mandela, solidário com seu confronto contra o *apartheid* na África do Sul. E também solidário com Yasser Arafat, a OLP e a Palestina.

O PT conseguiu manter relações com os partidos comunistas e com os partidos socialistas, a social-democracia alemã, escandinava, espanhola, francesa, com os comunistas italianos, franceses, espanhóis e portugueses, sempre aberto para diferentes formas de luta e organização partidária. É o que explica sua identificação com diferentes movimentos e processos políticos, da Frente Farabundo Martí para a Libertação Nacional, de El Salvador, aos sandinistas, zapatistas, à revolução chavista bolivariana, a Evo Morales e Tabaré Vásquez e Pepe Mujica, a Ricardo Lagos e Michelle Bachelet, e também Alejandro Toledo, Alan García e Ollanta Humala.

A experiência de Lula nas relações externas era tangível. Ele a exercitou durante duas décadas como sindicalista e presidente do PT, como personalidade já com trânsito no mundo. No Itamaraty, sob a direção de Celso Amorim, a política externa voltaria a ocupar lugar à altura do Brasil e de sua reputação como potência continental e parceiro dos países sul-americanos.

Na minha percepção, a política externa era a continuação de um projeto de desenvolvimento. Explicitava a vontade nacional, mas a partir dos interesses dos trabalhadores e não só das elites. Do que decorrem minha afirmação e meu desejo, no discurso de posse na Casa Civil, de "dar ao povo seu lugar no Brasil e ao Brasil seu lugar no mundo".

Às vezes, Lula me "homenageava". Reconhecia meu papel, meus laços afetivos com questões externas. Isto posto, recebia algumas "missões", nenhuma delas sem o conhecimento do Itamaraty. Foi assim em Cuba, na Venezuela, na Argentina e nos Estados Unidos. Nada mais do que isso. A política externa era da natureza de Lula, fazia parte de sua estratégia e ele a encarnava, liderava e executava. Seu parceiro era Celso Amorim. Os dois eram a mesma face do Brasil e de seus interesses.

Nas Nações Unidas ou na Organização Mundial do Comércio, a OMC, nas conferências sobre o meio ambiente, nos debates da questão nuclear, nos conflitos na América Latina, o Brasil se tornou nação reconhecida e respeitada. Consciente de nossa presença, Lula não tinha medo. Exemplo disso foi sua proposta sobre o acordo nuclear, construído com a Turquia, aceito pelo Irã, e em um primeiro momento pelo então

"NÃO SABIA QUE TINHA TE NOMEADO MINISTRO DA DEFESA"

presidente norte-americano, Barack Obama. Depois foi rejeitado, mas ressurgiu, em sua essência, no pacto final.

Enfrentou os Estados Unidos na OMC discutindo a questão do algodão, saindo vitorioso. Novamente na OMC, questionou a adoção das tarifas agrícolas, expressão do protecionismo na União Europeia e também atacou os elevados subsídios norte-americanos à agricultura. Sempre disposto a acordos — de ganhos mútuos — desde que não apenas nossos mercados fossem abertos, mas também os da Europa. E sem aberturas que pudessem destruir a indústria nacional.

Dentro de uma estratégia e de acordo com nossos interesses, Lula assumiu compromissos no Haiti. Enviou tropas e as dirigiu em nome da ONU. Defendeu a soberania e autonomia da Venezuela e foi solidário com o presidente Hugo Chávez, eleito, confirmado, reeleito, vitorioso na Constituinte, portanto um presidente legítimo e democrático. É preciso destacar que quando houve a greve na PDVSA, petroleira venezuelana, um verdadeiro locaute, capaz de paralisar o país, promovido pela oposição no final de 2002, o presidente Hugo Chávez pediu apoio ao governo de FHC, buscando comprar gasolina do Brasil e assim impedir a tentativa de derrubar seu governo, pois era disso que se tratava. FHC vacilou e Chávez sugeriu que ele consultasse Lula que, consultado, concordou. Pode-se dizer que aqui começa a relação solidária entre nós e Hugo Chávez.

Chama a atenção que Lula e o Itamaraty puseram em prática essa política sob uma conjuntura de endurecimento da política externa de Washington e de seu envolvimento em guerras. Era a época da "luta contra o terror."

O Brasil se antecipou às mudanças na América Latina, às vitórias de Evo Morales, Rafael Correa, Néstor Kirchner, a consolidação de Hugo Chávez — após o golpe frustrado de que foi vítima em 2001 —, ao retorno de Daniel Ortega ao poder na Nicarágua, da FMLN em El Salvador, da Frente Ampla no Uruguai e, por fim, de Ollanta Humala, no Peru.

Lula agiu sem romper com George W. Bush ou viver em crise com os Estados Unidos, simplesmente porque nunca escondeu nossa política e nossos interesses, praticando sempre a clareza. Por exemplo, ao defender a posição do Brasil sobre Cuba, eu disse à secretária de Estado, Condoleezza Rice, e ao presidente Bush que "sobre Cuba concordamos plenamente que discordamos em tudo".

Essa atitude valia para todos os temas: de Cuba à Área de Livre Comércio das Américas (Alca), de Chávez ao Haiti, do Mercosul às FARCs, nossa diplomacia mantinha uma política externa sob o ponto de vista de um partido de esquerda e socialista legitimado nas urnas para governar o Brasil.

Sempre estimulamos o acordo de paz, as negociações entre as FARCs e o governo colombiano. Com a eleição do presidente Juan Manuel Santos, a paz se tornaria realidade. Não apoiamos a invasão nem a guerra contra o Iraque. Ficamos firmes na ONU, impedindo que a organização fosse envolvida e desse cobertura legal para legitimar a intervenção imperial.

Continuamos defendendo o multilateralismo e transformações na agenda mundial que apontassem na direção dos grandes impasses da humanidade: a fome, o analfabetismo, a guerra, a pobreza.

Não era fácil fazer política externa na América Latina. A presença dos EUA e sua hegemonia, o niilismo e a covardia de nossas elites, quando não a submissão, praticamente relegava nossa política externa a uma posição reativa, defensiva. Para complicar esse cenário histórico — a presença militar, agressiva e invasiva de Washington —, o governo Bush declarou guerra ao terrorismo e transformou esse objetivo no único da política externa norte-americana. Era o retorno do unilateralismo e do militarismo, da guerra de ocupação no Iraque e no Afeganistão, depois na Líbia e na Síria.

A guerra contra o terror esconderia, efetivamente, os objetivos estratégicos norte-americanos: a ocupação do Oriente Médio, a redução do Irã a uma condição tolerável, o que não conseguiu, a eliminação dos governos independentes, fortalecendo a posição das monarquias autoritárias e teocracias do Golfo Pérsico e de Israel.

A democracia era — e continua sendo — o outro pretexto. Basta reparar no respaldo das monarquias teocráticas e totalitárias do Golfo à invasão da Líbia e Síria e a repressão à onda democratizante, fenômeno que não interessava ao império, e assim foi também no Bahrein e no Iêmen, ou a adesão ao golpe no Egito que derrubou o governo eleito democraticamente de Mohamed Mursi, da Irmandade Muçulmana, após a Primavera Árabe, que expulsou a ditadura de Hosni Mubarak, o governo de Ben Ali, na Tunísia, e agitou o Marrocos e a Argélia.

Nossa política externa era, em primeiro lugar, regional. Seu foco estava no Mercosul e depois na Unasul. Articulava-se com uma visão estratégica e com o nosso desenvolvimento. Projetava um setor exportador de capitais, serviços e tecnologia calcado na indústria pesada, na construção e na tecnologia, tendo o BNDES como agente financiador *vis-à-vis* o Eximbank, existente em todos os países desenvolvidos com esse ou outro nome.

"NÃO SABIA QUE TINHA TE NOMEADO MINISTRO DA DEFESA"

Estados Unidos, Alemanha, Japão, França, Grã-Bretanha e Espanha são nações que priorizam as exportações com subsídios nos créditos, tarifas especiais, ajuda diplomática, comercial e financeira, quando não administrando sua taxa de juros e, em consequência, o câmbio para exportar mais e mais. Esse era o cenário, sem falar na diplomacia do porrete — ameaças, bloqueios, sanções, quando não canhoneiras —, sem esquecer a invasão e ocupação de países meramente por obra e graça dos interesses comerciais e estratégicos europeus e norte-americanos.

Trabalhávamos pela integração sul e latino-americana, mas não era apenas comercial. Alcançava uma dimensão mundial, a começar pelos mundos de nossa formação histórica, a África de língua portuguesa e austral, os países árabes e a Ásia, sem abandonar, mas conscientes de nossas limitações em termos de poder de barganha, a Europa, os Estados Unidos e o Japão.

Ela se projetara na audácia, responsável e pragmática, de Lula e do Itamaraty, ao propor a reforma nas Nações Unidas, a reivindicação de um assento no conselho de segurança da organização, a criação do G-20, nossa presença no G-8 e na OMC. Assumindo um papel, sem pedir licença, por exemplo, na questão nuclear, também de direito, já que dominamos o ciclo completo de enriquecimento do urânio, temos reservas, podemos enriquecê-lo e geramos energia. Somos parte das soluções ambientais e da questão nuclear. Com autoridade, assinamos o Tratado de Não Proliferação de Armas Nucleares e proibimos na Constituição a fabricação de armamentos nucleares.

O Brasil não seria o mesmo, nem a sua política externa. Com Lula, assumimos nosso papel no mundo. Ficamos firmes com os palestinos, Arafat e a OLP, a Organização para a Libertação da Palestina, durante as agressões israelenses à Síria em outubro de 2003, trabalhando por uma reativação do "Mapa da Paz", sob a égide da ONU, União Europeia, Rússia e Estados Unidos.

A crise se arrastou por mais de um ano sem solução. Arafat morreu em novembro de 2004, e Lula me designou para representar o Brasil em seu enterro. Na verdade, eu me ofereci, na impossibilidade da ida de José Alencar e Celso Amorim. Em um gesto político, Lula interpretou que, pelas relações do PT com a OLP e nosso apoio à causa palestina, eu não representaria não só o governo, mas indiretamente o partido. Assim me senti e viajei ao Cairo. Embora atrasado, pela escala em Dakar e pelo avião, o famoso "Sucatão", acompanhei toda a emotiva e simbólica cerimônia, numa Heliópolis vazia, pelo fechamento das fronteiras do Egito e o temor da presença de milhões de árabes e palestinos. Era a mão dura do ditador Hosni Mubarak e seu Estado policial, visível em toda a área nobre da cidade.

Foi uma cerimônia com ares de realismo fantástico, sem povo. Milhões que iriam até a pé homenagear um dos últimos líderes revolucionários do mundo árabe não puderam fazê-lo. No lugar das grandes massas populares estavam sheiks e reis, líderes de governos do mundo árabe. Saíram em cortejo do quartel onde Arafat foi velado, na Mesquita do clube militar Al Galaa, área nobre da cidade do Cairo, cercados literalmente por tropas, seguindo a pé até o aeroporto onde os restos mortais foram transportados de helicóptero para Muqata, o prédio na Cisjordânia, onde funcionava o quartel-general da Autoridade Palestina, depois até Ramallah, na Palestina, então sim, onde estava o seu povo.

Ao contrário da tradição, Arafat foi sepultado em um caixão de pedra e não apenas envolto em tecidos, na esperança da família, dos militantes da OLP e da Autoridade Palestina de que, um dia, possa ser definitivamente enterrado em Jerusalém.

Depois das cerimônias, visitei a Liga Árabe para assinar o livro de condolências. Da forma como fui recebido, saltou à vista o prestígio do Brasil e de Lula. Só lamentei não ter ido a Ramallah para prestar minha última homenagem a Arafat, que conheci em visita à Tunísia, acompanhando Lula, quando testemunhei seu afeto e admiração pelo Brasil, por Lula e pelo PT, que nunca abandonou a solidariedade à causa palestina.

Nesse dia de luto recordei uma conversa, reservada entre nós dois, e perturbadora, com o presidente Bush. Após a agenda oficial, em pé, Bush me passou um recado direto que soava como uma sentença: "Arafat é nosso inimigo, inimigo dos Estados Unidos, e não merece nenhuma confiança. Com ele não haverá mais nenhuma negociação".

As conversas sobre a implantação da Alca estavam no auge. Seria complicado ao Brasil dizer não, ainda mais que corria 2003 e acabávamos de assumir o governo. Mas a proposta era inaceitável nos termos dos Estados Unidos. Porém, para travar sua efetivação, era preciso forjar alianças, esvaziá-la ou derrotá-la. A estatura do Brasil exigia, de nós, liderar e não simplesmente negociar. Enquanto isso, a diplomacia norte-americana procurava empurrar o Brasil para um papel moderador na região, o que não nos interessava. E a prova dos nove seria a Alca.

"NÃO SABIA QUE TINHA TE NOMEADO MINISTRO DA DEFESA"

Nosso governo decidiu não dar continuidade à política de FHC para a Alca. Imediatamente, a grande mídia empresarial, de eterno viés americanófilo, vendeu a mudança como ruptura das negociações. Nada mais falso.

O que defendíamos eram os interesses do Brasil. A Alca implicava uma abertura comercial ampla, envolvendo três setores estratégicos para o desenvolvimento do país: serviços, compras governamentais e propriedade intelectual, além de investimentos. Não se tratava apenas do comércio, por si só importantíssimo e de difícil solução, já que os EUA se recusavam a discutir os subsídios agrícolas internos. Só admitiam dialogar sobre aqueles que incidiam sobre a exportação e rever as regras de *antidumping*. O que era inaceitável para o Brasil.

Isso sem contar o fato de que tínhamos direito de discutir investimentos, compras governamentais e propriedade intelectual na Organização Mundial do Comércio, sem prejuízo da discussão e de acordo ou não no âmbito da Alca.

Fracassadas as negociações em Cancún, os Estados Unidos pressionaram por acordos bilaterais com a América Central. Começaram a falar em uma Alca flexível, adaptável a cada país, atraindo para a discussão até a Venezuela, além de México, Colômbia, Peru e Panamá.

O Brasil não cederia e não recuaria. Era a posição do governo. Aceitaria negociar, sem condições ou pura rejeição. Expressei isso e parecia uma discordância com Lula e o Itamaraty, mas era o combinado. Os norte--americanos abriam canais comigo na expectativa de encontrar posições mais flexíveis, mas eu estava em sintonia com Lula: negociar, não rejeitar, mas fincar pé em defesa de nossos interesses. Não se tratava de algo "petista", "ideológico" ou "dogmático". Era pragmatismo.

Por exemplo, no setor têxtil, os norte-americanos acenavam com o fim das cotas, prometendo eliminar tarifas em cinco anos. O que daria ao Brasil vantagem sobre a China, mas significava pouco ou nada, já que nosso setor têxtil, com a abertura de 1990 e sua modernização, era competitivo e a Europa já não impunha cotas.

Outro exemplo de nossa tática foi a proposta de três trilhos: na Alca, no Mercosul entre EUA e quatro países (o 1+4) e na OMC. A divergência entre o Brasil e os Estados Unidos era grande e paralisava a Alca. Mas não havia risco de o Brasil se isolar, como o tempo comprovou.

Outro tema delicado envolveu o envio de tropas brasileiras para o Haiti. Depois, o Brasil assumiria o comando das tropas das Nações Unidas, a Minustah, sigla de Missão das Nações Unidas para a Estabilização no Haiti.

Dentro do Brasil, do PT e na esquerda, mundo afora, surgiram vozes críticas, como se fôssemos instrumento da política de Washington. Sucedia exatamente o contrário. Tratava-se de impedir, de novo, a ocupação do Haiti pelas tropas de George W. Bush. Daí a atitude da França e das Nações Unidas, ambas favoráveis ao envio das tropas da ONU comandadas pelo Brasil. Havia o risco de o Haiti virar uma base de operações dos EUA, inclusive contra Cuba.

No segundo ano de governo, Lula avançava na política de integração sul-americana, agora com Néstor Kirchner governando a Argentina. Nas discussões da Alca, exigia reciprocidade equivalente à decisão de abrir nossa economia, paralisando as negociações. O enfoque brasileiro nos temas Alca e Haiti pareceu demasiado para nossa direita, acostumada com uma conduta de subordinação, muitas vezes de mera contemplação ou mesmo de adesão, à política externa norte-americana.

Apesar do vulto da situação política e de segurança pública no Haiti, era o preço a pagar pelo Brasil para garantir seu lugar no domínio dos assuntos mundiais, um protagonismo que ultrapassasse a missão humanitária — importantíssima —, um papel político que demandava a presença do Itamaraty para além de nossas tropas.

Evitar uma guerra civil, a catástrofe humanitária, restabelecer os serviços públicos, manter a ordem, eliminar as gangues, auxiliar no esforço para o entendimento nacional, a realização de eleições e a escolha um novo governo, afora reduzir o risco de uma ocupação norte-americana. Essa era a tarefa da Minustah, com todos os riscos que tais empreendimentos militares acarretam: violações de Direitos Humanos, perda de controle sobre o comportamento da tropa nas relações com a população civil, interferência na política interna de forma facciosa. Que felizmente não ocorreram.

Como decorrência da minha função, eu tinha pouco tempo para viajar. Evitava os deslocamentos, dentro ou fora do país, só o fazendo por determinação presidencial. Assim foi nas viagens que fiz para Cuba, Estados Unidos, Argentina, Venezuela, Suíça (reunião de Davos), Itália, Portugal e, por fim, Egito.

Lula viajou muito nos primeiros trinta meses. Foi à ONU, ao México, à África, ao Oriente Médio, à Índia, ao Japão e, nos restantes seis anos, faria inúmeras peregrinações, sempre buscando expandir as relações políticas e retomar os laços culturais do Brasil com a África e o mundo árabe. Também ampliando o comércio com os países africanos e árabes e

"NÃO SABIA QUE TINHA TE NOMEADO MINISTRO DA DEFESA"

consolidando, buscando alianças para equilibrar o poder mundial e garantir o multilateralismo através da formação de blocos econômicos regionais como o Brics (Brasil, Rússia, Índia, China e África do Sul), o Ibas (Brasil, Índia e África do Sul), o Fórum de Diálogo Índia-Brasil-África do Sul, e no nosso *habitat*, o Mercosul, a União de Nações Sul-Americanas e, depois, o Celac, a Comunidade dos Estados Latino-Americanos e Caribenhos.

Na visita a Cuba, Lula me enviou antes, no avião da equipe de apoio, para que estivesse em Havana no seu desembarque. Presente inesquecível, embora representasse muito trabalho antes de sua vinda.

Cuba era especial para nós. Lula e Fidel se conheceram na Nicarágua. E Lula não esqueceu a visita de Fidel a sua casa, após a derrota de 1989. Seria inesquecível de todo modo, mas, por uma peculiariedade, tornou-se ainda mais memorável. Acontece que, por pouco, Fidel não morreu. Desavisado, Fidel comeu um bife a rolê sem se dar conta do palito. Engasgou-se e não conseguia devolvê-lo. À força de tapas, na verdade, murros, conseguimos, seu segurança, seu médico, Lula e eu, que expelisse o palito. Uma cena entre engraçada e apavorante. O mais inusitado é que todo o incidente foi fruto de uma delicadeza da cozinheira de Lula, que, preocupada com a feiura do bife a rolê com os palitos aparecendo, cortou as pontas e enviou para dentro o palito. Ao contrário de todos nós — que sabíamos da função do palito no bife a rolê —, Fidel não sabia. E quase morreu. Na casa de minha mãe, dona Olga, esse perigo não existia: o bife a rolê era costurado com um fio fino de linha.

No almoço, Fidel se encantou com nosso agrião — *berro*, em espanhol — e depois, como fazia com os mais diferentes assuntos, de biotecnologia até alimentos, estudou seus benefícios e seu cultivo, difícil em Cuba, já que a planta necessita de bastante água, escassa na ilha. Demos a Fidel a receita do famoso bife a rolê: tempere os bifes como preferir, esperando meia hora para absorção do tempero pela carne. Em seguida, abra o bife, recheando-o com fatias de bacon, pimentão, cebola e cenoura. Enrole o bife e, atenção, prenda com um palito de dentes para não abrir.

Para mim era a volta — agora como ministro — ao país que me acolhera e me apoiara quando a ditadura me retirou a nacionalidade e me baniu de minha pátria. Cuba, Fidel, Raúl, seu povo, haviam me recebido e me dado casa, comida, trabalho, estudo e apoio para lutar contra a ditadura.

Impunha-se a necessidade histórica de recompor as relações com a Ilha. Rompidas pelo regime dos generais, haviam sido pré-restabelecidas por Sarney, mas de modo insuficiente. Exigia-se que avançássemos. Era hora de reintegrar Cuba à família da América, de onde fora excluída por pressões, chantagem, ameaças, compra e suborno pelos Estados Unidos, com anuência da ditadura brasileira.

Quase não acreditava — e vejam que voltei a Cuba quase todos os anos, a partir de 1982 — que estava de volta com Lula e representando o Estado brasileiro. O reencontro com Fidel foi emocionante e a cerimônia oficial mais ainda. Um sentimento de euforia tomava conta de mim, mas a lembrança dos companheiros da "Casa dos 28" desaparecidos ou assassinados me tragava e me devolvia aos anos 1970. Chorei.

Na conversa, longa, na presença de Lula, disse a Fidel que não poderíamos esquecer — para que as névoas do passado não apagassem —, que quando nos faltou a pátria, roubada de nós pela ditadura, Cuba nos acolhera e nos dera asas para voar em direção à liberdade. "Não cuspimos no prato em que comemos", disse-lhe.

32

O MENSALÃO

Explode uma crise que sinaliza o começo do fim

No final de 2004, ainda tomado por uma mistura de cansaço, decepção e angústia, comecei a me indagar se não serviria melhor ao governo como deputado e militante, percorrendo o Brasil e mobilizando a militância. Minha intuição detectava que estávamos expostos e divididos, que faltava mobilização para sustentar o governo, por demais dependente de uma base parlamentar de centro-direita e altamente instável.

O *affair* Waldomiro Diniz expusera a divisão do PT e fora desastrosa na disputa pela presidência da Câmara, com gravíssimas consequências para a imagem do Partido dos Trabalhadores, da própria Câmara e do governo. Vinha se agravando, seja pela política econômica, para além do necessário monetarista e conservadora, seja pela reforma da Previdência, caso típico de miopia da nossa esquerda, defendendo privilégios da alta cúpula do serviço público.

Havia — e ainda há — um erro estratégico de avaliação: a suposição de que a oposição — e não só a partidária — aceitava a vitória de Lula em 2002 e respeitaria as regras democráticas e a alternância do poder. Pior: subestimávamos o uso pelos oposicionistas — PSDB à frente — do aparato policial e judicial, o que ocorria de forma ilegal e "legal". Contudo, nosso mais sério engano versava sobre o papel da mídia na formação do "clamor popular", a opinião publicada — e não a opinião pública —, modelando a "pressão popular".

Em 2003, a oposição aguardava com segurança — e falha grosseira de análise — a nossa autoderrocada. Tomada de preconceitos sobre Lula e o PT, raciocinavam na linha lacerdista sobre JK: não será candidato, se for não vencerá; se vencer, não tomará posse; se assumir não governará;

O MENSALÃO

se governar, iremos depô-lo — em uma versão livre da famosa frase do "Corvo", como os getulistas chamavam Carlos Lacerda.

Levaram um susto com a constituição do primeiro Ministério de Lula, com a política econômica — até nós — com o sucesso do Bolsa Família, com as propostas de reformas da Previdência e Tributária, com a política externa e a afirmação de Lula como porta-voz de uma política externa ativa e altiva, como bem a definiu Celso Amorim.

Antes que 2003 terminasse, começavam a conspirar e articular "escândalos". O primeiro foi a farsa do episódio Waldomiro Diniz, devidamente desmascarado, mas nem por isso enterrado, devido ao apoio da mídia, que o mantinha presente na memória política.

Chegou-se ao ponto de insinuar, lançando balões de ensaio, a proposta de *impeachment* de Lula, já no caso Waldomiro Diniz. Fizeram de tudo para aprovar uma CPI, jamais possível na era FHC, quando nem a Polícia Federal, nem o Ministério Público Federal, nem mesmo o Tribunal de Contas da União, nem o Judiciário se mexiam sobre denúncias, notícias, crimes e mesmo flagrantes ocorridos no governo federal.

Tudo começou com uma reportagem da revista *Veja*, com fitas gravadas, implicando um diretor dos Correios, Maurício Marinho, aliado de Roberto Jefferson, presidente do PTB e por ele indicado para o posto. Marinho denunciou que pagava regularmente comissão pelo cargo e função a Roberto Jefferson "pessoalmente". Descrevia em detalhes a participação do deputado do PTB, a quem classificava de "doidão".

Acuado pelas notícias e provas contra ele, Jefferson iniciou sua estratégia para se safar das acusações, apontando o dedo para outro lado. A imprensa apurou e descreveu qual era a participação do PTB no governo e Jefferson se deu conta de que sua política de achaque, cobrança de pedágio, pressão, ameaças de demissão com seus aliados e nomeados seria exposta e comprovada. Entrou em pânico. Porém, tarimbado na corrupção — foi peça decisiva no esquema Collor-PC Farias, chefe da tropa de choque em defesa de Fernando Collor e de seu mandato —, passou ao ataque ao governo. Houve um fato determinante para tal decisão: vieram a público suas pressões e ameaças contra o diretor presidente do Instituto de Resseguros do Brasil (IRB), que se recusava a desviar R$ 400 mil ao mês para o PTB, assim como acontecia nos Correios.

Os fatos eram aterradores para Jefferson. Na gravação, Marinho, então diretor do Departamento de Contratações e Administração de Material dos Correios (ECT), diz textualmente a dois empresários, dos quais recebe R$ 3 mil de propina: "Eu não faço nada sem consultar. Tem vez que ele vem do Rio de Janeiro só para aceitar um negócio. Ele é doidão".

Na edição 1.905 de *Veja*, com o título "O homem-chave do PTB", a revista expõe os fatos: Marinho afirma defender os interesses do PTB e atender às ordens de Roberto Jefferson, presidente do partido.

Quando a TV Globo mostrou a gravação — clandestina — de Marinho embolsando a propina, estava montado o cenário para mais uma tentativa de derrotar e, se possível, derrubar o governo. Hoje sabemos quem fez a gravação e a serviço de quem.

Como no caso do Hotel Naoum, foi Carlos Cachoeira e sua equipe que gravaram para a revista *Veja* as cenas do achaque petebista ordenado por Roberto Jefferson, como ficou comprovado pelas declarações em juízo do próprio Maurício e pela própria gravação. Hoje, sabemos que a fita foi gravada pelo araponga Jairo Martins, que gravou a fita de Maurício Marinho recebendo propina em 2005, no marco zero do Mensalão, e a entregou ao jornalista Policarpo Junior, de *Veja*. Jairo Martins foi pego na Operação Monte Carlo. Era fonte regular da revista e também recebia pagamentos mensais da quadrilha do bicheiro. Sabe-se que Jairo, além de fonte habitual da revista *Veja*, era remunerado por Cachoeira. Ambos então presos pela Operação Monte Carlo. "O Policarpo vivia lá na Vitapan (laboratório de Carlinhos Cachoeira)", como afirmou o ex-prefeito de Anápolis, suplente de Demóstenes Torres no Senado, Ernani de Paula. Na operação Monte Carlo, nos vídeos apreendidos, o jornalista de *Veja* aparece gravado em 200 conversas com o bicheiro Cachoeira, nas quais, supostamente, anteciparia matérias publicadas na revista de maior circulação do país. No início do governo Lula, em 2003, o senador Demóstenes Torres era cotado para se tornar secretário nacional de Segurança Pública. Teria apenas que mudar de partido, ingressando no PMDB. "Eu era o maior interessado, porque minha ex-mulher se tornaria senadora da República", diz Ernani de Paula. Cachoeira também era um entusiasta da ideia, porque pretendia nacionalizar o jogo no país — atividade que já explorava livremente em Goiás. Ainda, segundo o ex-prefeito, houve um veto à indicação de Demóstenes. "Acho que partiu do Zé Dirceu", diz o ex-prefeito. A partir daí, segundo ele, o senador goiano e seu amigo Carlos Cachoeira começaram a articular o troco.

A edição de *Veja* era de 18 de maio de 2005. Até 6 de junho, Jefferson fica exposto e nu perante o país, com seus métodos e seu esquema de

O MENSALÃO

corrupção desvendado e comprovado. Resolve contra-atacar, porque é impossível se defender. Mais tarde, confessaria, numa linguagem tipicamente policial: "Estou percebendo que estão evacuando o quarteirão e o perímetro, e o PTB está ficando isolado para ser explodido". Afirma que o governo agiu para isolar o PTB.

A realidade era outra. Jefferson era um deputado menor no PTB, ainda mais distante no relacionamento com o governo e a Casa Civil. A transição não teve a sua participação. José Carlos Martinez, presidente do partido, deputado federal, fundou e presidiu — até sua morte — as Organizações Martinez, controladora da Central Nacional de Televisão (CNT). Foi eleito pela primeira vez em 1983 e presidiu o Partido Trabalhista Brasileiro (PTB), ao qual era filiado havia onze anos. Antes, foi filiado ao Partido Democrático Social (PDS), de 1981 a 1985, Partido do Movimento Democrático Brasileiro (PMDB), de 1986 a 1989, e Partido da Reconstrução Nacional (PRN), de 1990 a 1991. Foi tesoureiro da candidatura de Fernando Collor de Mello, quando conseguiu notoriedade e pôde concorrer ao governo do Paraná, em 1990, perdendo para Roberto Requião. No segundo turno da eleição presidencial de 2002, apoiou Lula e, com Lula, tinha bom trânsito com a bancada governista. Era deputado federal pelo Paraná e o verdadeiro interlocutor do PT e do governo. Martinez morreu aos cinquenta e cinco anos em um acidente aéreo.

A relação nossa era com Matinez e também com o empresário e político mineiro Walfrido dos Mares Guia, então dono da Biobras e das Faculdades Pitágoras. Tinha sido deputado federal e vice-governador de Minas. Também eram figuras centrais na transição do governo Carlos Wilson, ex-governador e senador, José Múcio, deputado e líder do PTB, e finalmente Luiz Antonio Fleury, de quem fiquei próximo quando ele governou São Paulo. Não foi por acaso que Mares Guia acabou escolhido para ser ministro do Turismo e Carlos Wilson para presidente da Infraero. Sinalizava uma opção de governo, assim como a relação especial com José Múcio, mais tarde ministro da Articulação Política.

Pela estatura de Mares Guia, empresário, vice-governador, deputado federal, com liderança, competência política e de gestão, jamais Jefferson exerceria qualquer influência no Ministério. O mesmo acontecia com relação a Carlos Wilson, senador, vice e depois governador de Pernambuco. Sua aversão a Roberto Jefferson era tamanha que deixou o PTB. Não queria ser mais alvo de investidas, pressões e exigências de Jefferson. Juntos, decidimos, com a aprovação silenciosa do restante do PTB, sua desfiliação do partido.

Lula — só ele — havia escolhido Carlinhos, como o chamávamos, para a Infraero, fazendo crescer a insatisfação de Jefferson. Desprestigiado e isolado, sem participar do círculo de decisões PTB-governo, viu na morte trágica de Martinez a oportunidade de capturar o PTB, refém de suas ambições e métodos até hoje: a chantagem, a ameaça e o domínio cartorial do partido, seu fundo partidário, seu programa de rádio e TV, suas listas de candidatos. Desfrutando o espaço generoso que a mídia lhe dá pelos serviços prestados, não importando seus crimes mais do que confessos, assumidos e enaltecidos.

Jefferson nunca me perdoou por lhe negar acesso ao governo. Por tratá--lo a distância e institucionalmente, por lhe recusar apoio nas investidas no IRB e em Furnas, por não defendê-lo das acusações e denúncias, mais do que comprovadas, nos Correios. Queria a solidariedade e a cobertura do governo. Reivindicava uma ação nossa na PF, no MPF, na Abin a seu favor. Pedia, chorava, implorava para terceiros. Começou a nos ameaçar assim que, à medida que a investigação jornalística desvendava seu pequeno mundo de propinas, percebeu que estava perdido.

Nas edições de 6 e 12 de junho, a *Folha de S.Paulo* publica duas entrevistas de Roberto Jefferson. Nelas, acusa o Partido dos Trabalhadores de pagar mesada de R$ 30 mil reais a parlamentares — o "Mensalão" — em troca de votos a favor do governo no Congresso. Diz que avisou José Dirceu sobre o esquema. Inventa uma sala "ao lado do gabinete do ministro José Dirceu", onde haveria negociação de cargos, mas — atenção — disso ele afirma não ter provas.

No depoimento do Conselho de Ética e Decoro Parlamentar da Câmara, em 14 de junho de 2005, Jefferson declara que eu era o "mentor do mensalão", igualmente sem apresentar provas do meu envolvimento.

Começa a guerra do "Mensalão" com nossa derrota na primeira e decisiva batalha: a instalação da CPI dos Correios, a primeira de muitas que viriam. De novo, é de dentro do PT, como nas reformas e na crise do caso Waldomiro Diniz, que vem o fogo amigo: quatorze deputados e deputadas do PT assinaram o pedido de CPI. Na prática, aliaram-se ao PSDB e PFL, impedindo que deputados do PSB, PDT, PCdoB e mesmo do PMDB, contrários à CPI, recusassem sua assinatura ao pedido. O objetivo da oposição era evidente: atingir o governo e o presidente

O MENSALÃO

Lula. Tanto é verdade que, até hoje, o processo criminal dos Correios permanece inconcluso, sem sentença. E, fato importante: ninguém do PT ou do governo foi denunciado e é réu; somente Jefferson e outros servidores ligados a ele e ao PMDB foram pronunciados.

É preciso registrar os nomes dos parlamentares do PT que assinaram o pedido de CPI: Chico Alencar, Doutor Rosinha, Doutora Clair, Gilmar Machado, Ivan Valente, João Alfredo, Maria José Maninha, Mauro Passos, Nazareno Fonteles, Orlando Fantazzini, Paulo Rubens e Walter Pinheiro. Outros dois haviam retirado suas assinaturas em documento, não usado, entregue ao líder então do governo, Arlindo Chinaglia: Virgílio Guimarães e Antônio Carlos Biscaia. No Senado, Eduardo Suplicy foi o único a apoiar a CPI.

Foi um combate duro e desigual. Com toda a mídia exigindo a CPI e o PT dividido, seu diretório nacional não foi capaz de fechar questão contra o apoio à comissão. Em meio a tudo isso, restava ainda a perplexidade dos partidos aliados frente à atitude dos quatorze deputados do PT que firmaram o pedido de CPI e com a inação do governo.

Eduardo Campos e Aldo Rebelo foram de solidariedade extrema. Mesmo, acredito, sabendo das divisões no PT e já detectando, no interior do governo, mais do que vacilação e sim um recuo, com a minha demissão. Viraram noites comigo na Casa Civil na busca de uma maioria contra a CPI, com a consciência que estavam em jogo não os Correios ou o "Mensalão", mas o mandato de Lula, nosso governo.

Jefferson inventou sua história: fora a Abin, o próprio governo, que montara a escuta nos Correios, sob minha coordenação. Sua versão ganhou ares de "verossimilhança" com o vazamento de *e-mail* do diretor da Abin, Mauro Marcelo, no qual ele chamava a CPMI dos Correios de "picadeiro" e os seus membros de "bestas feras". Foi demitido, mas o estrago estava feito.

Hoje sabemos, pelas confissões de Carlos Cachoeira a partir do escândalo Demóstenes Torres, senador do DEM, que a gravação nos Correios e outras haviam sido obra de arapongas contratados por Cachoeira, em comum acordo com a revista *Veja* e seu diretor na sucursal de Brasília, Policarpo Junior, em uma relação criminosa com o propósito de derrubar o governo Lula. É a prova definitiva do erro de se assinar a CPI.

Apesar de todas as provas e evidências da associação criminosa entre *Veja*, arapongas, Carlos Cachoeira e suas ligações com o PSDB-DEM, não foi aberta nenhuma CPI. Ninguém depôs, jornalista ou diretor de *Veja*, nenhuma investigação foi realizada. Tudo ficou impune com a cumplicidade e o silêncio de toda a mídia. Repete-se aqui a novela Waldomiro Diniz, estrelada pelos mesmos personagens: Carlos Cachoeira, mídia, arapongas, escutas, PSDB, DEM e a própria PGR representada por José Roberto Santoro.

O quadro de desgaste ficaria mais sério com a constituição da CPI do Mensalão, que não deu em nada, e da CPI dos Bingos, depois conhecida como a "CPI do Fim do Mundo" por investigar tudo e todos no governo por decisão do STF. O próximo alvo seria Luiz Gushiken, com sua convocação para depor ainda em julho, apenas porque um ex-diretor dos Correios, Airton Dipp — demitido em dezembro de 2003, quando da saída de Miro Teixeira, do PDT, da pasta das Comunicações —, sustentou que a Secom participava das decisões da comissão de licitações de contratos de publicidade, maiores do que a ECT, segundo ele (*sic*).

Nada mais absurdo, respondeu a Secom em nota pública, comprovando seu estrito papel. O assunto morreu, mas já era o começo da caça às bruxas e do vale-tudo na mídia por um "furo", uma "bomba", "uma cabeça", uma nova vítima.

Nesse palco, Jefferson sentiu-se à vontade para exibir uma peça de ficção sobre o "Mensalão" e minha participação como chefe e mentor. Ao mesmo tempo, a CPI montava seu circo. Nos dias que correm, sabemos, pelas delações de Delcídio Amaral e Marcos Valério, como a CPI foi manipulada e dirigida para incriminar o PT e aliados e livrar o PSDB, favorecido pelo "Mensalão Mineiro".

Jefferson oscilava entre inocentar Lula, que chorou, segundo ele, ao ser informado do esquema que depois parou. Inventou que sabiam da história eu, Palocci, Ciro e Mares Guia. Citava Miro Teixeira que, conforme sua versão, teria falado de uma "mesada", mas recuara. Jefferson envolveria deputados do próprio PTB, além de Mares Guia. Quando questionado por qual motivo não denunciou a prática e por que mudou de atitude, não teve pudor em responder que o governo agia para isolar o PTB e culpar seu presidente, ele próprio. A realidade, contudo, era outra e mais simples: ele montou seu esquema de propina e foi descoberto.

No PT, a situação só piorava, pela discórdia e a total falta de solidariedade, cujo ápice foi o vazamento da reunião do presidente com a bancada na Granja do Torto. Havia companheiros cegos à evolução da crise e à criminalização das alianças partidárias e do próprio PT, que

O MENSALÃO

levava a mídia a um estado de histeria. Foi o caso da chamada Operação Curupira, que apurou o relacionamento de funcionários do Ibama, desde o governo FHC, com madeireiras em troca de doações para campanhas, inclusive do PT, à prefeitura de Cuiabá. Furiosa, a cobertura midiática generalizou a responsabilidade do partido pela participação de um simples filiado, entre 100 investigados.

O cenário político degenerava e a oposição pressionava o governo para forçá-lo a recuos ou a aceitar a linha da agenda neoliberal. Do nosso lado, crescia a sensação de que era preciso avançar, sugerindo uma ampla reforma política que equacionasse a questão do financiamento das eleições e do seu alto custo.

Sem acesso ao miolo da crise — o PT — à campanha de 2004, a sua tesouraria, à comissão executiva e ao Diretório Nacional, do qual estava afastado, e percebendo o aumento das divergências, também na nossa bancada, mais a instalação da CPI e suas consequências, resolvi pedir demissão da Casa Civil. Consultei Genoino, que concordou. Cedo, no dia seguinte, 15 de junho, fomos ao encontro de Lula, que também já se decidira pelo meu afastamento. Não me pediu para ficar, não me propôs nenhuma outra tarefa, simplesmente me demitiu. Foi melancólico e simbólico, como se tudo já tivesse decidido, poucas palavras, monossílabas, uma cena um tanto derrotista e pequena para os protagonistas, para nossa história de vida e luta. Depois, no Planalto, numa pequena reunião com Lula, Mercadante, se não me engano, Gilberto e Gushiken, talvez Palocci, eu me emocionei e chorei. Pela minha memória passavam os vinte e cinco anos de vida e luta pela construção do PT, meu sonho de eleger Lula presidente, minha total e absoluta lealdade e dedicação ao PT e a Lula. No fundo a minha frustração e decepção eram sufocantes, e minha intuição me dizia que estávamos errando grosseiramente e não entendendo o que era o Mensalão e o que significava minha saída do governo.

Lula, usando de suas metáforas, havia me alertado quando, meio que brincando, disse que os vidros de minha sala eram à prova de bala, mas de uma bala, ou seja, não suportaria várias. Lula deixou claro que ali não era o local adequado para eu me defender. Nesse momento decisivo, vinham à minha cabeça as imagens de meus companheiros e companheiras que haviam caído na luta contra a ditadura, muitos na tortura, sem ceder, morreram com dignidade, jovens na flor da vida, sonhadores e idealistas. Uma profunda dor me dilacerava.

Como era possível que companheiros e companheiras, de tantos anos no PT, simplesmente me abandonassem, sem mais nem menos? Na verdade, fui abandonado à minha própria sorte. Não havia nenhuma proposta sobre meu futuro. Eu teria que me defender sozinho e contar, como sempre, com a solidariedade e apoio da militância, de parlamentares e dirigentes do PT, já que o governo e a direção do PT não conseguiam sequer se defender. Que contraste, que abismo entre meus camaradas de armas e agora de alguns, muitos, de meus companheiros de PT!

Num almoço no dia 16 com Lula, Jaques Wagner, Aldo Rebelo, Gushiken e eu, o presidente decidiu aproveitar minha saída para iniciar uma minirreforma ministerial. Aquela seria minha última participação como ministro, numa decisão de governo.

No pronunciamento que fiz no dia 16 de junho, ao sair do governo, compareceram dezoito ministros e deputados do PT, com Maria Rita, ao meu lado esquerdo, Márcio Thomaz Bastos, Gushiken, Luiz Dulci, Patrus Ananias e Ricardo Berzoini. Defendi o governo, minha vida e história, e o PT. Deixei claro que continuava no governo como deputado da base e dirigente do PT, que percorreria o país e mobilizaria nossa militância e prestaria contas ao povo, não apenas das acusações do Mensalão, mas dos avanços do governo Lula, que não compareceu à cerimônia.

No dia 17 de junho fizemos um ato na Casa de Portugal, em São Paulo, com auditório lotado, quinze ministros, todos do PT. Homenageado, eu pretendia mobilizar o PT e nossa base e ficar no governo. Ou me licenciar. Não era a minha biografia ou imagem que estavam em jogo, mas nossa história e o futuro do país.

Porém, em que pese a expectativa que, ao retornar, reassumisse um novo papel no PT, na mobilização, na bancada e na Câmara, o que se viu foi um linchamento. Houve prejulgamento e praticamente novo banimento da vida política e de toda e qualquer atividade na Câmara, tal era o assédio e a agressividade da imprensa. E, diga-se de passagem, da maioria dos jornalistas, sendo raras as exceções. Do dia para a noite, virei bandido e de nada prestava toda a minha história de vida.

Mais decepcionante era a situação interna do partido, sua absoluta incapacidade de reconstruir uma maioria e uma direção, com um gabinete de crise, para enfrentá-la e superá-la. Em lugar disso, a imediata e rápida decisão de se livrar dos acusados, culpá-los, expulsá-los. Em atitude oportunista e covarde — quase uma corrida —, vários grupos e

O MENSALÃO

tendências do PT passaram a se isentar mutuamente e a acusar a maioria, o Campo Majoritário, pelos fatos. Esses, aliás, ainda em processo de apuração por uma CPI e a Polícia Federal.

Não havia uma linha de resistência, uma trincheira, um plano de luta, nem no governo e, muito menos, no PT. Era como se as denúncias fossem apenas, e tão somente, uma questão ética, de caixa dois, de financiamento de campanha, de exclusiva e total responsabilidade de Delúbio Soares, Sílvio Pereira e José Genoino e, na prática, minha, avalizando assim a acusação de Roberto Jefferson.

O comportamento dos membros do PT na CPI era vergonhoso e totalmente defensivo, quase como linha auxiliar da oposição.

As provas de que eu estava ausente nas decisões da direção do PT não serviram para nada. Comecei a me dar conta de que, no governo, evoluía uma posição de "Zé Dirceu é problema da Câmara e do PT", bastante consequente com a minha demissão sem qualquer plano de ação e entendimento comigo sobre o meu futuro. Felizmente havia a militância petista, ministros, dirigentes e parlamentares, e a minha disposição de resistir.

Resistir, sobreviver, disputar, sempre foi assim a minha vida. Com minha demissão, a imprensa menos, a TV mais, relembrou minha biografia na direção do PT, no movimento estudantil, na resistência armada à ditadura, a prisão e o exílio, a clandestinidade, a anistia, a construção do partido. Saí com a cabeça erguida e disposto a defender não só a minha inocência e o meu mandato, mas o PT e o governo, apesar de tudo. Por isso terminei a despedida avisando que "A luta continua".

Diante do panorama desolador, as correntes minoritárias se aproveitavam da crise, articulando-se para derrotar Genoino, cujo mandato terminava em 2005. Aumentava a pressão pela sua renúncia, mesmo que isso representasse um prejulgamento, tomado como confissão de culpa. Não se tratava de uma resposta organizada, dirigida à militância, elegendo uma nova direção com uma proposta de defesa do PT e do governo. Era simplesmente um acerto de contas, desespero, a incapacidade de compreender o momento e de definir estratégias.

Resolvi me defender na Câmara e nas ruas, percorrer o país, mobilizar o PT e sua militância, agregar apoios fora do PT.

Entre julho e agosto, os acontecimentos se precipitam. Para escapar de prestar contas sobre os Correios, IRB, Furnas, e captando a linha da mídia e sua fome por novos escândalos, Jefferson desvia sua atenção para os fundos de pensão, as relações com a Portugal Telecom, o papel de Marcos Valério e seu relacionamento com Delúbio Soares e o PT. Estimula uma devassa.

Julho foi um mês decisivo. Genoino renunciou à presidência, e uma direção provisória assumiu. Tarso Genro e Marco Aurélio Garcia eram as opções. Participei da discussão na direção e no Campo Majoritário. As alternativas eram José Eduardo Dutra, Ricardo Berzoini e Marcelo Déda. Precisava-se preparar o partido para o Processo Direto de Escolha — o PED — de suas direções em setembro. Os nomes de Olívio Dutra e Luiz Dulci eram lembrados, mas Olívio era candidato a governador e Dulci, com minha saída e depois da de Gushiken, não podia e não devia deixar o governo.

A renúncia de Genoino foi triste e traumática. Nada tinha a ver com ele o fato que desencadearia a sua saída: um assessor da Assembleia Legislativa do Ceará fora preso com dólares no aeroporto de São Paulo e, como era ligado ao irmão de Genoino, José Guimarães, deputado estadual do PT, serviu como gota-d'água. Imediatamente foi aproveitado pela mídia — e pela oposição, dentro do PT — para defenestrar Genoino, desmoralizá-lo e condenar José Guimarães, depois absolvido pela Comissão de Ética da Assembleia Legislativa cearense e pela Justiça. Era o clima entre a militância do PT que, reconheço, mostrava-se perplexa, assustada, carente de informações, decepcionada com a direção e as acusações que vinham a público tratando de caixa dois e das relações com Marcos Valério.

É fato que tudo começou mal desde a primeira entrevista coletiva de Genoino e Delúbio, quando não foram admitidas as relações com Marcos Valério, depois comprovadas por documentos, empréstimos bancários, firmados por ambos. E ainda tivemos os depoimentos de Karina Somaggio, secretária de Marcos Valério, e de sua mulher, Renilda.

A demissão de Gushiken, após devassa da mídia de sua vida, de sua família, de seus ex-sócios, escancarava o verdadeiro propósito da operação Roberto Jefferson. O alvo era a Secom, os possíveis laços com Marcos Valério e a publicidade oficial. Porém, o real objetivo era extrair do governo mais um dos apoios cruciais de Lula e desmantelar a política de comunicação e distribuição de publicidade montada por Gushiken. Por detrás de tudo, o desagrado com a liderança política de Gushiken entre os bancários e a sua proposta de reorganização dos fundos de pensão para retirá-los da influência de FHC e da política de privatizações, tornando-os instrumentos de um projeto de desenvolvimento.

O MENSALÃO

Enquanto isso, denúncias paralelas explodiam. Ora afirmava-se que a Abin investigava os Correios, na verdade, a empresa Unisys, ora que o PPS, através de Márcio Lacerda, recebera oferta ou doação de R$ 4 milhões para apoiar Marta Suplicy, candidata à Prefeitura de São Paulo em 2004. E a denúncia do motorista Wendell de Oliveira, que trabalhava para a deputada petista por Goiás, Neide Aparecida, testemunhando que transportara 200 mil dólares recebidos da Tesouraria Nacional do PT para a campanha daquele mesmo ano.

Nem a família do presidente escapou. O *Estadão* noticiou que a PF investigava possível uso de cartão corporativo na campanha de Vicentinho por um filho de Lula que, provavelmente, seria de empresa de Marcos Valério. Sem citar fontes e provas. Era o vale-tudo da mídia na corrida por furos e denúncias, verdadeiras ou não.

Logo, o TCU decidiu promover uma devassa no Executivo. Respondemos com a proposta de uma reforma política e a manutenção do rumo do governo, apostando no crescimento da economia. A despeito dos ataques, o governo se esforçava. Estava prestes a aprovar a lei das micro e pequenas empresas, a legislação de falências, o novo Cade, o Conselho Administrativo de Defesa Econômica, e o novo estatuto das agências reguladoras. A MP do Bem — Medida Provisória 252, que deveria reduzir distorções no mercado imobiliário — continuava parada no Congresso, assim como a lei complementar versando sobre a política nacional de meio ambiente.

Nesse ínterim, vinte e um deputados do PT se declararam desobrigados de seguirem a orientação partidária. A esquerda do partido se divide e o nome de Tarso Genro enfrenta resistência como candidato único das correntes minoritárias. Suas entrevistas o indispõem com a imensa maioria do partido. Na última delas, declarara que não via motivos para votar no partido. Era o Tarso Genro de sempre, brilhante, excelente ministro, culto, mas desastrado quando se tratava do PT.

No dia 12 de agosto, mesmo dia em que a revista *Época* publicava uma entrevista com Valdemar Costa Neto, na qual ele afirmava que o PL recebera R$ 10 milhões no apoio à candidatura de Lula em 2002, Lula fez um pronunciamento à nação. A decisão de se dirigir ao país, no entanto, havia sido tomada após o depoimento de Duda Mendonça à CPI dos Correios.

Em rede nacional, Lula afirmou ter consciência da gravidade da crise política, que estava indignado com as revelações que, diariamente, chocavam o país, e que se sentia traído. Pediu desculpas aos brasileiros, negou que soubesse do esquema. Fez questão de destacar que ninguém seria poupado nas investigações.

Genoino renunciara e Delúbio seria expulso pelo Diretório Nacional, no qual a minoria fez de tudo para nos submeter a uma comissão de ética e nos expulsar. Silvio Pereira se desfiliara após a divulgação sobre a compra de um carro da GDK Engenharia — seu proprietário afirmara tratar-se de uma doação — e o suposto uso de aviões da mesma empresa. Eu e Gushiken estávamos fora do governo, e o entorno de Lula o convencera a dar as costas ao "Mensalão", um "problema do PT e da bancada". Circulavam boatos sobre sua desfiliação, defendida por assessores, e a "despetização" do governo, uma sandice e amostra da total falta de política do governo para encarar a questão.

Era o pior cenário possível: partido rachado e sem direção e governo sem rumo.

No final de julho, *O Globo*, a GloboNews e o jornal *Bom Dia Brasil*, da TV Globo, deram um furo de reportagem, trazendo a público os "empréstimos" do Banco Rural, com garantias de contratos de publicidade com o governo de Minas, realizados por Marcos Valério, em 1998, e direcionados à campanha de Eduardo Azeredo, governador do PSDB e então candidato à reeleição. Eram R$ 11,7 milhões, repartidos entre setenta políticos e pessoas vinculadas à campanha de Azeredo. Era o "Mensalão Tucano", também apelidado de "Mensalão Mineiro" que, depois, seria vergonhosamente ocultado pela mídia. Pior ainda: seria escamoteado na CPI, via fraude nos dados solicitados ao Banco Rural, conforme denunciou o senador Delcídio do Amaral, envolvendo Aécio Neves e outros tucanos. A má-fé e a hipocrisia cresciam. O depoimento de Eduardo Azeredo "desapareceu" das páginas dos jornais e revistas, ondas e telas já que fora, propositalmente, marcado para o mesmo dia que o meu na Comissão de Ética da Câmara. Aliás, jamais fui convocado para depor nas CPIs dos Correios, do Mensalão e dos Bingos. Acredito que pelo meu desempenho na Comissão de Ética, na qual, apesar da imensa desvantagem diante do massacre midiático, mantive a dignidade e me defendi.

A imprensa se tornara cúmplice da operação tucana na CPI para abafar as investigações sobre os empréstimos — liquidados por R$ 2 milhões — e para as revelações de Marcos Valério, que levavam à conclusão do uso do caixa dois pelo PSDB, de mais a mais inventada e operada por eles. Não por acaso, as empresas de Marcos Valério haviam nascido sob a égide das campanhas do PSDB por intermédio de Clésio Andrade.

O MENSALÃO

Na CPI, a farsa foi maior com a ajuda da dupla Osmar Serraglio e Gustavo Fruet. FHC foi blindado e o caso PSDB-Azeredo-Marcos Valério adiado, dando tempo para as falsificações dos documentos do Banco Rural, hoje conhecidas pelas revelações de Decídio do Amaral e do próprio Marcos Valério sobre o mensalão tucano. Apesar de condenado em primeira instância, Azeredo aguardava há anos o julgamento de seu recurso no Tribunal Regional. Usufruiu o privilégio legal de responder em liberdade, negados a todos hoje no país. Tudo indicava que seria beneficiado pela prescrição de seus crimes, ao completar setenta anos. O que quase aconteceu, não fosse a decisão do TRF da 1ª. Região, que confirmou a sentença e decretou sua prisão, no final de maio de 2018. Vinte anos e um mês de prisão, pelo mensalão tucano.

Simone Reis e Duda Mendonça, com seus depoimentos, mudaram a conjuntura política e agravariam a situação do PT, de seus dirigentes, de Lula e do governo. Ela divulgou a nominata dos beneficiados pelos empréstimos tomados pelas empresas de Marcos Valério através do Banco Rural. No rol, doze deputados federais, o presidente da Casa da Moeda, e vários dirigentes estaduais do PT. Ao todo, setenta e quatro nomes, aos quais atribuiu o recebimento de um total de R$ 54,8 milhões.

O publicitário Duda Mendonça, que fez a campanha vitoriosa de Lula, recebeu R$ 15,5 milhões, confirmando tudo em depoimento, inclusive que recebeu em conta no exterior. Paralelamente, os detalhes foram surgindo. Márcio Lacerda, secretário-executivo da Integração Nacional, do PPS de Ciro, constava na lista e renunciou. O ex-procurador Aristides Junqueira recebera R$ 545 mil por serviços jurídicos legais prestados ao PT de São Paulo. Ficamos devendo R$ 50 mil.

Ao mesmo tempo, Jefferson retomou sua acusação contra mim e Lula sobre a tentativa de Marcos Valério de vender publicidade à empresa Portugal Telecom, com a finalidade de quitar dívidas de campanha. Seu intuito era nos envolver em uma operação exclusivamente do PTB e dele, Jefferson, e Marcos Valério.

Em meio a tudo isso, surge a denúncia de Luiz Eduardo Soares. Luiz, antropólogo, cientista político, especialista em Segurança Pública, defendia a legalização das drogas, a unificação das polícias Militar e Civil e o fim do encarceramento em massa. Ele fora demitido do Ministério da Justiça, do qual era secretário nacional de Segurança Pública, por razões internas, de supostas irregularidades, um episódio lamentável cercado de dossiês e denúncias não comprovadas, que envolviam inclusive a contratação de sua mulher, Miriam Guindani, e sua ex-mulher, Bárbara Soares, além de repasses supostamente irregulares do Fundo Nacional de Segurança Pública. Avesso a dossiês e a perseguições políticas, fiquei perplexo pelo envolvimento do meu nome na demissão do secretário de quem eu só tinha excelentes referências. Mais: eu concordava totalmente com a política que ele defendia à frente da secretaria. Não houvera nenhuma participação minha ou da Casa Civil no seu afastamento. No entanto, Soares acusa-me, na CPI dos Bingos, de ligações com o crime na Baixada Fluminense. E de ser, com Delúbio e Marcelo Sereno, responsável por arrecadar recursos para campanhas do PT. Uma mentira, proferida por alguém que supunha, talvez, estar se vingando. Jamais respondi pela arrecadação de recursos e nunca pedi valores a ninguém para a campanha de Lula em 2002, ou para as eleições municipais em 2004.

33

O PAPEL DO JORNAL

A Folha de S.Paulo *quer o* impeachment *de Lula,*
mas a oposição prefere deixar Lula sangrar

Entrava agosto de 2005 e o quadro político assumia proporções de verdadeira inquisição. Cada vez tornava-se mais evidente que o alvo maior se situava além de José Dirceu, Delúbio Soares, Silvio Pereira, Luiz Gushiken, João Paulo Cunha, Paulo Rocha, Professor Luizinho e João Magno. Era Lula. Toda a narrativa midiática era antigoverno e anti-PT; e o domínio sobre a CPI, total.

Nas hostes oposicionistas, ensaiavam-se as primeiras escaramuças pela sucessão. Embora sem respaldo popular, mesmo o *impeachment* era considerado, algo que o jornal *Folha de S.Paulo* defendia, mas a oposição vacilava. Por medo ou oportunismo, optava por desgastar e fazer Lula sangrar até 2006, para então derrotá-lo. As declarações de Duda Mendonça e de sua sócia, Zilmar Fernandes, impactavam por sua proximidade com o presidente e pela hipocrisia e determinação da mídia de transformar — como agiu com Roberto Jefferson — culpados em ingênuos e réus confessos em heróis. Duda assumiu os ilícitos de sonegação fiscal e remessa ilegal de divisas. Buscava a absolvição, que alcançaria em 2012. Era tudo o que a oposição precisava: um segundo Roberto Jefferson.

O abalo no PT foi terrível. Mercadante, vice na chapa de Lula em 1994, íntimo do presidente e líder do governo no Senado, deu a entender que deixaria o Partido dos Trabalhadores. Na CPI, atuou com a oposição. Coube a ele propor a lista dos dezoito indiciados, antes mesmo do desfecho da CPI, colocando-me no topo. Foi cruel com Genoino. Interpelou-o e, na prática, o acusou, embora sabendo de sua inocência e, no mínimo, de sua boa-fé e da delegação de atribuições a Delúbio e à equipe de arrecadação.

Mas há que destacar a atitude de luta da Senadora Ideli Salvatti, do PT de Santa Catarina e do Senador Sibá Machado, do PT acreano, assim como dos deputados Carlos Abicalil, do Mato Grosso e Jorge Bittar, do Rio, ambos do PT.

Na bancada do PT na Câmara, vários deputados choraram e alguns falaram em traição. José Eduardo Cardozo e outros lutariam e permaneceriam no PT. O mesmo não aconteceria com Ivan Valente, Chico Alencar, João Alfredo, Heloísa Helena, Luciana Genro, Orlando Fantazzini e João Batista de Oliveira Araújo, o Babá. Deixariam o partido e formariam o PSOL.

Ainda em agosto, o recém-empossado presidente do PTB, Flávio Martinez, pediu a instauração de processo disciplinar contra mim no Conselho de Ética da Câmara. No dia 10, o presidente da Conselho, Ricardo Izar, instaurou o processo e indicou como relator o deputado Julio Delgado, do PSB de Minas. Izar era deputado do PTB paulista. Em 1º de setembro, a CPI dos Correios aprovaria um relatório parcial conjunto com a CPI da Compra de Votos, recomendando a abertura de processo contra mim e mais dezessete deputados ou ex-deputados acusados de receber "mensalão" e diversas pessoas ligadas às supostas fraudes ocorridas nas estatais e nos fundos de pensão.

O relatório final da CPMI Mista dos Correios, elaborado pelo deputado Osmar Serraglio (PMDB-PR), foi aprovado por dezessete votos a quatro, depois de muita discussão e sob reclamações de parlamentares petistas, que pretendiam modificar trechos de que discordavam, entre os quais, a conceituação do "mensalão". Foram apresentados trinta e sete votos em separado, entre os quais um do PT, que substituiria todo o relatório. O texto de Serraglio foi aprovado numa reunião que durou apenas vinte minutos, todos os votos em separado foram considerados prejudicados.

É o cenário em que travaria minha luta em vários *fronts*: no Conselho de Ética, na CPI, na Câmara, no Superior Tribunal de Justiça, na imprensa e no país.

Ao regressar à Câmara, compreendi que estava julgado e condenado pelos adversários, pela maioria política da Câmara. Sem contar os jornalistas que, majoritariamente, atuavam como a voz e a vontade dos donos dos grandes jornais e das redes de rádio e televisão, modelando uma "opinião pública", radicalizada por eles, contra o "chefe do Mensalão".

O ambiente era frio e hostil, sufocante, mesmo na bancada do PT. A esquerda passou a me tratar sem a presunção da inocência. A Democracia

Socialista, capitaneada por Raul Pont, e os futuros deputados do PSOL exigiam minha expulsão do PT e votaram pela minha cassação. Eu mal podia circular pelos corredores, comissões, plenário. Agressiva e invasiva, a mídia agravava a situação.

Mas eu era o segundo deputado mais votado do Brasil — só perdera para Enéas Carneiro — e decidi não renunciar ao meu mandato. A pressão para que eu renunciasse era generalizada. Iniciava-se no gabinete do presidente, passava pela bancada e seguia até advogados e amigos. Cheguei a vacilar.

Após os apelos de Arlindo Chinaglia, Márcio Thomaz Bastos — que sempre falava em nome dele e de Lula —, Luiz Eduardo Greenhalgh e Sigmaringa Seixas, tomei a decisão de renunciar — sem concordar, apenas para atender ao governo e a Lula.

Foi quando Maria Rita, minha mulher, me fez a pergunta definitiva: "Como você explicará sua renúncia à militância do PT e o abandono da luta? Ela se sentirá traída".

Maria Rita era militante da base do PT. Sempre defendera nossas causas e candidaturas no diretório da Vila Mariana, do qual fez parte. Falava com o coração e por intuição, mas também em nome de centenas de milhares de petistas ou milhões que me apoiavam e me viam como o Zé Dirceu, presidente do partido e ministro de Lula. Ponto final. Não renunciei e me preparei para o combate.

Primeiramente organizei minha assessoria e defesa jurídica: Hélio Madalena, que chefiara meu gabinete em 1997 e 1999 nos mandatos federais; Swedenberger Barbosa, meu ex-assessor na presidência do PT e secretário executivo na Casa Civil; José Luís de Oliveira Lima, o "Dr. Juca", como advogado. Hélio no gabinete, Berger na política, Juca no jurídico, e Nelson Breve na imprensa. Eu estava mais do que bem servido.

Era preciso combinar a defesa jurídica com a parlamentar, nas ruas e nos tribunais, no PT e na esquerda, além de na mídia, a mais difícil e principal arma contra mim. Daria os primeiros passos em uma via-crúcis que se arrastaria por dez longos anos.

Quando não tinha provas, a mídia as inventava, caso da célebre lista de doações do PMDB para mim. Como na minha declaração de Imposto de Renda inexistia qualquer irregularidade, o que depois seria comprovado pela própria Receita Federal, surgiu um rol de doações falsas e vazamentos de um inquérito policial. Quem acolheu os dados falsificados e os vazamentos foi o jornal *O Globo*, que bordou com manchetes trechos de interrogatórios sobre fraudes no INSS no Rio que me "envolviam". Tudo adulterado, fraude processual, calúnia, como ficou provado no encerramento dos inquéritos.

A batalha jurídica começou no STF. Até então, deputado licenciado não poderia ser processado por quebra de decoro, uma vez que não estava no exercício do mandato. Era a jurisprudência do STF. Nem seria necessário dizer que o STF, por maioria de sete a quatro, mudou a jurisprudência, decidindo que o parlamentar "carrega" consigo o decoro parlamentar e, portanto, a imunidade. O fato é que eu era ministro e não deputado. Tanto é verdade que meu suplente assumiu o mandato. A Corte suprema era — e é — assim. Produz decisões eminentemente políticas.

Outro fato revelador da determinação de cassar o meu mandato por razões exclusivamente políticas — por maioria e ponto — foi a inusitada deliberação do presidente do Conselho de Ética, Ricardo Izar, de não interromper o processo de minha cassação, mesmo após o pedido do presidente do PTB, Flávio Martinez, retirando a representação que fizera em agosto. Para minha surpresa, Izar afirmou a *O Globo* que não havia provas contra mim. Era um julgamento essencialmente político, como admitiu o relator da CPMI, Osmar Serraglio.

Convencido de minha inocência, decidi, corretamente, percorrer o país me defendendo, escrevendo e respondendo a todas as acusações — verdadeiras ou não — na imprensa e na Câmara.

Um esforço que resultou em manifestações de solidariedade pelo país. Foi assim em 17 de novembro, na Faculdade Cândido Mendes, no Rio. No dia seguinte, outro ato na Câmara Municipal de São Paulo. No dia 19, em Belo Horizonte, na Assembleia Legislativa. Dia 22, foi a vez do Distrito Federal, no auditório da CNTI, a Confederação Nacional dos Trabalhadores na Indústria. Mais apoios no dia 25, na posse do Diretório Municipal do PT, em Campo Grande. Em 27 de novembro, estive em Olinda e, no dia seguinte, em João Pessoa. No dia 29, 100 juristas e advogados assinam o manifesto "Em Defesa do Estado Social e Democrático de Direito", denunciando a violação de meus direitos. Traduziu-se em longa e emotiva jornada, pelo apoio da militância do PT, do PCdoB, do PSB, do PDT e da esquerda, dos sindicatos, do MST, da CUT, da UNE, de juristas, advogados, intelectuais, artistas e jornalistas.

A militância do PT se fez sempre presente, desde minha volta à Câmara em 23 de junho, quando fui recebido por uma multidão, até o dia de

O PAPEL DO JORNAL

minha cassação e por todos os dez anos seguintes, inclusive durante minha prisão em novembro de 2013.

Ainda me recordo de Cândido Mendes, Benedita da Silva, Édson Santos, Luiz Sérgio, Gilberto Palmares, Lucy e Luiz Carlos Barreto, Paulo Thiago, Antônio Pitanga, Aroeira, Zé de Abreu e Antonio Grassi, no Rio. Marta e Eduardo Suplicy, Luiz Marinho, Marco Aurélio Garcia, Patrus Ananias, Dilma, Márcio Thomaz Bastos e Tarso Genro (todos enviaram mensagens) e a bancada do PT na Câmara Municipal de São Paulo em peso, vereadores de quase todos os partidos. Em Belo Horizonte, Fernando Pimentel, Roberto Carvalho e Nilmário Miranda estavam presentes. No Distrito Federal, Zé Alencar, Ricardo Berzoini, Jaques Wagner, Patrus Ananias e Nelson Machado não faltaram, acompanhados de vários deputados e senadores.

Mesmo em Santos, no dia 26 de novembro, durante ato em desagravo a Lula na Câmara local, fui apoiado e defendido. Em Olinda, João Paulo, prefeito de Recife, me recebeu ao lado de Humberto Costa e Luciana Santos, do PCdoB, vários deputados estaduais e federais.

Não me faltou apoio da militância, da maioria das direções do PT, de suas bancadas, dos ministros de todos as siglas, inclusive do PTB, nas figuras de Mares Guia e José Múcio.

Mas o clima político estava envenenado e o depoimento de Duda Mendonça engrossara a corrente, na bancada e no governo, que exigia solução rápida para o "Caso José Dirceu". Surgiram sinalizações de contrariedade diante da minha resistência. Não me negaram apoio, mas temiam que a crise atingisse Lula, como as pesquisas começavam a indicar.

No dia seguinte à minha cassação, o jornalista Alon Feuerwerker expressou, com maestria, em artigo no *Correio Braziliense*, o ambiente em que se deram os fatos. O título dizia tudo: "Passividade surpreendente". No texto, descrevia a "pouca resistência oposta pelo PT" e "pelo governo", diante do "problema Dirceu". Advertia que "ficará para sempre a sensação de que (partido e governo) entregaram numa bandeja, aos adversários, a cabeça de seu principal comandante político". E continuou notando que "as correntes minoritárias petistas aproveitaram a crise deflagrada pelas acusações de Roberto Jefferson para promover um ajuste de contas com o Campo Majoritário".

Essa era a realidade, tanto que, afora minha luta e resistência política e jurídica, articulavam-se acordos nos bastidores da CPMI e da Câmara para encerrar o "Problema Dirceu".

O primeiro movimento surgiu na CPMI e contou com a anuência de Mercadante: a lista dos dezoito denunciados, comigo na cabeça. O segundo, através das lideranças partidárias, inclusive do PT, com a anuência da mesa da Câmara, abarcando vários denunciados, incluídos depois pela CPMI e o MPF. A combinação era elementar: vamos cassar Jefferson porque caluniou a Câmara, quebrou o decoro e não provou a existência do Mensalão, e José Dirceu, por chefiar o Mensalão.

Mais impressionante é que, nos relatórios da Comissão de Ética votados pela Câmara, é exatamente isso que consta. Na realidade, era a prova da minha inocência. Se Jefferson mentiu, como eu poderia ser condenado por sua acusação?

O objetivo era simples: dar um fim à crise do Mensalão, entregando à sanha da mídia, da "opinião pública", os dois, Jefferson e Zé Dirceu. E desse modo aconteceu. Nenhum outro parlamentar foi cassado, alguns renunciaram, casos de Paulo Rocha, Bispo Rodrigues e Valdemar Costa Neto. Todos foram absolvidos, com exceção de Pedro Corrêa, que impôs a votação com o plenário da Câmara quase vazio e perdeu por quatro votos.

Eu vivia pressionado pelos meus apoiadores — e mesmo pela militância — para denunciar tais acordos que, de um lado, expressavam passividade e, de outro, urgência. Recusei-me, preferindo concentrar-me em minha defesa política e jurídica. Era inocente, minha defesa era a minha vida e tinha principalmente convicção do que fizera.

Na Câmara, eu travava uma batalha legal, seja contra a inclusão de um depoimento de Kátia Rabello, presidente do Banco Rural, nos autos e no relatório de Júlio Delgado por inversão de prova e violação do direito de defesa, seja contra o uso de documentação sigilosa, usada indevidamente pelo relator. Venci a disputa no STF, tanto no caso do depoimento de Kátia Rabello, por maioria de votos, quanto do relatório de Júlio Delgado. O relator foi obrigado, por decisão do ministro Eros Grau, a refazer seu relatório. Mas a determinação não foi cumprida, e o relatório, aprovado pelo Conselho de Ética por treze votos a um. Apresentei embargos de declaração e a liminar foi deferida com a determinação de que outro parecer fosse apresentado, anulando, dessa forma, a votação.

Violando normas regimentais e a Constituição Federal em relação ao princípio do contraditório, o Conselho refez a votação desconhecendo a solicitação do meu advogado e meu amplo direito de defesa. Era um final grotesco e triste para a Câmara. Ao violar o regimento interno da

O PAPEL DO JORNAL

Casa e a Constituição, a Comissão de Ética cumpria uma formalidade de minha cassação política, sem provas e sem o devido processo legal.

A despeito das adversidades, cresciam as reações para preservar o meu mandato. Ex-presidente do STF, Maurício Corrêa se manifestara na imprensa. Também foram publicados artigos de meus advogados. Dr. Juca e Rodrigo Dall'Acqua, além de juristas e jornalistas como Pedro Estevam Serrano, Mauro Santayana e Fernando Morais. O ex-presidente da Câmara, Ibsen Pinheiro, e o cientista político Wanderley Guilherme dos Santos, em artigo no jornal *Valor Econômico*, engrossavam o amplo arco de personalidades exigindo justiça e respeito ao devido processo legal. Surgiram ainda manifestos e abaixo-assinados da CUT, de advogados e juristas, de dirigentes sindicais, de artistas e intelectuais, todos defendendo o meu mandato.

Eu mesmo me defendi na *Folha de S.Paulo* em 6 de setembro. E o próprio jornal, no editorial "A cassação de Dirceu", do dia 4 daquele mês, expressava que a decisão do Conselho de Ética era um veredicto político.

Porém, iniciou-se um movimento subterrâneo na Câmara, com sinais perceptíveis vindos do governo, para votar o relatório do Conselho de Ética antes do recesso parlamentar de 15 de dezembro. Era um golpe mortal na expectativa segura que tínhamos, com o crescimento dos atos contra a minha cassação, de uma votação em fevereiro e uma vitória no plenário. Era demais para a minha autoestima e dignidade. Era uma pressão gigantesca, como se eu estivesse sendo abandonado depois de sair do zero e ter prosseguido, graças ao apoio recebido e à minha resistência, até o ponto de chegada para, então, sofrer uma rasteira, não dos inimigos, mas do famigerado "fogo amigo".

Pior do que a bengalada que quase levei na saída do plenário da Câmara, tão violenta e com tanto ódio que poderia ter me matado se houvesse me atingido. O grave não foi a agressão nem seu autor, um desconhecido escritor de livros infantis, Yves Hublet, belga de nascimento, por coincidência curitibano, desequilibrado — morreu depois de preso pela Polícia Federal quando embarcava para a Bélgica, segundo consta, por portar uma espingarda e uma garrucha desmontada. Morreu num hospital público de Brasília, abandonado pelos que antes o endeusaram no Senado, como Álvaro Dias, que ainda levantou suspeitas sobre sua morte. Hoje sabemos que morreu de câncer em estado avançado. Grave foi o fato de que mãos ocultas o financiaram e o levaram até Brasília. Ninguém condenou o ato de violência na mídia, revelando a determinação

441

oculta de nossos adversários de nos eliminar, inclusive fisicamente. Nem falar sobre a nossa Justiça, arquivando duas tentativas que fiz de processá--lo pela tentativa de me agredir de forma vil, covarde, premeditada e violenta. O de sempre.

Aldo Rebelo, solidário e presente, como todo o PCdoB, não resistiu às pressões provenientes do governo, do PT, da bancada. Final melancólico, onde eu me defendia, amparado pela imensa maioria do partido, da esquerda, das forças políticas, sociais, sindicais, das personalidades, até de fora da esquerda, como Ives Gandra Martins e Cláudio Lembo, mas sem o apoio daqueles que tinham o poder real de me fazer justiça.

34

VIVER PARA OUVIR

*"Zé, você foi cassado porque não
comprou votos contra sua cassação"*

Fui cassado no dia 1º de dezembro de 2005, por 293 contra 192 votos.
Não sem antes me defender de cabeça erguida — consciente de que seria
cassado, mas vencedor. A covardia e a infâmia de minha cassação ficaram
nos anais da Câmara e estão registradas na história do Parlamento.

Os bastidores da cassação eram por demais vergonhosos. Deputados
do PT pediram votos pela minha exclusão, mais de doze votaram assim.
Parlamentares de diferentes partidos me procuraram propondo trocar
votos por demandas no governo, muitos deles traindo votos de lealdade,
como Antônio Carlos Magalhães, que, por iniciativa própria, havia me
chamado para declarar seu apoio. Outros, como Anthony Garotinho,
adiantando pessoalmente a mim que votaria pela cassação, por vingança
e despeito. Uma figura menor.

Anos depois, um deputado do PP me confidenciaria: "Zé, você não
foi cassado por comprar votos na Câmara, via Mensalão. Você foi cassado
porque não comprou votos contra a sua cassação". E me relatou como
dezenas de deputados, inclusive do PSDB-PFL, negociaram seus votos
naqueles meses, em 2006, em que vários parlamentares foram absolvidos.

Foi minha trajetória que me deu forças para resistir e discursar pela
minha defesa naquela noite — madrugada adentro — de 31 de novembro
para 1º de dezembro. Os golpes eram dolorosos. Integrantes do PT haviam
aprovado o relatório da CPI, contendo o meu indiciamento e de mais
dezessete parlamentares. Wanderley Guilherme dos Santos escreveu que
aquele era "um documento politicamente indigno", "aprovado inclusive
pelos representantes do PT", que "ou cederam à extorsão oposicionista,
ou... são cúmplices do primarismo que contamina a vida pública nacional".

Meu discurso está no anexo destas *Memórias*. Eu estava tão convicto, reunira tantas provas de minha inocência, que o fiz de improviso, com o coração e a memória de quarenta anos de lutas políticas. Afinal, a denúncia de Roberto Jefferson era vazia, inepta e sem provas. Além de não estar no exercício do mandato, inexistia uma prova sequer de que eu quebrara o decoro parlamentar. O relatório não indicava quais trabalhos legislativos tinham sido irregulares, nem quais votações haviam sido manipuladas. Todas as testemunhas haviam deposto confirmando o teor das reuniões com o Banco Rural e o BMG e que nunca houve discussão de empréstimos irregulares, já que a agenda era pública e aberta a assessores. As tentativas de me relacionar com repasses de Marcos Valério — através do PT — ficaram desmoralizadas pela própria CMPI. Nenhum documento, nenhuma prova de minha participação, ciência, anuência, nas alegadas ilicitudes.

Nem a tentativa ignóbil de envolver minha ex-mulher Ângela Saragoça vingou. Ficou provada a licitude dos atos de Ângela e seu desconhecimento sobre a origem dos recursos de um apartamento que havia vendido. Toda a operação foi declarada à Receita Federal, via Imposto de Renda, e registrada em cartório: a venda, a compra e o financiamento do outro apartamento, a fonte dos recursos para seu pagamento e toda sua atividade profissional, o emprego no BMG. Todos os participantes me isentaram de ter conhecimento ou dado anuência àquelas atividades comerciais.

Era um relatório político sem nenhum fato, nenhuma prova, ato de ofício ou indício. E apenas uma testemunha me acusava, numa peça de ficção: Roberto Jefferson.

A Câmara me cassou sem o inquérito policial estar concluído, sem o procurador-geral da República me denunciar, e sem provas. Desfechava-se a longa ofensiva que levaria ao afastamento de Luiz Gushiken, depois inocentado por decisão unânime do STF e, em 2006, de Antônio Palocci.

Naqueles primeiros meses de 2006, Márcio Thomaz Bastos, Henrique Meirelles, Gilberto Carvalho e o próprio José Alencar sobreviveram às arremetidas dos nossos adversários políticos e da mídia, que proporcionou vasta e generosa cobertura às investigações, devassas fiscais, ou mesmo às denúncias vazias e ineptas dentro do espírito do vale-tudo.

A maior infâmia foi contra Zé Alencar. Uma carta a partir de um "compadre" mineiro, enviada à vice-presidência pedindo emprego para um familiar, bastou para que se esquadrinhasse o gabinete de Alencar e sua assessoria por meio do chamado "jornalismo investigativo".

Gilberto Carvalho, o mais próximo e presente no dia a dia de Lula, pagou caro, seja no caso do assassinato do prefeito Celso Daniel, seja na função de secretário e ministro do governo. Passou meses sob pressão constante para que renunciasse. A mídia não o poupava e quase todos os dias surgiam denúncias contra ele, todas infundadas e nunca comprovadas, mas o bombardeio tinha um único objetivo que era tirar do governo o núcleo duro que havia construído a vitória de Lula. Nem uma figura da elite e do *establishment*, um banqueiro internacional como Henrique Meirelles, escapou da devassa, ao lado de Márcio Thomaz Bastos.

Depois de cassado, fui vencendo, na Justiça e na Administração, os mitos das "acusações". Em 9 de maio de 2006, foi deferida uma medida cautelar a meu favor, que suspendia o procedimento instaurado pelo Ministério Público de São Paulo, visando a investigar-me por supostos delitos praticados durante a gestão de Celso Daniel. Eros Grau seguiu entendimento anterior do ministro Nelson Jobim, que determinara o arquivamento do pedido de abertura do inquérito.

Em 12 de maio, o Banco Central desmentiu, em carta à revista *IstoÉ*, as afirmações de que eu teria pressionado o presidente da instituição para que fossem liberados negócios em favor de Marcos Valério.

No dia 26 do mesmo mês, o Tribunal de Contas da União, em nota informativa sobre o acórdão número 926/2006, considerou improcedente a representação a respeito de possíveis irregularidades ocorridas nas operações de aquisição, pela Caixa Econômica Federal, de parte da carteira de crédito consignado do Banco BMG. Não houve, segundo o TCU, irregularidade, fraude ou favorecimento.

Em 25 de junho de 2006, o médico João Francisco Daniel, irmão de Celso Daniel, retratou-se, em juízo, de acusações contra mim. Não há e não havia nenhuma acusação contra José Dirceu referente à gestão e à morte de Celso Daniel.

Em março de 2007, a Receita Federal, depois de investigar minha vida fiscal, renda e patrimônio — averiguação que se estendeu de novembro de 2005 a março de 2007 — concluiu pela inexistência de crime fiscal, financeiro ou variação patrimonial a descoberto.

Nenhuma relação minha com Marcos Valério e suas empresas foi encontrada, nada de telefonemas, SMS, reuniões, encontros. Zero! Não recebi nenhum recurso ilícito, não favoreci nenhum banco ou empresas de Marcos Valério, mas fui cassado. E o mais grave: o procurador-geral da

República, sem esperar o inquérito da Polícia Federal, nunca concluído ou publicado, e sem aguardar o relatório final da CPMI, denunciou-me em 30 de março de 2006 ao STF.

Eram os quarenta suspeitos, entre eles eu, de envolvimento no esquema investigado pela CPMI, apontando-me como membro do núcleo principal da "quadrilha". A denúncia seria aceita pelo STF e eu seria acusado por corrupção ativa e formação de quadrilha. Desprezando as provas em contrário e calcado somente nas acusações de Roberto Jefferson, o procurador concluiu "que todas as imputações feitas pelo ex-deputado Roberto Jefferson foram provadas". O que contrariou a decisão da própria Comissão de Ética da Câmara e do próprio plenário, que casara o mandato de Jefferson justamente por ele ter feito "acusações sem prova".

Na imputação do procurador-geral, apareço na condição de chefe de uma "sofisticada organização criminosa". Sem provas de novo, o procurador alegava que eu fora presidente do PT e chefe da Casa Civil e, com tanto poder, teria de estar a par de tudo e ser responsável por todos os fatos. Mais uma suposição, mais uma vez sem provas.

Vaga, a denúncia não descrevia os atos que teriam sido praticados. Não trazia provas para as acusações. Como não houve enriquecimento ilícito, os bancos não foram favorecidos. Não havia reunião com Marcos Valério, nenhuma participação minha, nem no PT, nem mesmo com os partidos e deputados. Não havia comprovação de desvio de recursos públicos e, por fim, nenhuma prova de compra de votos e muito menos de minha participação no processo.

A expectativa era que o plenário do STF não aceitasse a denúncia. As próprias CPMIs não provaram que houvera compra de votos e muito menos minha participação nessa suposta compra. O próprio PT, José Genoino e Delúbio Soares testemunharam que eu não tinha participação ou mesmo ciência das atividades da tesouraria do partido. E não havia prova em contrário.

Era uma denúncia vazia e uma longa luta que se prolongaria ainda mais. O julgamento somente aconteceria em 2012. Foram sete anos sem tréguas. Condenado a sete anos e onze meses por corrupção ativa e a mais três anos por chefiar quadrilha, recorri da decisão, por intermédio de embargos infringentes — recurso contra acórdão proferido em apelação e direcionado ao próprio Tribunal responsável pela decisão questionada — somente julgados em 2014. Fui inocentado da acusação de formação

VIVER PARA OUVIR

de quadrilha após a confirmação, pelo pleno do STF, do direito aos embargos infringentes, que fora contestado por cinco dos onze ministros.

Em outubro de 2013, mediante outra decisão — inédita, atípica e de encomenda — gerada por pressão política externa, o STF criou a figura do "trânsito em julgado parcial". Desse modo, permitiu minha prisão, não obstante o recurso pendente sobre formação de quadrilha, além da procedência dos embargos infringentes.

No mês seguinte, justamente no dia 15 de novembro daquele ano, o relator Joaquim Barbosa, em ato demagógico, jogando para a opinião pública, determinou minha prisão. A data coincidia com a da Proclamação da República. Era o início de nova batalha. A primeira havia sido a da sobrevivência política e pessoal entre 2006 e 2012, quando fui praticamente banido dentro de meu próprio país. Quando, também, tive que defrontar com parte de meu próprio partido e a maioria da imprensa. Essa, mais uma vez, como na cassação de meu mandato, dispensando-me tratamento de corrupto e chefe de quadrilha, sem direito à presunção da inocência e ao devido processo legal.

Como aconteceu na cassação, também no STF eu não seria julgado pelos meus atos, mas pelo que eu era. Pela minha atuação como presidente do PT e ministro da Casa Civil, a história e o papel político no país. Meu discurso é meu testemunho das injustiças e crimes que a maioria da Câmara, da mídia, do STF e o procurador-geral praticaram ao me condenar sem provas, à prisão, que cumpri, à inelegibilidade, que cumpri, e, mais grave, à exclusão da vida política e da cidadania. Crimes e injustiças que vão além do cidadão José Dirceu para ferir a Justiça, a Lei e a Constituição.

Como foi possível o STF cumprir semelhante papel, se dobrar facilmente à pressão da mídia e da oposição? Quem eram esses ministros e qual era a tradição da Suprema Corte? Infelizmente, a tradição não era e não é nada boa. Nossa Suprema Corte, com raras exceções, sempre se dobrou à pressão ou mesmo ao uso da força, seja no Estado Novo ou na ditadura militar de 1964. Cenas como a de Adauto Lúcio Cardoso jogando a toga não se submetendo à farda, ou de ministros que resistiram, como Victor Nunes, Hermes Lima e Evandro Lins e Silva, aposentados compulsoriamente pelo AI-5, eram e são raras.

O caso da AP 470 seria fatídico, anunciava a virada da Suprema Corte na direção do populismo judicial e do ativismo político, da judicialização da política, a Corte suprema a serviço da luta contra a corrupção, quando os fins justificam os meios — e era somente o começo. Com a exposição dos debates, votos e decisões dos ministros, via sessões mostradas ao vivo pela TV Justiça, e a submissão da maioria dos ministros à pressão de grupos de opinião e principalmente das Organizações Globo, o STF caminhou a passos acelerados para se tornar um poder moderador, quando não o verdadeiro poder político do país, seja legislando, seja mudando a Constituição, como no caso do poder de Polícia Judiciária da União, dada à Polícia Federal pelos constituintes que, depois de décadas de resistência à Suprema Corte, se submeteu à pressão da mídia e da direita e transferiu para o MPF o direito constitucional líquido e certo da Polícia Federal e das polícias estaduais.

Existe hoje muita polêmica em torno das indicações de ministros que Lula — e depois Dilma — fez para a Suprema Corte. Lula indicou oito ministros; um faleceu — Carlos Alberto Direito —, três já se aposentaram por idade — Cezar Peluso, Ayres Britto e Eros Grau — e um aos sessenta anos, Joaquim Barbosa. Continuam no STF Ricardo Lewandowski, Cármen Lúcia e Dias Toffoli.

Parece simples, majestático, o presidente querer e indicar os ministros das cortes superiores, mas, na prática, na vida real, não é assim. Há que fazer mediação com o próprio judiciário, seja o STF ou o STJ, pois a pressão é grande e estão em jogo decisões dessas cortes que podem até inviabilizar o governo. Há demandas legítimas dos tribunais estaduais, os TJs, dos TRFs, dos senadores, deputados e governadores, há grupos de pressão empresariais e há os escritórios de grandes advogados e as grandes corporações, sejam empresariais ou de trabalhadores. Enfim, há um pouco de tudo. E há um pequeno detalhe: o Senado da República é quem confirma a indicação do presidente, ou não.

É um tema espinhoso e nosso inventário não é nada bom, mas é preciso ter sangue-frio e analisar como foram e quem eram os indicados. Outra coisa é como se comportaram, depois de indicados e na cadeira de ministro com a garantia da vitaliciedade, o verdadeiro grande mal do nosso sistema. Com exceção de Cezar Peluso e Carlos Alberto Direito, ligado a ala conservadora da Igreja Católica, todos os demais indicados eram progressistas e tinham alguma relação com o PT e nossas lutas contra a ditadura e causas democráticas.

Márcio Thomaz Bastos indicou Peluso que, como juiz, tinha todos os títulos para ser ministro do STJ ou STF, mas como era um homem conservador e vinha do TJ de São Paulo, me opus e quase tivemos uma crise de governo com Márcio, meu amigo, irmão, com profundos laços

SURGE UM NOVO LÍDER: Lula, presidente do Sindicato dos Metalúrgicos de São Bernardo do Campo, é carregado pelos trabalhadores depois da histórica assembleia no Estádio de Vila Euclides, que decidiu pela greve, enfrentando a ditadura militar, em 1979. Nas greves de 1980, a polícia reprimiu com violência os metalúrgicos liderados por Lula, que sairia candidato a governador de São Paulo em 1982

Lula, Jacó Bittar e companheiros na fundação do PT, "partido sem patrão", em 1980, no Colégio Sion, em São Paulo. Zé Dirceu estava lá e assinou a ata de fundação

Zé Dirceu e a ex-mulher Angela Saragoça no batizado da filha Joana. À esquerda, a mãe dele, Olga Guedes da Silva e à direita sua sogra, Irene Terezinha Terras Saragoça

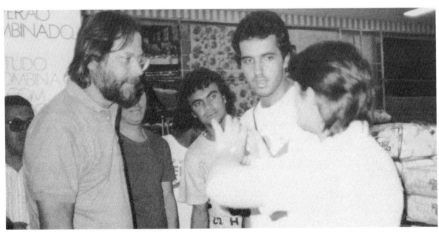

Em campanha pelo interior de São Paulo

O Brasil pedia eleições diretas em todos os níveis

Discutindo as diretas com Jorge da Cunha Lima, então no PMDB e um dos organizadores do movimento

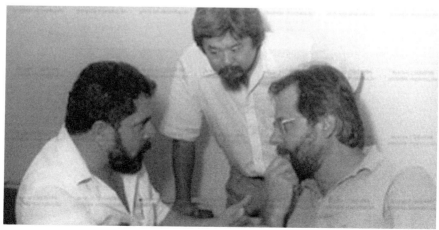

Com Lula e Luiz Gushiken, um dos maiores quadros do PT

Com o fim da ditadura militar, em 1984, as ações políticas se intensificam em 1986

Com Eduardo Suplicy, em campanha na rua, no final dos anos 80 e com Chico Buarque, sempre fiel aliado, no início dos anos 90

A árdua campanha presidencial de 1989: quase vitória. E a campanha de 1994 (Zé Dirceu à esquerda): a segunda derrota

Zé Dirceu em várias fases nos anos 80 e na campanha de 1994: ele governador e Lula presidente

Na presidência do PT

Aliança com Brizola, para tentar derrotar Fernando Henrique

Apesar do entusiasmo nas ruas, mais uma vez Lula perdeu

Maria Rita, a companheira e conselheira na política

A mãe, dona Olga Guedes da Silva

Planejando um Brasil maior

Com o governador Cristovam Buarque

Com Ciro Gomes, fazendo planos para o Brasil

Com Zé Dirceu na presidência, o PT levou 100 mil pessoas a Brasília para protestar contra FHC, em 1999

Em 2002, mais uma vez sob o comando firme de Zé Dirceu, a quarta campanha presidencial de Lula foi vitoriosa

E Zé Dirceu colhe a vitória tomando posse como ministro-chefe da Casa Civil

Despachando com o presidente Lula e o secretário Gilberto Carvalho no Palácio do Planalto

Com Lula e os ministros Luiz Dulci, Luiz Gushiken e Antonio Palocci no Planalto

E com o vice-presidente José Alencar

Com Vladimir Palmeira, lançamento do livro *Abaixo a Ditadura*

Com o ex-presidente Itamar Franco

Com o ex-presidente Sarney

Com Lula, dona Marisa e o então ministro da Cultura Gilberto Gil

Com Palocci e Meirelles, desencontros por causa da política econômica

Com Genoino, carinho e solidariedade

ANTES DO GOVERNO, E DURANTE, MUITOS RELACIONAMENTOS

Fidel Castro

Ziraldo

Com Oscar Niemeyer. À esquerda, o amigo e advogado Marcelo Cerqueira

Ricardo Lagos, presidente do Chile

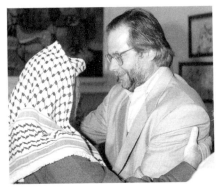
Yasser Arafat

Paulo Skaf, presidente da Fiesp, e o ex-ministro Delfim Netto

Condoleezza Rice, secretária de Estado dos EUA

Massimo D'Alema, ex-primeiro-ministro da Itália

Alfredo Guevara, intelectual e dirigente cubano, e José Saramago, Prêmio Nobel de Literatura

Acusado, sem provas, na crise do Mensalão, despediu-se, com dignidade, de seu cargo e da Câmara dos Deputados

familiares, se demitindo. Cedi quando Lula me disse daquele jeito único dele: "Vocês são 'cu e calça', então se entendam, não quero perder Márcio de forma nenhuma". Fiquei com um gosto amargo, não pela derrota, eu respeitava e muito Márcio, o Dr. Márcio como sempre me referi a ele, apesar da amizade familiar e da intimidade. Fiz de tudo para Eros Grau aceitar, naquele momento ele não quis, busquei o nome de Dyrceu Cintra, dos Juízes pela Democracia que lutaram contra a ditadura, e apoios para sua indicação, mas ser um juiz de Primeira Instância, para Márcio e demais advogados, era quase um insulto ao TJ e ao STJ.

Os demais indicados, todos eles tinham participado da luta democrática e/ou da fundação do Partido dos Trabalhadores ou eram de esquerda. Eros Grau, Ayres Britto, suplente de deputado do PT por Sergipe em 1982, Toffoli e mesmo Joaquim Barbosa — nenhum deles era conservador ou de direita.

Lewandowski e Cármem Lúcia são as exceções. O primeiro, indicado exclusivamente por Lula e por seus méritos como juiz, professor, era próximo do presidente e dos sindicalistas, com atuação e residência em São Bernardo do Campo — e não decepcionou. Cármem Lúcia foi indicada pelas relações com Itamar Franco, com apoio decisivo de Sepúlveda Pertence, de parte significativa do PT e de advogados que apoiavam Lula desde 1989. Nas indicações de Eros Grau, Ayres Brito e Cármem Lúcia houve indiretamente a influência de advogados que apoiaram Lula desde 1989. Eles faziam parte daquele grupo. Eram eles Celso Antônio Bandeira de Melo, Dalmo Dallari, Eros Grau e Fábio Comparato.

Também tiveram influência nas indicações os advogados Márcio Thomaz Bastos, Sigmaringa Seixas — que recusou convite para ser Ministro da Justiça e do STF —, Nelson Jobim, Gilberto Carvalho (por razões óbvias), o próprio Toffoli quando na AGU e, antes, Álvaro Ribeiro, pelas relações com o poder judiciário, com o Ministério Público, Congresso Nacional e advogados em geral.

Logo no início do governo, cheguei a comentar com Lula a estrutura de assessoria que o presidente dos Estados Unidos tem para indicar os juízes em geral e os procuradores: um escritório com recursos humanos e materiais para conhecer, avaliar e seguir a vida de todos candidatos para que o presidente não erre nas indicações. Lá não há meio-termo, o juiz tem que ter um histórico comum com o partido no governo e seu programa e visão da vida e do mundo, sem hipocrisias. Aqui, a suposta neutralidade ou republicanismo dos possíveis indicados funciona como um filtro para a não indicação de progressistas ou de esquerda, pura e simplesmente; o resto é pura empulhação.

Sempre fui contrário ao critério de indicação previsto em nossa Constituição. As prerrogativas dos juízes, particularmente a vitaliciedade, nas cortes superiores a compulsória aos setenta anos, agora tragicamente aos setenta e cinco, servem de proteção para todo tipo de abuso e de desmandos, como vemos hoje em dia. Enquanto estive no governo, deixei isso claro para os candidatos que me procuravam, como já relatou o advogado Antônio Carlos de Almeida Castro, o Kakay, que me apresentou Joaquim Barbosa. Na ocasião, tive a oportunidade de dizer com todas letras que não concordava com a forma de indicação e que lhe bastavam os títulos, como ele apregoava para mim numa tarde no restaurante Piantella, em Brasília, ao me pedir para ele ser indicado.

Tive participação mais ativa na oposição ao nome de Peluso, nas indicações de Eros Grau, Cármen Lúcia e Toffoli, nenhuma na de Ayres Britto, Lewandowski e Direito. Não me opus à de Joaquim Barbosa, porque toda sua vida em Brasília, profissional e acadêmica, aconselhava. Era um progressista, eleitor do PT, convivia no nosso meio, mas depois, já no cargo, revelou-se um autoritário e assumiu o papel que a mídia e o Ministério Público queriam. Humilhado e duramente hostilizado pelos colegas e pela mídia no início, foi aos poucos cedendo às pressões e assumiu o papel que o transformou numa celebridade — tudo o que queria, dada a sua vaidade. Na verdade, consequências de um profundo complexo de inferioridade que sempre o perseguiu vida afora.

Volto ao tema da vitaliciedade e da exposição mediática dos ministros, para mim, causas principais da mudança radical de alguns indicados que, ao sentarem-se na cadeira de ministro do Supremo, esqueciam-se do que haviam escrito, do que haviam ensinado a seus alunos, do que haviam praticado na magistratura, no Ministério Público, na advocacia, no Serviço Público e mesmo na vida partidária e política. Os exemplos são a regra, alguns de maneira assustadora, como Ayres Britto, Cármen Lúcia e Joaquim Barbosa. Outros, para nossa surpresa, com dignidade e coragem ficaram firmes, como Lewandowski e, mesmo ao seu modo, Cezar Peluso.

Erramos nas indicações, tudo indica, mas tínhamos força e condições de indicar ministros alinhados com nosso governo e programa, como fazem os presidentes em todos os países? Creio que não, mas não tentamos e pagamos caro por isso. Subestimamos, não ouvimos a história, o grau de submissão e a falta de coragem de muitos de nossos indicados.

No governo Dilma Rousseff, que indicou cinco ministros para a Suprema Corte — Luiz Fux, Rosa Weber, Luís Roberto Barroso, Edson Fachin e Teori Zavascki —, não tive nenhuma participação, com exceção do caso Fux, do qual tratarei mais adiante, um *"case"* de como erramos e feio nas indicações, ao ponto de sermos enganados por um charlatão togado.

Na verdade, os nomes de Barroso, Fachin e Teori já vinham frequentando listas de indicados desde o governo Lula e acabaram sendo indicados por Dilma. Rosa Weber foi uma decisão e escolha pessoal da presidenta. Já Teori tinha uma longa carreira na magistratura e no STJ. Fachin se fazia amigo e aliado de todos os movimentos sociais, na academia e na advocacia — um engodo. Barroso é um caso típico de como a cadeira de ministro, a vaidade e a ânsia de poder mudam um advogado que renega toda sua carreira anterior para servir aos poderosos. Foi um dos entusiastas do golpe parlamentar e se considera um refundador da República, da pátria, um iluminista, um civilizador. Para ele, os fins justificam os meios e hoje muda a Constituição, legisla, usurpa o Poder Legislativo, tudo com base no princípio constitucional da Moralidade, uma fraude.

Só não me transformei em um não cidadão, em um vivo-morto como na ditadura — quando minha existência foi apagada nos registros civis — porque, de novo, resisti, lutei e sobrevivi. Mas essa é outra jornada que irei rememorar em outro momento, quando retomar minhas *Memórias*, volume dois, de 2007 em diante.

No afã para derrubar Lula e o PT, nossas elites manipulam e açulam o ódio e o preconceito. Buscam atalhos, não vacilando em assassinar biografias. Ou até vidas, como na ditadura civil-militar de 1964. Seu alvo principal é a anulação das lideranças e das suas ações, fazer regredir o que se acumulou de força social e de cultura política. Colocar a roda da História rodando ao contrário para fazer o tempo retroceder. Manter o *status quo* dos muito ricos, que moldam a sociedade à sua imagem e semelhança não em renda, riqueza e cultura, mas no acatamento da sua dominação.

Nós, como outros, éramos uma ameaça, potenciais candidatos a ocupar o comando de um projeto-processo histórico que não se encerrou. Apenas retrocedeu pela força, agora da própria Lei e do Parlamento, usados como instrumento do golpe em 2016.

35

EPÍLOGO

Era insuportável para a elite ver o povo
"invadir" seu meio social, seus espaços "exclusivos"

É preciso fazer, para encerrar, um balanço dos anos em que vivi no governo e do período que se encerrou em 2016. Vamos aos fatos históricos. A grande verdade é que valeu a pena, fizemos o possível. Poderíamos ter feito mais. Onde erramos? Essa é a pergunta que fica.

A Era Lula e o petismo recebem avaliações aterradoras da direita e da esquerda. A direita, responsável pela brutal recessão de 2015 e 2016, efeito do *impeachment* e da Lava-Jato, procura desconstituir, a partir da crítica moral e ética, toda a obra política e social de Lula e do petismo. Não deixa pedra sobre pedra, desde a matriz econômica desenvolvimentista até mesmo os programas sociais, o papel de bancos públicos e dos fundos de pensão. Não só critica e condena como, na prática, implementa uma agenda de desmonte e regressão à era FHC, ou de continuidade, de retomada da agenda tucana.

Trata-se de processo incapaz de avançar na direção do desenvolvimento com democracia, justiça e progresso social. Ele agrava o quadro de desigualdade e pobreza, único em um país desenvolvido como o Brasil. Deu-se um golpe, violou-se a Constituição, sustenta-se um governo ilegítimo e impopular, "reformas" são feitas na direção de expropriar mais renda de trabalho e do Estado em benefício do capital financeiro e bancário.

Sem reduzir o custo financeiro, tributário, logístico, burocrático da economia, avança-se sobre direitos sociais, sobre a renda salarial, sobre a participação do trabalho na renda nacional, sobre a poupança previdenciária para reduzir os custos da economia. O lema é todo recurso para pagar os juros do sistema financeiro e do rentismo. Com esse movimento de

EPÍLOGO

longo prazo, abre-se espaço para o capital financeiro na Saúde, Educação e Previdência. É a radicalização do Estado mínimo. Assim, tudo que Lula e o PT fizeram deve ser demonizado e destruído.

O cenário é um tanto contraditório. O governo, sem nenhum apoio popular, social, para as reformas e sua política econômica, sem resultados práticos, aumentou o déficit; a recessão e a inflação caminharam casadas para baixo, com base em juros reais altos que inviabilizam a economia e agravavam o déficit e o desemprego. Em três anos, foram perdidos 3,5 milhões de postos de trabalho. Eram 13,7 milhões de desempregados em junho de 2018, segundo o IBGE. Considerando-se os subempregados, o número chega a espantosos 27,7 milhões de pessoas — o resultado da "ponte para o futuro" e da gestão Temer-Meirelles.

O custo do golpe é a recessão, o crescimento medíocre e o brutal corte de gastos e investimentos, que são sintomas de causas não enfrentadas pelos golpistas, falseadas com a "grande causa", o déficit público, as despesas sociais, de pessoal e previdenciária, que escondem a verdadeira causa: o custo da dívida interna e os juros que a economia paga, da brutal apropriação de renda nacional pelo capital financeiro, bancário, rentista, verdadeira razão para o não crescimento do país.

Quando, e se o país crescer, será para cima com concentração de renda e aumento da pobreza e miséria, como nos anos do milagre da ditadura militar, uma economia de baixo crescimento exportadora de alimentos, minerais e energia.

O inacreditável é o consenso imposto pela mídia em seu discurso anti--PT e anti-Lula, pró-mercado e austeridade, todo ancorado na "luta contra a corrupção" e no apoio às "reformas". O divórcio e a dissociação entre a mídia, seus editoriais, sua informação dirigida e a realidade são totais. Mais de 90% dos brasileiros não querem Temer, dois terços desaprovam as reformas e há praticamente consenso quanto ao poder usurpado e das urgências de eleições gerais e repactuação do país.

A mídia, só ela, insiste em afirmar que não houve golpe, que é necessário sustentar Michel Temer e seu governo, apesar de toda a corrupção — a deles pode — do fisiologismo, do uso e abuso das nomeações, verbas orçamentárias, gastos em publicidade, desnecessários, em troca de apoio. A Rede Globo, regiamente beneficiada, com seu monopólio, reforça a agenda reformista liberal não só no noticiário, mas também nos programas de auditório e até nas novelas e seriados.

ZÉ DIRCEU

Deputados e senadores são "comprados", seus votos e presença, tudo à luz do dia, com o beneplácito da mídia, quando não com o apoio explícito ao pressionar os parlamentares a aprovar "as reformas modernizadoras" de Temer.

Cientes do risco de perderem o poder, querem fazer toda a regressão social, política, econômica e cultural, o mais rapidamente possível.

Não têm maioria na sociedade, mas detêm todo o poder, graças à mídia e ao pragmatismo do aparelho policial-judicial, instrumento e cúmplice do golpe, agora conivente com "os interesses nacionais", "a estabilidade econômica", pretexto para fechar os olhos e aceitar o governo ilegítimo e corrupto de Temer, preço a pagar pelas reformas e, atenção, pela continuidade da Lava-Jato, de poder acima e fora da lei que delegados, procuradores e juízes, em nome do combate à corrupção, usurparam para viabilizar o golpe e o desmonte de nossa política de desenvolvimento nacional, nosso projeto.

O maior exemplo do verdadeiro papel da Lava-Jato é o caso do senador Aécio Neves. Nesse caso, o STF e o Senado fizeram justiça, usando as leis e os regimentos, não permitindo o afastamento dele. Foi diferente quando o senador era o petista Delcídio Amaral, afastado do cargo e cassado. Dois pesos, duas medidas.

Quando chegou aos bancos, à mídia, ao próprio judiciário e ao PSDB, a Lava-Jato parou — não acabou, mas parou. São os intocáveis, começando pelos juízes e procuradores.

À esquerda, uma facção rompeu com o PT ainda na reforma da Previdência, ancorada no corporativismo e nos privilégios dos servidores públicos, reforma que não afetava nenhum dos direitos agora retirados dos trabalhadores, idosos, necessitados especiais, da cidade e do campo, pensionistas e aposentados, agora sim ameaçados, numa violência social sem paralelo em nossa história. Essa esquerda — PSOL e PSTU —, sem base social e eleitoral, condenou o governo Lula sem mediações e nem trégua.

O PSOL se aliou à direita desde a CPI dos Correios, com exceção do episódio do *impeachment*, mas sua atitude se agravou com a aliança e o apoio explícito ao MPF e à PF, juízes e operadores da Lava-Jato, sem nenhum tipo de crítica ou dissensão. Ao contrário, o PSOL está sempre na linha de frente da operação Lava-Jato, puxando a Rede de Marina Silva que, a reboque do PSOL, repete sua prática e seu discurso.

A Rede votou em Aécio Neves no segundo turno em 2014, aliou-se ao PSB de Eduardo Campos que, em grande parte do país, começando por São Paulo, corria o risco de se tornar uma sublegenda tucana, com

EPÍLOGO

exceções cada vez menores, como na Paraíba, com Ricardo Coutinho; e, na Bahia, com Lídice da Mata; no Amapá, com o senador e ex-governador João Capiberibe. Apoiaram o golpe e a Lava-Jato com as denúncias de caixa dois e corrupção que a Rede avalizava contra o PT, mas não contra o PSDB ou o PSB. Era o jogo sujo praticado também pelo PSDB de Aécio, Serra, Alckmin, Aloysio, José Aníbal, Bruno Dantas e tantos outros, hoje vítimas de suas próprias ações e apoio às ilegalidades da Lava-Jato.

A segunda frente de "oposição" ao PT, desde antes da vitória de Lula e mesmo de sua quarta candidatura, veio e vinha de dentro do PT e remonta à própria fundação e criação do partido, às correntes, visões filosóficas, práticas que o constituiriam e o construíram.

O PT nunca foi um partido marxista ou comunista, muito menos leninista, ou mesmo stalinista. Havia um pouco de tudo isso no PT. No partido conviviam trotskistas, católicos, marxistas, comunistas, social-democratas e democratas-cristãos. Mas a imensa maioria dos quadros sindicais e populares do PT não vinha dessas tradições, nem sequer da tradição de AP, JOC, JUC, juventudes operárias e estudantil católicas formadas nas décadas de 1950 e 1960, a doutrina social da Igreja, e sim das correntes das décadas de 1970 e 1980, da Teologia da Libertação, do diálogo entre marxismo e catolicismo, sob influência europeia.

Partes do PCB vieram para o PT, grande parte da militância trotskista, da esquerda armada, de setores dissidentes do PCdoB, sociais-democratas de vários matizes. A influência marxista, leninista e trotskista pesou na formação do partido, mas não o hegemonizou.

Os que constituíram a articulação dos 113 e a coluna vertebral do PT, a aliança entre sindicalistas, católicos, marxistas, buscavam criar um partido a partir das necessidades históricas daquele momento e da experiência histórica dos socialistas no Brasil e no mundo, nem social-democrata nem comunismo stalinista, nem o modelo soviético, nem a social-democracia europeia ou o eurocomunismo.

Ousávamos e trabalhamos para construir um partido socialista, reformista, revolucionário, de novo tipo para a época, plural, democrático, de base, de luta social e institucional, mas, atenção: um partido de massas, como chamávamos, não de vanguarda, não uma frente contra a ditadura, mas um partido para governar, chegar ao Poder, para democratizar não só a política e as instituições, mas a economia e o social, a área cultural, para distribuir a renda e a riqueza, não só o poder político então ditatorial.

ZÉ DIRCEU

Qual a importância de rememorar a criação do PT? Toda, porque explica as divergências, as diferenças existentes até hoje, explica as várias estratégias para sua construção e luta pelo poder com um elemento fundamental: Lula, sua liderança, seu carisma e seu papel na história recente do Brasil e do PT.

Foi em Lula que o PT, a maioria de sua base social, política, cultural e eleitoral depositou, expressou seu projeto político de mudanças, de transformações, de poder.

O Partido dos Trabalhadores, por sua maioria, democraticamente decidia o que fazer a cada dois anos, e às vezes a cada ano, sob o fogo dos fatos, lutas, adversários, crises, vitórias, derrotas, sociais e políticas. Não foram anos fáceis, os anos de 1982, 84, 85, 86 e 1989. Não foi fácil construir esse partido, orgânica e politicamente — na experiência de Governo, de Parlamento, capacitar seus dirigentes, quadros, gestores, líderes, a imensa maioria originária de trabalhadores. Há que se levar em conta que o fizemos sob a oposição radical do poder político, econômico — e atenção — midiática. Enfrentamos a força, a repressão, a perseguição e o preconceito.

Assim o PT se constituiu no embate — contra a ditadura e os patrões e governos —, na frente sindical e popular, logo se definiu por se legalizar sob oposição interna de setores da "esquerda", idem a participar das eleições e apresentar não apenas plataformas de luta e reivindicações — democráticas e sociais —, mas programas de governo em nível municipal e estadual.

No fundo desses embates estava o principal: era o PT um partido ou apenas e tão somente uma frente contra a ditadura? As duas camisas expressavam a última posição, o nascente petismo, a primeira apoiada pela articulação dos 113.

Outros embates menores, mas não menos importantes, cortaram por dentro o PT. Um deles foi a campanha das Diretas, em vez de Constituinte ou "Greve Geral derruba o General". Ao superarmos os modelos prefixados e lançarmos o PT à frente da luta por diretas, transformamos o partido de esquerda e sindical-popular em partido nacional dos trabalhadores, uma opção de poder.

Assim, a disputa interna do PT sempre foi pragmática e sobre táticas e objetivos estratégicos para além da legítima e real disputa pelo poder e pela direção. A cada etapa, o PT e sua militância tinham opções como foram as difíceis da não ida ao colégio eleitoral e o "Fora Collor", o apoio ao Parlamentarismo *versus* Presidencialismo e seu 1º Congresso, em 1991.

EPÍLOGO

Esses embates se traduziram também no Parlamento e nos governos, dividindo o partido quanto a temas setoriais de políticas públicas. Alguns: concessão dos transportes ou estatização, reforma administrativa, posições quanto à ocupação de terras urbanas, relação entre o partido e os governos, com as bancadas cada vez maiores, sua democracia e formas de decisão, prévias, eleições diretas na forma do PED a partir de 2001.

Não seria diferente, ao contrário, na definição da política de alianças e de programas do governo, como não havia sido fácil na questão da dívida externa, ainda que o partido conseguisse na Constituinte atuar com base numa proposta, e unido sob a liderança de Lula.

Sempre permearam o partido, é de sua natureza, as opções e alternativas, luta social e institucional, partido de massas e vanguarda, Partido ou Frente, Reforma e Revolução, luta social ou eleitoral, e nossa força sempre foi nossa capacidade de combinar esses contrários e sintetizá-los, com altos e baixos, fases de vanguardismo e fases de basismo, fases de intensa luta social e fases de, cada vez mais, disputas eleitorais. E ainda: tensões constantes e permanentes entre governos e direções partidárias, bancadas e partido, força institucional absorvendo os quadros e a agenda do partido, movimento minorado pela institucionalização também da luta social e sindical com o surgimento de entidades legais e consolidadas como o MTST, Movimento dos Trabalhadores Sem-Teto, a Contag, Confederação Nacional dos Trabalhadores na Agricultura, a UNE e tantas outras entidades.

O corte "Direita" ou "Moderados" *versus* "Esquerda" ou "Xiitas" — feito pela mídia e depois assumido pelos petistas — é real não na definição ideológica e cristalizada da direita e da esquerda, mas na diferenciação de estratégias para a luta política, social e ideológica, para o principal objetivo do PT: defender os interesses dos trabalhadores, do povo excluído, os interesses nacionais dentro de uma política externa, expressão de nosso projeto nacional de desenvolvimento para o Brasil.

Qual é a régua para medir o governo Lula em junho de 2005, quando deixei a Casa Civil e perdi meu mandato de deputado federal? Qual é a medida para um militante com quarenta anos de luta, como eu?

Devemos aceitar que traímos o PT e a esquerda por causa do Mensalão, que chegamos ao governo e nos curvamos a conciliações com a burguesia e adotamos seus métodos como avaliam hoje — 2018 — e já avaliavam em 2005 setores do PT que se autointitulam de esquerda ou "a esquerda" do PT?

É possível avaliar um período histórico de trinta anos, 1975 a 2005, apenas e tão somente por causa do Mensalão ou dos limites da política econômica do então recém-iniciado governo Lula?

Claro que não, e digo mais: nem hoje, dez anos depois, podemos avaliar o ciclo histórico do petismo por uma única razão objetiva. Sua história pode ser estudada, escrita e criticada; está sendo construída, vive um momento de vida ou morte; sobrevive pelo apoio da real maioria do povo trabalhador a Lula e a seu legado, fato inacreditável e inaceitável para a direita. Como sabemos, Lula e petismo são a mesma natureza e não o mesmo destino.

Mais algumas questões. O Brasil em termos de direitos sociais e econômicos para seu povo e classe trabalhadora, avançou ou recuou sob Lula e os governos do PT? No nível internacional, nosso país ocupou — ou não — seu lugar no mundo, assim como seu povo no Brasil?

Esta é a regra histórica: o PT não abandonou sua razão de ser no governo, o principal, a soberania popular e nacional, os direitos do trabalhador, não se bandeou para a direita e nem assumiu a agenda da direita agora imposta a ferro e a fogo ao país, nas reformas regressivas que um governo ilegítimo e ilegal tenta impor.

Não é preciso fazer um balanço e um histórico do governo Lula e de seus, nossos erros, alguns crassos. Basta conferir a agenda, o discurso, a propaganda do governo e de seus reais aliados, a mídia e o grande capital financeiro rentista. É fácil constatar: tudo o que eles atacam é nossa realização, que diz respeito aos interesses nacionais e aos direitos dos trabalhadores.

A cortina de fumaça da corrupção só é usada e desvendada para encobrir a verdadeira natureza e o real objetivo do golpe e da volta regressiva dos governos tucanos a serviço da banca internacional e da elite reacionária do país, de suas classes médias iludidas e enganadas.

Aqueles que no nosso campo aceitam discutir a partir da cruzada anticorrupção, mas exigem Lula como alternativa para o PT e a esquerda em 2018, são hipócritas e se rebaixam, ao usar as armas do inimigo para um ajuste de contas interno "histórico" contra os que "conciliaram com a burguesia e sua ideologia". Fazem um julgamento sumário e geral, quando deviam julgar os erros — que são muitos e graves —, mas sem copiar e assimilar o espírito inquisitorial e dogmático, fundamentalista de nossos adversários e algozes, especialmente contra Lula.

Já em 2005 e 2006, na verdade em 2004, como relatei, minha avaliação era crítica e dura, sobre e do governo, da política monetária e no Brasil,

EPÍLOGO

portanto econômica. Mas em 2006 e 2007, com o PAC, Programa de Aceleração do Crescimento, e em 2008 e 2009, com a política anticíclica, Lula a redefiniu e a reordenou e hoje é vista pela direita como o começo de nosso "desvio" do caminho certo em direção ao dogma de "austeridade".

Assim, é preciso relativizar a crítica de "rendição à política ortodoxa", da mesma forma que se é verdade que o governo do PT, na busca da governabilidade, se compôs com a centro-direita no Parlamento, também é verdade que o governo iniciou um processo inédito no país em dois níveis: o diálogo no Conselho de Desenvolvimento Econômico e Social (CDES), indireto e representativo, e as conferências nacionais e setoriais diretas e participativas para a constituição de políticas públicas em todas áreas, como Saúde, Educação, Habitação, Mulheres, Negros, Índios, Reforma Agrária, Direitos Humanos, Cultura etc.

É verdade: faltaram mobilização e ação popular na crise do Mensalão e durante nossos treze anos e meio de governo, mas o PT estava liberado para mobilizar e defender a sua agenda, a do PT, a da esquerda socialista. Não é verdade que o PT e Lula — e depois Dilma — não lutaram pela reforma política. Isso é pura mistificação, e é lamentável que a aceitemos. O fato histórico é que a direita e nossa elite, nossa mídia, jamais quiseram ou aceitaram mudar o sistema eleitoral totalmente dependente do poder econômico e da corrupção. Ao contrário, elas sustentaram o sistema e depois o usaram contra nós, só única e exclusivamente, porque nossa política não era, em sua natureza, a delas — da direita, da elite, da mídia —, não representava seus interesses de classe, de poder, de hegemonia cultural e não só de renda e riqueza.

Era insuportável para a elite ver o povo "invadir" seu meio social, cultural, seus espaços "exclusivos" (universidades, aeroportos e aviões, por exemplo); ver o povo ascender, por políticas públicas universais, na cultura, na renda, na cidadania e no poder.

Foi o STF que congelou a atual estrutura política partidária, impedindo a fidelidade partidária e a cláusula de barreira. Sempre foi a direita que impediu a reforma política democrática, não o PT. Nós lutamos e lutamos por ela desde a Constituinte.

Uma coisa é reconhecer nossos erros na política de alianças, na mobilização popular, na construção do PT; outra é atribuir a esses erros nossa derrota ou condenar nossos governos, atribuindo ao governo e ao PT, e às suas "maiorias", uma traição ou abandono de nossos objetivos programáticos, que não eram, diga-se de passagem, fazer um governo socialista, muito menos na concepção da "esquerda" do PT de socialismo, jamais aceita ou construída pelo PT.

Não se pode subestimar a radical mudança na política externa do Brasil nos governos do PT e muito menos o papel dessa política na decisão da elite de dar o golpe e nos tirar do poder para regredir nosso país à linha auxiliar da política do Departamento de Estado norte-americano, assim como de Wall Street, que, espero, encontre o mínimo de dignidade e profissionalismo no Itamaraty, capaz de pelo menos minimizar a tragédia que se anuncia na atual política externa dirigida pelo PSDB, neste *não governo*.

Lula e nosso governo já haviam feito grandes avanços em junho de 2006. O balanço era altamente positivo, em duas frentes decisivas para nosso futuro — a distribuição de renda e o combate à pobreza — e a reconstituição do papel e dos instrumentos do Estado, seus bancos públicos, fundos de pensão, empresas estatais; o investimento público.

O aumento do salário mínimo e das aposentadorias, do crédito, do investimento público, impulsionaram o mercado interno, o consumo garantia o crescimento, apesar dos juros e do superávit fiscal, excessivos na nossa avaliação.

A política externa, comercial, o papel do BNDES e do MDIC-Apex (Agência Brasileira de Promoção de Exportações e Investimentos) colocaram nosso país no mundo, como ator em nível do G-8, G-20, da ONU, da OMC, e construíram a Unasul, o Brics (Brasil, Rússia, Índia, China e África do Sul), o Ibas (Brasil, Índia e África do Sul) e a Celac (Comunidade dos Estados Latino-Americanos e Caribenhos).

Nosso país desdolarizou sua dívida interna, acumulou reservas de 380 bilhões de dólares, apesar do déficit estrutural nas contas externas. Evitamos o agravamento deste déficit com superávits comerciais e investimentos diretos externos. Equilibramos as contas, apesar do grave erro de uma política de juros altos, desnecessária, cujo resultado foi a valorização do real e o estancamento de nossa indústria. Um erro que se agravaria no segundo mandato do governo Dilma e nos custaria uma grave crise acelerada e aprofundada pelo golpe e pela Lava-Jato.

Não haveria explicação para a atual força política e eleitoral de Lula, não fosse seu legado, da mesma forma que os erros de Dilma, nossos erros, agravaram sua impopularidade e desarrumaram nossa base social, servindo de pretexto para a direita propor e fazer seu *impeachment*.

EPÍLOGO

O fato é que apoiamos Dilma em 2010 e, o mais grave, em 2014, não conseguimos que fosse Lula, e não ela, o candidato. Era preciso mudar a política de alianças e o programa para o país e enfrentar os problemas estruturais que haviam esgotado nossa política reformista, inaugurada em 2003, mas superada pela nova conjuntura internacional em 2008 e 2009 e mais ainda em 2013 e 2014. O fato é que subestimamos e erramos na avaliação das manifestações de 2013, não contra o aumento dos transportes ou pela "tarifa zero", mas as estimuladas e depois organizadas pela TV Globo e pela Fiesp.

Subestimamos o papel de grandes empresários, como Flavio Rocha, da Riachuelo; Jorge Paulo Lemann, da Ambev e outras empresas; Roberto Setúbal, do Itaú; e o presidente da Fiesp, Paulo Skaf, no apoio e financiamento de movimentos como o Vem pra Rua e o MBL (Movimento Brasil Livre), agora Partido Novo, apoiadores do golpe, e hoje, do governo Temer. Subestimamos ou nem consideramos o apoio externo às manifestações e aos grupos organizados de direita.

Ficamos a fazer sociologia sobre as manifestações e suas razões e legitimidade, posamos de democratas e respeitadores do direito de manifestação, enquanto éramos expulsos das ruas, espancados e cuspidos. Ali estava, pronto para eclodir, o ovo da serpente, do ódio de classe e do preconceito contra tudo que representávamos, seja o Bolsa Família ou o Prouni, a política de cotas, o salário mínimo, a Reforma Agrária. Era a guerra, e nós não estávamos preparados.

Pior, caminhamos para as eleições de 2014 fazendo uma inflexão à direita no governo. E depois da vitória assumimos uma agenda de corte de gastos, aumento de juros, privatizações e Reforma da Previdência sem nenhuma relação com o programa de governo aprovado nas urnas em 2014.

Era o fim anunciado e deu no que deu, no *impeachment* de Dilma Rousseff, apesar — diga-se de passagem — da heroica resistência democrática contra o golpe sem, no entanto, sensibilizar e mobilizar o povo trabalhador, principal beneficiado pelos anos Lula, pelos governos do PT, que não reconhecia mais em nosso governo legitimidade e liderança, seja por seus erros, seja pela aterradora propaganda midiática agravada entre 2015 e 2016, pela Lava-Jato e sua utilização seletiva contra Lula e o PT. Fato hoje mais do que comprovado e aceito, daí o apoio popular a Lula e à sua volta.

Devemos e queremos voltar ao governo, mas cuidado: para quê e como, com quem? Focar em 2018 e na candidatura Lula não pode ser — como em outros momentos — à custa e no abandono da luta política e social e da reorganização do PT, da construção de um programa para a fase histórica que vivemos, para a qual não há volta ao passado. O Brasil e o mundo de 2018 a 2022 serão outros e exigem a reavaliação de nossos objetivos, alianças e formas de luta e governo.

Não há volta atrás, e a própria agenda da coalizão golpista exige a convocação de um referendo revogatório das chamadas Reformas, e de uma Constituinte. Não há como governar com o atual sistema político institucional e modelo econômico a serviço das finanças internacionais e do rentismo nacional.

Não há acordo com o PMDB, partidos de direita e o tucanato para realizar as Reformas Tributárias e Bancária, para retomar o papel do Estado e democratizá-lo, colocá-lo sobre controle social, os serviços públicos e avançar numa agenda de quebra dos oligopólios bancários e midiáticos.

É preciso construir uma nova maioria no país a partir das esquerdas e das forças democráticas e nacionalistas que se opuseram ao golpe e à agenda regressiva de coalizão liderada pelos tucanos, que legitimaram o golpe e o governo Temer. A própria representação do empresariado e suas entidades têm e devem ser questionadas. E devemos buscar novas relações e acordos com setores produtivos visando à retomada do crescimento e da democracia.

A Reforma Política não deve se limitar às eleições e aos partidos. Nossa agenda, tanto econômica como política, deve ser vista como de médio e longo prazo. Devemos buscar uma ampla reformulação do Estado Brasileiro, do Judiciário, da Administração Pública, de empresas estatais e mistas, das autarquias, e não só do legislativo e/ou do sistema presidencialista. É preciso, ainda, rever a federação, a partição tributária, o poder de legislar sobre certas matérias, as atribuições dos estados e municípios. E definitivamente descentralizar os recursos e as atribuições pelos estados e municípios, colocando um fim na dívida dos estados e municípios com a União, por meio de uma renegociação do principal e dos juros sobre juros da dívida hoje impagável, a não ser pela inviabilização dos entes federados incapazes de investir e sequer pagar a folha de pessoal e o custeio.

Antes da Reforma da Previdência, é preciso auditar e dar transparência ao Orçamento da Seguridade Social, suas receitas, contribuições e seus benefícios. Por fim, a DRU (Desvinculação de Receitas da União) e as renúncias e desonerações, dar publicidade à dívida das empresas com a Previdência e Seguridade Social.

EPÍLOGO

Sem uma Reforma Tributária não há como afirmar que a Previdência e a Seguridade Social são ou não são viáveis. Sem mudar a natureza de nosso sistema tributário regressivo e concentrador de renda e riqueza, não teremos como financiar nosso desenvolvimento e a Seguridade Social, a Saúde, a Educação, a Pesquisa, a Justiça e a Segurança Pública.

A riqueza e o patrimônio, as grandes fortunas, as heranças e doações, os ganhos financeiros devem ser tratados e os impostos indiretos revistos em suas alíquotas e unificados. É preciso pôr fim à atual situação. Hoje, quem ganha mais paga menos. É preciso elevar o piso do Imposto de Renda ao maior benefício da Previdência e taxar as mais altas rendas. Impostos regressivos devem ser progressivos: IPTU, IPVA, IR. Não deve haver isenções para o capital, os bens de luxo, ganhos financeiros, lucros, dividendos, juros sobre capital próprio.

Se queremos isentar de impostos os investimentos produtivos e as exportações, devemos ser rigorosos com a especulação financeira e o rentismo, sem medo de enfrentar a questão da dívida interna e os juros reais de 10%, 12% que pagamos e que nos custam em média 5% do PIB, o que inviabiliza os investimentos públicos. É preciso discutir abertamente os juros sobre juros pagos na dívida interna, além de reduzir os juros reais a no máximo 2%, e pôr fim ao oligopólio bancário e seus *spreads* de 30%, 40%. Um roubo! Mesmo se tivermos de racionalizar o sistema bancário e financeiro ou obrigá-lo a se dividir.

Não há mercado de capitais e financeiro com juros reais de 10% e *spreads* de 40%, não há crédito e financiamento para a economia e sim uma expropriação da renda nacional de toda a sociedade, empresariais e trabalhadores, pelo monopólio Bradesco-Itaú, BB-CEF. É hora de mudar. Por bem e pela lei, o país precisa pôr fim à pirataria financeira atual.

Pautas abandonadas ou simplesmente falseadas como a unificação das polícias e a reforma do sistema prisional precisam ser retomadas no âmbito da federação.

Se vamos repactuar o país, é preciso consolidar as leis sociais e refazer as relações capital-trabalho, não como na atual reforma trabalhista, em que o trabalhador só perde direitos e o empresário só ganha, reduz o custo do trabalho e aumenta as horas trabalhadas, não democratiza sua empresa, gestão, contabilidade, governança e objetivos com seus trabalhadores e com a sociedade. Não se poder exigir que trabalhadores aceitem a livre negociação como lei e, ao mesmo tempo, enfraquecem seus órgãos de representação, na fábrica, no local de trabalho e em nível sindical.

Se estamos na era moderna, da *Web*, do *smartphone*, do *Facebook*, do *Instagram*, por que não integrar o sindicato e o trabalhador à gestão e direção das empresas para além da Cipa (Comissão Interna de Prevenção de Acidentes), do PLR (Participação nos Lucros e Resultados), das Comissões de Fábrica? Por que não constituir, em nível local, regional e nacional meios e governanças em que o trabalhador tenha voz e vez?

Os serviços públicos, por que não colocá-los em nível local, regional e nacional sob controle do cidadão ultrapassando a questão do voto, da delegação ao legislativo e executivo, da burocracia civil, das carreiras estratégicas do Estado, dando acesso ao cidadão do controle social do Estado?

Não haverá mudança sem resolver nossa (do país) principal contradição: o controle sobre a renda nacional exercida hoje pelo capital financeiro rentista, o custo do dinheiro da dívida pública e do crédito, sua submissão à banca internacional, privando o país de capital, poupança, renda para desenvolver suas potencialidades, e o Estado de capacidade para cumprir seu papel inclusive da seguridade social, da infraestrutura social e econômica, da justiça e da segurança.

A verdadeira e necessária agenda é a de ruptura e de constituição de um novo bloco social histórico e uma retomada de nossos interesses — nacional e regional —, base de nossa política externa, de nossas prioridades e alianças, de nossa política de Defesa Nacional e do nosso lugar no mundo.

* * *

Terminei essas *Memórias* há mais de um ano e as revi várias vezes, com o apoio de meu editor e de amigos. Chego agora ao final, em julho de 2018, de novo em liberdade, no olho do furacão da crise que se agrava e da disputa eleitoral presidencial, com Lula injustamente preso, mas vencendo as eleições em todos os cenários e provavelmente elegendo um candidato que leve o nome de "candidato de Lula", como também as pesquisas indicam. Sinal dos tempos, da falta de apoio popular aos partidos que apoiaram o golpe e sustentam o desgoverno de Michel Temer, eficiente nas ditas reformas regressivas e de desmonte do Estado Brasileiro, mas incapaz de resolver os problemas estruturais do país.

EPÍLOGO

Sem pudor ou qualquer constrangimento, nossas elites, diante da derrota iminente e sem candidatos competitivos, acenam para o ex-capitão de extrema direita Jair Bolsonaro e se desesperam com a falta de votos de seus preferidos, como Geraldo Alckmin e Henrique Meirelles.

Radicalizam no discurso e nas propostas para o país, abandonam qualquer veleidade social ou nacional, entregam-se de corpo e alma ao rentismo e à hegemonia do capital financeiro. Suas propostas são uma continuidade, sem o governo Temer, da atual maioria na Câmara e Senado, que perderam o sentido dos interesses nacionais, sob a omissão e o silêncio, quando não o apoio do empresariado nacional e mesmo das forças armadas. O país está à venda e suas riquezas dilapidadas e entregues a cartéis internacionais, como está acontecendo no caso do pré-sal, nossa maior riqueza.

Todo o peso do ajuste e da austeridade recai cada vez mais sobre os trabalhadores, seja pela precarização e "flexibilização" dos direitos trabalhistas — nome bonito para uma operação simples, a redução da participação do trabalho na renda nacional, mais horas de trabalho por menores salários, empregos sem direitos trabalhistas e sociais —, seja pelo corte de verbas para a área social e o desmonte do nascente Estado de Bem-Estar Social. A redução do chamado Custo Brasil se dá com a redução dos salários e dos recursos para o social e as despesas previdenciárias.

O país está radicalizado, mas não dividido. Está simplesmente reagindo à ofensiva das elites contra os direitos dos trabalhadores e o legado social de Lula, aos poucos se mobilizando, se politizando e se conscientizando da nova situação política criada com o golpe parlamentar de 2016, e suas consequências, que cada vez mais atingem as classes trabalhadoras. Classes que — como no caso dos caminhoneiros — apesar de seu corte às vezes conservador, reagirão e lutarão por seus direitos, como sempre aconteceu em nossa história de nação independente.

Continuo convicto que valeu a pena lutar e governar o país, construir o PT e eleger Lula.

Nosso ciclo histórico ainda não se encerrou.

Abre-se um novo período, no qual devemos e podemos, como estamos fazendo, lutar e retomar o governo. Mas, como afirmei acima, com um novo programa, uma vez que, para toda a América Latina, os programas reformistas que levamos adiante no início do século XXI estão esgotados, pela própria reação das forças conservadoras e de direita. A hora é da reforma do próprio Estado e da distribuição não apenas da renda, o que é sempre um avanço, mas também da propriedade, da riqueza e do poder político, com todas implicações e consequências, novas formas de luta e de organização, nos partidos de esquerda e nos movimentos sociais. Como a própria luta esses anos todos tem demostrado, é preciso ir ao povo trabalhador e organizar sua luta social e política. Responder à radicalização da direita com luta política e social e um programa, como eles fazem, que vá à raiz da questão nacional, democrática e social.

Fazer a revolução brasileira inconclusa, retomar o conceito de revolução social e política.

Não há como conciliar o país sem retomar o fio da história nacionalista e democrática, sem que as elites aceitem o novo papel protagonista das classes trabalhadoras, como agente e ator político, sem dar aos que produzem a riqueza do país sua participação mais do que justa nela. Realidade que exige — insisto — uma ampla reforma tributária, bancária, urbana, política, viabilizando o controle social do Estado, a distribuição do poder político, da renda, da riqueza e da propriedade.

* * *

Estou retomando a segunda parte de minhas memórias no calor da luta e da crise de legitimidade das atuais instituições políticas, do ativismo judicial, que beira o estado de exceção, mas também da nossa resistência, luta e combate, da retomada da luta política e social e do fracasso político e eleitoral da direita, que, para vencer, tem que banir Lula e o PT da vida política e social, o que não conseguiram e não conseguirão.

Espero escrevê-las nesse segundo semestre, para publicação em 2019. Resgato minhas lembranças a partir de 2006. Farei um balanço dos governos Dilma, do golpe de 2016. Falarei da Operação Lava-Jato. De minha condenação, em 2012, e de minha prisão, em 2013. Escreverei sobre minhas viagens pelo mundo e de meu legítimo trabalho de consultoria — fora do governo, exercendo meu direito de trabalhar — trabalho este que foi estigmatizado e criminalizado.

Falarei dos meus anos de prisão e, mais uma vez, de minha luta pela liberdade.

ANEXO 1

*Íntegra do meu discurso de posse, em 2 de janeiro de 2003,
como ministro-chefe da Casa Civil.*

Um bom-dia a todos. Estou muito emocionado, vou falar de improviso. Vejo aqui, praticamente, várias fases, vários momentos da minha vida e das nossas vidas. Quiseram o protocolo e o destino que eu subisse, ontem, a rampa junto com o general Jorge Armando Félix, que é o responsável pelo Gabinete de Segurança Institucional. E, ao subir a rampa, evidentemente que, em primeiro lugar, subi com a minha geração. Então, a minha primeira palavra, sem rancor, sem ressentimento, é para aqueles que viveram, lutaram e não puderam estar conosco no dia de ontem.

Não os esqueço, trago em meu coração, em minha memória, a imagem de cada um e os ideais de todos. E quero dizer, hoje, aos seus familiares, que sintam todos, aqui, nesta cerimônia.

Quero agradecer a presença do ex-presidente José Sarney, senador da República, e o faço de maneira especial.

Quero agradecer a presença do meu amigo, conterrâneo, ex-presidente Itamar Franco, ex-governador do meu estado, prefeito, senador da República, a quem como ao presidente Sarney, o Brasil deve, também, pela consolidação da nossa democracia.

São muitos os amigos e as amigas que estão aqui, mas quero cumprimentar o meu companheiro Wellington Dias, governador do estado do Piauí. O meu presidente, amigo e companheiro José Genoino, do meu partido. O Renato Rabelo, presidente do PCdoB, e Valdemar Costa Neto, do PL. A nossa companheira Telma, secretária-geral do PMN. E, na pessoa deles, a todos que estão aqui, porque o protocolo não foi suficiente para me trazer o nome de todos. Faço um agradecimento especial ao presidente Ramez Tebet, do nosso Congresso Nacional e do Senado, que me dá a honra da sua presença. O meu líder, João Paulo Cunha. O meu amigo e companheiro, secretário-geral do nosso partido, hoje ministro de Estado, chefe da Secretaria de Comunicação de Governo e Gestão Estratégica, Luiz Gushiken; Tarso Genro, secretário especial do Conselho de Desenvolvimento Econômico e Social; general Jorge Armando Félix, que já citei, que é o ministro do Gabinete de Segurança Institucional. Do ministro Maurício Corrêa, que está aqui, também. Do meu companheiro e amigo José Fritsch, secretário especial da Pesca. A todos o meu agradecimento pela presença.

Assumo com essa transmissão de posse e quero deixar registrado que aprendi a admirar e a respeitar o ministro Pedro Parente, nesses dias e meses de trabalho. Primeiro, pelo seu caráter, pelo espírito público e pela dedicação no processo de transição. O ministro Pedro Parente deu um exemplo a todos os servidores públicos brasileiros. Eu sou grato pelo apoio que me deu e pela ajuda que nos deu na transição.

Todos sabem que chego por determinação, por delegação do presidente Lula a este posto, a este cargo, de ministro-chefe da Casa Civil, com uma marca do PT. Sou e sempre serei um filiado ao PT. Devo a todos os petistas, particularmente à nossa militância, a todos aqueles que me apoiaram, trabalharam comigo, primeiro em São Paulo, na década de 80, quando fui secretário de Formação Política do Diretório Regional, depois secretário-geral do Diretório Regional, depois secretário-geral do PT e, por fim, presidente do PT. A todos aqueles que me acompanharam na direção do PT, na assessoria, na administração do PT, devo o fato de estar aqui, hoje, ocupando este cargo. Como deputado estadual e federal também aprendi, como no PT, o que hoje posso trazer de experiência para este cargo. Como todos aqui sabem, minha vida foi marcada pela geração de 68 e pelo Movimento Estudantil, pelo banimento e pela cassação de minha nacionalidade e por minha vida em Cuba. Sou eternamente grato ao povo de Cuba, particularmente ao presidente Fidel Castro, pela solidariedade e apoio que me deram e que deram a todos aqueles que viviam momentos que, sem a solidariedade e sem o apoio, não teriam passado.

Minha vida foi marcada pela presença do meu pai, que já faleceu. Infelizmente a vida política me ausentou durante dez anos de minha família, da minha cidade natal, Passa Quatro, que fica em Minas Gerais. Os paulistas insistem em dizer que é Santa Rita do Passa Quatro, que é uma bela cidade, também, mas que fica no meu estado, hoje, de São Paulo. Sou filho

ANEXO 1

de Minas Gerais e isso tem grande e importante significado no nosso país, mas sou paulistano e sou paranaense também. E isso é muito importante, porque aprendi a ter uma visão nacional do nosso Brasil, vivendo nesses estados. O Paraná me deu guarida, me deu um filho que está presente, hoje, aqui, José Carlos, e uma neta, já, Camila. Sou grato ao povo e ao estado do Paraná e particularmente à mãe do meu filho, José Carlos, Clara Becker, pelo apoio e solidariedade que me deram naqueles anos.

Aprendi com meu pai que na vida o mais importante são os valores éticos e os valores morais, e o mais importante é o Brasil. Sou filho de um homem conservador, udenista, mas que amava profundamente o Brasil. Naqueles anos, os brasileiros e as brasileiras pagavam impostos em dia para construir Três Marias e Furnas, para que a Petrobras se consolidasse, para que o Brasil se industrializasse. Meu pai trabalhou quarenta e sete anos e se aposentou sem ter sequer uma casa própria, pagando aluguel. Porque honrado, com o sentido firme e claro do interesse nacional e do interesse público, me transmitiu esses valores que acredito que são essenciais para a vida numa sociedade civilizada e democrática. Por isso, apesar de ter um caráter pessoal reiterado, rendo uma homenagem à memória de meu pai, Castorino de Oliveira e Silva, que faleceu no dia 5 de outubro de 1998 e não teve a alegria de ver o presidente Lula tomar posse no dia de ontem.

Portanto, venho marcado pela minha geração de 68, por Minas Gerais, por Passa Quatro, pela minha militância do PT e pela minha vida parlamentar. Tenho um compromisso com a democracia. A minha geração aprendeu o valor da democracia; a duras penas aprendemos como é importante para o nosso Brasil a democracia, particularmente para o nosso povo, porque é a democracia —, e essa lição nos foi definitivamente ensinada nos dias 6 e 27 de outubro passados —, é a democracia que dá a oportunidade única para que o povo escolha o seu destino de forma soberana. E temos um compromisso de aperfeiçoar, desenvolver e radicalizar a democracia brasileira. Chegamos ao governo com esse compromisso e, tenho certeza, nós o faremos realidade. Não é pouca coisa: a democracia cada vez mais ampliada cria as condições, todos nós sabemos, para a participação política. E participação política, de forma institucional e de forma organizada, cria as condições para que o país possa avançar no sentido da justiça, da igualdade social. Quando o nosso povo tem a oportunidade de participar nos assuntos políticos do nosso país, ele passa a ser o ator principal. E a história do Brasil já demonstrou que, nesses momentos, o país consegue resolver os seus problemas históricos. Todos nós sabemos que assumimos o governo do Brasil num momento difícil, do ponto de vista internacional, com risco de uma guerra e com uma situação, na economia e nas finanças internacionais, que agrava as condições do nosso país.

Portanto, a nossa responsabilidade é maior, mas, exatamente, seremos capazes de superar esse momento se houver participação popular, se houver uma mobilização nacional. O presidente Lula, em seu pronunciamento, deixou claro esse compromisso: somente com um novo contrato social, somente com um pacto social, somente com a mobilização nacional, somente com a participação popular, o Brasil enfrentará os seus problemas neste começo de milênio.

Somos uma nação — e eu sempre repito, mais do que uma nação e um povo, uma civilização nos trópicos. Temos a obrigação e o dever de transformar a herança que recebemos de nossos pais e dos nossos avós, este imenso e rico país, numa nação civilizada e com presença no mundo. Talvez o maior desafio do nosso governo e dos próximos anos seja este: que o Brasil ocupe o seu lugar no mundo. Mas para que o Brasil ocupe o seu lugar no mundo, é preciso que o nosso povo ocupe o seu lugar no Brasil. Isso só é possível com uma grande transformação social, com uma verdadeira revolução social. Não tenho medo de dizer esta palavra: uma verdadeira revolução social. Nós devemos isso ao nosso povo. Vejam bem, o nosso Brasil — e o presidente Lula, ontem, descreveu historicamente este processo — enfrentou grandes desafios e superou a todos, mas não superou o desafio da justiça e da igualdade social. A pobreza, a miséria e a fome estão aí para nos envergonhar, como disse o presidente Lula. Eu tenho dito e quero repetir: nós fizemos uma aliança político-eleitoral ampla, generosa, e graças a ela vencemos as eleições. O senador José Alencar, vice-presidente da República, representa essa aliança. Nós, um partido de esquerda socialista, e é sempre bom lembrar isso, estendemos a mão para o empresariado brasileiro e propusemos, estamos propondo um pacto, mas é preciso que se deixe claro que esse pacto tem duas direções é preciso defender o interesse nacional, a produção, o desenvolvimento do país, mas a contrapartida é a distribuição de renda, a justiça social, a eliminação da pobreza e da miséria.

Não pode haver uma estrada só, em uma direção só. Não é aceitável que, novamente, o país resolva os seus problemas financeiros, resolva os seus problemas econômicos, tenha um crescimento, e esse crescimento

ANEXO 1

não se transforme em maior participação do trabalho na renda nacional. Porque essa participação caiu pela metade nos últimos vinte anos.

E, sem uma distribuição de renda, uma revolução na educação, sem o combate à pobreza, também não haverá crescimento econômico duradouro e sustentável.

Todos nós sabemos que a atual concentração de renda e as desigualdades sociais levarão o país a um impasse social, cultural e institucional. E que não é possível viabilizar o desenvolvimento econômico do país sem uma ampla distribuição de renda.

Porque essa concentração de renda é impeditiva do crescimento econômico.

Essa é uma realidade que nós devemos dizer, em alto e bom som, que é uma crença, pode-se dizer uma doutrina nossa: nós não acreditamos que é possível desenvolver o Brasil, no atual estado de desigualdade que existe nele, de concentração de renda. Porque ela se expressa sempre, também, na concentração do poder político, na elitização do poder político, nas oligarquias do poder político.

Povo educado, povo alimentado é o povo soberano, que exerce o poder, além de delegá-lo.

Já falei demais para um ministro-chefe da Casa Civil, que deve manter um perfil discreto. Mas quero dizer, particularmente, aos ministros e secretários que estão aqui, aos parlamentares do meu partido e de todos os partidos, ao presidente do nosso Congresso, que o presidente Lula deu uma determinação clara e expressa, e todos aqui sabem que eu sou, antes de mais nada, disciplinado: vamos trabalhar em equipe.

Já quero dizer, de maneira transparente, simples e objetiva: todos podem ter certeza absoluta de que me comportarei com humildade, ainda que muitos não acreditem, como o Paulo Delgado, que é a minha consciência crítica, meu amigo, e pode tomar essa liberdade.

E vamos trabalhar em equipe. Vou procurar, na Casa Civil, exercer de forma humilde, discreta, essa articulação política, governamental e a função de guardião da legalidade e, principalmente, da nossa Constituição. E procurar assessorar, colaborar com o nosso presidente.

Todos sabem que chegamos ao governo, depois de décadas e décadas de luta e vinte e três anos, praticamente, do nosso partido. Eu, particularmente, depois de quase oito anos na presidência do PT.

Mas, quero dizer a todos que nós, como o presidente Lula, até pela postura do presidente, estamos muito otimistas, dispostos a trabalhar mais e mais, e muito esperançosos, como nosso povo. Sabemos da responsabilidade que temos, que é muito grande. Não temos o direito de fracassar. Temos o dever de trabalhar, trabalhar e trabalhar.

E é com essa disposição que eu, hoje, com muita honra, tomo posse e tenho, também, o prazer de fazê-lo das mãos do ministro Pedro Parente, quero repetir, olhando para o futuro, não para o passado. Precisamos olhar para a frente. E o nosso povo quer assim. O nosso povo nos elegeu para trabalhar e resolver os problemas do Brasil. E o presidente Lula já disse: não é para ficar se lamentando das dificuldades, dos problemas, dos obstáculos. Nós estamos aqui para resolver os problemas. Nós estamos aqui para resolver as crises. Nós estamos aqui para fazer o país crescer, se desenvolver e fazer justiça ao nosso povo, que nos deu esse mandato.

Quero agradecer à minha esposa e companheira, Maria Rita, pelo apoio que tem me dado nesses anos todos. Minhas filhas Camila e Joana não estão aqui, mas agradeço a elas, também, por terem me suportado, na ausência, todos esses anos. Tenho procurado ser um bom pai, mas reconheço que a vida política tem me afastado muito delas.

Quero dizer ao meu presidente José Genoino que o PT tem, no governo do presidente Lula, um filiado, e você tem, aqui, um amigo e um companheiro com quem você sabe que pode contar em todos os momentos.

E quero dar uma mensagem especial — meu companheiro e amigo Antonio Palocci não está aqui —, mas eu quero dizer ao país e, de maneira especial, a ele, que contará, como já está contando, com meu apoio, para o exercício desse difícil cargo de ministro da Fazenda. Palocci, pode ter certeza de que você terá, no José Dirceu, na Casa Civil, uma fortaleza para defender a política econômica decidida pelo presidente Lula.

Que o país saiba que o governo está unido, que o presidente Lula já deu as orientações para o início do governo e que nós vamos cumpri-las.

Muito obrigado a todos pela presença e vamos, como dizíamos antes, à luta, porque a nossa causa é justa e o nosso povo merece.

Muito obrigado.

ANEXO 2

Meu discurso de defesa, pronunciado de improviso na Câmara dos Deputados, em 30 de novembro de 2005, contra a acusação de chefiar o mensalão feita pelo deputado Roberto Jefferson.

Senhor presidente, deputado Aldo Rebelo, senhoras e senhores deputados, brasileiras e brasileiros que nos acompanham na Câmara dos Deputados, em suas casas, em seus locais de trabalho, em todo este imenso Brasil, imprensa, servidores, funcionários e assessores da Câmara dos Deputados. Depois de cinco meses volto à tribuna da Câmara dos Deputados.

O país, esta Casa, todas as senhoras e todos os senhores são testemunhas de que travei um combate de peito aberto. Não renunciei ao meu mandato de deputado federal. Não critico quem o fez, mas, como disse ao país naquele momento, eu não poderia fazê-lo. Não teria condições de olhar hoje, como estou olhando, para cada deputada e deputado e para todo o Brasil.

Depois de quarenta anos de vida pública, que o país conhece — todos nós temos nossas vidas públicas, cada deputada e deputado, que a comunidade, a cidade e o Estado conhecem —, eu, do dia para a noite, fui transformado em chefe do mensalão, em bandido, o maior corrupto do país.

Evidentemente, eu tinha como dever, para honrar o mandato que o povo de São Paulo me deu, para honrar cada deputada e deputado, para honrar esta Casa, lutar até provar a minha inocência. Digo e repito, não como bravata, mas como compromisso de vida: seja qual for a decisão que esta Casa tomar hoje, vou continuar lutando até provar minha inocência. *(Palmas.)*

Por que eu me insurgi contra o processo a que fui submetido, de linchamento público, de prejulgamento? Porque isso viola os mais elementares direitos de todos os brasileiros e brasileiras. Todos nós aqui juramos defender a Constituição do país. Quando bati às portas da Comissão de Constituição e Justiça e de Cidadania, quando apelei para o Plenário desta Casa soberana do povo, quando fui à Corte máxima do país, o Supremo Tribunal Federal, não o fiz apenas para defender meus direitos — quero repetir —, eu o fiz na obrigação que todos nós temos, deputados e deputadas, de defender os direitos individuais inscritos na Constituição.

Na condição de cidadão, tenho o direito da presunção da inocência e não da culpa, como aconteceu no meu caso. Assim como todos que estão aqui, sabemos que o ônus da prova cabe ao acusador e não ao acusado. Temos de defender o processo legal e o direito de defesa. Isso não estava acontecendo.

Isso é verdade — todo o Brasil sabe disso —, tanto que a Comissão de Constituição e Justiça e de Cidadania e o Supremo Tribunal Federal adotaram decisões que restabeleceram o devido processo legal, o direito de defesa e também os prazos processuais. Impuseram suas decisões não só ao Conselho de Ética, mas à própria Mesa da Câmara dos Deputados, a mim e aos outros deputados que respondem a processos neste momento.

Nunca me neguei a ser investigado. Não é verdade que fui aos tribunais ou à Comissão de Constituição e Justiça para ganhar mais tempo, quero repelir isso. Não temo o julgamento dos meus pares, como não temi o Conselho de Ética e as CPIs Mistas. Não temi o depoimento na Polícia Federal. Não temo porque acredito que é dever meu, uma obrigação de cidadão e mais ainda de homem público ser investigado. Eu quero ser investigado. Eu quero que, antes que termine o ano, a Polícia Federal, o Ministério Público, as CPIs apresentem para a Justiça brasileira os relatórios, os pedidos de indiciamento ou não, para que ela se pronuncie.

Não pedi impunidade. Discuti no Supremo Tribunal Federal o foro em que eu deveria ser julgado. E o fiz baseado na jurisprudência. Não agi de forma leviana ou chicana, como muitos afirmaram de forma indevida.

O Supremo Tribunal Federal, na década de 1980, quando vários deputados bateram às suas portas para exigir imunidade parlamentar, porque estavam sendo acusados de crime contra a honra, disse-lhes: *"Os senhores, deputados, têm foro privilegiado, mas não imunidade parlamentar"*.

Foi baseado nessa jurisprudência que solicitei não que não fosse investigado, não que não fosse processado e julgado, mas que o Supremo Tribunal Federal, levando em conta o Ministério Público Federal, relatórios de CPI, inquérito da Polícia Judiciária ou da Polícia Federal, me processasse, se considerasse necessário, e me julgasse.

Quero restabelecer essa verdade, para que não fique registrado na minha biografia nem nos Anais desta Casa que um deputado procurou escusar-se da impunidade ao discutir foro privilegiado.

ANEXO 2

Repito o que disse durante esses seis meses ao Brasil: não há provas contra mim; eu não quebrei o decoro parlamentar.

Os deputados e as deputadas desta Casa, pelo menos grande parte, conviveram comigo durante onze anos no exercício dos mandatos parlamentares. O Brasil me conhece como deputado estadual, como deputado federal, como servidor da Assembleia Legislativa de São Paulo, como candidato a governador. Fui empresário no Paraná, fui líder estudantil, vivi na clandestinidade nos anos da ditadura. Nunca fui processado na minha vida. Não que isso seja uma desonra, porque muitos foram processados, e inocentados. Mas, repito, nunca fui processado. Nunca respondi a processo, nem na qualidade de deputado, estadual ou federal, nem na de ministro de Estado. Fiquei trinta meses na Casa Civil. Não tenho ação por improbidade administrativa, não tenho ação por tráfico de influência, não tenho ação por crime de responsabilidade. Minhas contas foram aprovadas pelo Tribunal de Contas da União. Nunca recebi sequer uma advertência da Comissão de Ética Pública ou da Controladoria-Geral da União.

Todos que estão aqui sabem que fui ministro do presidente Lula com dupla atribuição. Pergunto para cada líder que está aqui, da oposição e da base do governo, para cada deputado e deputada, para todos os empresários do país, para todos aqueles que fizeram ou receberam de mim 25 mil telefonemas, para todos aqueles que estiveram comigo em milhares de audiências, se alguém recebeu de minha parte alguma proposta indecorosa, alguma proposta ilícita, alguma proposta que ferisse o interesse público. O que fiz na minha vida pública até hoje que tenha ferido o interesse público? De que sou acusado? Sou acusado de ser chefe do mensalão. A Câmara sabe que não sou o chefe do mensalão. Cada deputado e deputada que está aqui sabe que isso não é verdade, jamais propus para qualquer deputado ou deputada compra de voto.

Esta Casa está me julgando, mas também está colocando-se em julgamento. O relator no Conselho de Ética, deputado Jairo Carneiro, deixou claro em seu parecer que não estava comprovada a existência do mensalão. Tivemos a CPI do Mensalão, a da Compra de Votos, que não comprovou a existência do mensalão.

Não tive participação alguma, jamais, em qualquer negociação escusa para que fosse votado qualquer projeto do governo. Não é verdade que esta Casa votou as reformas do ano de 2003 a partir de compra de votos ou de negociatas com o governo, até porque eram suprapartidárias. O presidente as encaminhou para o Congresso com o apoio dos governadores e dos prefeitos. Elas cortaram os partidos por dentro. Havia mais oposição, muitas vezes, na bancada do meu partido, o PT, na bancada dos partidos de esquerda do que na bancada da oposição. Não é verdade que houve compra de votos.

O país sabe que houve repasse de recursos de dívidas para campanha eleitoral. E o PT, meu partido, já está respondendo por isso na Justiça Eleitoral e na Comum, já tomou medidas disciplinares, já assumiu seus erros, já pediu desculpas ao país.

Sabemos também que, quanto à origem dos recursos, até agora, a não ser que a CPMI dos Correios comprove e depois a Justiça prove, julgue e condene, não há prova alguma de que houve recurso público, não há prova alguma de que houve recurso de fundos de pensão, não há prova alguma de que houve recursos de origem ilícita. São recursos de empréstimos tomados pelas empresas conhecidas de publicidade nos bancos BMG e Rural, repassados para o PT e, desse, para os partidos aliados.

Não participei, em momento algum, de qualquer decisão do meu partido. O Brasil, os senhores e as senhoras me conhecem: se eu tivesse participado de alguma decisão que hoje está sob análise e julgamento, teria assumido no primeiro dia, porque sempre agi desse modo. Mesmo quando minha vida corria risco, disse àqueles que me prenderam, àqueles que me processaram que eu não havia praticado os atos de que me acusavam. Respondi a processos, fiquei condenado à morte neste país, voltei como clandestino porque tinha assumido uma luta contra a ditadura, tinha assumido uma luta pela resistência armada.

Não sou cidadão — não vou dizer homem porque seria machismo — de negar o que pratiquei. Não participei das decisões da direção nacional do PT, da Executiva, não era membro. As sedes do PT nacional em Brasília e em São Paulo têm paredes, telefones, assessores, funcionários, seguranças, motoristas. Vossas Excelências me conhecem e sabem que, se tivesse participado de tais atos, teria decidido, teria deliberado, todos saberiam da minha participação. Não vou assumir o que não fiz! Não vou! Não fiz e não assumo! Quem fez está respondendo na Justiça Eleitoral e na Comum, se não é parlamentar, não está respondendo nesta Casa.

Não tive participação direta ou indireta em repasse de recursos para campanha eleitoral. Todos os senhores e as senhoras sabem. Quais as acusações que me são feitas, então, que eu deveria saber? Essa acusação não pode ser aceita por nenhum juiz, por nenhum tribunal. Lembro

ANEXO 2

que não existe mais cassação política neste país, nesta democracia, sob a égide da Constituição, a qual juramos.

Não aceito e vou lutar até o fim da minha vida se for cassado por razões políticas! Não posso ser cassado porque fui presidente do PT. Não posso ser cassado porque coordenei a campanha do presidente Lula. Não posso ser cassado porque fui ministro da Casa Civil. Não posso ser cassado pela minha história, nem acredito que a Casa o faça. A Casa o fará se encontrar prova material contra mim, não pedaços contraditórios de depoimentos, como mostrarei. Não há nexo, materialidade, prova material.

Não sou réu confesso. Jamais assumi minha culpa sobre o que não fiz. Cometi muitos erros políticos, estou pagando por eles e os já reconheci de público. Mas não será aqui e agora, desta tribuna, com o tempo que tenho, que os devo apresentar. Eu os exporei no congresso do meu partido e, se for necessário, nesta Casa. Mas são erros políticos, jamais algo que seja ilícito, que me envergonhe ou a esta Casa. Repito: tenho as mãos limpas.

Vamos às acusações.

Ligações com Marcos Valério.

O Brasil sabe que o senhor Marcos Valério declara que é meu inimigo: *"Eu não sou amigo do senhor ministro José Dirceu"*. *"Vossa excelência dele então considera-se inimigo?" "Diria que sim, hoje."*

Todos sabem que não há um telefonema meu para Marcos Valério, que não participei de reunião sozinho com ele. Ele foi à Casa Civil acompanhando o Banco Espírito Santo, acompanhando o Banco Rural e acompanhando a Usiminas, prestando um serviço para essas instituições. Eu nunca tratei com ele nada que não fosse público. Aliás, tratei nada, porque tratei com a Usiminas, o Banco Rural e o Banco Espírito Santo.

Tinha, sim, na Casa Civil, a sala de infraestrutura e a sala de investimento, recebi centenas de empresários — Febraban, CNI, Fiesp, quase todas as empresas do setor petroquímico, de petróleo, de siderurgia deste país —, porque o presidente me delegou essa função. Tenho recebido apoio de todos eles neste momento de minha vida, porque jamais tratei de algo que não pudesse tratar publicamente.

Sou acusado de favorecer o BMG e favorecer relações com os fundos de pensão. Não há nada. Na CPMI dos Correios não há sequer uma citação do meu nome, a não ser nos depoimentos de Roberto Jefferson. Os membros da referida Comissão sabem que estou dizendo a verdade. Não há nada que me ligue aos fundos de pensão, nada que me ligue ao

BMG ou ao Banco Rural, nem ao Banco Mercantil de Pernambuco, muito menos à questão do crédito consignado. Não é verdade que o BMG foi beneficiado pelo crédito consignado.

Sou obrigado a descer em detalhes. A Caixa Econômica Federal iniciou a operação; um ano depois, foi o BMG, que tem tradição, nicho de mercado, *know-how* e trabalha com agentes, com crédito consignado, já tinha experiência em Minas Gerais e conquistou posição no país. E a primeira medida provisória do governo, que foi aprovada por unanimidade nesta Casa, dava reserva de mercado para os bancos onde os aposentados recebiam seus salários o que prejudicava o BMG e os bancos comerciais. Depois que esta Casa e o Senado mudaram essa legislação e quebraram a reserva de mercado. Não há nada que prove que fiz qualquer tráfico de influência, que tive qualquer relação escusa com o BMG e o Banco Rural.

Fico constrangido de ter que explicar a relação comercial da minha ex-esposa Ângela Saragoça, mãe de minha filha, porque não participei disso. Todos os depoimentos de todos aqueles que participaram dizem expressamente que não tomei parte nisso. Ela diz em sua carta — e o relatório ocultou isso — que me procurou. E eu disse a ela: *"Não posso, não devo, não a ajudo e não tenho condições, pelas condições de todos nós, de aumentar a pensão; você tem que procurar resolver esse problema pessoalmente"*. Ela buscou seu círculo de amigos — estou separado dela há quinze anos.

Não posso aceitar isso! É uma ignomínia! É uma ignomínia contra uma mulher que trabalha no BMG, que paga corretamente o empréstimo no Banco Rural e que não fez nada com má-fé ou dolo. Não posso aceitar, repilo isso. Aceito as acusações políticas, aceito discutir se tenho culpa ou não, mas não aceito isso que foi feito, como não aceitarei jamais o que foi feito com meu filho, e o país assistiu a isso.

Meu filho era secretário da Indústria, Comércio e Turismo de Cruzeiro do Oeste, era secretário adjunto, no escritório de Umuarama, da Secretaria de Emprego e Renda do Governo do Paraná. Tinha o direito e o dever de vir a Brasília, a todos os Ministérios e à Casa Civil, para buscar recursos para suas cidades, para o seu estado, e o fez legitimamente, sem traficar influência, sem ilegalidade. Mas fizeram uma devassa na vida dele! Publicaram antes o processo administrativo, anunciaram que fariam a denúncia, que depois fizeram. E me envolveram sem ter a minha citação no processo administrativo, sem ninguém me envolver, para agravar a minha situação no Conselho de Ética.

ANEXO 2

Não é verdade que participei de negociações financeiras com o senhor Duda Mendonça, nem com o senhor Valdemar Costa Neto. É só olhar o depoimento dos dois nas CPMIs, é só quebrar o sigilo bancário e telefônico. Repetiram à exaustão que eu telefonava para o tesoureiro, para o Genoino a partir de telefonemas do tesoureiro do PTB; quando quebraram o sigilo telefônico, não acharam nada. Não posso aceitar denúncias vazias, tenho que repeli-las.

O saque do senhor Roberto Marques no Banco Rural é mais caricato: não tem o número do RG dele, não tem a assinatura dele, não tem o número do CPF dele, o documento não é reconhecido como autêntico pela CPMI. Outro cidadão retirou no mesmo dia o mesmo cheque, com o mesmo número, no mesmo valor, mas uma revista disse que o cidadão repassou recursos para ele. É a lei da suspeição do terror francês! Não há mais legalidade nenhuma! Sou culpado porque, se o senhor Roberto Marques mantém relações públicas comigo, mas não é meu assessor nem meu funcionário, mas da Assembleia Legislativa do Estado de São Paulo? Não há prova de que eu tenha qualquer relação com esse caso.

Estou disposto, senhor presidente, senhoras e senhores deputados — e peço desculpas pela veemência —, a continuar respondendo cada acusação, cada denúncia que surgir contra mim em qualquer instância deste país. Porém, onde quero lavar a minha honra, onde quero ser inocentado é nesta Casa.

Como cada um de Vossas Excelências, recebi um mandato e o honrei. Não desonrei o mandato que o povo de São Paulo me concedeu. Todos os que me conhecem sabem que isso é verdade.

Repito: servi ao governo do presidente Lula durante trinta meses com honra, orgulho e paixão. A pior coisa da minha vida foi sair do governo do presidente Lula. Saí porque entendi que não ajudaria o governo nem o Brasil ficando, depois de todas as denúncias que foram feitas.

Eu tinha de fazer o que fiz nesses cinco meses, e todos aqui sabem o que eu passei durante esse período. Não foi fácil chegar aqui hoje em condições de me defender. Foi graças ao apoio de centenas de milhares de brasileiras e brasileiros anônimos, das pessoas do meu gabinete de deputado, do meu advogado — peço desculpas por ter usado o tempo dele —, de centenas de deputadas e deputados, de governadores e prefeitos, de amigos e amigas, no governo e fora dele, do meu partido. Enfim, da minha bancada, que fiquei de pé e cheguei até aqui.

Sou um sobrevivente. Não tenho valor pessoal próprio, qualidades especiais próprias. Aprendi tudo o que sei em diferentes fases da vida política, social e cultural do nosso país.

Por razões da vida, não fui assassinado, não caí em combate, não virei um desaparecido. Por razões da vida, quando cheguei a São Paulo, aos catorze anos, consegui emprego como *office boy* e consegui estudar. Não virei mais um brasileiro no crime, na delinquência. Cheguei até aqui graças ao nosso povo, porque o Brasil só vem melhorando, só vem avançando. A consolidação da democracia talvez seja a maior dádiva que temos.

O que precisamos fazer é evitar o que aconteceu. Denúncias de corrupção na administração pública as CPIs têm de investigar. Têm de punir os culpados e tomar medidas para impedir que ela volte a ocorrer. Não aceito que haja corrupção no governo, do governo ou promovida pelo governo.

O meu partido cometeu erros, mas, se colocarmos na balança tudo que o PT fez — como muitos partidos, todos fizeram aqui, cada um a sua maneira — pela vida política, social e econômica, pelos avanços sociais, econômicos e políticos do Brasil, veremos que o PT tem mais crédito que débito, e o povo saberá julgar isso nas próximas eleições.

Para resolver esse problema sério neste país, temos que fazer uma reforma político-administrativa. Eu me penitencio por não ter trabalhado mais para realizá-la no primeiro ano do governo do presidente Lula, como já disse várias vezes. Talvez o grande desafio do Brasil — desafio que o povo vai decidir em 2006, porque vai confrontar os quatro anos de governo do presidente Lula com os governos anteriores, particularmente com o anterior — seja fazer essa reforma política e administrativa.

Não temo as investigações, como sei que o presidente não as teme, nem do Ministério Público, nem da Polícia Federal, nem das CPIs. No final, ficará provado que o presidente, os ministros, enfim, o governo não tem participação direta, seja por omissão, seja por autorização, nos fatos que estão sendo analisados.

Repito: se há corrupção, ela precisa ser apurada e comprovada, e os responsáveis, punidos.

Da mesma forma, se queremos enfrentar o problema do financiamento ilegal de campanhas, do caixa dois, temos de realizar a reforma política. Não basta esta Casa ou o Senado fazer uma parte da reforma política. O país espera e demanda do Congresso Nacional uma profunda reforma política; o país sabe que não terá eficiência de gestão, eficiência de

ANEXO 2

recursos humanos, não terá um Estado eficiente nem planejado se não fizer uma reforma administrativa.

Essa é uma pauta que devemos assumir, a qual me proponho, como cidadão e/ou como parlamentar, a apoiar e ajudar o Congresso a realizá-la.

Senhor presidente, senhoras e senhores deputados, cheguei a um ponto em que a minha situação se transformou em agonia, em degola, em inferno, em fuzilamento político. Degola política existia na República Velha. Não podemos permitir — peço vênia para me expressar assim — que esta Casa se transforme num tribunal de degolas políticas.

Se houver uma prova contra mim no relatório, como disse o relator no caso Sandro Mabel, que seja robusta e cabal para me levar à condenação por quebra de decoro parlamentar; aí, sim, aceito que a Câmara dos Deputados discuta e casse o meu mandato. Eu mesmo já disse de público, e por isso fui criticado, que a cada dia mais acreditava na minha inocência. Quando disse isso, foi porque o ônus da prova tinha sido invertido, a produção da culpa tinha sido invertida.

Refleti muito, nesses últimos cinco meses, sobre os erros que tinha cometido, sobre cada ação que realizei na Casa Civil, sobre as relações que mantive com essas empresas, sobre as relações que mantive com os partidos e com a Câmara dos Deputados, e não encontrei nada, nada, que possa levar a quebra de decoro parlamentar. Não podemos transformar esta Casa num tribunal de exceção. Não pode haver — nesse caso, não concordo mesmo com o Conselho de Ética e com o relator — relaxamento processual. Não pode haver rito sumário em casos não previstos pela Constituição e pelos Códigos.

E o que aconteceu, por pressão da opinião publicada? Começou a formar-se uma opinião pública neste país que exigia desta Casa a cassação, o mais rápido possível, de deputados acusados, independentemente do devido processo legal. Essa é a verdade. Não a esconderei. Eu já critiquei, já mostrei ao país, desde que enviei a carta às senhoras e aos senhores, o papel que determinados setores da imprensa vêm desempenhando neste país. Muitas vezes, a imprensa tem sido de oposição ou partidarizada, mas ela precisa assumir que é de oposição ou partidarizada. Já que temos o direito de dar entrevistas e responder a essa imprensa, ela que assuma sua posição.

Não vejo nenhum problema de a imprensa assumir determinado partido, bandeiras ou campanhas, como aconteceu no caso do referendo sobre o desarmamento, quando alguns órgãos de imprensa apoiaram o "sim" e outros o "não". É melhor para o país que seja de maneira transparente, clara, aberta. Quero ter o direito de dizer que muitas denúncias que surgiram e passaram a ser investigadas eram vazias e foram promovidas por setores da imprensa. Muitas conclusões foram tomadas pela imprensa antes ou mesmo sem que investigações fossem feitas.

Não temo a imprensa livre, porque seria antidemocrático. Pelo contrário, sempre defendi e sustentei a liberdade de imprensa, inclusive com risco de perder a vida, até que a conquistamos com a promulgação da Constituição de 1988.

Senhor presidente, senhoras e senhores deputados, não posso ser cassado porque era o todo-poderoso, porque não atendia telefonemas, não marcava audiências ou por causa de minha personalidade. Minha cassação significa a cassação de meus direitos políticos por dez anos, até 2016. Isso é uma violência contra meu direito de cidadão e parlamentar eleito e contra as eleitoras e os eleitores que me elegeram, a não ser que haja prova robusta e cabal de que quebrei o decoro parlamentar. Também considero uma violência contra quarenta anos de vida pública de alguém que dedicou sua vida ao país. Lamento e me sinto constrangido em ter de afirmar isso às senhoras e aos senhores. Sou obrigado a fazê-lo, porque é minha vida, minha biografia e minha história que estão em jogo hoje.

Falo isso com serenidade, tranquilidade. Todos aqui sabem que acatarei qualquer resultado e continuarei minha vida de cidadão e continuarei na vida política do país. Não me dobrarei, não cairei, continuarei lutando, de maneira simples e humilde, sem as condições de um parlamentar ou dirigente político. Terei de refazer minha vida durante cinco ou dez anos. Mas quero dizer a cada deputada e deputado: coloque-se no meu lugar. Como é possível cassarem meus direitos políticos sem provas, e até 2016, quando estarei com setenta anos de idade? É bem verdade que, com a medicina atual, devo ter ainda trinta anos de vida, pois estou com cinquenta e nove, mas é bem verdade também que se trata de uma ignomínia, uma violência política sem precedentes.

Todos os deputados e deputadas sabem que sou um defensor do governo do presidente Lula. Considero este governo o que mais fez avanços no Brasil nos últimos vinte anos. Cometeu erros, tem insuficiências, não cumpriu muitas de suas tarefas, mas promoveu avanços importantes para o país, que estão sendo debatidos neste momento e serão julgados pelas urnas no próximo dia 1º de outubro.

ANEXO 2

Sempre respeitei a alternância de poder. Neste momento, quero restabelecer a verdade: não é fato que, em 1999, eu tenha apoiado o "Fora, FHC". Isso precisa ser restabelecido no país, apesar da oposição sempre intransigente, da disputa política que fiz com a coalizão que sustentou o governo do presidente Fernando Henrique Cardoso e da oposição que fiz ao governo durante oito anos. Só aceitei ser candidato a presidente do PT quando a tese do "Fora, FHC" foi derrotada por mais de 60% dos delegados. Digo isso para restabelecer uma verdade, porque sempre fui democrata.

Todas as minhas eleições aconteceram por via direta, desde a época do Centro Acadêmico 22 de Agosto, quando, enfrentando a força pública de São Paulo, com gás lacrimogêneo e cassetete, fizemos uma eleição na PUC de São Paulo, na rua Monte Alegre, e fui eleito. Fui eleito presidente da União Estadual dos Estudantes, sob as balas e as patas dos cavalos da ditadura. Fui eleito deputado estadual. Fui candidato a governador. Fui três vezes eleito deputado federal, três vezes presidente do PT, trabalhei junto à maioria do partido para estabelecer a eleição direta no PT e fui eleito diretamente.

Não é verdade que sou stalinista. O PT é um partido profundamente democrático. Nunca decisão do PT foi tomada por meio de rolo compressor. Todas as decisões que propus ao partido levaram seis meses, oito meses, um ano para se transformarem em realidade, e foram aprovadas por maioria, muitas vezes de 2% ou 3%. Fui eleito presidente do PT com diferença de dezoito votos. A tese que sustentou a mudança do PT, que levou o presidente Lula ao governo, foi vitoriosa com diferença de dois votos.

O PT, que não tem maioria no país, elegeu o presidente, noventa e um deputados nesta Casa e catorze senadores. O PT compôs, sim, uma base ampla, primeiro com o PL, que deu o vice; depois, com o PSB e com o PCdoB, nossos aliados históricos; em seguida, com o PP, o PTB e o PMDB. Não é verdade que essa base de apoio foi composta considerando-se favores que não sejam legítimos. Não é verdade que houve compra de votos. Não é verdade que houve barganhas que envergonhassem esta Casa. Não é verdade que esta Casa votou em decorrência de compra de votos.

É isso que estamos votando hoje. Eu disse isso a todas as deputadas e a todos os deputados que votaram o relatório das CPIs. Quando saiu o relatório das CPIs, fiz meu contraditório. No outro dia, meu advogado entregou minha defesa lá. Quando saiu o relatório do Conselho de Ética, também o fiz, assim como na Corregedoria. No Conselho de Ética, nunca deixei uma acusação sem resposta, inclusive contra o governo. Não tinha autorização nem delegação para defender o governo, não era mais ministro, mas sou filiado ao PT e deputado da base do governo. Por isso defendi o governo contra as acusações de mensalão; de que os recursos vieram de fontes que não os empréstimos com os bancos; de superfaturamento; de que recursos de empresas privadas foram destinados de maneira ilegal; de contratos fictícios ou as relacionadas a fundos de pensão. Se eu aceitasse isso, aceitaria que o governo do presidente Lula montou um sistema de corrupção no país, por meio de autorização ou de delegação do presidente. Isso não é verdade! Essa verdade tem de ser restabelecida no país. Para isso existem as CPIs, o Congresso Nacional, o Ministério Público, a Polícia Federal e a Justiça. Eu o defendi com a consciência tranquila, porque participei do governo, vivo o governo e sei que não é verdade.

Sei que existe corrupção na Administração Pública Federal. Sei que é preciso combatê-la e a combati. Entreguei ao Conselho de Ética — todos os deputados e deputadas podem ter acesso — um relatório, de mais de 100 páginas, da Casa Civil, da Ciset. Toda denúncia que chegou à Casa Civil, contra integrante de estatal, autarquia ou ministério, contra qualquer diretor, presidente ou ministro, fosse ou não denúncia, muitas vezes era pedido de informação, encaminhei ao Ministério Público, encaminhei à Controladoria-Geral da União, encaminhei ao Tribunal de Contas da União. Portanto, tenho a consciência tranquila de que não me omiti, de que não prevariquei na Casa Civil.

Fui ministro da Casa Civil. Não era presidente do PT. Não era deputado. Portanto, não aceito ser responsabilizado pelas decisões do PT ou como parlamentar. O Supremo tomou uma decisão, que acatei. Aliás, acatei todas as decisões do Supremo. Jamais critiquei o Supremo Tribunal Federal. Jamais critiquei também a Comissão de Constituição e Justiça quando perdi. Não aplaudi quando ganhei nem critiquei quando perdi, como alguns fizeram no país, o que não é uma atitude democrática.

Senhor presidente, não vou fazer uso de todo o tempo que me foi concedido. Tenho interesse de que a Câmara conclua a votação. Quero acordar amanhã como um cidadão que prestou contas à Câmara dos Deputados como deputado, olhou para cada parlamentar.

Durante essas semanas todas eu me dispus a conversar com cada deputada e deputado, ouvir o que cada deputado e deputada tinha a me questionar. Enviei para cada deputado e deputada uma carta e depois as minhas defesas. Fizemos esse resumo. Todos os deputados e deputadas sabem o sacrifício que isso significou porque sabem qual é a estrutura do gabinete, sabem o salário e a verba indenizatória que têm, sabem as condições em que exercem o mandato. Não fosse a ajuda de milhares de brasileiros e brasileiras, centenas de milhares — ouso dizer — de brasileiros e brasileiras, eu não teria podido travar essa luta.

Não quero misericórdia. Não quero clemência. Tenho repetido para cada um e cada uma de vocês: quero justiça. *(Palmas.)* Que cada deputado vote com a sua consciência. Nunca agravei nenhum deputado ou deputada. Nunca agravei nenhum membro do Conselho de Ética. Nunca fiz ataque pessoal. Nunca fiz crítica que não fosse jurídica e política. Sei da situação e da posição que vivo neste momento, desde o dia em que voltei para esta Casa. Sei muito bem da responsabilidade política que eu tenho nesses últimos dez anos no Brasil. Mas sei também que essa responsabilidade não envolve — quero repetir — nada, nada que signifique quebra de decoro.

Para finalizar, senhor presidente, senhoras deputadas, senhores deputados, quero render homenagem a todos aqueles que lutaram em nosso país pela democracia para que esta Casa hoje pudesse estar julgando.

Tenho compromisso com a luta contra a corrupção. Digo isso olhando nos olhos de cada deputada e deputado. Não há nada na minha vida que comprove o contrário. Em todos os cargos que ocupei, em todas as funções que desempenhei, combati a corrupção. E foi assim também no governo do presidente Lula. Não fui omisso, não prevariquei e, muito menos, participei.

Quero lembrar que esta Casa está julgando-me, mas também está, na verdade, fazendo um autojulgamento.

Muito obrigado pela atenção. Vamos enfrentar a votação. *(Palmas.)*

Muito obrigado. *(Palmas prolongadas. O orador é cumprimentado.)*

MEMÓRIAS NO CÁRCERE

Na solidão de sua cela, com papel e uma caneta esferográfica, Zé Dirceu escreveu à mão, disciplinadamente, com letras uniformes e miúdas, sem borrar nenhuma linha, quase 400 páginas com a história de sua vida. Os manuscritos foram digitados e, já em casa, num de seus períodos de liberdade provisória, ele revisou página por página, conferindo as informações com amigos e personagens. O resultado foi este livro de 496 páginas de texto e 32 páginas de fotografias que você está lendo.

pontos abandonados ou simplesmente falseados como a unificação dos Policiais e a reforma do siste ma prisional precisam ser reformada no am. bito da Federação.

Se vamos repactuar o país e precisa consolidar os ens sociais e repactuar os relações capital trabalho, não como na atual reforma trabalhista onde o trabalhador asse e perde direitos e o empresário não democratiza na empresa, gestão, contabilidade, governança e objetivos com seus trabalhadores e com a sociedade. não se pode exigir que trabalhadores aceitem a livre negociação como lei e ao mesmo tempo enfraquecem seus orgãos de representação, na fabrica, no local de trabalho e a nivel sindical.

Se estamos na era moderna, da WEB, do IPHONE, do facebook, porque não integrar o sindicato e o trabalhador a gestão e direção dos empressos por alem da CIPAs, do PLC, dos Comicões de fabrica porque não construir a nivel local regional e nacional meios e governanças em que o trabalhador tenha voz e vez.

O mesmo vale para a gestão do Estado e dos Serviços publicos, porque não coloca-los a nivel local, regional e nacional nos controle do cidadão para alem do voto, da delegação ao legislativo e Executivo, para alem da burocracia civil, dos carreiras estrategicas do Estado, dando acesso ao cidadão do controle social do Estado.

340

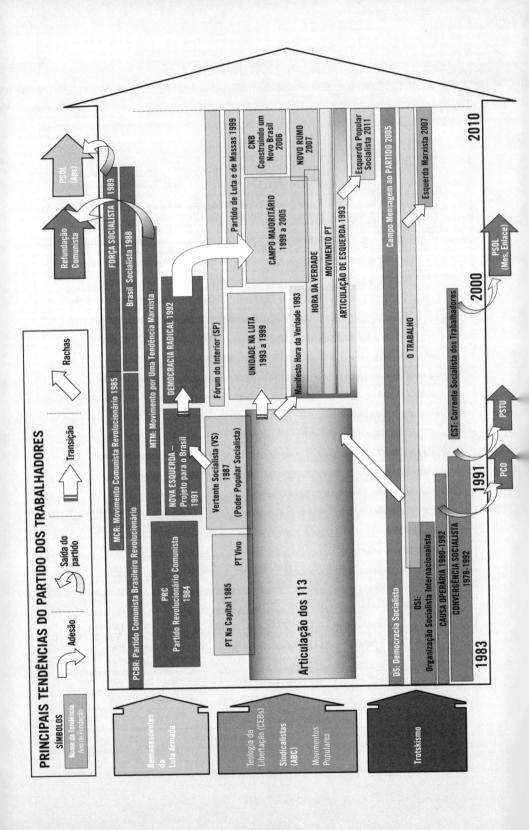

ÍNDICE ONOMÁSTICO

A

Abdenur, Roberto 330
Abel (primo de Zé Dirceu) 27
Abicalil, Carlos 436
Abramo, Cláudio 75
Abramo, Fúlvio 248
Abramo, Lélia 64, 159
Abramo, Lívio 64, 159
Abramo, Perseu 64, 159, 194, 277
Abramo, Radha 64-65, 159-160, 164
Abreu, Hugo 158
Abreu, Zé de 439
Adauto, Anderson 342, 361
Afonso, Almino 263
Albuquerque, Francisco Ribeiro de 402-403
Alckmin, Geraldo 266, 283, 316, 374, 455, 465
Alencar, Chico 425, 436
Alencar, Frei Tito de 74
Alencar, José 312-313, 316, 318--319, 346-347, 413, 444, 470
Alencar, José de 123
Alex (irmão de Iara Xavier) 172
Ali, Ben 412
Allende, Salvador 111, 347
Almeida, Climério Eurides de 350
Almeida, Mozart Agra 38
Aloísio, seu (pai de Maria Rita) 396
Altman, Breno 7
Alvarado, Velasco 37
Alves, Castro 39, 123
Alves, Chico 25-26
Alves, Márcio Moreira 77, 172
Alves, Mário 50, 62
Amado, Jorge 49
Amaral, Delcídio 426, 454
Amaral, Roberto 234, 343-344, 352
Amazonas, João 62, 231, 234, 313, 338, 343-344
Américo, José 258, 271
Amorim, Celso 337, 341, 344, 350, 352, 372, 402-403, 410, 413, 421
Ananias, Patrus 221, 227, 321, 428, 439
Andrade, Auro de Moura 46
Andrade, Clésio 432
Andrade, Manoel Correia de 123
Andrade, Maria Rita Garcia 396
Andrade, Paes de 300, 313
Andreazza, Mário 177, 195
Angel, Sônia de Moraes
Angel, Stuart 173
Angel, Zuzu 173

Angelina (tia de Zé Dirceu) 27-28
Anka, Paul 24
Ant, Clara 222, 265, 271, 277, 320, 351
Antônio, Melo 64, 123
Arafat, Yasser 410
Arantes, Aldo 50, 195
Arantes, José Roberto 63, 104, 106
Arantes, Zé 38, 80, 109, 114, 129, 134, 155
Araújo, João Batista de Oliveira (Babá) 436
Araújo, Luiz Antonio 106
Arbix, Glauco 320
Arida, Pérsio 209, 259, 303
Arlete (irmã de Clara) 153
Arnaldo (primo de Zé Dirceu) 26
Arns, Dom Paulo Evaristo 146, 156, 191
Aroeira 439
Arraes, Miguel 47, 188, 212, 231, 234, 338, 343
Arroyo, Ângelo 156
Assis, Machado de 123-124
Augusto, José 220, 225
Azevedo, Aluísio de 123
Azevedo, Reinaldo 283
Azul, Marcelo Serra 394

B

Babel, Isaac 124
Bacha, Edmar 259
Bachelet, Michelle 410
Baez, Joan 24
Bar, Décio 78
Baran, Paul A 136
Barbalho, Jader 311, 313
Bárbara (filha de Cláudio e Radha Abramo) 159-160
Barbieri, Marcelo 356, 383
Barbosa, Ivan Aires (Corinho) 149
Barbosa, Joaquim 447-450
Barbosa, Rubens 328-329, 337
Barbosa, Ruy 67
Barbosa, Swedenberger 348, 437
Barelli, Walter 260
Barra, Manoel da 22
Barreta, Daisy 348
Barreto, Lima 123
Barreto, Lucy 439
Barreto, Luiz Carlos 439
Barros, Adhemar de 28-29, 46, 70, 195
Barros, Antero Paes de 378, 380
Barros, Herwin de 82-83
Barros, Luiz Carlos Mendonça (Mendonção) 283-284, 291

Barros, Mendonça de 282-284, 291, 301, 359
Barroso, Luís Roberto 451
Bastinho, doutor 352
Bastos, Márcio Thomaz 299, 341, 352, 402-403, 407-408, 428, 437, 439, 444-445, 448-449
Bastos, Romeu Costa Ribeiro 349
Batista, Anízio 205
Batista, Fulgêncio 99-101
Batista, João (pai de Iara Xavier) 172
Batista, Joesley 338
Batista, Nilo 295
Becker, Beth (irmã de Clara) 153
Becker, Camilla 19, 165
Becker, Clara 469
Becker, Henrique 153
Belchior, Miriam 322, 353, 362, 375
Belda, Alain 327
Bellini, Wilson 144, 149, 160
Benetazzo, Antônio 63, 104, 106, 121, 124, 129, 133
Benevides, Wagner 175
Benigno, Dariel Alárcon 111
Bentes, Euler 48, 158, 189
Berbet, Ruy Carlos 106
Berenice (filha de Cláudio e Radha Abramo) 159-160
Berzoini, Ricardo 301, 307, 342, 352, 428, 430, 439
Beth (filha de dona Cynthia) 28
Bettelheim, Charles 136
Betto, Frei 175, 351
Bezerra, Gregório 94-98
Bezerra, Zila 282
Bia (esposa de Fernando Morais) 167
Bicudo, Hélio 245, 248, 288
Biscaia, Antônio Carlos 425
Bisol, José Paulo 235, 261
Bittar, Jacó 175, 220, 225, 227, 311, 352
Bittar, Jorge 295, 436
Boas, Renata Vilas 171
Boas, Ricardo Vilas 95, 98
Bolsonaro, Jair 465
Bom, Djalma 187, 192, 208, 220
Bonchristiano, José Paulo 80
Borges, César 309
Bornhausen, Jorge 204, 243, 311, 380
Botassi, Miriam 160
Braga, Eduardo 313, 366
Braga, Saturnino 234
Branco, Carlos Castelo (Castelinho) 99
Branco, Castelo 61, 73, 156

ZÉ DIRCEU

Branco, Humberto de Alencar Castelo 39, 46
Branco, Maria Aparecida Sá de Castelo 28
Brandt, Vinicius Caldeira 50
Brandt, Willy 133
Branson, Richard 394
Breda 172, 207
Breda, João Baptista 169, 172
Breve, Nelson 437
Brigido, Chicão 282
Brindeiro, Geraldo 286, 322
Britto, Ayres 448-450
Brizola, Leonel 37, 47, 68, 120, 188, 237, 294, 338
Buaiz, Vitor 218, 220, 225, 227, 229, 281
Buarque, Chico 166-167
Buarque, Cristovam 225, 229, 279-280, 300, 341, 348-349, 352, 383
Bueno, Juliana 43
Bulhões, Otávio Gouveia de 31
Bush, Goerge W. 327-328, 411, 416
Buzato, Lucas 222

C

Cacciola, Salvatore Alberto 302
Cachoeira, Carlos 383-385, 388, 392-393, 422, 425-426
Caiado, Ronaldo 230
Caiafa, Maria do Rosário 277
Calabi, Andrea 249, 324
Caldas, Eduardo Jorge 303
Caldevilha, Vinícius Medeiros 106
Callado, Antônio 167
Callado, Ana (esposa de Antônio Callado) 167
Calógeras, Pandiá 123
Camata, Rita 312, 316
Cameli, Orleir 282
Camila (filha de Zé Dirceu) 5, 19, 272-273, 397, 469, 472
Camilla (filha de Marta Harnecker) 105
Campello, Tereza 353, 362, 375
Campos, Eduardo 425, 454
Campos, Roberto 31
Campos, Siqueira 382
Canale, Dario 196-197
Capiberibe, João 455
Capistrano, David 234, 258-259, 264
Capriglione, Ana (codinome "Doutor Rui") 28
Cardoso (general) 310
Cardoso, Adauto Lúcio 89, 447
Cardoso, Alberto 319
Cardoso, Alberto Mendes 293
Cardoso, Arnaldo 172
Cardoso, Dirceu 211
Cardoso, Fernando Henrique 147, 195, 198, 206, 209, 238, 251, 259, 283-284, 291, 299, 317, 324, 329, 336, 380, 394, 483
Cardozo, José Eduardo Martins 241, 288
Cármen Lúcia 448, 450
Carneiro, Condessa Pereira 99
Carneiro, Enéas 437
Carneiro, Jairo 475
Carneiro, Maria Augusta 94
Caroço, Pedro 150, 163
Carol (filha de Marcia Ramos) 272
Carone, Edgard 123
Carta, Mino 159
Carvalho, Apolônio de 50, 62, 180
Carvalho, Clóvis 259
Carvalho, Gilberto 256, 277, 322, 339, 351, 355, 444-445, 449
Carvalho, Luiz Antônio de 192
Carvalho, Noel de 295
Carvalho, Rosa (mãe de Neide) 21-22
Carvalho, Sérgio Miranda Ribeiro de (Sérgio Macaco) 111
Casoy, Boris 79
Castorino (pai de Zé Dirceu) 21-23, 96, 165, 167
Castro, Abel (irmão de Zé Dirceu) 21, 23
Castro, Antônio Carlos de Almeida (Kakay) 450
Castro, Célio de 221, 227
Castro, Fidel 18, 38, 98, 100, 120, 468
Castro, Raúl 104, 328
Catarina (filha de Marcia Ramos) 272
Cavalcanti, João Carlos (Vicente) 106, 109, 128
Cavalcanti, José Carlos 133
Cavalcanti, Severino 235, 344, 399
Centeno, Ayrton 7
Cervantes, Sérgio 164
Chachamovits, Beth 80
Chateaubiand, Assis 157
Chaves, Aureliano 178, 230
Chávez, Hugo 102, 411
Che Guevara 50, 69, 101, 111
Chica, dona (vizinha de Zé Dirceu) 23
Chinaglia, Arlindo 425, 437
Choinacki, Luci 255
Cicote, José 192, 222, 227
Cienfuegos, Camilo 101
Cintra, Dyrceu 449
Cisneros, Gustavo 406
Civita, Roberto 392, 406
Clair, Doutora 425
Clara (esposa de "Carlos") 5, 149-150, 152-154, 158, 162-166, 168, 178, 272, 469
Clauset, Luiz Roberto 160, 162, 169
Clausewitz 67
Clinton, Bill 287, 299, 329
Coelho, Paulo 16
Colby, William Egan 53
Cole, Nat King 24
Collor, Fernando 120, 147, 231-232, 237, 249, 252, 281, 297, 300, 421, 423
Comparato, Fábio 449
Conniff, Ray 24
Corbisier, Ana (Maria) 106, 134, 148-149
Corbisier, Ana Cerqueira César 106
Corbisier, Roland 106
Cordeiro, Marcelo 310
Cordeiro, Miriam 236, 239
Corrêa, Maurício 441, 468
Corrêa, Pedro 440
Corrêa, Pio 301
Correa, Rafael 411
Costa e Silva, Arthur da 47, 53, 61, 70, 73, 84
Costa, Humberto 342, 352, 361, 439
Coutinho, Luciano 344
Coutinho, Luiz Raimundo Bandeira 106
Coutinho, Ricardo 455
Covas, Mário 75-76, 206, 209, 232, 237, 242, 265, 290, 299, 312, 332
Cover, Walter 85, 350
Crawford, Joan 173
Cunha, Euclides da 64, 123
Cunha, João Paulo 398, 435, 468
Cynthia 28

D

Dadá 385
Dall'Acqua, Rodrigo 441
Dallari, Dalmo 449
Dallari, Pedro 241
Damião, Frei 236
Daniel, Celso 220, 225, 227, 312, 316, 320, 322, 445
Daniel, Francisco 323
Daniel, João Francisco 445
Dantas, Altino 50
Dantas, Bruno 455
Dante 44
Debray, Regis 69
Déda, Marcelo 227, 430
Delgado, Júlio 436, 440
Delgado, Paulo 218-219, 471
Denys, Odílio 68
Dias, Álvaro 441
Dias, Erasmo 83, 86-87, 89, 157
Dias, Maneco 343
Dias, Santo 191
Dias, Wellington 467
Dieguez, Adolpho Rocca 88
Dieguez, Lauro Rocca 88
Diniz, Abílio 237, 239, 320
Diniz, Marisa de Almeida Del'Isola 344
Diniz, Waldomiro 349, 383-384, 392-393, 395, 400, 420-421, 424, 426

ÍNDICE ONOMÁSTICO

Dipp, Airton 426
Direito, Carlos Alberto 448
Domingos, Guilherme Afif 230
Doria, Antônio 170
Doyle, Conan 124
Drummond, João Batista Franco 156
Dubcek, Alexander 122
Dulci, Luiz 175, 187, 326, 351, 428, 430
Dulci, Luiz Soares 276
Duprat, Marcos 165
Durham, Eunice 205
Dutra, Eurico Gaspar 68
Dutra, Olívio 175, 200, 212, 218, 220, 225, 227-228, 276, 341, 352, 361, 430
Dylan, Bob 24

E

Elbrick, Charles 66, 85, 94, 160, 163
Elbrick, Charles Burke 50, 330
Emediato, Luiz Fernando 7, 157
Engels 64
Engels, Friedrich 38
Espín, Vilma 104
Eudes, José 187, 205

F

Fábio (filho de Lula) 237
Fábio, Caio 300
Fachin, Edson 451
Falcão, Rui 38, 192, 258-259, 261, 274, 276
Falco, Rafael de 77
Fantazzini, Orlando 425, 436
Faoro, Raymundo 62, 146, 235, 260
Farias, Paulo César (PC Farias) 243, 249
Farias, Vilma 408
Favre, Luís 340
Fechio, Firmino 288
Feher, Telma 350
Félix, Jorge 403
Félix, Jorge Armando 341, 344, 402, 467-468
Fernandes, Emília 341
Fernandes, Florestan 123, 218-219, 247-248
Fernandes, Zilmar 435
Ferraz, Esther de Figueiredo 43, 78
Ferraz, Lauro Pacheco de Toledo 78
Ferreira, Aloysio Nunes 266, 310, 317, 319
Ferreira, Câmara ("Toledo") 197
Ferreira, Câmara 50, 56, 62
Ferreira, Joaquim Câmara 56, 113
Ferreira, Sérgio 330-331
Feuerwerker, Alon 439
Fiel Filho, Manoel 71, 138, 156

Figueiredo, João 78
Figueiredo, João Baptista 48, 146, 198
Filho, Adhemar de Barros 195
Filho, Agílio Monteiro 317
Filho, Aloysio Nunes Ferreira 85, 263
Filho, David Capistrano 227
Filho, João Parisi 79
Filho, Luiz Antonio Fleury 222, 237
Filho, Manoel Fiel 71, 138, 156
Filho, Olímpio Mourão 46
Fioravante, Waldomiro 255
Fiordelisio, Agostinho 78
Flama (sobrinho de Zé Dirceu) 76, 209
Flaquer, João Marcos 79
Fleury 114, 126, 134, 249, 263, 266
Fleury, Carlos Eduardo 104
Fleury, Carlos Eduardo Pires (Fleurizinho) 113
Fleury, Luiz Antonio 423
Fleury, Sérgio Paranhos 113
Floriano 67
Fonteles, Cláudio 392-393
Fonteles, Nazareno 425
Fontenelle (coronel) 350
Fontenelle (embaixador) 402
Fontenelle, Américo 350
Fontenelle, Maria Luiza 210
Fortes, Leandro 317
Fraga, Armínio 302, 323, 325, 328, 331, 339
Franco (italiano) 45
Franco, Augusto 274
Franco, Francisco 132
Franco, Gustavo 259, 266, 282, 285, 289, 300-301, 334, 378, 381
Franco, Itamar 240, 251, 260, 300, 303, 312-313, 449, 467
Franco, Wellington Moreira 188
Frati 97-98, 106-107
Frati, Rolando 94
Freire, Alípio 192
Freire, Roberto 231, 238, 265, 338, 399
Freitas, Carlos Alberto (Beto) Soares 50
Freitas, Lourival 255
Freyre, Gilberto 62
Fritsch, José 468
Fritsch, Winston 259
Frota, Sílvio 53, 88, 145
Fruet, Gustavo 433
Fuentes, Carlos 405
Fumeiro, Antônio (tio de Zé Dirceu) 26
Furlan, Luiz Fernando 341, 352, 363
Furtado, Alencar 157
Furtado, Celso 123, 247
Fux, Luiz 323, 451

G

Gabeira 234-235
Gabeira, Fernando 316, 399
Gabrielli, José Sergio 386
Gamberini, Rodolpho 160
García, Alan 410
Garcia, Marco Aurélio 50, 192, 258, 277, 341, 350-351, 430, 439
Garibaldi 65
Garnero, Mário 327-328, 330
Garotinho, Anthony 295, 297, 326, 338, 349, 443
Gaspari, Elio 88
Geisel, Ernesto 48, 53, 61, 71, 88
Genoíno, José 187, 208, 218, 224, 240, 245, 255, 263, 307, 340, 429, 446, 467, 472
Genro, Luciana 436
Genro, Tarso 227-228, 241, 265, 300-301, 306, 342, 346, 354, 430-431, 439, 468
Giambiagi, Fabio 374
Gil 142-144, 148, 158, 163, 165, 169
Gil, Gilberto 316, 341, 347
Gil, José Alcindo 142
Girardi, Natanael de Moura 133-134
Gisela (sócia de Ângela Saragoça)
Golbery 147
Goldeinstein, Lídia 283
Goldfajn, Ilan 358
Goldman, Alberto 206, 222, 266
Gomes, Antônio (Zoinho) 149
Gomes, Ciro 249, 294, 313, 323-324, 326, 338, 343, 345, 352, 400
Gomes, Eduardo 25, 68
Gomes, Jeová Assis 104, 113
Gomes, Paulo Tarso de Oliveira 317
Gonçalves, Alberto (Betinho) 24
Gorender, Jacob 50, 62
Goulart, João 28, 37, 46, 68
Gouveia, André 38, 63, 80
Gouveia, Roberto 222
Grabois, Maurício 62
Grael, Dickson 95
Grajew, Oded 351
Gramsci, Antonio 65
Granado, Antônio 227
Grassi, Antonio 439
Grau, Eros 440, 445, 448-450
Graziano, José 342, 374
Greenhalgh, Luiz Eduardo 171, 228, 258, 275, 397, 437
Gregori, José 337
Guadagnin, Ângela 264
Guanaes, Nizan 317
Guedes, José Luís 72
Guedes, Júlio 22
Guevara, Alfredo 99, 104, 107, 113
Guevara, Ernesto "Che" 50

ZÉ DIRCEU

Guia, Walfrido Mares 341
Guimarães, José 79, 82, 430
Guimarães, José Carlos 79
Guimarães, Ulysses 48, 158, 189, 195, 198, 219, 223, 237, 408
Guimarães, Virgílio 218, 397, 425
Guindani, Miriam 434
Gushiken, Luiz 175, 192, 212, 218, 320, 351, 396, 426, 435, 444, 468

H

Haddad, Fernando 227, 349
Haddad, Jamil 234
Harnecker, Marta 105
Harrington, Anthony 327
Hartung, Paulo 408
Hatum Aristófanes (Tofinho) 154
Heck, Sylvio 68
Heloísa Helena 436
Henrique, Carlos 135, 144, 153, 163
Herzog, Vladimir 71, 138, 156, 191
Hirszman, Leon 100
Holanda, Sérgio Buarque de 62, 64
Horta, Cida (Adélia) 134-135, 148, 155, 162, 398
Hrinak, Donna 329
Huberman, Leo 136
Hublet, Yves 441
Humala, Ollanta 410-411

I

Iavelberg, Iara 80
Ibrahim, José 94, 97
Ieno, Francisco "Chico" Fernando de Castro 24
Iglesias, Belarmino 142
Itagiba, Marcelo 317
Iuri (irmão de Iara Xavier) 172
Ivo 163, 165, 169
Ivone (namorada de Zé Dirceu) 197
Izar, Ricardo 436, 438

J

J. Posadas 176
Jango 37-38, 46-47, 54, 58, 64, 68-70, 185, 230, 263, 296
Jefferson, Roberto 421-424, 429-430, 435, 439, 444, 446, 473, 477
Jeová 114, 126, 134, 155
Jereissati, Tasso 220, 246, 249, 312, 379-380, 383
Joana (filha de Zé Dirceu) 5, 19, 232, 272-273, 397, 472
João Alfredo 425, 436
João Paulo 218-219, 382, 439
Joaquim (tio de Zé Dirceu) 26
Jobim, Nelson 323, 445, 449
Jorge, Eduardo 205, 218-219, 241, 246, 265, 303

Josaphat, Frei Carlos 50
Josye 45
Julião, Francisco 97
Júlio (primo de Zé Dirceu) 27
Júlio (tio de Zé Dirceu) 22, 27-28
Jungmann, Raul 293, 319
Junior, Avallone 26, 28-29, 44, 85
Júnior, Caio Prado 62, 64, 123, 247
Junior, Enzo Nico 183
Júnior, José de Filippi 211
Júnior, Nabor 198
Junior, Policarpo 385, 388, 390-392, 422, 425
Junqueira, Aristides 433

K

Kalashnikov, Mikhail 112
Kelmann, Jerson 400
Kennedy, Edward 173
Khrushchov, Nikita 49
Kirchner, Néstor 411, 416
Kissinger, Henry 53, 173
Kotscho, Ricardo 341, 351-352
Kubiks, Helena (mãe de Clara) 153
Kubitschek, Juscelino 21, 27, 36, 47, 61, 68, 70, 228
Kucinski, Ana 352
Kucinski, Bernardo 351

L

Lacerda 42, 61, 63, 70, 296
Lacerda, Carlos (Corvo) 296, 421
Lacerda, Carlos 25, 46-47, 70, 296, 350, 421
Lacerda, Flávio Suplicy de 39
Lacerda, Genival 150
Lacerda, Márcio 431, 433
Laerte (esposo de Marli) 152
Lagos, Ricardo 410
Laino, Omar 85
Lamarca, Carlos 51-52, 62, 81, 87
Lambert, Pierre Boussel 176
Lauri 106, 114, 126, 129, 134, 155
Lauro (irmão de Adolpho Rocca Dieguez) 88
Lázaro 154-155
Lazinho, "seu" 23
Leal, Victor Nunes 89
Leal, Victor Nunes 89, 447
Lee (chinesa) 30, 45
Leitão, Miriam 358, 374
Leite, Paulo Moreira 250
Leiva, João 221
Lemann, Jorge Paulo 461
Lembo, Cláudio 442
Lenin 38, 123
Leonardo, João (Mário) 109
Leonardo, João 97-98, 106, 116, 125-126, 134-135, 137-139, 145, 148, 154-155
Leopoldo (irmão de Fernando Collor) 236, 300

Lewandowski, Ricardo 448
Lichtenstein, Carlinhos 169
Lima, Carlos Fernando dos Santos 393
Lima, Francisco Negrão de 47
Lima, Geddel Vieira 345
Lima, Haroldo 50
Lima, Hermes 89, 447
Lima, Jorge da Cunha 197
Lima, José Luís de Oliveira (Dr. Juca) 437
Lima, Oliveira 64
Lima, Osmir 282
Lima, Raul Nogueira de (Raul Careca) 78-80
Lima, Vera Lúcia dos Santos 393
Lindsey, Lawrence 328
Lins, Luizianne 210
Lisboa, Luiz Eurico 173
Lisboa, Suzana 173
Lito (irmão de Clara) 153
Lobo, Haddock 64, 123
Lola 80
Lopes, Francisco 301
Lott, Henrique 120
Lott, Henrique Teixeira 54, 68
Loyola, Gustavo 287
Luís Cláudio (filho de Lula) 237
Luís Eduardo (irmão de Zé Dirceu) 21, 197
Luís Eduardo 298
Luiz Sérgio 439
Luiza Erundina 216, 220-222, 225, 227, 256, 271, 277, 398
Luizinho, Professor 435
Lula 5, 15, 19, 44, 85, 120, 147-148, 165, 175, 178, 181-182, 185-188, 190-193, 195-196, 198, 200, 203, 209-210, 212-213, 218-221, 223-224, 227, 231, 234-239, 241-242, 245-246, 248, 252-254, 256-263, 265, 267-268, 271, 273-274, 276-278, 280, 284, 288-290, 292-301, 303-304, 306-309, 311-314, 316-323, 325-334, 336-337, 339-348, 350-352, 354-355, 357, 359-366, 368, 370-378, 382, 384, 393-395, 397-411, 413-418, 420-428, 430-435, 437, 439, 445, 448-449, 451-461, 464-466, 468-472, 475, 477, 479-480, 482-485
Lupi, Carlos 343
Lurian (filha de Lula) 236-237
Luxemburgo, Rosa 50, 65
Luzia, dona (mãe de Maria Rita) 396

M

Mabel, Sandro 481
Macedo, Edir 313

ÍNDICE ONOMÁSTICO

Machado, Gilmar 425
Machado, José 192, 278
Machado, Márcio Beck 106, 126, 155
Machado, Sibá 436
Maciel, Marco 204, 261, 307
Madalena, Hélio 437
Madureira, Demóstenes 303
Magalhães, Antônio Carlos 204, 298, 309, 382, 443
Magalhães, Heloísa Helena (codinome Maçã Dourada) 60
Magalhães, Luís Eduardo 289, 298
Magno, João 435
Maia, Agripino 380
Maia, Carlito 235
Maia, César 235
Maia, João 282
Maklouf, Luiz 237
Malan, Pedro 249, 259, 282-283, 310, 314, 325
Malfitani, Chico 207
Maluf, Paulo 177, 195, 221, 228, 230, 300
Mandel, Ernest 176
Mandela, Nelson 89, 410
Maninha, Maria José 425
Mantega, Guido 352, 355
Manuel (irmão de Ângela Saragoça) 183
Manuel (pai de Ângela Saragoça) 183
Maranhão, José 313, 345, 408
Marcelo, Mauro 425
Marchetti, Ivens 94-95, 98
Márcia 5
Marcone (cunhado de Maria Rita) 396
Marcos (filho de dona Marisa) 237
Marcos Paulo 45
Maria Antônia (filha de Cida Horta) 134
Maria Antonia (filha de Zé Dirceu) 5, 15, 18-19, 273
Maria do Carmo 21
Maria Helena 337
Maria Rita 5, 272, 396, 428, 437, 472
Maricato, Ermínia 361
Marighella, Carlos 38, 49-50, 56- -57, 62, 66, 69, 94, 108, 113, 158, 196
Marinho, Maurício 421-422
Marinho, Roberto 157, 237
Marini, Ruy Mauro 50
Marisa, dona 176
Mariza (esposa de José Alencar) 347
Marli (prima-irmã de Clara) 152
Marques, José Augusto de Azevedo (Zé Al) 78
Marques, Roberto 479
Martinelli, Renato 78
Martinez, Flávio 436, 438
Martinez, José Carlos 423

Martinho, Erazê 207
Martins, Flanklin 50, 84-85, 98
Martins, Ives Gandra 442
Martins, Jairo 422
Martins, Mário 85
Marx 64
Marx, Karl 38, 196
Massa, Boanerges (Felipe) 106, 109, 112
Mata, Lídice da 455
Matarazzo, Filomena 206
Matarazzo, Francesco 206
Matheus, Carlos 106
Matos, Délio Jardim de 350
Mattoso, Jorge 394
Mauch, Cláudio 287, 303
Mayer, Frederico Eduardo (Gaspar) 122
Mazzilli, Ranieri 46
Medeiros, Marcelo 74
Medeiros, Marcos 84
Medeiros, Otávio 79
Médici 53, 70-71, 76, 88, 115, 134, 156
Médici, Emílio Garrastazu 48, 70, 107
Meirelles, Henrique 339, 341, 444- -445, 465
Meliga, Laerte 169
Mello, Bandeira de 39
Mello, Carlos Henrique Gouveia de 135, 165
Mello, Ednardo D'Ávila 156
Mello, Fernando Collor de 231, 300, 423
Mello, Marco Aurélio de 320
Mello, Osvaldo Aranha Bandeira de 32
Mello, Osvaldo Aranha Bandeira de 32,
Mello, Pedro Collor de 243
Mello, Rosane Collor de 243
Mello, Zélia Cardoso de 243, 249
Melo, Celso Antônio Bandeira de 449
Mendes, Amazonino 282
Mendes, Bete 187, 205
Mendes, Chico 236
Mendes, Gilmar 385
Mendonça, Duda 253, 261, 300, 316, 336, 431, 433, 435, 439, 479
Mendonça, José Roberto 283
Menezes, Gilson 211, 226
Menin, Francisco José 79
Mentor, José 258, 380-381
Mercadante, Aloizio 245, 261, 347
Mesquitas 28, 106
Meyer, Frederico 106
Milhomem, Gumercindo 175, 218-219
Minelli, Liza 173
Miranda, Nilmário 342, 352, 402- -403, 439
Miriam 162-163, 169, 236-237

Moisés, José Álvaro 192, 274
Molina, Flávio 106, 129, 134, 155
Monteiro, Dilermando 156
Montoneros 122, 131
Montoro, Franco 32, 39, 187, 191, 195-198, 220, 262
Morais, Fernando 7, 15-16, 82, 167, 441
Morales, Evo 410-411
Morano, Reinaldo (Xuxu) 169
Moreira, Marcílio Marques 243
Moreno, Nahuel 176
Moro, Sérgio 381, 393
Mortati, Aylton (Tenente) 106, 109
Moss, Gabriel Grün 68
Mossri, Dinamar 167
Mossri, Flamarion 75-76, 99, 167, 209, 238, 252
Mossri, Pedro 167
Mota, João 22, 25-26
Mota, Silvio de Albuquerque (Sacristão) 106, 134
Motta, José André 30
Motta, Sérgio (Serjão) 50, 220, 282- -283, 298-299
Mubarak, Hosni 412, 414
Múcio, José 423, 439
Mujica, Pepe 410
Munhoz, Dércio Garcia 374
Murad, Jorge 317
Mursi, Mohamed 412

N

Nakabayashi, Jun 78
Nakano, Yoshiaki 359
Nascimento, Alfredo 322
Nasser, Gamal Abdel 36
Ned, Nelson 101
Nehru, Jawaharlal 36
Neide (irmã de Zé Dirceu) 21-22, 76, 99, 165-166, 168, 238
Neide Aparecida 431
Neto 141
Neto, Amaral 157
Neto, Nicolau dos Santos 303
Neto, Prudente de Morais 146
Neto, Valdemar Costa 322, 431, 440, 467, 479
Neves, Aécio 311, 317, 432, 454
Neves, Tancredo 148, 164, 178, 185, 187, 195, 198-199, 204- -206, 261, 347
Nicoletti, Américo 78
Nogueira, Clauset 169
Nogueira, José Carlos Ataliba 32
Nogueira, Rose 169
Nonô, Thomaz 399
Nunes, Victor 447

O

Obama, Barack 411
Ochoa, Arnaldo 111

ZÉ DIRCEU

Olga (mãe de Zé Dirceu) 21-22, 28, 96, 165, 167, 417
Oliveira, Luiz Henrique de 313
Oliveira, Ricardo Sérgio de 301, 380
Oliveira, Wendell de 431
Onofre (compadre) 31
Orlando (irmão de Clara) 152-153
Ortega, Daniel 162, 411
Osni, Ricardo 79
Osório, Jefferson Cardim 69

P

Pacheco, Argonauta 94, 98, 106
Padilha, Eliseu 345
Paes, Fernão Dias 21
Paim, Paulo 218, 282
Palmares, Gilberto 439
Palmeira, Ana Maria 134
Palmeira, Ana Maria Ribas Brasil 106
Palmeira, Guilherme 84, 261
Palmeira, Rui 84
Palmeira, Vladimir 16, 50, 57, 83, 94, 97, 106, 178, 218, 255, 261, 274-275, 291, 295
Palocci, Antônio 320, 352, 357, 444, 472
Parente, Pedro 324, 331, 337, 468, 472
Parisi, José 79-80
Parro, Humberto 211
Passarinho, Jarbas 89, 253
Passoni, Irma 169, 187, 205, 218, 245
Passos, Mauro 425
Paula, Ernani de 422
Paulo II, João 375
Pazzianotto, Almir 208, 260
Pedro (tio de Zé Dirceu) 26
Pedrosa, Mário 159, 165
Pedrosa, Vera 165
Peluso, Cezar 448, 450
Pereira, Athos 275
Pereira, Bresser 359
Pereira, Hamilton 275
Pereira, Silvio 429, 432, 435
Pereira, Simone Patrícia Tristão 18
Peres, Aurélio 195
Perillo, Marconi 384
Perrone, Fernando 75, 89
Perry, Bill (William James) 329
Pertence, Sepúlveda 449
Pestana, Geraldo 275, 277
Pietá, Janete 192
Pimentel, Fernando 221, 227, 439
Pimentel, José 372
Piñeiro, Manuel (Barba Roja) 104
Pinheiro, Ibsen 441
Pinheiro, Israel 47
Pinheiro, José Bragança 31
Pinheiro, Walter 425
Pinheiro, Wilson 279
Pinto, Bilac 25

Pinto, Carvalho 221
Pinto, Chico 211
Pinto, Magalhães 46, 70
Pinto, Onofre 94
Pires, José Aparecido 350
Pires, Magno 220
Pires, Waldir 212
Pitanga, Antônio 439
Pitta, Celso 228
Pomar, Pedro 62, 156
Pomar, Valter 258-259, 274
Pombo, Rocha 123
Pont, Raul 314, 437
Pontecorvo, Gillo 127
Preis, Arno 106, 134, 139, 145
Presley, Elvis 24-25
Prestes, Luís Carlos 49, 231

Q

Quadros, Jânio 36, 47, 68, 120, 206, 227
Quadros, Júlio 314
Queiroz, Agnelo 344, 348
Quércia, Orestes 51, 191, 206, 209, 221, 237, 300, 313, 345, 408

R

Rabello, Kátia 440
Rabelo, Renato 50, 344, 467
Ramos, José Augusto da Silva 211
Ramos, Marcia 272
Ramos, Moacir Ferreira 284
Rangel, Ignácio 123
Raul, Luís 64
Reagan, Ronald 162, 285
Rebelo, Aldo 344, 383, 395, 399, 425, 428, 442, 473
Regina (esposa de Vladimir Palmeira) 178
Rego, Ricardo Vilas Boas Sá 94
Reinaldo (médico) 171
Reinisch, Egon 95
Reis, Daniel Aarão 50
Reis, Simone 433
Renilda (esposa de Marcos Valério) 430
Requião, Roberto 300, 313, 345, 408, 423
Resende, André Lara 209, 259, 283, 291, 301
Resende, Eliseu 259-260
Reys, Lauriberto (Lauri) 106
Reys, Lauriberto José 104
Rezende, Íris 198, 313, 345
Rezende, Sérgio 344
Ribas, Antônio Guilherme Ribeiro 85
Ribas, Dalmo 92
Ribas, Guilherme 82
Ribas, Walter 92
Ribeiro, Darcy 295
Ribeiro, Devanir 192

Ribeiro, Gustavo Nogueira 386-387
Ribeiro, Marco Aurélio 85, 169
Ribeiro, Matilde 342
Ricardinho (Azevedo) 170
Rice, Condoleezza 330, 411
Richa, José 198, 238, 394
Ricúpero, Rubens 262
Rigotto, Germano 229, 313, 345, 408
Roberto Carlos 101
Rocha, Flavio 461
Rocha, Glauber 100, 147
Rocha, Itamar 111
Rocha, João Leonardo da Silva 94
Rocha, Paulo 435, 440
Rocha, Ronald 241
Rodrigues, Bispo 440
Rodrigues, José Honório 64, 123
Rodrigues, Roberto 341, 345, 352
Roio, José Luís Del 196
Romero, Sílvio 123
Roriz, Joaquim 280
Rosa, Luiz Pinguelli 344
Rose, Charlie 330
Rosinha (esposa de Anthony Garotinho) 343
Rosinha, Doutor 425
Rossetto, Miguel 341
Rossi, Francisco 265
Rostey, Margareth de Cássia Thomaz 284
Rousseff, Dilma 19, 50, 199, 207, 235, 308, 329, 341, 388, 451, 461
Rubens, Paulo 425

S

Sá, Jair Ferreira de 50
Sader, Eder 50, 192
Salazar, Oliveira 131
Salinas, Ricardo 406
Salvatti, Ideli 436
Sampaio, Plínio de Arruda 218, 220, 224, 239, 245, 274-275
Sandro (filho de Lula) 237
Santayana, Mauro 441
Santiago, Ronivon 282
Santiago, Tilden 274, 314
Santillo, Henrique 180
Santoro, José Roberto 383, 392, 394, 426
Santos, Antônio da Costa (Toninho) 227, 311
Santos, Édson 439
Santos, José Anselmo dos (Cabo Anselmo) 134
Santos, Juan Manuel 412
Santos, Luciana 439
Santos, Luiz Alberto 349
Santos, Paulo de Tarso 235, 261
Santos, Sérgio 169
Santos, Wanderley Guilherme dos 441, 443
Saragoça, Ângela 5, 182, 444, 478
Saragoça, Irene Terras 183

494

ÍNDICE ONOMÁSTICO

Saragoça, Joana 232
Sardenberg, Carlos Alberto 374
Sarney, José 199-200, 204, 311, 313, 324, 327, 382, 467
Sarney, Roseana 298, 311, 313, 316, 320
Sayad, João 324
Scalco, Euclides 239
Schilling, Flávia 182
Sedaka, Neil 24
Seixas, Sigmaringa 437, 449
Senna, Ayrton 232
Sereno, Marcelo 348, 434
Serra, José 50, 72, 220, 235, 282-283, 299, 312, 316-317, 319-320, 326, 331-333, 374, 380
Serraglio, Osmar 433, 436, 438
Serrano, Pedro Estevam 441
Sesso, Vicente 44
Setúbal, Olavo 206
Severo, Marieta 167
Silva, Ana Maria Guedes (irmã de José Dirceu) 21, 166
Silva, Arthur da Costa e 47
Silva, Benedita da 218, 277, 295, 342, 352, 439
Silva, Castorino de Oliveira e 469
Silva, Evandro Lins e 89, 447
Silva, Francisco Rocha da (Rochinha) 277
Silva, Golbery do Couto e 156, 178
Silva, Hélio 64, 123
Silva, José Pereira da 106
Silva, Luiz Inácio Lula da 15, 148, 218, 405
Silva, Lyda Monteiro da 177
Silva, Marina 80, 277, 338, 341, 400, 454
Silva, Olga Guedes da 22
Silva, Vicente Paulo da (Vicentinho) 293, 431
Silveira, Luiz Henrique da 408
Silvia (namorada de Zé Dirceu) 89
Simões, Domingos 74
Simon, Pedro 313, 345
Simonsen, Roberto 123
Singer, André 341, 351
Singer, Paul 374
Siqueira, Geraldo 169, 205
Siqueira, João 24
Skaf, Paulo 461
Slim, Carlos 405
Snowden, Guy 394
Soares, Airton 167, 171, 173, 187, 205, 398
Soares, Bárbara 434
Soares, Expedito 222
Soares, Luiz Eduardo 433
Soares, Maurício 220
Sobrinho, Cid Barbosa Lima 78
Sodré, Abreu 80
Sodré, Nelson Werneck 64, 123
Sokol, Markus 314
Somaggio, Karina 430

Sooma, Ivo 142-144, 148
Soros, George 302
Sottili, Rogério 349
Souza, Roberta Barrouin Carvalho de 302
Souza, Telma de 220, 222, 225-226, 264, 271, 277
Spektor, Matias 53, 328-329
Spis, Antônio Carlos 285
Stalin, Josef 49
Starling, Sandra 278
Stédile, João Pedro 286
Steinbruch, Benjamin 303
Suplicy, Eduardo 169, 187, 205, 220, 228, 250, 286, 300, 425, 439
Suplicy, Marta 172, 227-228, 271, 290, 299, 301, 307, 340, 431
Suplicy, Paulo Cochrane 206
Sweezy, Paul 136

T

Tadeu (primo de Zé Dirceu) 27
Tania (namorada de Zé Dirceu) 108, 113, 172
Tarso, Paulo de 171, 288
Tatto, Jilmar 307
Taunay, Afonso de 123
Tavares, Flávio 94-95, 98
Tavares, Martus 303
Tebet, Ramez 198, 467
Teixeira, Dirceu 288
Teixeira, Miro 318, 343, 426
Teixeira, Roberto 288, 347
Telles, Jover 50, 62
Temer, Michel 147, 217, 304, 338, 345, 453, 464
Temer, Milton 294
Tersariol, Alpheu 30
Thatcher, Margaret 162, 285
Thiago, Paulo 439
Thomaz, Maria Augusta (Bica) 106, 109, 126, 129
Tierra, Pedro 275
Tito, Josip Broz 36
Toffoli, José Antonio Dias 349, 403
Toledo, Alejandro 410
Toledo, Comandante 56
Torres, Alberto 123
Torres, Demóstenes 384-385, 388, 422, 425
Torres, Juan José 37
Torrijos, Omar 37
Travassos, Luís 56, 72, 83, 94, 97
Trevas, Vicente 349, 356
Troyjo, Marcos 328
Tsé-Tung, Mao 49
Tuma 271

V

Vaccarezza, Cândido 258, 271, 274, 276

Valadares, Benedito 21
Valente, Ivan 425, 436
Valério, Marcos 426, 430-433, 444--446, 477
Vannuchi, Alexandre 183
Vannuchi, Paulo 169, 171, 175, 271
Vargas, Getúlio (Gegê) 25, 46, 67
Vasconcelos, João Paulo Pires 175, 218
Vásquez, Tabaré 410
Veiga, Pimenta da 221
Veloso, João Paulo dos Reis 146
Venceslau, Paulo de Tarso 160, 287
Veríssimo, Érico 123
Viana, Jorge 225, 227
Viana, Tião 279
Vianna, Oliveira 123
Viegas, José 345, 402-403
Vilela, Maguito 313, 345, 396
Vilela, Teotônio 157, 195
Villas, Alberto 7
Villela, Moacyr Urbano 63, 80, 169
Viotti, Emília 123
Virgílio, Artur 383
Virginia (esposa de Zé Careca) 135

W

Wagner, Jaques 274, 278, 286, 342, 352, 428, 439
Waldtenfel, Émile 25
Weber, Rosa 451
Weffort, Francisco 274
Weid, Jean Marc von der 74, 77
Wells, H.G. 124
Weymouth, Lally 330
Wilson, Carlos 364, 423
Wilson, Mario 21

X

Xavier Iara (Tania) 113, 172
Xavier, Zilda 172

Y

Youssef, Alberto 393

Z

Zamikhowsky, Eliane 106
Zanconato, Mário (Xuxu) 94-95, 98
Zarattini, Ricardo 94-95, 196
Zavascki, Teori 451
Zé Al 78
Zé Careca 135
Zeca (filho de Zé Dirceu) 5, 19, 158, 164-166, 168, 178, 232, 272-273
Zeca do PT 229, 279
Zerbini, Euryale 74
Zerbini, Therezinha 74

INFORMAÇÕES SOBRE A
GERAÇÃO EDITORIAL

Para saber mais sobre os títulos e autores
da **GERAÇÃO EDITORIAL**,
visite o *site* www.geracaoeditorial.com.br
e curta as nossas redes sociais.

Além de informações sobre os próximos lançamentos,
você terá acesso a conteúdos exclusivos
e poderá participar de promoções e sorteios.

🏠 geracaoeditorial.com.br

📘 /geracaoeditorial

🐦 @geracaobooks

📷 @geracaoeditorial

Se quiser receber informações por *e-mail*,
basta se cadastrar diretamente no nosso *site*
ou enviar uma mensagem para
imprensa@geracaoeditorial.com.br

GERAÇÃO EDITORIAL

Rua João Pereira, 81 – Lapa
CEP: 05074-070 – São Paulo – SP
Telefone: (+ 55 11) 3256-4444
E-mail: geracaoeditorial@geracaoeditorial.com.br